二十五史藝文經籍志

考補萃編

第十一卷

王承略　劉心明　主編

補晉書經籍志

補晉書藝文志

補晉書藝文志

〔清〕朱榮光　撰
　　　朱新林　整理

〔清〕黃逢元　撰
　　　朱新林　整理

吳士鑑　撰
朱新林　整理

清華大學
出版社
北京

圖書在版編目（CIP）數據

二十五史藝文經籍志考補萃編. 第 11 卷／王承略，劉心明主編 .—北京：清華大學出版社，2012.4

ISBN 978-7-302-28277-8

Ⅰ.①二…　Ⅱ.①王…②劉…　Ⅲ.①中國歷史：古代史－紀傳體 ②二十五史－研究　Ⅳ.①K204.1

中國版本圖書館 CIP 數據核字（2012）第 040141 號

責任編輯：馬慶洲
封面設計：曲小華
責任校對：王榮静
責任印製：楊　艷

出版發行：清華大學出版社
　　　　　網　　址：http://www.tup.com.cn，http://www.wqbook.com
　　　　　地　　址：北京清華大學學研大厦 A 座　郵　編：100084
　　　　　社總機：010-62770175　　　　郵　購：010-62786544
　　　　　投稿與讀者服務：010-62776969，c-service@tup.tsinghua.edu.cn
　　　　　質　量　反　饋：010-62772015，zhiliang@tup.tsinghua.edu.cn
印　刷　者：清華大學印刷廠
裝　訂　者：三河市金元印裝有限公司
經　　銷：全國新華書店
開　　本：148mm×210mm　印　張：14.75　字　數：327 千字
版　　次：2012 年 4 月第 1 版　　　　印　次：2012 年 4 月第 1 次印刷
印　　數：1～3000
定　　價：45.00 元

產品編號：043537-01

目　　録

補晉書藝文志

〔清〕秦榮光　撰

朱新林　整理

底本：民國時期排印本

校本：1955 年中華書局影印《二十五史補
編》本

補晋書藝文志凡例

本《志》采典午之著述，補貞觀之缺漏，故著録之書，以晋爲限斷。

嵇康、阮籍，本非晋人，而《晋書》有傳，本《志》輔翼《晋書》，故亦録其著作。傅嘏、鍾會、鄧艾殁於魏代，而心乎晋者也；陶潛、徐廣殁於宋代，亦心乎晋者也；王鎮惡心雖在宋而殁於晋時，本《志》以心爲定評，亦以時爲限斷，故並録其書。

韋昭、朱育、張儼，吴人也；劉昺、闞駰，魏人也；而按其年代，皆在晋時，依燕、趙、秦、涼諸史之例，未敢以本書無傳而遺之。

《汲冢書》發見於晋初，本《志》亦爲收入。

部類先後，悉依《四庫全書提要》。

本《志》著録之書，必注所本。唯《隋書·經籍志》采掇最多，一注之後，不復再注，以省繁文。

著録之人，本書有傳者，不復書其官閥，間有與傳不符者，仍書以俟考。其無傳之人，既考其爵里，復爲疏通證明。

本《志》先君子屬稿於清光緒丙戌，歷二年，始脱稿。續有所得，書於眉端，或粘附別紙，丹黄拉雜，幾難辨認。錫田竭心目之力，又撿發原書，互相參校，僅得成文。原書例言，發凡於各條之下，兹彙録卷首，以便省覽，其餘悉仍舊貫。點勘既竟，重書清本，以待付印。中華民國四年六月，男錫田謹識。

補晉書藝文志卷一

上海秦榮光炳如纂

魏文代漢，更集經典，皆藏在祕書内、外三閣。晋氏承之，文籍尤廣，晋祕書監荀勖定《魏中經》，更著《新簿》，雖古文舊簡，猶云有缺，新章後録，鳩集已足，屬劉石憑陵，京華覆滅，朝章國典從而失墜。永嘉之後，寇竊競興，論其建國立家，雖傳名號，憲章禮樂，寂滅無聞。劉裕平姚，收其圖籍，五經子史，纔四千卷，皆赤軸青紙，文字古拙。僭僞之盛，莫過二秦，以此而論，是可明矣。故知衣冠軌物，圖畫記注，播遷之後，皆歸江左。《隋書·牛弘傳》開皇初《請開獻書之路表》。

魏氏代漢，采掇遺亡，藏在祕書中、外三閣。魏祕書郎鄭默始制《中經》。案此處脱"晋"字。祕書監荀勖又因《中經》，更著《新簿》，分爲四部，總括羣書。一曰甲部，紀六藝及小學等書；二曰乙部，有古諸子家、近世子家、兵書、兵家、案《玉海》引無"兵家"二字。術數；三曰景部，案唐諱丙，作"景"。有史部、案《玉海》引作"記"。舊事、皇覽簿、雜事；四曰丁部，有詩賦、圖讚、汲冢書。大凡四部合二萬九千案《舊唐書·藝文志》作"七千"。九百四十五卷，但録題及言，盛以縹囊，書用緗素。至於作者之意，無所論辨。惠、懷之亂，京華蕩覆，渠閣文籍，靡有孑遺。東晋之初，漸及鳩聚。著作郎李充以勖舊《簿》校之，其見存者，但有三千一十四卷。充遂總没衆篇之名，但以甲乙爲次。自爾因循，無所變革。其後中朝遺書，稍流江左。其中原則戰争相尋，干戈是務，文教之盛，苻、姚而已。宋武入關，收其圖籍，府藏所有，纔四千卷，赤軸青紙，文字古拙。後魏始都燕、代，南略中原，粗收經史，未能全具。《隋書·經籍志》。

王者藏書之府，薛夏云："蘭臺爲外臺，祕閣爲内閣。"晋、宋以還，皆有祕閣之號，故晋孝武好覽文藝，勅祕書郎徐廣料檢祕閣四部書，凡三萬餘卷。馬氏《文獻通考》宋淳化二年李玉等上言。

漢桓帝延熹三年，置祕書監，《初學記》："掌圖書祕記，故曰祕書。"後省。魏武爲魏王，置祕書令丞。《初學記》："典尚書奏事，即中書之任也，亦兼掌圖書祕記之事。"及文帝黄初初，置中書令，典尚書奏事，而祕書改令爲監，《初學記》："別掌文籍事。"以何禎案"禎"當作"楨"，説詳別集類。爲祕書丞，而祕書先自有丞，乃以楨爲祕書右丞。及晋受命，武帝以祕書并中書省，其祕書著作之局不廢。惠帝永平中，復置祕書監，其屬官有丞、有郎，并統著作省。著作郎，周左史之任也。漢東京圖籍在東觀，故使名儒著作東觀，有其名而未有其官。魏明帝太和中，詔置著作郎，於此始有其官，隸中書省。及晋元康二年，詔曰："著作舊屬中書，而祕書既《初學記》、《北堂書鈔》並有"別"字。典文籍，今改中書著作，《初學記》、《北堂書鈔》並有"郎"字。下同。爲祕書著作。於是改隸祕書省，後別自置省而猶隸祕書。洗馬八人，職如祕書，掌圖籍。釋奠講經則掌其事。本書《職官志》。

永平元年二月戊寅，復置祕書監官。本書《惠帝紀》。　永平元年，詔云："祕書監綜理經籍，考校古今，課試署吏，領有四百人，宜專其事。"《初學記》職官部引王隱《晋書》。

晋惠帝復別置祕書監，并統著作局，掌三閣圖書，自是祕書之府始居於外。其監，銅印墨綬，進賢兩梁冠，絳朝服，佩水蒼玉。祕書丞，銅印墨綬，進賢一梁冠，絳朝服。祕書郎掌中、外三閣經書，校閲脱誤。進賢一梁冠，絳朝服，亦謂之郎中。武帝分祕書圖籍列爲甲、乙、丙、丁四部，使祕書郎四人各掌其一。著作郎，進賢兩梁冠，介幘，絳朝服。王隱待詔著作，單衣介幘，月朔詣於著作省。佐著作郎八人，進賢一梁冠，絳朝服，祕書監自調補之。鄭氏《通志·職官略》。

祕書郎掌中、外三閣經書，覆校闕遺，正定脫誤。《太平御覽》職官部引《晉令》。

《易》梁邱、施氏、高氏亡於西晉，孟氏、京氏有書無師。晉世祕府所存有《古文尚書》經文。及永嘉之亂，歐陽、大、小夏侯《尚書》並亡。東晉豫章內史梅賾，案“賾”當作“頤”，說詳書類。始得安國之傳奏之，又闕《舜典》一篇。《魯詩》亡於西晉。《韓詩》雖存，無傳之者。惟《毛詩》鄭箋，至今獨立。《隋書·經籍志》。

張華與荀勖共整理記籍，又立《書》博士，置弟子教習，以鍾、胡爲法。《太平廣記》書部引《書斷》。

盛書有縑袠、青縑袠、布袠、絹袠。《御覽》文部引《晉中經簿》。

咸寧五年冬十月，汲郡人不準案《太平廣記》引《尚書故實》云：“《汲冢書》，蓋汲郡耕人於古冢中得之，耕人姓不。”原註：“不字呼作彪，其名曰准。出《春秋後序》、《文選註》。”考《正字通》云：“不姓之不，轉註古音，音彪是也。‘準’俗作‘准’，《廣記》註之‘淮’，疑‘准’之譌。”掘魏襄王冢，得竹簡小篆古書十餘萬言，藏于祕府。本書《武帝紀》。　　初太康二年，案《玉海》云：“王隱《晉書·束皙傳》作太康元年。”汲郡人不準，盜發魏襄王墓，或云安釐王冢，得竹書數十車，案《御覽》禮儀部：“王隱《晉書》：太康元年，汲郡民盜發魏安釐王冢，得竹書漆字。”其《紀年》十三篇、案下文云“大凡七十五篇”，核計《易經》等共三十七篇、雜書十九篇、不識名題七篇，則《紀年》止合得十二篇，不當有十三篇。考《隋書·經籍志》、《春秋》孔正義，並云《紀年》十二卷，据此，“三”疑“二”之譌。《易經》二篇、《易繇陰陽卦》二篇、《卦下易經》一篇、《公孫段》二篇、《國語》三篇、《名》三篇、《師春》一篇、《瑣語》十一篇、《梁邱藏》一篇、《繳書》二篇、《生封》一篇、《大曆》二篇、《穆天子傳》五篇、《圖詩》一篇，又雜書十九篇，大凡七十五篇。七篇簡書折壞，不識名題。漆書皆科斗字。初，發冢者燒策照取寶物。及官收之，多燼簡斷札，文既殘缺，不復詮次。武帝以其書付祕書校綴次第，尋考指歸，而以今文寫之。本書《束晳傳》。　太康元年，汲縣人盜發魏襄王冢，得策書十餘萬言。本書《衛恒傳》《四體書勢》。　太康二年，汲縣民不准盜發古冢，得書皆竹簡素絲編。以臣勗前所考定古尺度，其簡長二尺四寸，以墨書，一簡四十字。汲郡收書不謹，多毀落殘缺，雖其言不典，皆是古書，頗可觀覽，謹以二尺黃紙寫上，請事平以本簡書及所新寫並付祕書繕寫，藏之中經，副在三閣。荀勗《穆天子傳叙》。　太康元年，汲郡得古書，始者藏在祕府，余晚得見之，所記大凡七十五卷，多雜碎怪妄，不可訓知。《周易》及《紀年》最爲分了。杜預《左傳後序》。　荀勗領祕書監，與中書令張華，依劉向《別錄》，整理記籍，又立《書》博士，置弟子教習，以鍾、胡爲法。及得汲郡冢中古文竹書，詔勗撰次之，列在祕書。本書《荀勗傳》。　荀勗領祕書監，太康二年，汲郡冢中得竹書，勗躬自撰次注寫，以爲《中經》，列於祕書。經傳缺文，多所證明。《初學記》職官部引傅暢《晉諸公讚》。　閻氏《困學紀聞注》曰：“同一《束晳傳》，王隱撰者曰太康元年，房喬修者曰太康二年，當以目擊之言爲據。《晉武帝紀》本起居注，杜預爲《左傳後序》，皆目擊者也。冢發於咸寧五年冬十月，官輒聞知，明年太康改元，三月吳平，預始得知。又二年親見其書，故《序》曰‘初藏祕府，余晚獲見之’。”案《汲冢書》之得，杜預《左傳後序》作“太康元年三月”，與衛恒《四體書勢》、《隋·經籍志》、《春秋正義》並合。而荀勗《穆天子傳叙》作“太康二年”，汲縣太康十年《齊太公吕望表》亦稱“太康二年，縣西偏盜發冢，得竹策書”，與本書《束晳傳》又合。然皆不合於本書《武帝紀》，竊疑《武紀》咸寧五年冬十月，實竹書出冢之期；太康元年三月，乃竹書付祕監之候；太康二年，則祕監校定竹書奏上之時焉。

范平，家世好學，有書七千餘卷，遠近來讀者，恒有百餘人。本書傳。

皇甫謐，武帝頻下詔敦逼，並不起。自表就帝借書，帝送一車書與之。本書傳。

張華，家無餘財，唯有文史溢於機篋。嘗徙居，載書三十乘。祕書監摯虞撰定官書，皆資華之本以取正焉。天下奇祕，世所希有者，悉在華所。本書傳。

裴頠，惠帝即位，遷侍中。時天下暫甯，頠奏脩國學，刻石寫經。本書傳。

裴頠爲國子祭酒，奏立國子太學，起講堂，築門闕，刻石寫五經。《唐六典》注引《晉諸公讚》。

建興初，張寔遣督護王該獻經史圖籍于京師。本書傳。

應詹與陶侃破杜弢於長沙，賊中金寶溢目，詹一無所取，唯收圖書。本書傳。

中興草創，未置史官。王導始啓立，于是圖籍頗具。本書傳。

石勒簿王浚官寮親屬，皆貲至巨萬。唯裴憲與荀綽，家有書百餘袠而已。本書傳。

元帝踐阼，荀崧轉太常，上疏曰："世祖武皇帝，應運登禪，崇儒興學。西閣東序，河圖祕書禁籍。臺省有宗廟太府金墉故事，太學有石經古文，①先儒典訓。本書傳。

李充爲大著作郎，于時典籍混亂，充删除煩重，以類相從，分作四部。五經爲甲，史記爲乙，諸子爲丙，詩賦爲丁，甚有條貫，祕書以爲永制。本書傳。

孝武甯康案當作"太元"。十六年，詔著作郎徐廣校祕閣四部，見書凡三萬六千卷。《玉海》引《續晉陽秋》。

太元十八年，王謐爲祕書丞，乃表前尚書殷允、中書郎張敞、太子後率郗儉之、故太常桓石秀是多書之家，請祕書郎分局采借。《御覽》職官部引檀道鸞《晉陽秋》。

祕書丞桓石綏啓校定四部之書，詔遣郎中四人，各掌一部。《初學記》職官部引《晉太康起居注》。案"康"應作"元"。

皇天塲北，古時陶穴，晉時有人逐狐入穴，行十里許，得書二千餘卷。《御覽》文部引伏滔《北征記》。

范甯教曰："籍官之大信，而比散在衆曹，此不可也。可令作十

---

① "太學"二字原脱，據中華書局點校本（以下簡稱中華本）《晉書》補。

五籍廚,一縣一廚。"《御覽》服用部。

金行纂極,文雅斯盛。張載擅銘山之美,陸機挺焚研之奇,潘夏連輝,頡頏名輩,並綜採繁縟,杼軸清英,窮廣内之青編,緝平臺之麗曲,嘉聲茂迹,陳諸別傳。至于吉甫、太沖,江右之才傑;曹毗、庾闡,中興之時秀。信乃金相玉潤,林薈川沖,埒美前脩,垂裕來葉。今撰其鴻筆之彦,著之《文苑》云。本書《文苑傳》。

爰逮晋氏,見稱潘、陸,並黼藻相輝,宫商間起,清辭潤乎金石,精義薄乎雲天。永嘉已後,玄風競扇,辭多平淡,文寡風力。降及江左①,不勝其弊。《隋書·經籍志》集類。

石季龍雖昏虐無道,而頗慕經學,遣國子博士詣洛陽寫石經,校《中經》于祕書。國子祭酒聶熊注《穀梁春秋》,列于學官。本書《石季龍載記》。②

皇甫真爲典書令,從慕容評攻拔鄴都,珍貨充溢,真一無所取,唯收圖籍而已。本書載記真傳。

苻堅嘗幸太學,問博士經典,乃憫禮樂遺闕。時博士盧壼對曰:"廢學既久,書傳零落,比年綴撰,正經粗集。"本書《列女·韋逞母宋氏傳》。

李先案先本名犍,史避魏高祖諱改。遷博士,太祖問先曰:"天下何書最可益人神智?"先對曰:"唯有經書。三皇五帝,治化之典,可以補王者神智。"又問曰:"天下書籍,凡有幾何? 朕欲集之,如何可備?"對曰:"伏羲創制,帝王相承,以至於今,世傳國記天文祕緯,不可計數。陛下誠欲集之,嚴制天下諸州郡縣搜索,備送主之所好,集亦不難。"太祖於是班制天下,經籍稍集。《魏書·李先傳》。

隆安三年,魏主珪命郡縣大索書籍,送至平城。《通鑑》。

───────

　　① 左,中華本《隋書》作"東"。

　　② "李"當作"季",且此字前脱一"石"字,據中華書局1955年版《二十五史補編》本改正。

李暠好尚文典，書史穿落者，親自補治，劉昞侍側，前請代暠。暠曰："躬自執者，欲人重此典籍。"《魏書·劉昞傳》。

沮渠蒙遜甚重闞駰，拜祕書，考課郎中，給文史三十人典校經籍，刊定諸子三千餘卷。《魏書·闞駰傳》。

晉世祕書監

羊祜　摯虞案本書《張華傳》。　　何劭据本書《華嶠傳》。　　繆徵同上。

張敏据《魏書·儒林·張偉傳》。　　劉智　荀勖　董綏据《三國志·董遇傳》註引《世語》。　　虞溥据《初學記》職官部引王隱《晉書》。　　盧浮据《國志·盧毓傳》註引《晉諸公贊》。[①]　　賈謐　潘尼　華嶠　王敦据本書《王舒傳》。

劉宏据《世說·賞譽篇》注。　案宏字終緞，沛國人。劉粹弟。　　庾峻据《初學記》職官部引傅暢《晉諸公讚》。　　荀崧据《初學記》職官部。溫嶠舉。　　高密王略

阮胤　華譚　彭城王紘　周閔　王嶠　褚歆据本書《褚裒傳》。案《世說·識鑒篇》注作"褚韶"。　　傅暢　袁山松　滕演案上三人並据《隋書·經籍志》。　案《南史·傅亮傳》，演字彥將，南陽西鄂人。　　汝南王統　武陵王晞　孫盛　江灌　王珣　何澄据本書《何準傳》。　　吳隱之

徐廣　徐欽之据《宋書·徐湛之傳》。　　陶範据《世說·方正篇》注引《陶侃別傳》。　　王操之《初學記》中宮部引王隱《晉書》。　　溫敬林据《太平廣記》畜獸部引《幽明錄》。　案《廣記》書部引《名書錄》，滎陽姊暢，晉祕書令，善八分。晉無祕書令，疑"監"之誤，附記於此。　　徐光案在石趙時，据本書載記。　　聶熊案在慕容儁時，見本書載記《韓恒》傳。　　王嶧案在苻生時，据本書載記。　　朱肜案在苻堅時，据本書載記。《通鑑》作"朱肜"。　　杜嶷案在慕容垂時，据《魏書·杜銓傳》。　　崔逞案在慕容垂時，見《魏書》逞傳。　　李先案在慕容永時，見《通鑑》太元十九年。　　賈彝案在屈丐時，見《魏書》彝傳。　　卞承之案在桓玄時，見本書《桓玄傳》。　　郎敷案在慕容盛時，据本書載記。

────────────────

①　是書《三國志》多省稱《國志》，下同。蓋沿習裴松之《上三國志注表》中所省稱《國志》。

晉世祕書丞

嵇紹　司馬彪　成公綏　衛恒　傅宣　傅暢　庾峻据《初學記》職
官部引王隱《晉書》。　虞預　王謐　荀羨　桓石綏据《初學記》職官部引
《晉太康起居注》。　案"康"當作"元"。　何澄見祕書監。　王恭　謝靈運据
《宋書》傳。　劉湛据《宋書》傳。

晉世祕書郎

司馬彪　成公綏　張協　氾毓　左思　張璠据陸氏《經典釋文·叙
錄》。　張委据《隋書·經籍志》。　桓祕　江績　王謐　徐豁据本書《徐
邈傳》。　何澄見祕書監。　徐廣　謝琰据《宋書·謝靈運傳》。　荀猗据
《宋書·荀伯子傳》。　西郭陽据《通志·氏族略》。　趙整案苻堅時祕書侍郎,
見《通鑑》孝武帝甯康二年,胡三省註:以祕书郎内侍左右,故曰侍郎。　杜詮案在慕
容儁時,据《御覽》偏霸部引崔鴻《前燕錄》。　劉昞　闞駰案上二人並在沮渠蒙遜
時,並据《魏書》本傳。　崔浩据《魏書》本傳。大興中,給事祕書,轉著作郎。　案
"大"當作"天",天興起晉隆安二年。

經部

易類

周易言不盡意論　嵇康撰。据《玉海》。

通易論一卷　阮籍撰。据《宋史·藝文志》。元胡一桂曰:"凡五篇。"

周易無互體論　案《魏志》本傳暨《釋文·叙錄》均無"周"字。**三卷　周易
盡神論一卷　周易論四卷**　据《唐書·藝文志》。案疑即合上二種爲一書。
　上三種並鍾會撰。

汲冢易經二篇　案與《周易》上、下經同。　**汲冢易繇陰陽卦二篇**　案
與《周易》略同,《繇辭》則異。　**汲冢卦下易經一篇**　案似《説卦》而異。

汲冢公孫段二篇　案公孫段與邵陟論《易》。　上四種並据本書《束晢傳》。

易義　阮咸撰。据《釋文·叙録》。

易義　据《釋文·叙録》。　　**周易論二卷**　上二種並馮翊太守阮渾撰。　案《釋文·叙録》又云太子中庶子,與本書阮籍附傳合。

周易　案《通志·藝文略》作“二阮”。**難答論二卷**　阮長成、阮仲容撰。据《新唐志》。　案本書《阮籍傳》,子渾,字長成,兄子咸,字仲容。

易注十卷　荀煇撰。　煇,《舊唐志》作“暉”,《新唐志》作“輝”。　案煇見本書《賈充傳》,稱騎都尉,《隋志》作“魏散騎常侍”。据《釋文·叙録》,字景文,潁川潁陰人,晉太子中庶子。考《國志·荀彧傳》注引《荀氏家傳》云:“或第四兄諶,諶子閎,閎從孫煇,字景文,與賈充共定音律,又作《易集解》。”監本《國志》誤“煇”作“惲”,惲系或子,字長倩,別一人,亦見《彧傳》及注。朱彝尊《經義考》謂煇又字長倩,是不知“煇”之譌“惲”也。

易論　裴秀撰。据裴註《國志》引《文章叙録》。

易義　衛瓘撰。据《釋文·叙録》。

明易論一卷　應貞撰。　《唐志》作“應吉府”。案貞字吉甫,唐避諱,①改稱其字,又譌“甫”爲“府”。

易義　王宏撰。据《釋文·叙録》。字正宗,弼之兄,晉大司農,贈太常。

難易無互體論　荀顗撰。据本書傳。

周易解　皇甫謐撰。据《周易正義》。

易義八卷　補註三卷　周易精微三卷　上三種並据《通志》,作“皇甫謐撰”。案“謐”疑“謐”之譌。

易義　庾運撰。据《釋文·叙録》,字玄度,新野人。官至尚書。一云《易注》。

易義　王濟撰。据《釋文·叙録》。

周易訓註　劉兆撰。据本書傳。云以正動二體互通其文。

易義　張輝撰。据《釋文·叙録》,字義元,梁國人。晉侍中,平陵亭侯。

周易統略五卷　案《唐志》、《通志》並作“《統略論》三卷”。　鄒湛撰②。

易義　杜育撰。据《釋文·叙録》,字方叔,襄城人。國子祭酒。　案育見本書《劉琨傳》,稱汝南太守,《傅祇傳》稱常侍,《荀晞傳》稱右將軍,《隋志》別集類亦稱國子祭酒。

---

①　“避”字下誤衍“宋”字,據中華書局1955年版《二十五史補編》本刪。

②　“撰”原誤作“据”,據《二十五史補編》本改正。

易義　向秀撰。据《釋文·叙錄》，張璠《集解序》云："依向秀本。"

周易論　案《通志略》作"通易論"。**一卷**　荆州刺史宋岱撰。　案岱見本書《惠帝紀》太安二年暨《李特載記》。考本書《郭舒傳》有刺史宗岱，《羅尚傳》有荆州刺史宗岱，《隋志》別集類又有兖州刺史宗岱，《御覽》文部引《語林》有青州刺史宋岱，《廣記》鬼部引《雜語》又有青州刺史宗岱，疑實一人，"宗"、"宋"形近致譌耳。本書《愍帝紀》，侍中宋敞送降牋于曜，《通鑑》從《晉陽秋》作"宗敞"，是其證也。　又案《舊唐志》作"《通易論》，宋睿宗撰"，《新唐志》作"宋處宗撰"。考《御覽》雞部引《幽明錄》，稱晉兖州刺史沛國宋處宗，蓋岱字處宗，《通易論》即《周易論》，"睿"又"處"之譌。

周易卦序論一卷　司徒右長史楊乂撰。　按乂《隋志》詩類稱給事郎，集類稱司徒左長史。《釋文·叙錄》："字玄舒，汝南人，晉司徒左長史。"

周易象論三卷　案《新唐志》作"《通易象論》一卷"，《通志》作"《通易象論》三卷"。　尚書郎樂肇撰。　案皇侃《論語疏·叙》稱廣陵太守高平樂肇，字永初。《釋文·叙錄》："字太初，太山人，晉太保掾尚書郎。"《史記·仲尼弟子列傳》張守節正義亦作高平人。

易義　楊瓚撰。据《釋文·叙錄》，晉司徒左長史。

易義　張軌撰。据《釋文·叙錄》。

通知來藏往論　宣舒撰。据《釋文·叙錄》，字幼驥，陳郡人，晉宜城令。

通易象論一卷　宣聘撰。据《唐志》。　案《隋志》集類宣舒，《唐志》並作宣聘，而《隋志》道家類亦有宜城令宣聘，疑舒、聘實一人，或兩名耳。《通易論》，《釋文》不別出，疑即《通知來藏往論》。宜城、宣城，亦疑由形近致譌焉。

易義　邢融撰。

易義　裴藻撰。

易義　許適撰。

易義　楊藻撰。　上四種並据《釋文·叙錄》。

易傳　袁準撰。据《國志·袁渙傳》注引《袁氏世記》曰："準字孝尼。爲《易》、《周官》、《詩》傳，及論五經滯義，聖人之微言，以傳於世。"

易注十卷　蜀才撰。　案才，《七志》云："王弼後人。"《七錄》云："不詳何許人。"《顏氏家訓》曰："謝炅、夏侯該皆疑是譙周，據《蜀李書》以爲范長生。"《釋文·叙錄》引《蜀李書》："長生一名賢，隱居青城山，自號蜀才。李雄以爲丞相。"盧文弨《釋文考證》曰："李雄尊之爲賢，非正也。"《華陽國志》云："長生一名延久，又名九重。一曰支，字元，涪陵丹興人。"楊慎《升庵集》云："名寂，陳懋仁壽者。"傳云："先事劉先主，至李特時一百三十餘歲。"今案本書《李雄載記》，加長生爲天地太師，封西山侯。

歸藏注十三卷　太尉參軍薛貞撰。　案《隋志》叙云："《歸藏》，晋《中經》有之。"《崇文總目》作"薛正三卷"，《中興書目》云："今但存《初經》、《齊母》、《本蓍》三篇，文多闕亂，不可訓釋。"《通志畧》曰："言占筮事，其辭質，其義古。三易皆始乎八，成乎六十四。有八卦即有六十四卦，非至周而備也，但法之所立，數之所起，皆不相爲用。《連山》用三十六策，《歸藏》用四十五策，《周易》用四十九策。"

周易注十卷　案《隋志》存四卷。　黃穎撰。據《釋文·叙錄》，南海人，晋廣州儒林從事。

周易注　案《宋史·藝文志》作"易傳"。　十卷　周易宗塗四卷　周易爻義一卷　周易玄品二卷　據《册府元龜》。按《隋志》不著撰人名。　周易問難二卷　據《册府元龜》。案《隋志》作"王氏撰"。朱氏《經義考》云："疑譌干爲王也。"　上五種並干寶撰。　案《中興書目》云："寶之《易》學，以卦爻配月，或配日，傅諸人事，以前世已然之迹證之，訓義頗有據。"

周易髓十卷　郭璞撰。據《通志略》。

周易注十二卷　王廙撰。據《釋文·叙錄》。　案《七錄》作"十卷"，《隋志》存三卷。

周易略論一卷　據《舊唐志》。　周易集解十二卷　據《釋文·叙錄》云："集鍾會、向秀、庾運、應貞、荀煇、張煇、王宏、阮咸、阮渾、楊乂、王濟、衛瓘、欒肇、鄒湛、杜育、楊瓚、張軌、宣舒、邢融、裴藻、許適、楊藻二十二家解。《七錄》云集二十八家，璠序云依向秀本。"案《隋志》無"集"，"解"字作"注"，存八卷。《七錄》、《七志》作"十卷"，《新唐志》作"集解十卷"。　上二種並張璠撰。案《釋文·叙錄》："安定人，東晋祕書郎，參著作。"

周易繫辭注二卷　謝萬撰。　周易旨注六篇　李充撰。據本書傳。
案朱氏《經義考》譌作"周易音"。

象不盡意論　大賢須易論　上二種並殷融撰。並據《世説》注引《晋中興書》。
　案融見本書《武悼楊后傳》稱丹楊尹，《康獻褚后傳》稱太常，《陶侃傳》稱庾亮司馬，《殷仲堪傳》云太常、吏部尚書。《世説》注引《中興書》云："字洪遠。爲司徒左西屬，累遷吏部尚書、太常卿。"

周易譜一卷　周易雜音三卷　上二種並沈熊撰。據《新唐志》。　案《舊唐志》作"沈能"。

周易音一卷　尚書郎李軌撰。　案《釋文·叙録》："字弘範,江夏人。晉祠部郎中、都亭侯。"

周易難王輔嗣義一卷　揚州刺史顧夷等撰。　案夷《隋志》地理類又作"本州主簿"。《世説》注引《顧氏譜》曰:"夷字君齊,吳郡人。辟州主簿,不就。"

難王弼易義四十餘條　顧悦之撰。據《宋書·閔康之傳》,稱晉陵人。　案《世説·言語篇》注:"悦之字君叔,爲揚州別駕,顧愷之父也。"疑"揚州刺史顧夷"當即"揚州別駕顧悦之"之譌。《四庫全書提要》以悦之爲顧夷字,未審所出。

周易問答一卷　揚州從事徐伯珍撰。

周易象卦數旨六卷　案《通志》作"《周易卦象數旨》一卷"。　樂安亭侯李顒撰。　案《釋文·叙録》:"字長林,江夏人。東晉本郡太守。"考本書《文苑傳》:"李充,江夏人。子顒,多述作,舉孝廉。"當屬一人。

京氏易注三卷　郭琦撰。據《崇文書目》。　案本書傳云百卷者,合《穀梁注》計之也,朱氏《經義考》全屬之《易》,誤。

周易譜　案《新唐志》作"略譜",《玉海》、《通志》並作"譜略"。　**一卷**　袁宏撰。據《舊唐志》。

六象論　何襄城撰。曰實象、假象、偏象、圓象、義象、用象。

四象論　蕭乂撰。不取偏象、圓象,難何而立。上二種並據《玉海》。

易象妙於見形論　孫盛撰。據本書傳。　案《玉海》引《論》曰:"聖人知觀器不足以達變,故表圓應於蓍龜;圓應不可爲典要,故寄妙迹於六爻。"

周易音一卷　徐邈撰。

周易繫辭註二卷　案《宋史·藝文志》作"《繫辭説卦序卦雜卦注》三卷"。①　韓康伯撰。

周易音　據《册府元龜》。　**周易繫辭注**　上二種並袁悦之撰。據《釋文·叙録》:"字元禮,陳郡人。東晉驃騎諮議參軍。"案本書《天文志》、《王恭傳》,《世説》注引《袁氏譜》皆作"袁悦",本傳作"悦之"。

周易繫辭注二　《唐志》作"三"。　**卷**　桓玄撰。

周易繫辭注二卷　卞伯玉撰。　案《釋文·叙録》:"伯玉,濟陰人。宋東陽太守、

---

①　"卦序"原互倒,據《二十五史補編》本乙正。

黄門郎。"《藝文類聚》《大暑賦》稱晋卞伯玉,意伯玉本晋臣,晚入宋歟。今据列入。

擬周易説八卷 范氏撰。 **周易論四卷** 范氏撰。 案本書《范宣傳》:"著《禮》、《易論難》,皆行於世。"此二書《隋志》次在晋代,疑宣著也。

周易音一卷 范氏撰。据《通志略》。

周易馬鄭二王集解十卷 案闕撰人名。

周易集二王注五卷 楊氏撰。

易髓八卷 晋人撰,不知姓名。据《宋·藝文志》。

易注六卷 尹濤撰。 《釋文·叙録》不詳何人,列蜀才後,疑亦晋人。

周易注 劉昞撰。据《魏書》傳:"字延明,敦煌人。博士郭瑀女壻。李暠徵爲儒林祭酒從事中郎,遷撫夷護軍。蒙遜平酒泉,拜祕書郎,專管注記,號玄處先生,牧犍尊爲國師。" 案昞見本書《李玄盛傳》,作"劉彦明",由史避唐諱改稱昞字,又誤"延"爲"彦"耳。《太平御覽》引《敦煌實録》有稱劉彦明者,蓋沿本書之譌。《隋志》霸史類稱"僞梁大將軍從事中郎劉景",亦諱昞稱景也。

王朗易傳注 闞駰撰。學者藉以通經。据《魏書》傳:"字玄陰,敦煌人。蒙遜拜祕書,考課郎中加奉車都尉,牧犍拜大行,遷尚書。"

右易類八十三種。

書類

古文尚書經文 据《隋志》叙,云:"孔氏舊本,晋世祕府有之。"

尚書義疏 案《唐志》、《通志》並作"釋義"。 **四卷** 樂安王友伊説撰。 案本書《文六王傳》:"樂安王鑒,武帝踐阼,封。高選師友,詔取明經儒學。"据此,説爲王友當在其時。

尚書義二卷 劉毅答,吳太尉范順問。 案《七録》作"范順問,吳太尉劉毅答"。侯氏《三國志藝文志補》曰:"'吳太尉'三字當屬上。"《孫皓傳》有太尉范慎,又見《孫登傳》注,"順"、"慎"字古通。

尚書義問一卷 五經博士孔晁撰。 案晁見本書《傅玄傳》,武帝詔作龜,《舊唐志》明堂郊廟議作"朝",晁、龜、朝三字並通。

禹貢地域圖十八篇 裴秀撰。据本書傳。

孔安國古文尚書傳十三卷 元帝時,豫章内史枚賾奏上,亡《舜典》一篇。《釋文·叙録》："字仲真，汝南人。"　案孔氏正義引《晉書·皇甫謐傳》云："姑子梁柳得《古文尚書》。"又云："鄭沖以古文授扶風蘇愉，愉字休預，授天水梁柳，柳字洪季，即謐之外弟也，授城陽臧曹，曹字彦始，授郡守子汝南梅賾，字仲真，爲豫章内史，遂奏上施行焉。"考《世説·方正篇》"梅頤爲豫章太守"註引《晉諸公贊》："字仲真，汝南西平人。"似即其人，枚、梅字通，賾、頤形近致譌耳。段玉裁曰："古人名頤則字真，《莊子》注：李頤字景真。"

古文尚書注十五　案《唐志》作"三"。卷　録一卷　謝沈撰。　案本書傳，
沈官尚書度支郎。《釋文·叙録》、《隋志》史類並稱"尚書祠部郎"。

尚書音一卷　李軌撰。

尚書注　李充撰。据本書傳。

古文尚書集解　案孔《正義》、《唐志》並作"注"。十一案《釋文·叙録》無"一"
字。卷　尚書要略二卷　据《舊唐志》。　尚書新釋二卷　上三種並李顒撰。

尚書亡篇序一卷　尚書逸篇注三卷　据《唐志》。　古文尚書音一
卷　上三種並徐邈撰。

尚書集解　《隋》、《唐志》均作"注"。十卷　据《釋文·叙録》云："甯變爲今文集
注。"　古文尚書舜典注一卷　上二種並范甯撰。　案盧文弨《釋文考證》云：
"范書本十卷，因孔傳闕《舜典》，故取范注《舜典》以補孔傳之闕。後范注本書亡，而《舜典》一篇獨以傅合孔傳得存也。"

夏禹治水圖　顧愷之撰。据《宣和畫譜》。

右書類十八種。

詩類

毛詩音　阮侃撰。据《釋文·叙録》："字德恕，陳留人。河内太守。"　案《世説·賢
媛篇》注引《魏略》曰："阮共，尉氏人。少子侃字德如，與嵇康爲友。仕至河内太守。"

毛詩答雜問七卷　韋昭、朱育撰。　案"昭"《國志》傳避晉諱作"曜"。吳鳳凰三
年，爲孫皓誅，已在晉世。育見《國志·虞翻傳》注，山陰人，其仕郡書佐，對郡守濮陽興
問，在孫亮太平三年，當魏甘露三年。越八年，晉即受禪，而育由郡佐仕吳爲東觀令，拜
清河太守，加侍中，亦必歷年，計其人，晉初當尚在焉。

毛詩雜義五卷　毛詩辯異　案《唐志》並作"辨"，無"異"字，《通志略》作"辨

異"。**二卷　毛詩異義二卷**　上三種並楊乂撰。

毛詩異同評十卷　孫毓撰。　案《釋文·敘錄》無"毛"字，云："晉豫州刺史評毛、鄭、王肅三家，朋於王。"又云："字休朗，北海平昌人。長沙太守。"《隋志》詩類亦稱"長沙太守"，集類又作"汝南太守"。馬國翰《玉函山房叢書》云："稱爵不同，要是原書就所遷之官題稱故耳。"

難孫氏毛詩評四卷　案《唐志》均無"毛"字。《釋文·敘錄》云："難孫申鄭。"

毛詩表隱二卷　上二種並陳統撰。据《釋文·敘錄》，字元方，徐州從事。《御覽》宗親部："《晉書》曰：'陳統字元方，弟紘，字偉方，俱清秀知名。'"　案《表隱》，《舊唐志》不著撰人名。

詩傳　袁準撰。据《國志·袁渙傳》注。

毛詩略四卷　毛詩拾遺一卷　上二種並郭璞撰。

毛詩釋義十卷　毛詩義疏十卷　毛詩注二十卷　案《釋文·敘錄》但有《注》二十卷，無《釋義》、《義疏》名目。本書傳云著《毛詩外傳》，無卷數。《舊唐志》有《釋義》十卷，無《義疏》。《新唐志》有《義疏》十卷，無《釋義》。　上三種並謝沈撰。

釋毛詩略　虞喜撰。据本書傳。

毛詩音　江惇撰。据《釋文·敘錄》。字思俊，河內人。　案本書傳："江統，陳留圉人。子惇，字思俊。"皇侃《論語疏·敘》又稱："著作郎濟陽江淳字思俊。"《世說·賞譽篇》注引徐廣《晉記》："江惇字思俊。"

毛詩注二十卷　江熙撰。据《釋文·敘錄》。字太和，濟陽人，東晉兗州別駕。

毛詩音隱一卷　干氏撰。　案疑即干寶《詩音》。

毛詩音　干寶撰。据《釋文·敘錄》。

毛詩義字議　蔡謨撰。据《初學記》文部引。

詩註　袁喬撰。据本書傳。

毛詩音　李軌撰。据《釋文·敘錄》。

毛詩音十六卷　徐邈等撰。

毛詩音二卷　徐邈撰。据《通志略》。與上別出。

毛詩雜義四卷　江州刺史殷仲堪撰。　案本書傳，仲堪刺荆，不言刺江。

毛詩背隱義二卷　徐廣撰。

毛詩音　蔡氏撰。

毛詩音　孔氏撰。　上二種並据《釋文·叙錄》。

鄭玄詩譜暢二卷　徐整撰。

鄭玄詩譜隱二卷　太叔裘撰。　上二種並据《釋文》。

毛詩義疏二十卷　舒援撰。馬國翰指爲晉末人。

詩序義　周續之撰。据《釋文·叙錄》。

毛詩序義二卷　雷次宗撰。　《釋文·叙錄》："周續之及雷次宗俱事廬山惠遠法師。"

右詩類三十三種。

禮類

周官禮十二　案《唐志》無"二"字。**卷**　伊説撰。

周官論　案《舊唐志》無"論"字。**評十二卷**　傅玄撰。据《通志略》。

周官禮異同評十二卷　司空長史陳劭撰。　案《唐志》作"《周官論評》,陳邵駁,傅玄評"。本書《儒林傳》作"邵",東海襄賁人,爲陳留内史,遷燕王師。撰《周官評》,甚有條貫。卒給事中。《釋文·叙錄》亦作"卲",又云:"下邳人,司空長史。"

周官甯朔新書八卷　燕王師王懋約撰。案《舊唐志》作"司馬伷序,王懋約注",《新唐志》、《通志略》作"司馬伷撰"。　考本書《文六王傳》:"武爲燕王機高選詩友,詔取明經儒學。"《儒林傳》:"陳邵遷燕王師,泰始中詔爲給事中。"《武帝紀》:"太康四年,琅邪王伷薨。"据此,懋約成此書在代陳卲任内,伷及爲序,當在咸寧年矣。

周官傳　袁準撰。据《國志·袁涣傳》注。

周官禮　案《新唐志》無"禮"字。**註十三**　案《隋志》作"二"。**卷**　干寶撰。据《釋文·叙錄》。

周官禮　案《新唐志》作"答周官"。**駁難四**　案《唐志》作"五"。**卷**　孫略撰。　案《舊唐志》作"孫略問,干寶注"。

周官駁難三　案《通志略》作"五"。**卷**孫琦問,干寶駁,虞喜撰。

周禮音七卷　李軌撰。据《釋文·叙錄》。　**周禮音三**　《釋文·叙錄》作"一"。**卷**　劉昌宗撰。

周禮音一卷　徐邈撰。据《釋文·叙錄》。

周官音義　符秦太常韋逞母宋氏授。据本書《列女傳》。

周禮音一卷　聶氏撰。据《釋文·叙録》。　馬國翰曰:"當即《晋書》之聶熊。"

右禮類周官之屬,十三種。

喪服經傳注　案《舊唐志》作"喪服紀",《新唐志》作"注儀禮"。　**一卷**　**儀禮注一卷**　据《通志略》。與上別出。　**儀禮音一卷**　据《舊唐志》。上三種並袁準撰。

集註喪服經傳　《舊唐志》作"喪服紀注"。　**一卷**　**儀禮注一卷**　据《通志略》。與上別出。上二種並孔倫撰。据《釋文·叙録》,字敬序,會稽人,東晋廬陵太守。

儀禮音一卷　劉昌宗撰。据《釋文·叙録》。

儀禮音一卷　李軌撰。

儀禮注一卷　**喪服經傳一卷**　上二種並陳銓撰。並据《通志略》。

喪服注　周續之撰。据《釋文·叙録》。

喪服經義疏　釋慧遠授,雷次宗撰。据《蓮社高賢傳》,慧遠師嘗講《喪服經》,雷次宗、宗炳並執奏承旨。次宗後著《義疏》,首稱雷氏,宗炳寄書責之曰:"昔與足下面受於釋和尚,今便稱雷氏耶?"

附録

喪服圖　郎中崔遊撰。据本書《禮志》。　案《隋志》作"崔逸撰,一卷"。

雜喪服圖　譙周撰。据《御覽》。　案周入晋拜散騎常侍。《通典》引《縗服圖》及《集圖》,當即一書。

喪服儀一卷　衛瓘撰。

喪服集要議三卷　案《隋志》作"《喪服要集》二卷"。　杜預撰。据《唐志》。

喪服釋疑論　劉智撰。据本書傳。　案《隋志》云:"梁有《喪服釋疑論》二十卷,孔智撰。"馬國翰曰:"《通典》、《禮》正義並引劉智,無孔智,知《隋志》誤劉爲孔也。"

通疑　虞喜撰。据杜佑《通典》,凡五引,皆論劉智《喪服釋疑》,意其書因劉書而作歟。

喪服要記二卷　侍中劉逵撰。　案逵見本書《左思傳》,稱中書郎濟南劉逵注《吳》、《蜀賦》,注而行之。李氏《文選·三都賦》注稱劉淵林,意逵實字淵林歟。

喪服變除一卷　葛洪撰。

凶禮一卷　孔衍撰。

喪服譜一卷　**喪服要記十卷**　案《舊唐志》作“《要紀》,賀循撰,庾蔚之注”。
葬禮　据《通典》、《御覽》引。　案馬國翰云:“《要記》擬《儀禮·喪服傳》,《葬禮》擬《儀禮·士喪禮》也。”　**喪服要六卷**　案《唐志》作“《要記》五卷,賀循撰,謝微注”。　**喪服圖**　据《通志·圖譜略》。　上五種並賀循撰。

喪服要略一卷　太常博士環濟撰。

喪服譜一卷　**喪服圖**　据《通志·圖譜略》。　上二種並蔡謨撰。

喪服經傳注一卷　陳銓撰。

喪服注　王逡之撰。据《唐志》。

喪服雜記二十卷　伊氏撰。　案當即注《周官》之伊説。

喪紀禮式　杜襲撰。据《華陽國志》傳。

右禮類儀禮之屬,十一種,附錄二十一種。

禮記甯朔新書二十卷　据梁《七錄》。案《隋志》存八卷,《舊唐志》云:“司馬伷序,王懋約撰。”　案《通志略》作“司馬伷撰,王懋約注”。

禮記音一卷　孫毓撰。

劉儁禮記評十一卷　虞喜撰。

夏小正注　郭璞撰。据《太平廣記》引《神仙傳》。

鄭玄禮記注解二　案《新唐志》作“三”。**卷**　据《舊唐志》。　**禮記音二**
案《通志略》作“三”。**卷**　上二種並曹躭撰。　案《釋文·叙錄》:“躭字愛道,譙國人。東晋安國諮議參軍。”《通典》稱博士,又稱尚書郎。

禮記音十卷　尹毅撰。　案《釋文·叙錄》:“毅,天水人。東晋國子助教。”

禮記音一卷　繆炳撰。

禮記音三　《唐》、《隋志》作“二”。**卷**　李軌撰。

禮記音五卷　劉昌宗撰。

禮記音二卷　范宣撰。

禮記音三卷　徐邈撰。

禮記音二卷 蔡謨撰。

禮記音一卷 謝楨撰。

禮記音一卷 射貞撰。　案盧文弨《釋文考證》曰："射貞即謝禎。"①

禮記音義隱一卷 謝氏撰。　案以上諸音並据《釋文·叙録》。

右禮類禮記之屬，十六種。

問禮俗十卷 董勛撰。　案《隋志》題魏人，考勛入晉爲議郎，見《通典》禮類。

三禮吉凶宗紀 劉元海大鴻臚范隆撰。据本書傳。

禮通論 董景道撰。專遵鄭義，非駁諸儒。据本書傳。

禮雜問十卷 案《唐志》作"《禮問》九卷"。　**禮論答問九卷** 据《唐志》。
上二種並范甯撰。

禮雜議十二卷 案《唐志》並作"《雜禮義》十一卷"。　**禮難十二卷** 上二
種並益壽令吳商撰。　案商本書《禮志》稱博士，其《答劉寶議》稱國子博士，《隋志》集類
又稱益陽令，考兩《漢》、《晉》、《宋》地志並無益壽縣，疑有誤字。

禮論難 范宣撰。据本書傳。

禮論答問十二卷 案《唐志》作"《禮論問答》九卷"。　**禮論答問八卷**

禮答問十一卷 据梁《七録》。案《隋志》存二卷。　**答問四卷** 案本書傳
作"答禮問"。　上四種並徐廣撰。　案四種書名，大同小異，疑有譌複。

五禮駁 孫毓撰。据《通典》引。

約禮記十論 王長文撰。② 据《華陽國志》傳。

右禮類三禮總義之屬，十四種。

雜祭法六卷 盧諶撰。

喪紀禮式 漢嘉太守杜襲撰。据《華陽國志》。

七廟議一卷　後養議五卷 馬國翰曰："論列爲人後者養親喪祭之禮。曰議
者，集諸儒之議以成書也。"　上二種並干寶撰。

祭典三卷 范汪撰。

---

① "盧"原誤作"蘆"，據《二十五史補編》本改正。
② "長文"原誤倒，據《叢書集成初編》本《華陽國志》乙正。

喪雜事二十卷　禮雜議　案《舊唐志》作"儀"。記故事十三卷　上二種
並吳商撰。

冠婚儀四卷　案不著撰人名。

右禮類雜禮書之屬，九種。

春秋類

春秋左氏傳音三卷　嵇康撰。

春秋盟會圖　裴秀撰。据《國志》注引《文章叙錄》。

春秋左氏傳條　案《新唐志》作"牒"。例二十卷　据《舊唐志》。　春秋
條例十一卷　案《唐志》作"《春秋左氏條例》十卷"。　春秋序一卷　上三
種並劉寔等集解。　案孔氏正義作"劉寔撰"，又曰："杜預《春秋左氏傳序》，或云《春秋
序》，或云《左氏序》，或云《春秋經傳集解序》。按晉、宋古本及今定本並云《春秋左氏
傳序》，今依用之。南人多云此係《釋例序》，實與杜同時人，爲此序作注，並不言《釋例
序》，明非《釋例序》也。"

左傳例苑集解十九卷　春秋公羊達義三卷　春秋公羊違義　案
本書傳作"辨正"。三卷　据《唐志》。　上三種並劉寔撰。

春秋穀梁傳十四卷　孔君指訓。据《七錄》。《隋》存五卷。　案余蕭客《古經解
鉤沈》引孔晁《指訓》，云出《春秋本義》，①是孔君爲晁無疑。

春秋左氏經傳集解三十卷　序一卷　案晁氏《讀書志》曰："集劉子駿、賈
景伯父子、許惠卿、潁子嚴之註，分經之年，與傳相附，其發明甚多。然敝則棄經信傳。"
《通志略》曰："杜氏之理星曆地里也，如羲和之步天，如禹之行水，言無不極其致。然有
所短，則不識蟲魚鳥獸草木之名。"　春秋左氏傳音三　案《唐志》作"二"，《册府
元龜》作"一"。卷　春秋釋例　案《舊唐志》作"左氏傳例"。十五卷　案《釋
文・叙錄》云四十篇，《崇文總目》云凡五十三例。晁氏《讀書志》曰："凡四十部。集《左
傳》諸例及地名、譜第、曆數，偹顯其同異，從而釋之，發明甚多。"　春秋左氏　案
《通志略》無"氏"字。傳評二卷　春秋古今盟會地圖一卷　春秋世譜

---

①　"義"上原衍"疑"字，《二十五史補編》本同，據余蕭客《古經解鉤沉》刪。按《春
秋本義》，程端學撰。

案孔正義作"世族譜"。**七卷**　据《宋·藝文志》。　　**春秋謚法一卷**　案《宋·藝文》云："即《釋例·謚篇》。"　　**春秋長曆**　据本書《曆志》。　　**春秋釋例地名譜一卷**　据《通志略》。與《釋例》別出。　　**小公子譜六卷**　据《通志略》。案《玉海》作"春秋公子譜"。　上十種並杜預撰。　案《通志·圖譜略》有《春秋世系圖》、《春秋機要圖》、《春秋盟會圖》、《春秋列國圖》、《春秋明例總括圖》、《春秋十二國年曆》、《春秋宗族名氏圖》、《春秋車服圖》、《演春秋氏族圖》、《春秋名號歸一圖》，凡十種，均不著撰人名，疑多屬預。附注俟考。

春秋釋疑　氾毓撰。合三傳爲之解注，凡所述合十萬餘言。据本書傳。

春秋公羊穀梁　案《通志略》有"集"字。**傳十二卷**　案《舊唐志》作"《春秋公羊穀梁左氏集解》十一卷"，《新唐志》作"《三家集解》十一卷"，《通志略》於《集傳》十二卷外，別出《三家集解》十一卷。　　**春秋調人**　合三家之異而通之，凡七萬餘言。[1]据本書傳。　　**春秋左氏解全綜**　《公》、《穀》解詁皆納經傳中，朱書以別之。据本書傳。上三種並劉兆撰。

春秋土地名三卷　裴秀客京相璠等撰。　案《通志·氏族略》云："京相氏，望出濟南。"

春秋穀梁注　郭琦撰。据本書傳。

春秋經傳注　虞溥撰。据本書傳。

春秋左氏傳義注二十八　案《隋志》作"十八"，《唐志》作"三十"。**卷**　据《釋文·叙錄》。　　**春秋左氏**　案《通志略》無"左氏"等。**傳賈服異同略五卷**　上二種並孫毓撰。　案馬國翰云："二書大旨申賈而駁鄭，蓋服受於鄭，而王多主賈，孫朋於王，猶評《詩》之見也。"

春秋三傳十二篇　王長文撰。据《華陽國志》傳曰："《春秋》傳經不同，此乃據經摭傳者。"

姓族左傳鈔　案書名疑有脱誤，或屬兩書。　蜀郡太守黄容撰。據《華陽國志》傳。

春秋三傳注　范隆撰。据本書傳。

公羊春秋傳注　王接撰。据本書傳。

---

① "萬餘"原互倒，據《二十五史補編》本乙正。

春秋左氏函傳義　案本書傳作"義外傳"。**十五卷**　案《舊唐志》作"《春秋義函傳》十六卷"。　**春秋序論二**　案《新唐志》作"一"。**卷**　上二種並干寶撰。

春秋公羊傳集解十四卷　春秋穀梁傳集解十四　案《唐志》作"訓註十三"。**卷**　上二種並孔衍撰。

穀梁春秋注　聶熊撰。据本書《石季龍載記》。

春秋左氏傳音四卷　曹躭撰。案《唐志》並作"曹躭、苟訥撰"。

春秋左氏傳音四卷　苟訥等撰。案《釋文·叙錄》："字世言,新蔡人。東晉尚書左民郎。"《七錄》作"胡訥撰"。

春秋公羊經傳注十三　案《釋文·叙錄》、《唐志》並作"二"。**卷　難答論一卷**　据《通志略》。　上二種並散騎常侍王愆期撰。　案愆期本書附《王接傳》,不著官字,《成帝紀》、《溫嶠傳》並稱督護,《毛寶傳》稱庾亮司馬。《釋文·叙錄》："字門子,河東人。東晉辰陽伯。"

春秋公羊論二卷　庾翼問,王愆期答。案《唐志》作"庾翼難"。

春秋公羊穀梁　案《通志略》無"羊"、"梁"字。**二傳評三卷**　江熙撰。据《唐志》。

春秋釋難三卷　范堅撰。

春秋公羊音一卷　江惇撰。据《釋文·叙錄》。　案《隋志》作"汪淳",誤。

春秋左氏傳音三卷　春秋公羊傳音一卷　上二種並李軌撰。

春秋穀梁傳注十　案《唐志》作"集解十一"。**卷　春秋穀梁廢疾箋**　案《舊唐志》作"箋",《新唐志》作"咸",別出亦作"箋",《穀梁》疏又作"策廢疾",疑咸、箋、策皆"鍼"之譌。**三卷**　上二種並堂邑太守張靖撰。案《通典》,太始時,官尚書博士。

春秋墨說　郭瑀撰。据本書《隱逸傳》。

春秋穀梁傳集解　案《釋文·叙錄》、《唐志》並作"集注"。**十二卷**　案晁氏《讀書志》曰："諸家解,范甯之論最善。"　**春秋穀梁傳義十卷**据《唐志》。　**春秋穀梁傳例一卷　春秋穀梁音一卷**　上四種並范甯撰。

問穀梁義四卷　薄叔玄問,范甯答。据《七錄》。《隋》存二卷。

春秋穀梁傳說　鄭嗣撰。据范氏《集解》引。　案馬國翰曰："范氏《集解》引凡二十條,以范序考之,當是甯父汪門生故吏,當時亦有撰著。"

春秋公羊傳注　《唐志》作"記"。**十二卷**　高龍撰。据《釋文·叙錄》，字文，范陽人，東晉河南太守。《唐志》"龍"作"襲"。

春秋穀梁傳注十三　《通志》作"二"。**卷**　徐乾撰。据《釋文·叙錄》，字文祚，東莞人，東晉給事中。

春秋　案《唐志》、《通志》並有"左氏"字。**釋滯十卷**　尚書左丞殷興撰。

春秋旨通十卷　案《唐志》作"王延之撰"，今從《通志略》。　**春秋左氏經傳通**　案《通志略》無"通"字。**解四卷**　上二種並王述之撰。

春秋左氏傳音三卷　案《新唐志》作"孫邈撰，一卷"，"孫"係"徐"之譌。　**春秋穀梁傳注十二卷**　**春秋穀梁傳義十**　案《舊唐志》、《玉海》引《隋志》並有"二"字。**卷**　案此疑複出。　**答春秋穀梁義三卷**　**春秋穀梁音一卷**　上五種並徐邈撰。

春秋經例十二　案《通志略》作"一"。**卷**　方範撰。

春秋穀梁傳注十二卷　段肅撰。《釋文·叙錄》云："不詳何人。"据列范甯後，胡訥前，當亦晉人。《册府元龜》亦次晉代。

春秋穀梁集解十卷　**春秋集三傳經解十**　案《唐志》、《通志略》並有"一"字。**卷**　**春秋三傳評十卷**　**春秋集三傳師難三卷**　上四種並胡訥撰。

春秋穀梁傳集解　《唐志》作"經傳集注"。**十六卷**　程闡撰。

春秋穀梁傳注　劉瑤撰。据楊士勛《穀梁》疏云："晉註《穀梁》者。"　案盧文弨謂即劉兆。

春秋穀梁傳四卷　張、程、孫、劉四家集解。朱氏《經義考》："四家，張靖、程闡、孫毓、劉瑤也。"案皆東晉人。

春秋公羊例序一卷　刁氏撰。

右春秋類七十八種。

孝經類

孝經傳　元帝撰。据朱氏《經義考》，列帝序文四十餘字。

孝經一卷　穆帝時。

孝經講義一卷　孝武帝時送總章館。　案《玉海》引《會要》劉子玄云："晋穆帝永和十一年、孝武太元元年，再聚羣臣，共論《孝經》。有荀昶撰集諸説，以鄭氏爲宗。"《隋志》作"武帝時"，疑誤。

孝經講讚一卷　韋昭撰。

孝經集議　案《通志略》作"集議孝經"。**一卷　孝經注二卷**　上二種並荀勖撰。

孝經注　虞喜撰。据本書傳。

孝經注　謝安撰。

孝經注　王獻之撰。　上二種並据《孝經正義》。

孝經集議　《隋志》作"集議孝經"。**一卷**　袁宏撰。据《釋文・叙録》。　案《隋志》作"敬仲"，誤。

孝經集解　《唐志》作"注"。**一卷**　謝萬撰。

孝經錯緯　郭瑀撰。据本書《隱逸傳》。

講孝經義四卷　車胤等撰。　案《世説》注引《晋陽秋》曰："甯康元年九月九日，帝講《孝經》，中書郎車胤摘句。"

孝經注一卷　車胤撰。

孝經注一卷　楊泓撰。据《釋文・叙録》，天水人，東晋給事中。

孝經注一卷　虞槃佐撰。　案《釋文・叙録》作"槃佑"，字弘猷，高平人，東晋處士。《舊唐志》、《通志略》並作"槃佐"。邢氏《孝經》疏作"槃佑"，列西晋，並誤。

孝經注一卷　殷仲文撰。

孝經注一卷　晋陵太守殷叔道撰。　案《册府元龜》作"東陽太守"。

孝經注　徐整撰。

孝經注　孫氏撰。　案邢疏列孫氏於東晋，《册府元龜》亦次晋代。朱氏《經義考》以《唐志》孫熙《孝經》當之，考熙係魏人，《七録》別有魏時孫氏《孝經》一卷，蓋熙書也，此別一人。

孝經注　庾氏撰。　上三種並据《釋文・叙録》。

右孝經類二十一種。

五經總義類

王肅聖證論十二卷　馬昭駁，孔晁答，張融評。　案《舊唐書·元行沖傳》云：
"子雍規玄數十百件，①守鄭學者，時有中郎馬昭，上書以爲肅謬。詔王學輩，占答以聞，
又遣博士張融案經論詰。"

古文石經　嵇康在太學寫。据《世説》注引。嵇紹撰，趙至叙。　案本書《荀崧傳》，
太學有石經古文。

五經然否論五卷　散騎常侍譙周撰。

五經通論　束晳撰。据本書傳。

五經滯義　袁準撰。据《國志·袁涣傳》注。

七經詩　傅咸撰。据孔氏《春秋正義》云："王義之寫。"　案《藝文類聚》、《初學記》載
咸《周易》、《毛詩》、《周官》、《左傳》、《孝經》、《論語》詩，皆四言，獨缺《尚書》一首。

五經同異評　徐苗撰。据本書傳。

國學石經　裴頠奏刻。据本書傳。

五經鉤沈十卷　高涼太守楊方撰。　案本書傳"涼"作"梁"，《崇文總目》"方"作
"芳"，云存五卷。《中興書目》引《自序》云："晉太甯元年撰，鉤經傳之沈義，著論難以
起滯。"

五經大義三卷　戴逵撰。

右五經總義類十種。

論語類

論語注十卷　譙周撰。

論語集注八卷　衛瓘撰。　案《釋文·叙録》云："少二卷，宋明帝補闕。"

論語集解　鄭沖、荀顗等撰。据本書沖傳。

論語體略二卷　論語隱一卷　上二種並郭象撰。

論語指序三　案《唐志》作"二"。**卷**　衛尉繆播撰。　案皇侃《論語疏·叙》，晉

---

①　原脱"玄"字，據中華本《舊唐書》補。

中書令蘭陵繆播字宣則，考本書《賈謐傳》有蘭陵繆徵，當屬同族。

論語説　繆協撰。据皇侃《疏》，引有二十七條。

論語集義十　案《隋志》作"八"。**卷**　据梁《七録》。　　**論語大義解十卷**

据《通志略》，與上别出。案《隋志》有《集義》，無《大義解》。兩《唐志》有《大義解》，無《集義》，疑實一書。　　上二種並崔豹撰。　案《釋文·叙録》："字正熊，燕國人。尚書左兵中郎。"《世説》註引《晋百官名》曰："字正能。惠帝時，官至太傅丞。"

論語義例　徵士周生烈撰。据《國志·王肅傳》注云："何晏《論語集解》有之，此人姓周生名烈。"《釋文·叙録》云："燉煌人。《七録》云：'字文逢，本姓唐，魏博士侍中。'"《通志·氏族略》："周生氏見《姓苑》。"《晋中經簿》云："魏侍中周生烈，本姓唐，外養周氏。"兩《唐志》烈並列晋人，或入晋尚存歟。

論語釋疑　案《唐志》無"疑"字，《史記·仲尼弟子列傳》正義引作"論語疑釋"，《索隱》引作"論語義"。　**十卷**　**論語駁序**　案《唐志》、《通志》無"序"字。**二**案《通志》作"三"。**卷**　上二種並樂肇撰。

論語讚鄭　案《通志略》有"玄"字。**注九**　案《通志略》作"十"。**卷**　案《唐志》並作"虞喜贊十卷"。　　**新書對張論十卷**　上二種並虞喜撰。

論語注　江惇撰。据皇侃《論語疏·叙》作"淳"。《玉海》引《中興書目》作"江厚"，避宋光宗諱改。

論語君子無所爭論一卷　庾亮撰。

論語釋一卷　庾翼撰。

論語注　案《史記·仲尼弟子列傳》索隱引作"論語解"。**十卷**　**論語釋一卷**

上二種並李充撰。

論語集解　案《通志略》作"集解論語"，《釋文·叙録》作"集註"。**十卷**　孫綽撰。

論語注　梁《七録》作"釋"。**十卷**　袁喬撰。

論語義一卷　王濛撰。

論語釋一卷　曹毗撰。

論語注　宋纖撰。据本書傳。

論語注十卷　孟陋撰。　案《釋文·叙録》作"孟整"，一云孟陋，江夏人。据本書傳作"武昌人"，《世説·棲逸篇》注引袁宏《孟處士銘》曰："字少孤，武昌陽新人。"

論語注　蔡謨撰。

論語注　袁宏撰。　案皇侃《疏》叙稱，江夏太守陳國袁宏字叔度。考本書傳，宏字彦伯，官東郡太守。馬國翰云："諸史志皆不言宏注《論語》，'宏'必'喬'字之誤，蓋喬字彦叔，彦、度二字形似而譌，又倒文作'度'。又宏、喬同爲陳郡人，傳者不察，因而誤'喬'作'宏'。又喬嘗爲江夏相，此云江夏太守，亦因喬官而失之，與宏初無與也。"

論語注　周懷撰。　案皇侃《論語疏》叙云："散騎常侍陳留周壞，字道夷。"《玉海》引《中興書目》作"懷"，亦据皇《疏》。

論語注　范甯撰。　案《隋志》《論語別義》十卷，范廙撰，或范甯之誤。

論語注　王珉撰。　上五種並据皇侃《疏》，云江熙所集其解釋者。

論語釋一卷　蔡系撰。　案皇侃《疏》云："江熙《集解》有蔡奚注。"疑即蔡系，形近致譌。系附見本書《蔡謨傳》。

論語集解十二卷　案《隋志》、《通志》並作"《集解論語》十卷"。　江熙撰。据《釋文·叙録》。**論語注十卷**　梁覬撰。据《釋文·叙録》，天水人，東晉國子博士。案《唐志》作"梁顗"，皇侃《義疏》引作"梁冀"，冀、覬音同義亦相近，故通用之。

論語注十卷　論語釋一卷　上二種並張憑撰。　案《隋志》《論語注》作"張馮"，馮、憑本通。考本書傳，憑官吏部郎、御史中丞，《釋文·叙録》暨《隋志》並稱"司徒左長史"。

論語注十卷　尹毅撰。

論語釋一卷　張隱撰。　案疑即張憑之譌複。

論語藏一卷　應琛撰。

論語通鄭一卷　郗原撰。

論語　《唐志》有"義"字。**注十卷**　楊惠明撰。　案"楊"，《唐志》、《玉海》並作"暢"。

論語注十　案《唐志》作"九"。**卷**　孟釐撰。　案疑即孟陋、孟整之譌複。

論語音二　《釋文》作"一"。**卷**　徐邈撰。

古論語義注譜一卷　徐氏撰。　案《舊唐志》次徐邈音下，《新唐志》次晋代中，疑亦邈著。

論語注　案《唐志》作"集義"。**十卷**　盈氏注。　案《册府元龜》次晋代。

論語修鄭錯一卷　　王氏撰。

續注論語十卷　　史辟原撰。

論語別義十卷　　范廙撰。　上二種並据《通志略》。

論語解　　殷仲文撰。据皇侃《義疏》引。

附錄

孟子注九　　案《唐志》作"七"。卷　　綦母邃撰。　案《元和姓纂》："邃，江左人，官邵陽太守。"邃撰《列女傳》，《隋志》次皇甫謐後、杜預前。其《二京賦》，與李軌同注。宋裴駰注《史記》嘗引邃說，審爲晉人矣。

右論語類四十八種，附錄一種。

樂類

樂論　　阮籍撰。据《漢書·五行志》注引。

聲無哀樂論　　嵇康撰。据本書傳。

樂論　　裴秀撰。据裴注《國志》引《文章叙錄》。

樂府歌詩十卷　太　　案《通志略》作"大"。　樂歌辭二卷　太常　　案《舊唐志》作"樂"。　雜歌辭三卷　燕樂歌辭十卷　　据《通志略》。　上四種並荀勗撰。

琴操　　案《宋志》有"引"字。三　　案《新唐志》作"一"。卷　　孔衍撰。　案《中興書目》云："以琴聲調中《周詩》五篇，古《操引曲》共五十五篇，①述所以命題之意。"《直齋書錄》曰："今《操引》才二十一篇，非全書也。"

琴譜四卷　　戴氏撰。　案疑即戴逵。

右樂類九種。

小學類

辨釋名一卷　官職訓一卷　　上二種並韋昭撰。据《國志·韋昭傳》云："劉熙作

---

① 　"曲"上原脱"引"字，據《古逸書錄叢輯》本《中興館閣書輯考》補。

《釋名》，物類衆多，難得詳究，時有得失。愚以官爵今之所急，①不宜乖誤，各作一卷。"

異字二卷　朱育撰。　案《國志·虞翻傳》注引《會稽典録》云："育少好奇字，凡所特達，依體象類，造作《異字》千名以上。"②

續通俗文二卷　李虔撰。据《唐志》。案《隋志》作"一卷，服虔撰"。近臧鏞、馬國翰据《顏氏家訓》謂當是服虔作一卷，李虔續之爲二卷。本書《李密傳》："密一名虔。"

字林七卷　弦令吕忱撰。　案張懷瓘《書斷》云："忱字伯雍，撰《字林》五篇，萬二千八百餘字。"③《魏書·江式傳》云："晋世義陽王典祠令任城吕忱表上《字林》六卷，附託《説文》，隱別古籀奇惑之字。"《直齋書録》云："《字林》補叔重所闕遺，於叔重部叙初無移徙，顧爲它説揉亂，且傳寫譌脱，學者鮮通。"《巽巖書目》云："《隋》、《唐志》皆云七卷，今五卷具在。《説文》部叙初無欠闕，不應更有兩卷。忱所增古文、籀文，今《説文》多已附見，疑後人因忱書悉繫許氏。若許氏先已有之，忱又何補焉？"　又案本書《地理志》，東萊國有惎縣，"弦"當作"惎"。又据本書《宗室傳》暨《武》、《惠帝紀》，義陽王以泰始初封，至惠帝永寧間改棘陽，知忱蓋武、惠時人矣。

韻集六　案《唐志》作"五"。　卷　安復令吕靜撰。　案《魏書·江式傳》云："忱弟靜放故左校令李登《聲類》之法，作《韻集》五卷，宮、商、鰷、徵、羽各爲一篇，而與其兄音讀楚夏，時有不同。"④

吳章篇二　案《唐志》並作"一"。　卷　陸機撰。

蟲篆詁訓　江瓊撰。据《魏書·江式傳》云："陳留濟陽人，字孟琚，晋馮翊太守。"

發蒙記一卷　束晳撰。　案《隋志》地理類別出一卷，或兩書同名，分著之歟。抑一書兩載，失于釐定歟，今姑存之。

要用字苑一卷　葛洪撰。据《唐志》。　案顏之推《家訓》亟引之。郭忠恕曰："形景爲影，本於稚川《字苑》。"

爾雅注五　案《釋文·叙録》暨《舊唐志》、《宋志》並作"三"，《新唐志》作"一"。　卷

爾雅圖十　案《唐志》作"一"。　卷　爾雅圖讚二卷　爾雅音　案《舊唐志》有"義"字。　一卷　案《通志略》作"音略二卷"。　方言注十三卷　案楊雄與劉歆往返書皆稱十五卷，郭璞《序》亦稱三五之篇，卷數與《隋》、《唐志》不同。《直齋

---

①　"愚以"原作"而"，據中華本《三國志》改正。
②　"千"原誤作"十"，據中華本《三國志》改正。《二十五史補編》本誤同。
③　原脱"瓘"，"懷"又誤作"瓌"。
④　原脱"時有"，據中華本《晋書》補。

書録》、《中興書目》又作"十四卷"。　**三蒼注**　《文選》注引作"解詁"。**三**　案
《唐志》並作"二"。**卷**　案《通志略》云："秦相李斯作《蒼頡篇》，漢楊雄作《訓纂篇》，後
漢郎中賈魴作《滂喜篇》，故曰《三蒼》。"　上六種並郭璞撰。

太上章　燕王慕容皝造，以代《急就》。據本書載記。

小學篇一卷　王羲之撰。據《唐志》。　案《魏書·任城王傳》云："王羲之《小學》
數千言。"郭忠恕曰："軍陳爲陣，始於逸少《小學章》。"

小學篇　案《顏氏家訓》引作"章"，《文選》注引作"解詁"。**一卷**　據《通志略》。
與上別出。　**文字要記三卷**　案《唐志》《文字要説》一卷，王氏注，當即此書。
　上二種並下邳内史王羲撰。

少　案《唐志》作"小"。**學集**　案《通志略》作"篇"。**九**　案《唐志》作"十"。**卷**
　楊方撰。

小爾雅略解一卷　三蒼注二卷　上二種並李軌撰。

字指二卷　單行字四卷　字偶五卷　上三種並朝議大夫李彤撰。　案
《通志略》作"李肜"。《文選·吳都賦》注引李彤《字説》，《汗簡》引李彤《集字》、李彤《字
略》，疑即是書。

文字音七卷　纂文三卷　翻真語三卷　上三種並蕩昌長王延撰。

啟蒙　案本書傳作"矇"。**記三卷**　案《國志·明紀》注引顧愷之《啓蒙注》，語不
類小學書，而各書均列小學類，今從其例。　**啓疑記三卷**　上二種並顧凱之撰。
案"愷"《舊唐志》作"凱"。

常用字訓一卷　殷仲堪撰。

爾雅圖贊一　案《通志略》作"二"。**卷　爾雅音六**　案《通志略》作"八"。
卷　上二種並江灌撰。據《唐志》。

幼學篇一卷　朱嗣卿撰。據《唐志》。

方言注三卷　劉昞撰。據《魏書》傳。　**衆文經**　魏天興四年，集博士儒生比
衆經文字，義類相從，凡四萬餘字，號曰《衆文經》。據《魏書·太祖紀》。　案當晉安帝
隆安五年。

古今字二卷　據《宋書·外國傳》沮渠茂虔獻河西人所著書。　案書雖獻於宋代，
然自屬晉世人撰，今特采列。

右小學類三十八種。

補晉書藝文志卷二

上海秦榮光炳如纂

史部

正史類

古史考二十五卷　譙周撰。　案本書《司馬彪傳》云：“《史記》書周、秦以上，或采俗語百家之言，不專據正經。周作《古史考》，皆憑舊典以糾遷繆誤。”《史通》云：“《古史考》書李斯之棄市也，云秦殺其大夫李斯，以諸侯之大夫名天子之丞相，以此擬《春秋》，所謂貌同而心異也。”章宗源《隋經籍志考證》曰：“《文選·王元長曲水詩序》注引公孫述竊位、蜀人任永託目盲事，其書兼及東京，不徒糾遷史之謬。至《史記索隱》引《周紀》不窋、《秦紀》處父等事，詞意多主辨駁，體裁實異正史，《唐志》列雜史類，得之。”

條古史考百二十二事　司馬彪撰。据本書傳，云：“條《古史考》不當，多據《汲冢紀年》之義。”

史記正傳九卷　江州從事張瑩撰。

史記音義十三卷　案《隋志》、《通志略》並作“十二卷”，《崇文總目》作“十九卷”，《通考》暨《宋·藝文志》作“二十卷”。兹據司馬貞《索隱·序》暨兩《唐志》。又案裴駰《集解·序》曰：“徐廣研核衆本，具列異同，兼述訓解。”　徐廣撰。

漢書音義七卷　韋昭撰。　案“韋昭”，《舊唐志》譌作“韓韋”。

漢書集注十三　案顏氏《漢書·叙例》暨《唐志》並作“十四”。**卷**　**漢書音義十七卷**　据《唐志》。　上二種並晉灼撰。　案《史通》云：“《漢書》應劭等音義，自別施行。至典午中朝，晉灼集爲一部，凡十四卷，又頗以意增益，特辨前人當否，名曰《音義》。金行播遷，此本不至江左。爰自東晉，至於梁、陳，南方學者皆弗之見。”顏氏《叙例》云字子盛，晉尚書郎。

漢書音義　　司馬彪撰。据《文選》注引。

漢書集解二十四卷　　臣瓚撰。　　案《史通》云："臣瓚者，莫知氏族，考其時代，亦在晉初。總集諸家音義，稍以己之所見舉駁前失，喜引《竹書》，後人不知臣瓚所作，乃謂之應劭等集解，斯不審矣。"顏之推曰："于瓚也。"小司馬曰："即傅瓚，劉孝標以爲于瓚，非也。何法盛《晉書》，于瓚以穆帝時誅死，不言注《漢書》。又其注引《祿秩令》及《茂陵書》，二書亡于西晉，非于所見。《穆天子傳·目錄》云：'傅瓚爲校書郎，與荀勖同校定。'當晉西朝尚見《茂陵》等書。稱臣者，職典祕書故也。"李衍《筆記》云："《水經注》嘗引及之，乃薛瓚也。"近洪頤烜云："《賈充傳》有著作郎王瓚，當即臣瓚。"

漢書駁議　　案《唐志》作"義"。　　**二卷**　　安北將軍劉寶撰。　　案《國志·諸葛亮傳》注引王隱《蜀記》云："扶風王駿鎮關中，司馬高平劉寶。"顏氏《漢書·叙例》云："字道真，高平人。"《玉海》云："寶爲中庶子，侍皇太子講《漢書》。"《世説》："劉道真嘗爲徒，扶風王駿以五百疋贖之，用爲從事中郎。"

漢書音義　　郭璞撰。据《文選》注引。

漢書集解　　蔡謨撰。据本書傳云："總應劭以來注班固《漢書》者。"《史記索隱》曰："謨集二十四家解。"

漢書注　　齊恭撰。据《元和姓纂》曰："晉有齊恭注《漢書》。"

漢書音義　　呂忱撰。据《水經注》、《文選》注引。

漢書音義　　徐廣撰。据《水經注》、《文選》注引。

續漢書志三十卷　　司馬彪撰。

三國志六十五卷　叙錄一卷　　陳壽撰。　　案《唐志》云："魏三十卷，蜀十五卷，吳二十卷。"《中興書目》云："魏紀四、列傳二十六，吳列傳二十，蜀列傳十五。"

右正史類十七種。

編年類

洞紀三　　案《唐志》作"四"。　　**卷**　　韋昭撰。据《國志·韋昭傳》云："尋按傳記，考合異同，采摭耳目所及，自庖犧，至於秦、漢，凡爲三卷。當起黃武以來，別作一卷，尚未成。"

晉紀　　阮籍撰。据《御覽》引用書目。

汲冢竹書紀年十三篇　　記夏以來至周幽王爲犬戎所滅，以事接之，三家分，仍述魏事,至安釐王之二十年。蓋魏國之史書,大略與《春秋》皆多相應。其經傳大異,則云夏年多殷,益干啓位,①啓殺之;太甲殺伊尹;文丁殺季歷;自周受命,至穆王百年,非穆王壽百歲也。幽王既亡,有共伯和者攝行天下事,非二相共和也。据本書《束晢傳》。案"十三"疑"十二"之譌,辨已見前。"三家分"下疑脱"晋"字。　又案杜預《左傳後序》:"《紀年》起自夏、殷、周,皆三代王事,無諸國別。唯特記晋國,起自殤叔,次文侯、昭侯,至曲沃莊伯,皆用夏正建寅之月爲歲首,編年相次。晋國滅,獨記魏事,下至魏哀王之二十年,謂之今王。蓋魏國之史記也,文意大似《春秋》經,足見古者國史策書之常也,所記與《左傳》符同。又稱殷仲壬即位居亳,亦當時雜記。"荀勖《穆天子傳·序》云:"汲者,戰國時魏地也。案所得《紀年》,蓋魏惠成王子,②令王之冢也,於《世本》,蓋襄王也。案《史記·六國年表》自今王二十一年至秦始皇二十四年燔書之歲,八十六年。及太康二年初得此書,凡五百七十九年。"《玉海》云:"唐劉貺以《紀年》序諸侯盟會皆舉諡,後人追脩,非當時正史,如齊人殲于遂、鄭棄其師,皆孔子新意。"

竹書紀年十二 　案《唐志》作"十四"。 卷 　荀勖、和嶠撰次。　案晁氏《讀書志》云:"凡八千五百十四字,嶠等以隸字寫之。"《中興書目》云:"止有第四、第六及《雜事》三卷,皆標云荀氏叙錄。一《紀年》,二《紀令應》,三《雜事》,皆殘缺。"

吳紀十 　案《隋志》作"九"。 卷 　環濟撰。据《唐志》。　案《通志略》曰:"《隋志》類於正史,非。"

魏陽秋異同八卷 　陳壽撰。据《通志略》。

晋書帝紀 　束晢撰。据《史通》云:"會中朝喪亂,其書不存。"

晋紀 　案《唐志》作"晋帝紀"。 四卷 　陸機撰。　案《史通》云:"晋史,洛京時著作郎陸機始撰。"

晋後略記 　案《通志》無"記"字。 五卷 　案本書《荀勖傳》:"綽撰《晋後書》十五篇。"《宋·藝文》作"《晋略》九卷"。 晋錄五卷 据《唐志》。　與上別出。　上二種並荀綽撰。　案《隋志》稱下邳太守,本書傳:"綽官司空從事中郎。"

魏紀十二卷 　左將軍陰澹撰。　案《唐志》、《通志略》並作"魏澹",考王隱《晋書》有傳,見《書鈔》設官部治中類引。本書《張軌傳》云:"陰澹爲股肱謀主。"未知即此陰澹否。

魏武本紀四卷 　著作郎樂資撰。

---

①　"干"下原脱"啓"字,據中華本《晋書》補。
②　"成"上原脱"惠"字,據《四部叢刊》本《穆天子傳》補。

晋紀二十三　案《唐志》編年類作"四十卷"，正史類別出二十二卷。**卷**　干寶
撰。　案本書傳云："自宣帝，訖愍帝，五十三年，凡三十卷。"《史通》云："二十二卷。其
書簡略，直而婉，甚爲當時所稱。"

晋紀注六十卷　劉協撰。据《唐志》。　案《玉海》作"劉肜注四十四卷"。《梁
書·劉昭傳》、《史通》、《御覽》並作"肜"。

漢春秋十卷　後漢春秋六卷　後魏　案"後"字疑衍文。**春秋九卷**
　　　上三種並据《唐志》。　　**漢魏春秋九卷**　上四種並孔衍撰。

漢晋陽秋四十七　案本書傳暨兩《唐志》、《通志·氏族略》並作"春秋五十四"。
卷　習鑿齒撰。　案本書傳云："起漢光武，終晋愍帝。于三國時，蜀以宗室爲正，魏
爲篡逆。"

魏氏　案《唐志》譌作"武"。**春秋**　案《初學記》職官部引《晋中興書》作"三國陽
秋"。**二十卷　晋陽秋三十二卷**　案《中興書目》云："《隋志》本二十二卷，今
止存宣帝一卷、懷帝一卷、唐人所著康帝一卷，餘亡。"《玉海》引《隋志》一作二十三卷，
《宋·藝文》作"《晋陽春秋》三十卷"。考晋避簡文帝鄭太后諱春爲陽，《宋·藝文》誤衍
"春"字。　上二種並孫盛撰。

後漢紀三十卷　袁宏撰。　案《史通》云："抄撮漢氏後書，依荀悅體者。"

晋紀十卷　前將軍諮議曹嘉之撰。　案《魏志·楚王彪傳》注："王隱《晋書》曰：'吏
部郎中李重啓云：①東莞太守曹嘉，良素恬潔，先代之後，可以爲員外散騎侍郎。'"《書
鈔》設官引此正作"嘉之"。

後漢紀三十卷　張璠撰。　案《郡齋讀書志》曰："東京史籍，惟璠《紀》差詳。"

晋紀十一卷　案《隋志》云："訖明帝。"考《世説·賞譽篇》注引此《紀》有咸和中語，
咸和，成帝年號，與《隋志》所言未合。本書傳云："著《元明紀》十篇。"《文心雕龍》云："鄧
粲《晋紀》，始立條例。"　**晋陽秋三十二卷**　据《唐志》。　上二種並鄧粲撰。

晋紀四十五卷　案"五"本書傳作"六"，《宋書》、《南史》並作"二"。**卷**　徐廣
撰。案《南史》廣傳云："義熙十一年成，表上之。"《玉海》云："廣舉荀伯子、王韶之爲佐
郎，同撰。"

獻帝春秋十卷　袁曄撰。　案《國志·荀彧傳》注引作"袁暐"。

──────────

① "云"字原脱，據中華本《三國志》補。

崇安紀　案《世説》注作“隆安”，唐諱“隆”字，改稱“崇”。**二卷**　周祗撰。据《唐志》。　案《隋志》别集類稱國子博士。

晋中興書八十卷　据《唐志》。　郗紹撰。　案《南史·徐廣傳》：“高平郗紹作《晋中興書》，數以示何法盛，法盛竊之。”《隋志》作“七十八卷，起東晋”。

晋紀　案《舊唐志》作“崇安紀”。**十卷　晋安帝陽秋**　上二種並王韶之撰。　案《玉海》云：“韶之私撰國史，除著作佐郎，使續後事，訖義熙九年。善叙事，辭論可觀，爲後代佳史。”《史通》作“王韶《晋安陸紀》”，浦氏《通釋》云：“‘陸’當作‘帝’，《晋安帝紀》即此《陽秋》也。《宋書》：王韶之，字休泰，此以屬對省‘之’字。《北史》有王韶，乃隋之武臣。”《南史·蕭韶傳》曰：“昔王韶之爲《隆安紀》，言晋末之亂離。”据此，《史通》“安陸”乃“隆安”之譌。

中興記　闕名。据本書《徐廣傳》引。

漢魏晋帝要紀三卷　賈匪之撰。　案匪之，賈弼子，見《南齊書·賈淵傳》。考弼仕太元中，則匪子當在安帝世。

晋紀二十三　案《宋書》傳暨兩《唐志》均無“三”字。**卷**　劉謙之撰。　案《宋書》傳，謙之在義熙末已爲始興相，故列入晋。

後漢略二十七卷　張緬撰。

漢靈獻二帝紀六卷　劉艾撰。　上三種並据《唐志》。

戰國策春秋二十卷　木概撰。据《元和姓纂》曰：“端木之後，避仇改爲木氏。有木概著《戰國策春秋》，見《七録》。”　案《北齊書》，李概撰《戰國春秋》及《音譜》。《隋志》别有李概《左史》六卷，《通志·藝文略》亦列李概《戰國春秋》、《左史》二書。据此，疑木概即李概，然李係北齊人，則梁《七録》何由録其著述，且《姓纂》何列入木氏也。疑木概、李概實係二人，李但著《音譜》，而《戰國春秋》實屬木著歟。

右編年類三十八種。

别史類

吳書五十五卷　韋昭撰。　案《吳志·韋曜傳》：“曜撰《吳書》，華覈、薛瑩皆與參同。孫皓欲爲父和作紀，曜執以不登帝位，宜名烏傳。”《步隲傳》：“周昭與韋曜、華覈並述《吳書》。”《薛綜傳》：“華覈上書曰：‘大皇帝命丁孚、項竣始撰《吳書》，少帝時更差韋曜、周昭、薛瑩、梁廣及臣五人共撰。’”《史通》曰：“曜終其書，定爲五十五卷。”《唐志》及《玉海》引《中興書目》，卷數並同。《隋志》作“二十五卷，殘缺”。

吳録三十卷　張勃撰。　案《史記索隱·伍子胥傳》云："勃，晉人，吳鴻臚儼之子。"章宗源《隋經籍志考證》云："《通志略》入編年類。案《水經注》、《文選注》、《初學記》、《藝文類聚》、《太平御覽》、《寰宇記》所引《吳録·地理志》，知《録》內分篇，實仍名志也。《世説》注引《吳録·士林》，或其列傳標目如《魏略·儒宗》，其體不似編年。"

蜀本紀　譙周撰。據裴注《國志》引。　案《書鈔》歌類引作"蜀王本紀"，誤衍"王"字。

周書注八　案《直齋書録》作"十"。**卷**　孔晁撰。據《唐志》。　案《隋》、《唐志》並作"汲冢周書"，考《晉書·束晳傳》及杜預《左傳集解·後序》載汲冢書，均不列《周書》之目。而《漢志》有《周書》七十一篇，《書録解題》稱凡七十篇，叙一篇，篇數正合。郭璞《爾雅註》稱《逸周書》者，即此書也，《隋志》誤題。

汲冢周志　案汲縣太康十年《齊太公呂望表》引《汲冢策書周志》云云，見王昶《金石萃編》。考《隋志》誤以《逸周書》爲《汲冢周書》，據此，汲冢所得，別自有《周志》，本書《束晳傳》未經叙及，或即在《雜書》十九篇中歟，今特采列。

帝王世紀十卷　皇甫謐撰。　案孔氏《尚書正義》曰："《晉書·皇甫謐傳》云姑子外弟梁柳邊得《古文尚書》①，故作《帝王世紀》，往往載孔傳五十八篇之書。"《崇文目》云："謐以《漢紀》殘闕，始博考經傳，旁觀百家，著《無年曆》十二篇，起太昊，訖漢。"今考《初學記》引其魏文受禪事，《御覽》引其成濟弑逆、陳留王就國治鄴事，非訖於漢矣。《舊唐志》作"帝王代紀"，唐諱世改。《中興目》作"九卷"，云："闕《周中》一篇。"

帝王世紀音四卷　虞喜撰。

後漢紀一百　案《隋》存六十五。**卷**　薛瑩撰。　案瑩見本書《薛兼傳》。《御覽》皇王部引光武、明、章、安、桓、靈帝六贊。

續漢書八十三卷　司馬彪撰。　案本書傳云："起世祖，終孝獻，爲紀、志、傳八十篇。"《魏志·武紀》注、《司馬朗傳》注引彪《序傳》，當是此書分篇。《新唐志》有《録》一卷。

魏書四十八　案《舊唐志》作"四"，《新唐志》作"七"。**卷**　王沈撰。　案本書傳云："與荀顗、阮籍共撰，多爲時諱，未若陳壽之實録。"《史通》云："王沈《魏録》，濫述貶甄之銘。"又云："魏史，黃初太和中，始命衞顗、繆襲草創紀傳，又命韋誕、應璩、王沈、阮籍、孫該、傅玄等復共撰定。其後，王沈獨就其業，勒成四十卷。"又本書《傅玄傳》云："選入著作，撰集《魏書》。"即此。

─────────────

①　阮刻《十三經注疏》本《尚書正義》"柳"下有"邊"字。

魏書　夏侯湛撰。据本書《陳壽傳》。

七代通紀　束皙撰。据本書傳。

吳曆六卷　胡沖撰。据《唐志》。　案沖爲吳胡綜子，入晋官尚書郎、吳郡太守。裴《國志注》屢引是書。

吳書　周處撰。据本書傳。

吳紀九　案《唐志》作"十"。**卷**　環濟撰。

蜀書　蜀郡太守王崇撰。据《華陽國志》云："其書與陳壽頗不同。"　案《史通》云："王崇補東觀。"

漢後書九十七　案《隋志》存十七卷，《唐志》作"三十一"。**卷**　華嶠撰。据本書傳云："起光武，終孝獻。爲帝紀十二卷，皇后紀二卷，十典十卷，傳十七卷，及三譜、序傳、目録，凡九十七卷，名《漢後書》。十典未成，子徹、暢踵成。"《隋》、《唐志》作"後漢書"，刊訛。今范書《蕭宗紀》論、《二十八將》論、《桓譚馮衍傳》論、《袁安傳》論、《劉趙淳于江劉周趙傳》序、《班彪傳》論，章懷並注爲嶠辭。《王允傳》論以《魏志·董卓傳》注參校，知亦嶠辭。

春秋後傳三十一　案《唐志》無"一"字。**卷**　樂資撰。　案《史通》云："采二史，撰其書始于周貞王，續前傳魯哀公，後至赧王入秦。又以秦文王繼周，終于二世，合三十卷。此多一卷，殆并《録》計之。"

魏晋紀傳　華暢撰。据本書《華嶠傳》。

後漢書一百二十二卷　据梁《七録》。《隋志》作"八十五"，《舊唐志》作"一百三十三卷"，《新唐志》作"一百二卷"，本書傳作"一百卷"。**後漢書外傳十卷**　据《唐志》暨本書傳。　**晋書三十餘卷**　据本書傳。　上三種並謝沈撰。

晋書二十二卷　干寶撰。　据《新唐志》，干寶《晋紀》外別出此。《通志》云："殘缺。"[1]

後　案《唐志》無"後"字。**漢南紀五十八**　案《隋志》存四十五，本五十五。**卷**　張瑩撰。据《唐志》。　案《世說·言語篇》注、《文選·干寶晋紀總論》注、《北堂書鈔》后妃部、政術部、《初學記》地部、人事部、武功部、《太平御覽》地部、職官部、兵部、宗親部、珍寶部引，並題"漢南記"。

---

[1]　"云殘"原誤倒，據《二十正史補編》本乙正。

後漢書一百　案《隋志》存九十五卷，《舊唐志》作“一百二”，《新唐志》作“一百一”，《録》一卷。本書傳云百篇。**卷**　祕書監袁山松撰。據梁《七録》。　案沈約《宋書·禮志》引《漢百官志》，《水經注》引《郡國志》，《史通·書志篇》言有《天文志》，《通志略》言有《藝文志》。又《新唐志》、《藝文類聚》、《白孔六帖》作“袁崧”者，“山松”之譌。　又案本書傳，山松不官祕書監。

晉書九十三　案《隋志》存八十六，《史通》作“八十九”，《唐志》並同，《玉海》引《晉春秋》云八十八。**卷**　據《七録》。　案《史通》云：“咸康六年，詣闕奏上。”又云：“王隱曰議。”《史記索隱》云：“外戚世家，王隱則謂之紀，而在列傳之首。”章宗源《隋書經籍志考證》曰：“《文選·謝修卜忠貞墓啓》引瞿湯數語，則稱述沈約《宋書》，引《地理記》，是隱所撰易志爲記。”　**删補蜀記七卷**　據《唐志》。　案《國志》注引作“王隱《蜀記》”。　上二種並王隱撰。

晉書四十四　案《隋志》存二十六，本書傳云四十餘，《唐志》作“二十八”。**卷**　虞預撰。訖明帝。據梁《七録》。

晉書十四　案《隋志》存十。**卷**　朱鳳撰。訖元帝。據梁《七録》。

漢尚書十卷　後漢尚書六卷　上二種並據《唐志》。　**魏**　案《唐志》“魏”上譌衍“後”字。**尚書十**　案《隋志》存八，《唐志》作“十四”。**卷**　據《七録》。　案《史通》云：“衍删漢、魏諸史，定以篇第，纂成一家。由是有《漢尚書》、《後漢尚書》、《漢魏尚書》，凡二十六卷。”浦氏《通釋》以《漢魏尚書》之“漢”爲衍字，《唐志》並作“後魏”，浦亦以“後”字爲衍文。盧氏《羣書補校》正本曰：“漢指蜀漢，非衍。”周中孚《鄭堂札記》曰：“習氏《漢春秋》則顯斥魏而獨尊蜀漢，此外著作，唯知有魏孔氏，殆猶此例。即欲載蜀事，亦必附入《後漢尚書》，斷無取冠曹魏獨遺孫吳理。”據此，“後”字當依浦氏作衍文説較長。　**春秋時國語十卷**　據《史通》、《新唐志》。　**春秋後國**　案《崇文目》暨《宋·藝文》均無“國”字。**語十卷**　案《史通》云：“衍以《戰國策》所書未爲盡善，乃引太史公所記，參其異同，删彼二家，聚爲一録，號爲《春秋後語》。除二周及宋、衞、中山，所留者，唯七國。始自秦孝公，終于楚漢之際。比于《春秋》，亦盡二百三十餘年行事。始衍撰《春秋時國語》十卷，今行世者唯《後語》。”　上五種並孔衍撰。

周載三十　案《隋志》存八，《唐志》同。**卷**　略記前代，下至秦。臨賀太守孟儀撰。據梁《七録》。

東晉新書七卷　庾銑撰。

晉書鴻烈六卷　張氏撰。　上二種並據《册府元龜》次晉代。

漢皇德紀二十卷　起光武，至獻帝。侯瑾撰。　案瑾別有《漢皇德傳》，見《宋書·外國傳》沮渠茂虔獻河西書。据此，瑾爲河西人矣。《御覽》資産部引《漢皇德頌》曰："侯瑾字子瑜，燉煌人。少孤貧，依宗人居，性篤學，恒傭作爲資，暮還輒藝柴讀書。"

右別史類三十八種。

雜史類

國語注二十二　案《唐志》作"二十"。《四庫全書提要》曰："今本首尾完具，實二十一卷，南、北宋版同，知《隋志》誤一字，《唐志》脱一字也。"**卷**　韋昭撰。

春秋外傳國語注二十卷　孔晁撰。案《新唐志》作"孔鼂解二十一卷"。

汲冢國語三篇　案言楚晉事，据本書《束皙傳》。

古國志五十篇　陳壽撰。据《華陽國志》暨本書傳。

後漢雜事十卷　九州春秋十　案《唐志》作"九"，《宋·藝文》別史作"十"，霸史作"九"。**卷**　案《史通》曰："漢氏失馭，英雄角力，彪録其行事，州爲一篇。"《崇文目》云："紀漢末州郡之亂，司、冀、兗、徐、青、荊、揚、涼、幽九州，各一篇。"《書録解題》"幽"上增"益"字，蓋司即漢司隸所治，不在九州之數，宜書有十卷也。　上二種並司馬彪撰。

蜀志　杜襲撰。据《華陽國志》云："志趙廞、李特叛亂之事。"

蜀後志　武平太守常寬撰。据《華陽國志》。

漢國君臣紀傳　僞漢嘉平初，公師彧以太中大夫領左國史撰。据《史通》。又曰："或撰《高祖本紀》及功臣傳二十人，甚得良史之體。凌脩譖其訕謗先帝，聰怒誅之。"案彧見二劉載記。

涼國史　案《史通》云："前梁張駿時，劉慶遷儒林郎中常侍，在東苑撰。"　**涼記十二卷**　据《史通》曰："張重華護軍參軍劉慶在東苑專脩國史二十餘年，著《涼記》十二卷。"①案浦氏《通釋》云："苑通苑。"　上二種並前涼劉慶撰。　案慶見本書《張駿傳》，諫討劉晏稱從事。

涼國春秋五十卷　前涼索綏撰。据《史通》云："張駿十五年，命西曹邊瀏集内外事付秀才索綏作。"　案《御覽》引《前涼録》曰："綏字士艾，燉煌人。父戢，晋司徒。綏家

————
①　原脱"涼記十二卷"五字，據上海古籍出版社點校本《史通通釋》補。

貧，好學，舉孝廉，爲記室祭酒，母喪去官。又舉秀才，著《涼春秋》五十卷。"又曰："以著述功封平樂亭侯。"　又案晉世司徒無索戢，疑有脫文。

趙記　後趙石勒命其臣徐光、宗歷、傅暢、鄭愔等撰。①　据《史通》。又云："又令王蘭、陳晏、程陰、徐機等相繼撰次。至石虎，並令刊削，使勒功業不傳。"

燕紀　前燕有起居注，杜輔全録。据《史通》。案浦氏《通釋》云："'全'，疑'詮'脫旁。"

涼記八卷　記張軌事，僞燕右僕射張諮撰。　案《世説》注引作"張資《涼州記》"，《唐志》作"十卷"。《玉海》："諮爲涼祭酒。"《御覽》珍寶部引《晉書》："吕光竊號，河右有中書監張資。"

漢趙記十　案《新唐志》作"十四"，《宋·藝文》作"一"。**卷**　和苞撰。　案《史通》云："事止當年，不終曜滅。"本書《劉曜載記》："侍中和苞封平輿子，領諫議大夫。"《唐志》作"和包"。又案本書《張寔傳》有威遠將軍宋毅及和苞，似别一人。

上黨國記　石勒記室佐明楷、程機等撰。据本書載記。

二石傳二卷　二石僞治時事二　案《通志略》作"一"。**卷**　上二種並北中郎參軍王度撰。　案度官石季龍著作郎，見本書《藝術·佛圖澄傳》。又《苻生載記》有晉將王度，當是本仕僞趙，後入晉，故題爲"僞治"也。

西河記二　案《元和姓纂》、《通志·氏族略》並作"三"。**卷**　記張重華事，晉侍御史喻歸撰。　案本書《張重華傳》作"御史俞歸"，考《通鑑》，俞歸以穆帝永和三年使涼，至哀帝興寧元年天錫送歸。《通志·氏族略》："喻氏音樹，望出南昌。"

秦書八卷　記苻健事，何仲熙撰。

趙書十卷　一曰《二石集》，記石勒事。　案《二石集》即《二石記》，與《趙書》别自一種。《趙書》專記勒事，《隋志》誤合爲一。《通志》："《趙書》二十卷，一曰《趙石記》，一曰《二石集》。"亦沿《隋》誤。　**二石記二十卷**　据《唐志》。　**趙石記二十卷**　据《唐志》。　**苻朝雜**　案《通志略》作"雜"。**記一卷**　据《唐志》。　上四種並僞燕太傅長史田融撰。

趙書　吴篤撰。据《御覽》引用書目。

後燕書三十卷　後燕建興元年，董統受詔草創後書，著本紀并佐命功臣、王公列傳。据《史通》。又云："慕容垂稱其叙事富贍，足爲一家之言。但襃述過美，有愧董史

---

①　"歷"原作"曆"，據上海古籍出版社點校本《史通通釋》改。下同。

之直。”

涼書　建康太守索暉撰。据《史通》。　案“暉”一作“璕”。

涼記十卷　記呂光事，僞涼著作佐郎段龜撰。　案《藝文類聚》、《初學記》、《太平御覽》引，或作“涼州記”，或作“西涼記”。

燕書　申秀撰。据《史通》云：“申秀、范亨各取前後二燕，合成一史。”

燕書二十卷　記慕容儁事，僞燕尚書范亨撰。　案亨見《魏書·崔浩傳》。

漢之書十卷　散騎常侍常璩撰。　案《史通》曰：“蜀初號成，後改稱漢。李勢散騎常侍常璩撰《漢書》，後入晋祕閣，改爲《蜀李書》。”一本作“蜀書”，《唐志》別出《蜀李書》九卷。

燕記　慕容暐著作郎崔逞撰。据《魏書》傳。

燕書　慕容暐著作郎封懿撰。据《魏書》傳。

秦國史　秦祕書郎趙整撰。据《史通》云：“整參撰國史，值秦滅，隱於商洛山，著書不輟，有馮翊車頻助其經費。”案“商洛”一作“南洛”。　又案整見《通鑑》孝武帝寧康二年，稱符堅祕書侍郎。

秦書二卷　秦馮翊車頻撰。　案《史通·外篇》云：“頻蓋續成趙整稿。”

後秦史　扶風馬僧虔撰。

後秦史　河東衛隆景撰。　上二種並据《史通》。又云：“姚氏之滅，殘缺者多。”

秦紀十卷　記姚萇事，魏左民尚書姚和都撰。　案和都見本書《姚興載記》，稱太子右衛率，《姚泓載記》稱給事黃門侍郎。《史通》云泓從弟，仕魏，追撰。

南燕録五　案《新唐志》作“十”。**卷**　記慕容德事，僞燕尚書郎張詮撰。　案《通志略》無“郎”字，《唐志》作“張詮《南燕書》”。《初學記》職官部、《御覽》人事部引，並作“張詮《南燕書》”。

南燕録　案《初學記》地部引作“書”。**六卷**　記慕容德事，僞燕中書郎王景暉撰。　案景暉係姚興太史令高魯甥，見本書《慕容德載記》。《史通》云：“趙郡王景暉仕於馮氏，官至中書令。”《舊唐志》作“景暄”。

南燕書七卷　遊覽先生撰。

鄴洛鼎峙記　案《舊唐志》作“紀”。**十卷**

翟遼書二卷

諸國略記二卷

永嘉後纂年記二卷

段業傳一卷　上五種並据《唐志》，無撰人名。

南涼國紀　南涼主烏孤初定霸基，欲造國紀，以其參軍郭韶爲國紀祭酒，使撰録時事。据《史通》。　案"郭"舊作"郎"，浦氏《通釋》本校改。郭韶，中州之令才，見本書《南涼載記》。

燕書　慕容寶中書令、民部尚書封懿撰。据《魏書》傳。

桓玄　案《舊唐志》作"公"。**僞事三**　案《唐志》作"二"。**卷**　案《舊唐志》作"應德詹撰"。

桓玄僭僞事三卷　据《通志略》。與上別出，不著撰人名。

涼書十卷　記張軌事。　**敦煌實録二**　案《隋志》無"二"字。**十卷**　上二種並劉昞撰。据《魏書》傳。　案《隋志》作"劉景"，說詳易類。

涼書十卷　高謙之撰。据《魏書》。謙之父舅沮渠蒙遜曾據涼土，國書漏闕，乃修之。　案《隋志》作"高道讓"，乃謙之字也。

梁　案《通志略》作"涼"。**書十卷**　沮渠國史撰。

吐谷渾記二卷　宋新亭侯段國撰。

托　案《通志略》作"拓"。**跋涼録十卷**　案《史通》云失名。　上四種並据兩《唐志》。

蒙遜記十卷　蒙遜中書郎、世子洗馬宗欽撰。据《魏書》傳。　案《史通》云："宗欽記沮渠事。"

馮記　韓顯宗撰。据《史通》。　案顯宗，韓麒麟子，見《魏書》傳。

禿髮記　据《史通》，云失名。

魏國記　魏中壘將軍鄧淵撰。据《魏書》傳。太祖詔撰，造十餘卷，唯次年月起居行事而已，未有體例。　案魏收《魏書·自序》又稱"代記"。　又案魏太祖位終義熙四年，是《記》之作尚在晉世。

夏書　夏天水趙思羣於真興之世受命著其國書。据《史通》。又云："及統萬之亡，多見焚燒。"　案《魏書》："趙逸字思羣，赫連屈丐著作郎。世祖平統萬，見逸所著書，曰：'此豎無道，速推之司徒。'崔浩進曰：'彼之謬述，亦猶子雲之《美新》。皇王之道，固宜容之。'乃拜中書郎。"

西涼書

西秦書　案上二種或當代所書，或他邦所録。据《史通》。

右雜史類六十四種。

詔令奏議類

晋文王武帝雜詔十二卷

晋元帝詔十二卷

晋成帝詔草十七卷

晋咸康詔四卷

晋康帝詔草十卷

晋建元直詔三卷

晋永和副詔九卷

晋升平隆和興甯副詔十卷

晋泰元咸甯甯康副詔　案《舊唐志》作“太元”，無“咸寧寧康”四字。十一卷

案“泰”當依《舊唐志》作“太”，太元應列寧康後，“咸寧”亦“咸安”之譌，當作“咸安寧康太元”。

隆安直詔五卷

元興大亨副詔三卷　案上二種《舊唐志》合而爲一，作《崇安元興大亨副詔》八卷，“崇”、“享”蓋“隆”、“亨”之譌。

義熙詔十　案《舊唐志》作“二十二”。卷

義熙副詔十卷

晋　案《舊唐志》有“書”字。雜詔書一百卷　録一卷　又二十八卷

録一卷

晋詔六十卷

晋雜詔六十六卷　据《舊唐志》。　案疑即上一種。

頒五條詔十卷

晋朝雜詔九卷

録晋詔十四卷

晉詔書黃素制五卷　据《舊唐志》。

晉定品　案《新唐志》有"雜"字。**制一卷**

右詔令奏議類詔令之屬，二十二種。

漢名臣奏　案《新唐志》有"事"字。**三十卷**　案《隋》、《唐志》並列總集類，《通志略》別出《漢名臣奏事》三十卷，疑複。

魏名臣奏事　案《國志》注引無"事"字。**四十卷　錄一卷**　陳壽撰。　案《隋志》總集類別出陳長壽《魏名臣奏》三十卷，疑誤複。**魏駁九卷**　据《宋書·外國傳》沮渠茂虔獻河西人所著書。

山公　案《御覽》暨兩《唐志》均作"濤"。**故事三**　案《新唐志》作"十"。**卷**

山公表注　賈弼之撰。据《文選》注。

杜預奏事

傅咸集奏

傅咸劾事

劉弘教

孫盛奏事

孫楚集奏

徐邈奏議　上七種並据《御覽》引用書目。

中丞高崧奏事五卷　案本書傳，崧不官中丞。

中丞司馬無忌奏事十三卷

金紫光祿大夫周閔奏事四卷

孔羣奏二十二卷

中丞劉劭奏事六卷　案劭附本書《劉隗傳》，咸康世，歷御史中丞，亦見《庾懌傳》。《世說》注引《文字志》："劭字彥祖，初仕領軍參軍，歷侍中、豫章太守。"

中丞虞谷奏事六卷　案谷附本書《虞騤傳》，云位至吳國內史。

范甯啟事　梁有十卷。　案《舊唐志》"范"誤作"苑"。

晉諸公奏十一卷

晉彈事十　案《舊唐志》作"九"。**卷**

晉駁事四卷

南臺奏事二十二卷

雜表駁奏三十五卷

雜薦文十二卷

薦文集七卷

晉雜議十卷　　据《唐志》。

右詔令奏議類奏議之屬，二十七種。

傳記類

孔子讚一卷

四科傳四卷　　案《唐志》並有姚澹《四科傳讚》四卷，疑即是書。　　上二種並据《宋書·外國傳》沮渠茂虔獻河西人所著書。

右傳記類聖賢之屬，二種。

成侯命婦傳　　鍾會爲其母撰。

焦先傳　　耿黼撰。

焦先傳　馬鈞序　　上二種並傅玄撰。

司馬朗序傳　　司馬彪撰。

孫資別傳

王弼傳　　何劭撰。

嵇康傳　　嵇喜撰。

程曉別傳

荀勖別傳

山濤行狀

曹志別傳

顧譚傳　　陸機撰。

孫惠別傳

曹志別傳

劉廙別傳

盧諶別傳

潘岳別傳

任嘏別傳

樂廣傳　　謝鯤撰。

陸機雲別傳

潘尼別傳　　上二十二種並据《國志》注。

孫登別傳　　孫綽撰。据《水經·清水》注。

蜀相諸葛亮故事集二十四篇　　陳壽撰。据《華陽國志》。　　案本書壽傳：“作《諸葛亮集》表進，凡十萬四千一百一十二字。”

諸葛亮隱没五事一卷　　郭沖撰。

荀粲傳　　何劭撰。据本書傳。

玄晏春秋三　　案《唐志》作“二”。卷　　皇甫謐撰。

管輅傳三　《唐志》作“二”。[①]卷　　管辰撰。　　案辰爲輅弟，仕至州主簿從事，卒於太康初，見《國志》輅傳注。

辛憲英傳　夏侯稱夏侯榮序　　案稱、榮，夏侯淵第三、第五子，見《國志·夏侯淵傳》注引《世語》。　　羊秉叙　　上三種並夏侯湛撰。

趙至叙　　嵇紹撰。

王祥別傳

王祥世家

賈充別傳

向秀別傳

周處別傳

陸機別傳

陸雲別傳

[①]　“二”原誤作“卷”，據中華書局點校本《新唐書》改。

左思別傳

蔡克別傳

阮孚別傳

衛玠別傳

王澄別傳

王堪傳　　謝朗撰。　　案堪官車騎將軍，死石勒難，見本書《懷帝紀》。

汝南別傳　　案記王湛事。

趙吳郡行狀　　案趙穆字季子，晋明帝時冠軍將軍、吳郡太守。

王敦別傳

王含別傳

桓彝別傳

郭璞別傳

王丞相別傳

王丞相德音記

桓溫別傳

桓沖別傳

桓豁別傳

蔡充別傳

卞壺別傳

阮裕別傳

阮光禄別傳　　案阮裕徵金紫光禄大夫。

周顗別傳

郗鑒別傳

鍾雅別傳

陶侃別傳

王彬別傳

王珉別傳

王舒傳

王述別傳

王濛別傳

王長史別傳　　案即王濛。

謝鯤別傳

陸玩別傳

謝玄別傳

謝車騎家傳

王邃別傳

江惇別傳

石勒傳

諸葛恢別傳

王司徒傳　　案名珣，字元琳，導孫，洽子。

郗超別傳

郗曇別傳

郗愔別傳

祖約別傳

王彪之別傳

王廙別傳

孔愉別傳

羊曇別傳

劉尹別傳　　案記劉恢事。

徐江州本事　　案記徐寧事。

王獻之別傳

王中郎傳　　案記王坦之事。

范宣別傳

王乂別傳

王雅別傳

陳逵別傳　　案逵字林道，潁川許昌人，官西中郎將。

孫放別傳

蔡司徒別傳　　案記蔡謨事。

殷羨言行

殷浩別傳

陸玩別傳①

王劭王薈別傳

虞光祿別傳

范汪別傳

司馬無忌別傳

庾翼別傳

顧和別傳

羅府君別傳　　案記羅含事。②

王胡之別傳

顧悅傳　　子愷之撰。

顧愷之家傳

孟嘉別傳

司馬晞傳

會稽孝文王傳

顧愷之別傳

羊曼別傳

王恭別傳

桓玄別傳　　上八十九種並据《世説》注。

---

①　案《陸玩別傳》上已著録，疑複誤。

②　“羅”與“府君別傳”原互倒，據《二十五史補編》本乙正。

嵇中散傳　孫綽撰。据《文選》注。

羊祜別傳

曹肇別傳　曹毗撰。

傅咸別傳

雷煥別傳

石勒別傳

陶侃故事

郭文舉別傳

庾亮別傳

王湛別傳

王蘊別傳

葛洪別傳

孫略別傳

王猛別傳

顏含別傳

神女傳　張敏撰。上十六種並据《北堂書鈔》。

孫登別傳

夏仲御別傳

張華別傳

裴楷別傳

石崇本事

荀采傳

張載別傳

葛仙公別傳

許遜別傳

許邁別傳

羅含別傳

杜蘭香別傳　　上十二種並据《藝文類聚》。

山濤別傳　　袁宏撰。

許蕭別傳　　案蕭愍帝時侍中。

庾袞別傳

牽招碑　　孫楚撰。

趙穆別傳

傅宣別傳　　上六種並据《初學記》。

潘京別傳

庾珉別傳

庾異行別傳

江偉別傳

曹攄別傳

何禎別傳

祖逖別傳

石虎別傳

王威別傳

王瑕別傳

王處仲別傳

謝安別傳

江祚別傳

江蕤別傳

許邁別傳

郭翻別傳

杜祭酒別傳

桓石秀別傳

謝安別傳

徐邈別傳

江濛別傳

陳武別傳　上二十二種並据《太平御覽》。

成公智瓊傳　張敏撰。据《太平廣記》。

薛常侍傳二卷　荀伯子撰。

桓玄傳二卷　案雜史類有《桓玄僞事》二卷，疑即此書。　上二種並据《唐志》。

趙畞傳一卷　据《宋書·外國傳》沮渠茂虔獻河西人所著書。

右傳記類名人之屬，一百七十六種。

聖賢高士　案《舊唐志》無“聖賢”字。**傳讚**　案《唐志》無“讚”字。**三**　案《新唐志》作“八”。**卷**　嵇康撰。　案《國志》註引《嵇康傳》云：“自混沌至于管寧，凡一百十九人。”《直齋書録》曰：“序稱自堯至魏咸熙，得九十餘人。今自被衣至管寧，唯八十七人。”

泰始先賢狀　据《通志·氏族略》東里氏注引。

高士傳六　案《舊唐志》作“七”，《新唐志》曁《崇文》、《中興》、《直齋書目》、《通志略》、《宋·藝文》並作“十”。**卷**　案《四庫提要》云：“南宋李石《續博物志》曰：‘皇甫謐傳高士七十二人。’《讀書志》作九十六人，是宋時已有二本，竄亂非其舊矣。”**逸士傳一卷　列女傳六卷　列女傳**　据《國志·曹爽》、《龐涓傳》注引。與上别出。**韋氏家傳三卷**　据《舊唐志》。　上五種並皇甫謐撰。

益部　案本書傳作“都”。**耆舊傳十四卷**　案本書傳作“十篇”，《玉海》作“十卷，續一卷”。　陳壽撰。　案《隋志》作“陳長壽”，誤。

續益部耆舊傳　案《國志》註作“益部耆舊傳雜記”，《新唐志》作“益州耆舊雜傳記”。**二卷**　案原脱撰人名，据《華陽國志》曰：“常寬續陳壽《耆舊傳》，作《益梁篇》。”當即此書。

女記　案陶潛《羣輔録》引作“杜元凱《女戒》”，《文選注》引作“女史”，本書傳作“女記讚”，《新唐志》作“列女記”。**十卷　杜元凱宗譜**　据《玉海》引。　上二種並杜預撰。

晉世族姓昭穆記　案《史通》稱“族姓記”。**十卷**　摯虞撰。

三魏士人傳　束皙撰。据本書傳云：“書亡於永嘉之亂。”

魯國先賢傳　案《舊唐志》作“志”。**二**　案《唐志》作“十四”，《通志略》作“三”。

卷　大司農白褒撰。　案褒見本書《劉頌傳》，稱咸寧中散騎郎。《山濤傳》又有左丞白裒，“裒”或“褒”之譌。

列異傳三　案《新唐志》作“一”。卷　張華撰。

列女後傳　土接撰。据本書傳，云七十二人。

集列女後傳　王愆期撰。据本書《王接傳》。

列女傳序讚一卷　孫夫人撰。据《舊唐志》次杜預《女記》下，《新志》次《女記》上，當亦晉人。　交州先賢傳三　案《唐志》作“四”。卷　范瑗撰。　案《玉海》作“范爰”。

良吏傳十卷　隱逸傳十卷　集異傳十卷　上三種並葛洪撰。並据本書傳。

裴氏家記　据《國志·孟光傳》注。　晉諸公讚二十一　案《唐志》作“二”。卷　上二種並傅暢撰。

江表傳五卷　虞溥撰。

梁益耆舊傳　蜀後賢傳　上二種並常寬撰。据《華陽國志》。

齊王功臣格　据本書《顧榮傳》。

國曆志五卷　孔衍撰。据《唐志》。

山陽先賢傳　周斐撰。据《說郛》。

山陽先賢傳　仲長穀撰。据《元和姓纂》。

楚國先賢志　案《隋志》作“傳讚”，《舊唐志》作“傳”。十二卷　楊方撰。据《新唐志》。　案《隋志》、《舊唐志》作“張方”，考本書《張方傳》，不云能文。《御覽》引作“張方賢《楚國先賢傳》”。

陳留人物　案《隋志》無“人物”字。志十五卷　刌令江敞撰。据《舊唐志》。案《新唐志》譌作“江徵”。

逸人高士傳八卷　習鑿齒撰。据《舊唐志》。

長沙耆舊　案《隋志》脫“耆”字，《唐志》譌作“舊邦”。傳讚三　案《唐志》作“四”。卷　臨川王郎中劉彧撰①。　案《舊唐志》作“劉成”。

---

①　“郎王”二字互倒，據中華書局1955年版《二十五史補編》本乙正。

逸民傳七卷　張顯撰。　案《唐志》存三卷,諱民字改稱《逸人傳》。

逸人傳　孫盛撰。据《初學記》引。

功臣行狀　王銓撰。据本書《王隱傳》。

至人高士傳讚一卷　孫綽撰。

文士傳五十卷　張隱撰。　案隱爲廬江太守,張夔子,見《陶侃傳》。《御覽》引書目別列張鄩《文士傳》、張隋《文士傳》,《唐志》亦作"張隋",並誤。

名士傳三案《宋·藝文》作"二"。**卷**　据《舊唐志》。　案本書傳作"竹林名士傳",《隋志》作"正始名士傳"。考《世說》云宏以夏侯太初等三人爲正始名士,阮嗣宗等七人爲竹林名士,裴叔則等八人爲中朝名士。据此,依《舊唐志》較得。　**竹林七賢傳**　据陶潛《羣輔録》。　上二種並袁宏撰。

竹林七賢贊　孫統撰。　据《羣輔録》。

曹氏家傳一卷　曹毗撰。

虞氏家傳案《通志略》作"記"。**五卷**　虞覽撰。据《舊唐志》。

諸虞傳十二篇　虞預撰。据本書傳。

范氏世傳一卷　范汪撰。

紀氏家紀一卷　紀友撰。　案友爲紀瞻孫,官廷尉,見本書瞻傳。

嵇氏世家　《御覽》文部引。

殷氏世家　《御覽》學部引。

明氏家訓一卷　僞燕衛尉明岌撰。

耆舊傳　王嘉撰。据《太平廣記》引書目作"王子年"。案本書傳,嘉字子年。

列女傳七卷　綦母邃撰。　案《元和姓纂》,邃,江左時人,官邵陽太守。

感應傳八卷　尚書郎王延秀撰。

甄異傳三卷　西戎主簿戴祚撰。　案祚別撰《西征記》,《史記正義》稱戴延之,當即祚字。

姓氏簿狀七百十二卷　散騎常侍河東賈弼撰。　案《南齊書·賈淵傳》:"祖弼之,晉員外郎。廣集百氏譜記,專心治業。太元中,朝廷給弼之令史書吏,撰定繕寫,藏祕閣,乃遷左民曹。"《梁書·王僧孺傳》:"弼篤好簿狀,廣集衆家,大搜羣族,撰十八州一百十六郡,合七百十二篇。凡諸大品,略無遺闕。"《唐書·柳沖傳》:"弼撰藏在祕閣,副在左户，甄析士庶無所遺。"

司馬氏系本 譙王無忌撰。据《史記・太史公自序》張守節正義引。 案"系"當作"世"，唐人諱世，故改稱系也。

荀氏家傳十卷 荀伯子撰。

江氏家傳七卷 江祚撰。 案《舊唐志》作"江統"，《通志》引誤作"江饒"。

高士傳二卷 案《文選・蕭公行狀》注作"虞孝敬《高士傳》"，《御覽》人事部稱虞敬叔《高士傳》。 **孝子傳一卷** 上二種並虞槃佐撰。

吳士人行狀名品二卷 虞尚撰。据《舊唐志》。案《新唐志》作"虞禹"。

孝傳贊 始虞舜，終殷陶。据本書傳。 陶潛撰。

永嘉流士十三卷 衛禹撰。据《舊唐志》。 案《新唐志》、《通志》並作"二卷"。

豫章烈士傳三卷 徐整撰。据《通志》。

太傅佐史簿 据《通志・氏族略》冠軍氏注引。晉有太傅東海王參軍冠軍夷見是《簿》。

武昌先賢志 案《唐志》作"傳"。 **三卷** 郭緣生撰。

會稽先賢傳 謝承撰。据《說郛》。

太原王氏家傳二十三卷

零陵先賢傳一卷 上二種並闕撰人名。

七賢傳五卷 孟氏撰。

吳朝人士品秩狀八卷 胡沖撰。据《唐志》。

魏末傳二卷

晉過江人士目一卷

諸國清賢傳一卷 上三種並据《唐志》，闕撰人名。

複姓録 傅餘頠撰。据《通志・氏族略》。 案《氏族略》餘氏注云："晉餘頠撰《復姓録》。"《元和姓纂》稱徐頠撰《複姓録》，疑皆誤。

嵇康高士傳注八卷 据《新唐志》。 案《蓮社高賢傳》："續以嵇康《高士傳》得出處之正，爲之注釋。" **高士傳贊三卷** 据《唐志》。 上二種並周續之撰。

魏世譜 蜀世譜 案《後漢書》注引作"蜀譜"。 上二種並孫盛撰。

嵇氏譜

孫氏譜

陳氏譜

郭氏譜

翟氏譜

會稽邵氏家傳　　上八種並据《國志》注。

永嘉流人名

征西寮屬名

庾亮寮屬名

齊王官屬名

明帝東宮寮屬名

庾亮啟參佐名

大司馬寮屬名　　伏滔撰。

晋中興士人書

王朝目録

江左名士傳

文字志

文士傳

裴氏家傳

褚氏家傳

謝氏語

王氏世家

晋世譜

華嶠譜叙

摯氏世本

周氏譜

王氏譜

吳氏譜

孔氏譜

陶氏叙

謝女譜

羊氏譜

許氏譜

桓氏譜

馮氏譜

袁氏世紀

陸氏譜

顧氏譜

庾氏譜

諸葛氏譜

謝氏譜　　案《隋志》著録十卷。

劉氏譜

楊氏譜

傅氏譜

虞氏譜

衛氏譜

魏氏譜

温氏譜

曹氏譜

李氏譜

袁氏譜

索氏譜

戴氏譜

賈氏譜

郝氏譜

郗氏譜

韓氏譜

陳氏譜

殷氏譜

張氏譜

荀氏譜

祖氏譜

阮氏譜

司馬氏譜　　上五十八種並据《世說》注。

司馬世家二卷　　据《唐志》。

皇族宗人圖牒　　据本書《職官志》，云宗正所統。

漢皇德傳二十五卷　　据《宋書·外國傳》沮渠茂虔獻河西人所著書。　案《續後漢書·五行志》注引之。《玉海》云：“侯瑾按《漢紀》中興以後行事爲《皇德傳》卅篇。”

右傳記類總錄之屬，一百四十七種。

默記三卷　　張儼撰。　案《國志》云：“儼字子節，吳人。拜大鴻臚，使於晉。”考本書《武紀》，使晉在泰始二年三月。

三輔決錄注七卷　　摯虞撰。

文章敘錄　　荀勖撰。据《國志》注。

會稽典錄二十四卷　　虞預撰。据《史通》。　案預本書有傳。《隋志》作“虞豫”。考豫傳，元帝后父，早卒，不言能文。

豫章舊志三卷　　會稽太守熊默撰。

豫章舊志後撰一卷　　熊欣撰。

九州記　　荀綽撰。　案《冀州》、《兗州記》並見《國志》注。

家訓　　黃容撰。据《華陽國志》。

晉陽秋　　庾翼撰。据《說郛》。　案書非編年體，故列此。

杜氏新書　　据《國志·杜恕傳》注。　　三國異同評　　据《國志·魏武紀》注。

異同記　　据《國志》注引。與上別出，疑實一書。　　異同雜語　　据《國志·魏武紀》注。　　案《御覽》兵部引稱"三國異同傳"，《唐志》有《晋陽秋異同》八卷，孫盛撰，"壽"係"盛"之譌。《國志》註又别引孫盛《雜語》，無"異同"字，疑屬一書。　　雜記 据《國志·魏武紀》注引。　　案與上疑亦一書二名，或"記"即"語"之譌。　　上五種並孫盛撰。

襄陽耆舊記五 案《崇文目》作"三"。 **卷** 習鑿齒撰。　　案晁氏《讀書志》云："前載襄陽人物，中載其山川城邑，後載其牧守。"《唐·藝文志》曰："傳觀其書，記録叢脞，非傳體也。"

東陽朝堂像 案《新唐志》作"畫"。 **讚一卷** 南平太守留叔先撰。

竹林七賢論二卷 戴逵撰。

文章記 顧愷之撰。据《世説》注。

右傳記類雜録之屬，二十種。

史鈔類

洞記四卷 韋昭撰。起庖犧至秦漢三卷，起黄武以來一卷。

晋後略五卷 荀綽撰。　　案本書傳作"《晋後書》十五篇"，《舊唐志》作"晋後略記"，《宋志》作"《晋略》九卷"。

後漢略二十五卷 張緬撰。　　案《唐志》作"後漢書略"。

史記鈔十四卷 据《新唐志》。　　**漢書鈔三十卷　後漢書鈔三十卷** 据《唐志》。　　**涉史隨筆一卷** 据《述古堂書目》。　　上四種並葛洪撰。

史漢 一本作"記"。 **要集二卷** 祠部郎王蔑撰。鈔《史記》入《春秋》者不録。　　案蔑見《隋志》别集類，祭郡主簿。《唐志》别集類並作"王蔑"，《玉海》作"王茂"。

三史略記八十四卷 劉昞撰。据《魏書》傳。昞爲李暠儒林祭酒，以三史文繁，著《略記》百三十篇。

三國總略二十卷 据《宋書·外國傳》沮渠茂虔獻河西人書。

右史鈔類十種。

載記類

泰 案《舊唐志》作"太"。 **始起居注二十卷　咸甯起居注十** 案《新唐

志》作"二十二"。卷　泰　案《唐志》並作"太"。康起居注二十一　案《唐
志》作"二"。卷　永平起居注八卷　据《唐志》。　愍帝起居注三十卷
　据《舊唐志》。　咸和起居注十六　案《唐志》作"八"。卷　咸康起居

注二十二卷　据《舊唐志》。　上七種並李軌撰。

武帝起居注　据《書鈔》職官部引。

泰始以來大事錄①　泰始六年詔撰,祕書寫副,据本書《武帝紀》。

惠帝起居注二卷　陸機撰。据《國志》注引。

永平元康永甯起居注六卷

元康起居注一卷

永安起居注　据《初學記》服食部引,然所記屬太康事,恐有誤。

永嘉建興起居注十三卷

建武太興永昌起居注二十二　案《隋志》,梁有二十,存九。卷　据《唐
志》。

太甯起居注十卷　据《通志》。

建元起居注四卷

康帝起居注　《書鈔》設官部引。

永和起居注二十四　案《隋志》存十七。卷　据《七錄》。

升平　案《舊唐志》誤"永平"。起居注十卷

隆和興甯起居注五卷

泰　案《唐志》作"太"。和起居注十六　案《隋志》存十。卷　据《七錄》。

咸安起居注三卷

孝武起居注　据《類聚》設官部引。

甯康起居注六卷

泰　案《唐志》作"太"。元起居注五十四　案《隋志》存二十五,《唐志》作"五十
二"。卷　据《七錄》。

---

① "始",原誤作"如",據《二十五史補編》本及武英殿本《晉書·武帝紀》改。

隆安　案《唐志》誤“崇甯”。**起居注十卷**

元興起居注九卷

義熙起居注三十四　案《隋志》存十七。**卷**　据《七録》。

元熙起居注二卷

晋起居注二十四卷　据《通志》。

晋宗起居注据高似孫《史略》。

三代起居注鈔十五卷　王逡之撰。

大將軍起居注　石勒命中大夫傅彪、賈蒲、江軌撰。据本書載記。　案“傅彪”《史通·正史篇》作“傅暢”。

趙石起居注　勒命其臣徐光、宗歷、傅暢、鄭愔等撰。据《史通》。

前秦起居注　史官趙淵、車敬、梁熙、韋譚相與著述，苻堅見苟太后幸孝成事，焚滅其本。据《史通》。　案趙淵，本書《苻堅載記》避唐諱作“趙泉”。

前秦起居注　著作郎董誼追録舊語，十不存一。据《史通》。

前燕起居注　据《史通·外篇》。

南燕起居注一卷　趙郡王景暉嘗事德超，撰《二主起居注》。据《史通》。　案景暉見本書。

桓玄起居注　元興三年，玄至尋陽，于道作起居注，宣示遠近。据《通鑑》。　案亦見本書傳。

魏世籍　孫盛撰。据《國志·魏三少帝傳》注。　案疑與《魏世譜》實一書，或誤“譜”爲“籍”耳。

山陽公載記　案《舊唐志》作“山陽義紀”。**十卷**　樂資撰。

戰略　司馬彪撰。据《國志》注。

晋書十志　束皙撰。据本書傳。

大單于志　石勒命參軍石泰、石同、孔隆撰。据本書載記。

漢魏吴蜀舊事八卷　据《舊唐志》。

泰始太康故事五卷　据《唐志》。

交州雜　案《唐志》有“故”字。**事九卷**　記士爕及陶璜事。

宗廟太府金墉故事　武帝崇興儒學，臺省有之。据本書《荀崧傳》。

東關故事

咸甯故事　　上二種並据本書《禮志》。

永平故事三　　案《隋志》作"一"。**卷**　据《新唐志》。

晉　　案《文選注》有"氏"字。八王故事十　　案《唐志》有"二"字。**卷**　晉四王起事　　案《唐志》作"居"。**四卷**　　上二種並廷尉盧綝撰。　案綝見本書《熊遠傳》，稱尚書郎。

晉建武故事一卷

晉建武已來故事三卷

晉東宮舊事十　　案《舊唐志》有"一"字。**卷**　　張敞撰。　案敞官侍中、吳國內史，見《宋書·張茂度傳》。

魏氏大事三卷

華林故事名一卷

中興伐逆事二卷　　上二種並据《新唐志》。

隆安故事　　据沈約《宋書·自序》

晉故事四十三　　案本書《刑法志》作"三十"。**卷**

晉故事三卷　　据《舊唐志》。　案《御覽》引書目有《晉朝故事》。

晉要事三卷　　案《通志》作"晉朝要事"，《書鈔》引作"晉氏要事"。

晉朝雜事二卷

晉諸雜故事二十二卷　　据《唐志》。

晉雜議十卷　　据《唐志》。

條列吳事　　薛瑩撰。

秦州軍事　　杜預撰。

劉弘教　　上三種並据《御覽》。

鄴中記三　　《通志》作"二"。**卷**　　趙石國子助教陸翽撰。

沔　　案《唐志》作"江"。南故事三卷　　應思遠撰。　案思遠係詹字，本書有傳。

鄴都故事二卷　　据《唐志》。

吳越春秋削繁　　案《唐志》作"煩"。**五卷**　　楊方撰。

華陽國志十二卷　案《舊唐志》存三卷，《新唐志》作“十三卷”，《崇文目》作“十五卷”，《直齋書錄》作“二十二卷”，《中興目》、《玉海》並作“十卷”，《宋·藝文》別史類作“十卷”，霸史類作“十二卷”，《通考》亦作“十二卷”。《四庫提要》有《附錄》一卷。　**蜀平**　一作“平蜀”。**記十卷**　**蜀漢僞官故事一卷**　上三種並常璩撰。

晉　案《唐志》、《通志》並有“建武”字。**咸和咸康故事四卷**　孔愉撰。　案《冊府元龜》作“孔預”。又曰：“預一名喻。”

大司馬陶公　案《御覽》引書目作“侃”。**故事三卷**

郗太尉爲尚書令故事三　案《舊唐志》作“二”。**卷**

晉脩復山陵　案《舊唐志》作“林”。**故事五卷**　車灌撰。　案本書《穆帝紀》：“永和十二年，遣兼司空散騎常侍車灌持節如洛陽，脩五陵。”又案灌見本書《彭城王紘》、《譙王無忌傳》，並稱御史中丞，《桓溫傳》稱尚書，《隋志》別集類又稱豫章太守。

魏晉世語　案《舊唐志》作“代語”，《新唐志》作“代説”。**十卷**　襄陽令郭頒撰。　案《國志·武帝紀》注作“郭班”，《初學記》地部引作“郭頒《魏晉俗語》”。《世説》注：“頒，西晉人，爲《魏晉世語》，事多詳覈。”

符命錄　索綏撰。据《御覽》引崔鴻《前涼錄》。

帝王要略十二卷　環濟撰。

魏氏大事六卷

救襄陽上都督府事一卷　王愆期撰。

荆州揚州　案《新唐志》作“荆揚二州”。**遞代記四卷**

登城三戰簿三卷　上二種並据《唐志》。

北征記　伏滔撰。据《藝文類聚》。

西征記二卷　戴祚撰。　案《封氏聞見記》云：“祚晉末從劉裕西征姚泓。”《史記正義》引《括地志》作“戴延之”。

宋武北征記一卷　戴氏撰。　案與上戴祚《西征記》疑一書譌複。

從征記　伍緝之撰。据《初學記》地部引。

右載記類九十三種。

時令類

月儀帖　索靖書。据董逌《廣川書跋》云：“淳化官帖中有靖書，後得十一章，今入續帖中。李嗣真曰靖有《月儀》三章，今《月儀》不止三章，或謂昔人離析。"

月儀書　王羲之撰。据《歲華紀麗》。　案索靖所書《月儀帖》不著撰人名，則羲之或
橅靖帖，未必即自撰耳。

右時令類二種。

地理類

洛陽宮殿簿一　案《舊唐志》作"三"。**卷**

晉宮闕名　据《史通·書志》後論。

晉宮闕簿　据《寰宇記》引。

晉宮閣名　据《初學記》居處部引，與上別出。

右地理類宮殿簿之屬，四種。

司空圖　据杜預《春秋釋例·土地名叙》云："據泰始初郡國爲正。"

禹貢地域圖十八篇　裴秀撰。据本書傳。　案隋宇文愷曰："裴秀輿地，以二寸
爲千里。"見《玉海》。

地里書　据《隋書·崔頤傳》。**國都城記**　据《初學記》地部引。**郡國記**
据《太平寰宇記》卷百五十三引。　上三種並皇甫謐撰。

地記五卷　太康三年撰。据《舊唐志》。　案《通志》作"《太康三年地記》六卷"，疑
因元康而誤。

太康州郡縣地名五卷　三年撰。据《新唐志》。

太康土　《類聚》地部無"土"字。**地記十卷**　据《新唐志》。　案畢氏沅云：
"《宋書·州郡志》會稽郡始甯令下，又裴松之《三國志》注孫皓起顯明宮下，並稱《太康
年地志》。酈道元稱爲《地記》，司馬貞、張守節稱爲《地理記》，《新唐書》稱爲《土地記》，
其實一也。"

元康三年地記六卷　案《續漢志》註、《水經注》並作"元康地道記"，《文選》注、
《類聚》、《御覽》並作"元康地記"。

元康六年户口簿記三卷

永甯地志　案永甯係惠帝年號。

晉地記　上二種並据《宋書·州郡志》。

畿服經一百七十卷　摰虞撰。依《禹貢》、《周官》作，其州郡及縣分野、封略事

業、國邑、山陵、水泉、鄉亭、城郭、道里、土田、民物風俗、先賢舊好，靡不具悉。

九州志　樂資撰。据《水經注》。

地記　伏滔撰。据《御覽》引。

十四州記　苗恭撰。据《類聚》引。

十三　案《通志》引《宋書·外國傳》沮渠茂虔獻書目作“二”。**州志十**　案《通志》作“十四”。**卷**　闞駰撰。据《魏書》傳。

右地理類總志之屬，十六種。

秦記　宜陽記　上二種並阮籍撰。並据《御覽》引。

三吳郡國志　据《寰宇記》引。　　**吳興錄**　据《輿地碑目》引。　上二種並韋昭撰。

益州志　据《文選》注。　**三巴記**　上二種並譙周撰。

交廣二州春秋　案《唐志》作“交廣二州記”。**一卷**　太康八年，廣州大中正王範上。据《國志》注。案《御覽》引王義仲《交廣二州記》，當即範字。

交廣記　苗恭撰。据《類聚》藝文部引。①

冀州記②　裴秀撰。据《史記索隱》引。

益州記　据《史記·河渠書》正義引。　**汝南記**　据《初學記》食部引。上二種並杜預撰。

洛陽記一卷　陸機撰。　案《唐志》作“陸璣”。

洛陽記四卷

吳地記一卷　据《唐志》。　**吳都記一卷**　据《通志》，與上別出。上二種並張勃撰。

關中記一卷　潘岳撰。

錢塘記　劉道真撰。据《類聚》水部。　案顏氏《漢書·叙例》：③“劉寶字道真，高平人。”何由而記錢塘？俟考。

豫章記一卷　雷次宗撰。　案《宋·藝文志》稱“《豫章古今記》三卷”。

---

①　“聚”原誤作“叙”。
②　“冀”原誤作“翼”，據《史記·封禪書》索隱改正。
③　“例”字原脱，據中華書局點校本《漢書》補。

會稽土地記一卷　朱育撰。

荆州記　据《文選注》、《類聚》引。　　**湘州記二卷**　上二種並庾仲雍撰。　案《御覽》地部引作"庾穆之《湘州記》"。

梁州巴記　黄容撰。据《華陽國志》。

冀州記　荀綽撰。据《世說》注。

臨安志　郭璞撰。据《吳越備史》。

會稽記一卷　賀循撰。

吳郡記二卷　顧夷撰。

司州記二卷

上黨國記　石勒命記室佐明楷、程機撰。据本書載記。　案《史通》云："勒命其臣徐光、宗歷、傅暢、鄭愔等撰。"《御覽》引作"上黨記"。

益州記三卷　李充撰。据《新唐志》。

荆州記　范汪撰。据《史記·五帝紀》正義及《初學記》居處部引。

齊記　伏琛撰。据《水經注》引。

交廣記　王隱撰。据《國志》注引。

蜀志一卷　武平太守常寬撰。

南康記　劉德明撰。据《寰宇記》引。　案《通典》注作"劉嗣之"，《漢書·張耳傳》注引作"鄧德明"。

珠崖傳一卷　僞燕聘晉使蓋泓撰。

臨川記　荀伯子撰。据《御覽》州郡部引。

交州記　劉欣期撰。据《書抄》引。

洛陽記一卷　戴延之撰。据《唐志》。　案延之名祚。

始興記　据《水經注》引。　　**南康記**　据《初學記》引。　上二種並王韶之撰。

湘中記　羅含撰。据《水經注》引。

齊地記　晏謨撰。据《唐志》。　案謨青州人，慕容德時尚書郎，見載記。《御覽》引作"晏謀"，誤。《寰宇記》引作"三齊記"，又作"齊記"。

沙州記　段國撰。据《類聚》引。

辛氏三秦記　据《史通》引。

河南十二縣境簿　据《水經注》引。　案《文選》注引作"河南郡縣境界簿"。

右地理類都會郡縣之屬,四十三種。

濟河論　鄧艾撰。据《國志》傳。

江記五卷　案《水經注》引作"江水記",《文選》注引作"江圖"。

湘中記　据《類聚》引。①　　**漢水記五卷**　上二種並庾仲雍撰。　案《水經·沔水》注引作"漢中記"。

水經二卷　据《舊唐志》。　　**水經注三卷**　上二種並郭璞撰。

四海百川水源記一卷　釋道安撰。　　**又一卷**　　**江圖二卷**　案《通志略》有僧道安《江圖》,疑即此。　上二種並据《新唐志》。

右地理類河渠之屬,九種。

吳蜀地圖　文帝命有司訪撰。据本書《裴秀傳》《禹貢地域圖·序》。

洛陽圖一卷　懷州刺史楊佺期撰。　案本書《地理志》,晉無懷州,佺期傳亦無刺懷事。錢大昕《考異》曰:"當是雍州之譌。"　又案《新唐志》作"洛城圖",《歷代名畫記》作"洛陽宮圖狀",《御覽》引作"楊龍驤《洛陽記》"。

右地理類邊防之屬,二種。

石簀山記　賀循撰。据《御覽》引。

幙阜山記　葛洪撰。据《直齋書録》。

湘中山水記三卷　据《崇文目》。　案《通志》作"一卷,羅拯撰"。　　**湘川記一卷**　据《通志》,與上別出。上二種並羅含撰。

虎邱記　王珣撰。

廬山記　張野撰。　上二種並据《類聚》山部引。

吳興山墟名　張玄之撰。据《寰宇記》引。　案《輿地碑目》又作"吳興太守王韶之撰"。

宜都山川記　据《類聚》引。　案山松曾守宜都,本書傳失叙,《類聚》有桓玄《與袁宜都書》可證。　　**句將山記**　据《寰宇記》引。　上二種並袁山松撰。

羅浮山記　袁宏撰。据《元和郡縣志》引。

---

①　"聚"原誤作"叙"。

神境記 王韶之撰。据《御覽》引。

名山記 殷武撰。据《寰宇記》引。

廬山記略一卷 釋慧遠撰。据《唐志》。

右地理類山水之屬,十三種。

三輔故事二卷 晋世撰。

三輔舊事三卷

韋氏三輔舊事一卷 上三種並据《唐志》。

聖賢冢墓記一卷 李肜撰。 案"肜"當作"肜"。

城冢記一卷 据《宋·藝文志》云:"案序,魏文三年,劉裕得此《記》。" 案"魏文"二語難曉,疑《記》作於魏後,得自裕耳。

右地理類古蹟之屬,五種。

異物志 譙周撰。据《文選·蜀都賦》注。

臨海水土異物記一卷 沈瑩撰。据《唐志》。

風土 案《史通》作"陽羨風土"。 **記三** 案《唐志》作"十"。 **卷** 周處撰。

發蒙記一卷 載物產之異。束皙撰。 案《隋志》小學類別出一卷。

荆揚巳南異物志 薛瑩撰。据《文選》注。 案《御覽》引作"荆揚以南異物記"。

異物志十卷 續咸撰。 案《通志·氏族略》作"續武威"。

南方草木狀三 案《直齋書録》作"一"。 **卷** 嵇含撰。 案《四庫全書提要》云:"諸本但題譙國嵇含,唯宋舊版前題曰'永興元年十一月丙子振威將軍襄陽太守嵇含撰'。《晋書·惠帝紀》永甯二年十二月始改永興元年,不得有十一月。書中所載,皆嶺表之物,分草、木、果、竹四類,共八十種。"

南方草木狀 徐衷撰。据《初學記》寶器部引。

右地理類記之屬,八種。

遠遊志十卷 續咸撰。

游郡記 王羲之撰。据《御覽》引。

述征記二卷 据《唐志》。 **續述征記** 据《初學記》引。 上二種並郭緣生撰。

遠法師遊山記 据《世説》。

右地理類游記之屬，五種。

遊行外國傳一卷　沙門釋智猛撰。　案《隋志》釋家類云："元熙中，新豐沙門智猛西到華氏城。"考元熙，漢劉淵年號也，書當作於西晋時。

西域志一卷　釋道安撰。据《御覽》。

外國傳　僧支載撰。据《水經注》引曰半達晋言，其爲晋人無疑。

外國圖　据《水經注》引曰："從大晋國正西七萬里得崑崙。"其爲晋撰無疑。

扶南記　竺枝撰。据《水經注》。

游歷天竺記一卷　据《法苑珠林》，題稱東晋平陽沙門。　**佛國記一卷**　案義熙中，法顯自長安游天竺，經歷三十餘國，歸，成是書。　上二種並沙門釋法顯撰。

右地理類外記之屬，七種。

職官類

咸熙元年百官名　据《國志·鍾會傳》注引。

官儀職訓一卷　韋昭撰。　案《國志》曜傳作"官職訓"。

官司論七篇　陳壽撰。依據典故，議所因革。据《華陽國志》。

武帝百官名　据《國志·臧霸傳》註，云不知誰撰。

武帝太始官名　据《御覽》引。

晋惠帝百官名三卷　陸機撰。据《唐志》。

元康百官名　据《通典》引。

百官表注十六卷　荀綽撰。

晋永嘉百官名三卷　衛禹撰。据《新唐志》。

懷帝永嘉官名　据《御覽》引。

大興二年定官品事五卷

晋公卿禮秩故事九卷　傅暢撰。　案本書傳無"禮秩"二字，《宋書·禮志》引稱《傅暢故事》，《漢書·輿服志》注、《文選注》及《書鈔》、《類聚》等書引稱《公卿禮秩》，實一書也。

魏晋百官名五卷

晋官屬名　案《舊唐志》無"名"字。**四卷**

晉百官名三十　案《舊唐志》作"四十"，《新唐志》作"十四"。**卷**

晉百官表　据《國志·諸葛亮傳》注引。

晉百官名志　据《國志·司馬朗傳》注引。

晉百官公卿表　据《六典》引。

晉王公百官志　据《御覽》引。

晉東宮官名　据《世説》注引。　案《世説》注別引《東宮百官名》，當衍"百"字。

晉尚書儀曹事九卷　据《唐志》。

晉官品一卷　徐宣瑜撰。　案《通典》，宣瑜官博士。

朝堂制　北涼蒙遜命其征南將軍姚艾、尚書左丞房晷撰。据本書載記。

晉官品令　据《魏書·禮志》引。

百官品九卷

百官階次一卷

右職官類十八種。

政書類

新禮百六十五卷　卷各一篇，合十五萬言。据本書《禮志》。　案本書《荀顗傳》云："請羊祜、任愷、庚峻、應貞、孔顥共撰定《晉禮》。"即指此也。　**晉雜議十卷**　据《唐志》。　上二種並荀顗撰。

新禮討論十五篇　摯虞撰。据本書《禮志》。

晉雜制六十卷

晉刺史六條制一卷

甲午制　据本書《王戎傳》。

己亥格　据本書《陳頵傳》云："作於三王討趙王倫時，後皆依用。"

庚戌制　興寧二年三月庚戌朔，大閲戶人，令所在土斷，嚴其法制，稱爲《庚戌制》。据本書《哀帝紀》。

雜議五卷　干寶撰。据《唐志》。

尚書大事二十　案《新唐志》有"一"字。**卷**　范汪撰。

要典三十九卷　王景之撰。据《舊唐志》。

晋籍　起咸和二年，以至於宋，所書皆詳實，並在下省同左右曹前箱，①謂之《晋籍》，有東西庫。据《南史·王僧孺傳》。

右政書類通制之屬，十二種。

咸甯注　武帝更定元會儀。据本書《禮志》。

晋明堂郊社議三卷　孔朝等撰。据《唐志》。案《新唐志》作"孔晁"。

謚法演劉熙注三卷　晋雜議十卷　上二種並据《唐志》。　**晋禮**　上三種並苟顗撰。

晋禮集成百六十五篇　羊祜、任愷、庾峻、應貞撰。　上二種並据《南齊書·禮志》。

禮儀志　据《續漢書·禮儀志》注引謝承書。　**祭志**　据《宋書·禮志》。　上二種並譙周撰。

五禮議　傅玄撰。据《御覽》引書目。

晋禮續製　摯虞、傅咸撰。据《南齊書·禮志》。

新禮儀志　据《御覽》引。　**決疑要注一卷　雜祀議**　据《御覽》引書目。　上三種並摯虞撰。

約禮記十篇　王長文撰。据《華陽國志》云："除煩舉要。"

冠禮　裴頠撰。据《魏書·禮志》。

苟氏祠制　据《通典》引稱"安昌公《苟氏祠制》"。　案王涇《大唐郊祀錄》引作"祀制"。

家儀一卷　徐爰撰。据《唐志》。

晋鹵簿圖一卷　案《史記索隱·司馬相如傳》引作"中朝鹵簿圖"。

大駕　案《隋志》無"大駕"字。　**鹵簿儀二卷**　据《唐志》。

晋中朝散大駕鹵簿儀　据《御覽》引。

晋雜儀注十一　案《唐志》作"二十一"。　**卷**

晋尚書儀十卷

---

①　"同左右曹"，中華書局點校本《南史》作"左户曹"。

封禪儀六卷

晉先蠶儀注　据《宋書》、《魏書·禮志》。

服制令　晉立《服制令》，辨定衆儀。据《宋書·禮志》。　案《初學記》中宫部引作"晉服制"。

晉儀注三十九卷

諸王國雜儀　案《新唐志》、《通志》均有"注"字。**十卷**

晉尚書儀曹吉禮儀注三卷　上三種並据《唐志》。

晉尚書儀曹事九卷　据《新唐志》。

晉謚議八卷　据《唐志》。

雜儀注一百卷　据《新唐志》。

廣謚一卷　据《六典》注引。

晉祠令　据《魏書·劉芳傳》。

冠婚儀四卷　据《舊唐志》。

晉百官儀服録五卷　据《七録》。

雜祭法六卷　盧諶撰。据《新唐志》。

辛未令書　据本書《禮志》云："頒于建武元年五月。"

甲辰儀　案《唐志》有"注"字。**五卷**　江左撰。

中興朝儀　元帝踐阼，與刁協共定。据本書《荀崧傳》。

晉新定儀注十四卷

晉新定儀注四十卷　安成太守傅瑗撰。　案與上同名，疑有複出。

尚書逸令　据《御覽》引。

藉田儀　据《續漢·禮儀志》注引。　　**葬禮**　据《御覽》引。　　**宗義**　据《玉海》引。　上三種並賀循撰。

司徒儀注　案《七録》無"注"字。**一**　案《唐志》、《通志》並作"五"。**卷**　**雜儀五卷**　据《唐志》。　上二種並干寶撰。

雜鄉射等義二卷　庾亮撰。

降幕祠議　王愻期撰。据《御覽》引。　案愻期即愻期。

謐法二卷　張靖撰。据《唐六典》注。

晋簡文諡議四卷　据《唐志》。

晋七廟議三卷　蔡謨撰。　案《册府元龜》作“《七廟録》十卷”。

雜府州郡儀十卷　祭典三卷　据《唐志》。　**祠制**　据《御覽》引。　上三種並范汪撰。

内外書儀四卷　謝玄撰。

古履儀　徐乾撰。据《御覽》。

謁拜儀　江統祚撰。据《御覽》禮儀部引。　案“統祚”二字，疑有一衍。

南北郊宗廟迭毀禮　徐邈撰。据本書傳。

元日冬至進見儀　劉臻妻陳氏撰。据本書《列女傳》。

朝儀　石勒朝裴憲、王波撰。据本書載記。

三正東耕儀　裴憲撰。据《書鈔》引《趙書》。

北涼朝堂制　僞征南姚艾、尚書左丞房晷撰。①据《册府元龜》僭僞部。

晋尚書儀曹新定儀注四十一卷　据《唐志》。　**車服雜注**　案本書、《宋書》傳並作“車服儀注”，《宋書·禮志》引作“車服注”，《後漢書·儒林傳》注引作“輿服雜注”，《文選·東京賦》注引作“車服志”，《初學記》職官部引作“車服儀制”。　**一卷**

据《南史》云：“義熙初，宋武帝使撰。”　上二種並徐廣撰。

禮儀制度十三卷　王逡之撰。据《通志》。

右政書類儀制之屬，六十五種。

魏晋律令　据顔師古《匡謬正俗》引。

甲令以下九百餘卷　据本書《刑法志》云：“晋初有之。”

刑法　案《隋志》無“刑法”二字。**律本二十一卷**　据《唐志》。　案本書《刑法志》云：“合二十篇，六百二十條，二萬七千六百五十七言。”《魏書·刑罰志》云：“充删定名例爲二十卷。”《玉海》引《六典》注云：“充等增損《漢魏律》爲二十篇。一刑名，二法例，三盗律，四賊律，五詐僞，六請賕，七告劾，八捕律，九繫訊，十斷獄，十一雜律，十二户律，十三擅興律，十四毁亡，十五衛宫，十六水火，十七廐律，十八關市，十九違制，二十諸侯。

---

①　“晷”原誤作“咎”，據《二十五史補編》本改正。

凡一千五百三十條。” **晋令四十卷** 据本書《刑法志》云：“不入律爲令，凡律令合二千九百二十六條，十二萬六千三百言，六十卷。” **故事三十卷** 案本書《刑法志》云：“其常事、品式、章程爲《故事》。” 上三種並賈充等撰。

律本 据本書傳，當增“注解”字。**二十一卷** **雜律七卷** 上二種並杜預撰。

雜 案《唐志》無“雜”字。**律解二十一** 案《唐志》無“一”字。**卷** **漢晋律序注一卷** 上二種並僮長張斐撰。 案本書《刑法志》作“明法掾張斐”，《通典》作“張裴”。

脩陳杜律 續咸撰。据《玉海》云：“明達刑書，遷廷尉平。”

辛亥制度 案《通鑑》無“度”字。

五千文 石勒命法曹史貫志採律令之要，爲施行條制。据本書載記。

右政書類法令之屬，十一種。

目録類

晋中經 案《舊唐志》作“書”。**簿** 案《隋志》無“簿”字。**十四卷** 据《新唐志》。 案《國志·王肅傳》注引作“晋武帝中經簿”。**雜** 案《唐志》作“新”字。**撰文章家集叙** 案《舊唐志》無“叙”字。**十** 案《唐志》作“五”。**卷** **文章叙録** 据《國志·王粲傳》注引。 上三種並荀勖撰。

汲冢書并竹書同異一卷 **古文瑣語四卷** 上二種並荀勖、和嶠撰次。

文章志四卷 摯虞撰。

汲冢竹書考正 衛恒撰。

汲冢書鈔 束皙撰。据《初學記》引。

汲冢書異義 衛恒撰，束皙述成。①

難汲冢書異義 東萊太守陳留王庭堅撰。亦有證據。

汲冢書異義釋難 束皙撰。据皙傳云：“隨款引釋，皆有義證。”

---

① “束皙”原互倒，據《二十五史補編》本乙正。

詳正汲冢書異義釋難得失　王接撰。　上五種並据本書《王接傳》。

汲冢古文釋十卷　續咸撰。据本書傳。

晉元帝書目　据《弘明集》所載。

王朝日録　据《世説》注引。

四部簿　李充撰。据本書傳。

晉文章紀　顧愷之撰。据《世説》注引。

隆安西庫書目二卷　据《宋·藝文志》。

義熙四年祕閣四部書目　据《弘明集》所載。

晉義熙巳來新集目録三卷　案《世説》注引作"邱淵之新集録"。《隋志》原作"邱深之撰",蓋唐避淵諱,改淵爲深耳。　**文章録　別集録**　上二種並据《玉海》。　上三種並邱淵之撰。

右目録類二十二種。

史評類

三國志序評三卷　王濤撰。

論三國志九卷　何琦撰。　案本書傳稱"三國論評"。

三國評三卷　徐衆撰。据《唐志》。　案裴注臧洪、程昱、黄權、顧雍、全琮、周魴、鍾離牧、是儀諸傳並引徐衆《評》。

右史評類三種。

補晉書藝文志卷三

上海秦榮光炳如纂

子部

儒家類

周生 案《隋志》有"烈"字。**子十三卷** 据《宋書·外國傳》沮渠茂虔所獻卷數。案馬總《意林》作"《周生烈子》五卷",《唐志》作"五卷"。 **周生子要論一卷**

錄一卷 案《錄》一卷,當屬《周生子》之目。 上二種並周生烈撰。

矯非論二十篇 范慎撰。据《國志》注引《吳錄》曰:"字孝敬,廣陵人。孫皓以爲太尉,鳳皇三年卒。" 案慎卒已入晉世,故采列。

典語 案《文選》注引作"論",《通志》作"訓"。**十卷** 陸景撰。据《舊唐志》。 案《國志·陸抗傳》,子景字士仁,①孫皓偏將軍、中夏督,澡身好學,著書數十篇。案景爲王濬所殺。

譙子法訓八卷 案《御覽》引《齊交》一條,蓋其篇名。 **譙子五教志** 案《唐志》無"志"字。**五卷** 上二種並譙周撰。

新議八篇 薛瑩撰。据《國志》傳。

無名子十二卷 据《華陽國志》云:"依則《論語》。"**通玄經四卷** 上二種並王長文撰。据本書傳。 案《七錄》有《通經》二卷,王長元撰,即此書之譌。

述理論十篇 李宓撰。据《華陽國志》。 案本書《孝友傳》云:"李宓一名虔。"考密與宓、虔與虙,形均近似。《顏氏家訓》云:"虙不齊即虙犧後,字亦爲宓。宓、虙同讀伏

---

① "士"原誤作"子",據中華本《三國志》改正。

音，宓又通密。"《通志·氏族略》宓氏云："後轉爲密。"密氏："仲尼弟子密不齊。"是其證也。本書傳昧於密本從宓，復譌虑爲虔，遂指爲一人二名，莫知其本屬　宁矣。

傅子一百二十卷　傅玄撰。　案本書傳云："内、外、中篇，凡四部六録，合百四十首，數十萬言。"《崇文目》、《通志略》並作"五卷"，《中興目》云今存二十三篇，《宋·藝文》作"五卷"。

新論十卷　夏侯湛撰。　案本書傳云："著《論》三十餘篇，別爲一家之言。"

袁子正論十九　案《唐志》作"二十"。**卷**　**袁子正書二十卷**　上二種並袁準撰。

典式八篇　賈充妻李氏撰。据《世説·賢媛篇》注引《婦人集》曰："李氏名婉，字淑文。"　案本書《賈充傳》："李氏撰《女訓》。"

默語三十篇　周處撰。据本書傳。

正訓十卷　案《宋·藝文志》入雜家。　**陸平原子書**　据《御覽》引《抱朴子》云："書未成而亡。"　上二種並陸機撰。

清化經十卷　蔡洪撰。　案洪附本書《文苑·王沈傳》云："有才名，作《孤奮篇》。"《世説》注："字叔開，吴郡人。初仕吴朝，太康中本州從事，仕至松滋令。"《初學記》引作"蔡氏清論"，《御覽》引書目譌作"清化論"。

楊子物理論十六卷　**楊子太元**　案《舊唐志》作"太元"，《通志》作"太玄"。

經十四卷　上二種並徵士楊泉撰，劉緝注。　案馬總《意林》云："梁國楊泉字德淵，會稽相朱則上書云楊泉清操自然，徵聘，終不移，詔拜泉郎中。"《書抄》曰："泉，吴處士。入晋，徵侍中，不就。"

無化論　董養撰。据本書《隱逸傳》。　案《世説》作"元化"，注云："謝鯤爲序。"

墨辨注四篇　**刑名二卷**　上二種並魯勝撰。並据本書傳。

揚子法言注十五　案《舊唐志》、《直齋書録》、《通考》並作"十三"，《新唐志》作"三卷"，疑脱"十"字。**卷**　**揚子法言解義**　案《直齋書録》作"法言音"。**一卷**　上二種並李軌撰。

通語十卷　殷興撰。　案《國志·顧雍傳》注曰："殷禮子基作《通語》。"《文士傳》曰：'禮子基無難督，以才學知名，著《通語》數十篇。'"《唐志》作"文禮《通語》十卷，殷興續"。馬氏《意林》有《通語》八卷。馬國翰云："叙述三國時事稱孫權、稱殷禮，意傳注引者增人名氏，非原書語也。"

譚言十篇　江陽太守何隨撰。据《華陽國志》。

典言五篇　常寬撰。据《華陽國志》。

新論十卷　華譚撰。　案本書傳云："著書三十篇，名曰《辨道》。"馬國翰曰："《書鈔》、《通典》並引華譚《集尚書二曹論》，疑即《新論》之一，後人取入本集耳。"

干子十八卷　据《七錄》。　**正言十卷　立言十卷**　上二種並据《唐志》。案疑分《干子》一書爲二。　上三種並干寶撰。

顧子　案《唐志》有"義訓"字。**十卷**　顧夷撰。　案馬國翰云："多規擬《論》、《孟》。"

志林新書三　案《唐志》作"二"。**十卷　廣林二十四卷　後林十卷**

上三種並虞喜撰。並据《七錄》。　案《唐志》《廣林》、《後林》下並有"新書"二字。《通典》引虞喜《釋滯》，疑三林子目。

典誡十五篇　前燕主慕容皝著，以教胄子。据本書載記。

閎論二卷　江州從事蔡韶撰。　**要**　案《通志》作"正"。**覽十**　案《唐志》作"五"。**卷**　晉郡儒林祭酒呂竦撰。

梅子新論一卷　闕名。　案疑即梅陶，字叔貞，見《世說》注。

右儒家類四十種。

兵家類

風后握機　案高似孫《子略》作"握奇經述讚"，《直齋書錄》作"握奇經"。**一卷**　馬隆序略。　案《直齋書錄》云："凡三百八十四字，續圖三百十五字，合題七百字。又有隆讚述，多所發明，并寫《陣圖》於後。"

保聚圖一卷　庾袞撰。据《通考》。　案本書《孝友傳》，袞初保禹山，繼適林慮山，後登大頭山。晁氏《讀書志》曰："序云大駕遷長安，時元康三年己酉，撰《保聚壘議》二十篇。案帝遷長安，永興元年也，且三年歲次實癸丑，今云己酉，誤。"

戰經　据《御覽》引書目。　**兵記八**　案一本作"二十"，《唐志》作"十二"。**卷**　上二卷並司馬彪撰。

兵法孤虛月時祕要法一卷　葛洪撰。　据《新唐志》。

兵林六卷　孔衍撰。

六軍鑑要三卷　陶侃撰。据《宋·藝文志》。

慕容氏兵法一卷

兵法孤虛立成圖　魏天賜三年，占授著作郎王宜弟造，凡三百六十圖。据《魏書·太祖紀》。案時在晋安帝義熙三年。

黃石公三略注　劉昞撰。据《魏書》傳。

右兵家類十種①

法家類

鬼谷子注二卷　皇甫謐撰。

文子注　張湛撰。据《文選》注。

慎子注　劉黃老撰。据本書《劉隗傳》。

蔡司徒難論五卷　三公令史黃命撰。

韓子注　劉昞撰。据《魏書》傳。

右法家類五種。

醫家類

解寒食散方一卷　廬邱公曹翕撰。据《國志·東平靈王傳》注。　案"翕"《隋志》作"歙"。

論寒食散方二卷　集內經倉公論　据晁氏《讀書志》《靈樞經》案。　**黃帝三部鍼**　案《宋·藝文》有"灸"字。**經十三**　案《新唐志》暨《宋·藝文志》並作"二"。**卷**　据《舊唐志》。　**黃帝甲乙經十二卷**　据《新唐志》。案《隋志》作"十卷"，注曰："音一卷，梁十二卷。"不著撰人名。《四庫提要》云："謐《自序》稱《七略》、《藝文志》《黃帝內經》十八卷，今有《鍼經》九卷，《素問》九卷，即《內經》也。又有《明堂孔穴鍼灸治要》，皆黃帝岐伯選事也。甘露中，乃集三部，使事類相從，刪其浮詞，除其重複，爲十三卷。"　上四種並皇甫謐撰。

藥錄二卷　李密撰。　案"密"當作"宓"。

養生要集十卷　東晋光錄勳張湛撰。　案《世說·任誕篇》注:"《晋東宮官名》

---

① "家"原誤作"法"，據前作"兵家類"改正。

曰：'字處度，高平人。'《張氏譜》曰：'仕至中書郎。'"本書《范甯傳》稱中書侍郎。

甘草穀仙方　青精健飯方　上二種並清虛真人王褒授南嶽魏夫人者。　案"褒"一作"哀"。《太平御記》道部引《登真隱訣》曰："清虛王真人授南嶽魏夫人《穀仙甘草方》。"是晉元康元年冬，於汲郡修武縣廨內，夫人時應年四十八也。及隱景去世，時年八十三，晉成帝咸和八年甲午歲。

青精健飯方敘　南嶽魏夫人撰。上三種並据《廣記》引《集仙傳》。①

肘後　案本書傳有"要急"字，《舊唐志》暨《通志略》有"救卒"字，《直齋書錄》有"百一"字，《宋·藝文》有"備急百一"字。**方六**　案本書傳暨《舊唐志》並作"四"，《直齋書錄》暨《宋·藝文》並作"三"。**卷**　案《直齋書錄》云："率多易得之藥，凡八十六首。"《四庫目錄》作《肘後備急方》八卷，凡分五十三類，但有方而無論。　**神仙服食藥方十卷**　案《舊唐志》作《太清神仙服食藥方》五卷，又一卷"，《新唐志》同，而無"又一卷"。　**玉函煎方五卷　葛仙翁**　案《宋·藝文》作"公"。**杏仁煎方一卷　黑髮酒方一卷**　案上二種並据《崇文目》。　**養生論一卷**　据《宋·藝文志》。　**枕中書**　据《通考》。　**金匱藥方一百卷**　据本書傳。案《御覽》方術部引《晉中興書》曰："洪撰《玉函方》一百卷。"當即此書。　**太清神仙服食經一卷**　据《新唐志》。　**服食方四卷**　据沙門法琳《辨正論》引。

　序房內祕術一卷　上十一種並葛洪撰。

范東陽方一百五十卷　錄一卷　案梁有一百七十六卷。②《御覽》方術部引《晉中興書》曰："撰方五百餘卷，又一百七卷。《療小兒藥方》一卷，《療婦人藥方》十一卷，《解散方》七卷。"　范汪撰。

雜藥方一百七十卷　范汪方，尹穆撰。

集金匱玉函經八卷　案晁氏《讀書志》云："本漢張仲景撰，設答問雜病形證脈理，參以療治之方。"**撰**　案《通志》作"編"。**次仲景傷寒論十卷**　案《唐志》作"傷寒卒病論"。晁氏《讀書志》云："《名醫錄》：'張仲景名機，舉孝廉，官至長沙太守。以宗族三百餘口建安以來未及十稔死者三之二，而傷寒居其七，乃著論二十二篇。證外合三百九十七法，一百十二方，誠不刊之典。'"《直齋書錄》云："又名《傷寒卒病論》，

---

①　案當爲《太平廣記》引《集仙錄》，參見《太平廣記》卷五十八魏夫人條。

②　"一"下脫"百"字，據中華書局1955年版《二十五史補編》本補。

古今治傷寒者，未有能出其外。" **編次** 案《唐》無"編次"字。**張仲景方三十六** 案《唐志》作"十五"。**卷** 据《御覽》方術部引高湛《養生論》。 **集金匱要略三卷** 案《直齋書錄》云："上卷論傷寒，中論雜病，下載其方，并療婦人。" **脈經十卷** 案晁氏《讀書志》云："纂岐伯、華陀等論脈要訣所成，叙陰陽表裏，辨三部九候，分人迎氣口神門，條十二經二十四氣、奇經八脈、五藏六腑、三焦四時之痾，纖悉畢具，咸可按用。凡九十七章。" **論病六卷 脈訣一卷** 据晁氏《讀書志》云："皆歌訣淺鄙之言，然最行於世。" 案戴起宗《脈訣刊誤》曰："六朝高陽生剽竊叔和，撮具切要，撰爲《脈訣》。"《四庫提要》曰："《文獻通考》以爲熙寧以前人僞託，得其實矣。"

脈訣機要三卷 据《宋·藝文志》。 上八種並太醫令王叔和撰。 案晁氏《讀書志》云："唐甘石《名醫傳》，叔和，晉高平人，性度沈靖，博通經方，精意診處，尤好著述。"

殷荆州要方一卷 殷仲堪撰。

三物散方 宮泰撰。据《御覽》引《晉書》曰："治喘嗽上氣，甚有異效。"

五石散方 靳輔撰。据《御覽》引《晉書》曰："晋朝士大夫服餌，皆有異效。"

議論備禦方一卷 于法開撰。据《七錄》。 案開舊《晋書》有傳，見《世説·術解篇》注。

申蘇方五卷 支法存撰。据《七錄》。

耆婆脈訣注十二卷 羅什撰。 据《日本現存書目》。

劉涓子鬼遺 案《隋》、《唐志》均無"遺"字，"鬼"並誤"男"。**方十卷** 据《崇文目》釋云："劉涓子者，晉末人，於丹陽縣得《鬼遺方》一卷，皆治癰疽之法。" 案《直齋書錄》暨《宋·藝文志》並作"劉涓《神仙遺論》"。《御覽》方術部引龔慶《鬼遺方·序》曰："劉涓子晋末於丹陽郊外射鬼，鬼走，遺一帙癰疽方。"

劉涓子鬼遺論一卷 据《宋·藝文志》。

王氏遺書二十七卷 据《建康實錄》曰："王離妻者，洛陽人。將洛陽舊火南渡，自言受道於祖母。王氏傳此火，並有遺書，火色甚赤，異於餘火，有靈驗。四方病者將此火煮藥及灸，諸病皆愈。"

右醫家類四十種。

天文算法類

景初曆術二卷 景初曆法三卷 案又一本五卷。 **景初曆略要二**

卷　景初曆三　案《新唐志》作"二"。　卷　泰始曆　泰始元年改魏之《景初曆》爲《泰始曆》。据本書《武帝紀》。　漏刻經三卷　上六種並楊偉撰。　案偉見本書《曆志》，稱魏尚書郎，《隋志》雜家類稱晉征南軍師。《國志·曹爽傳》注引《魏晉世語》云："偉字世英，馮翊人。"蓋本魏人，後仕晉。

天文志　据《續漢書·天文志》注引謝沈《後漢書》，言蔡邕撰建武以後星驗著明者，譙周按繼其下。　案本書《天文志》亦云："蔡邕、譙周各有撰録。"　災異志　据《續漢書·五行志》。上二種並譙周撰。

晉曆二卷　据《唐志》。

景初壬辰元曆一卷　楊沖撰。

天文集占十　案《唐志》作"七"。　卷　案梁有百卷。　五星占一卷　石氏星經七卷　天官星占十卷　案《隋志》："三國時，吳太史令陳卓始列甘氏、石氏、巫咸三家星官著于圖録，并注占驗。"本書《天文志》云："卓總甘、石、巫咸三家所著星圖以爲定紀。"　四方宿占四卷　据《七録》。　案《唐志》作"《四方星占》一卷"。　星圖定紀　据本書《天文志》。　星述一卷　据《通志略》。　上七種並陳卓撰。　案本書《藝術·戴洋傳》云："元帝將登阼，太史令陳卓奏用二十二日。"据此，卓自孫吳至東晉尚存也。

朔氣長曆二卷　帝王世紀年曆六卷　据《唐志》。　上二種並皇甫謐譔。

乾度曆　李修、卜顯撰。据《春秋長曆》説云："咸寧中，善笇者李修、卜顯依論體爲術，名《乾度曆》，表上朝廷。與《泰始》參校，勝官曆十五事。"　案《釋例》"卜顯"作"夏顯"，"論體"作"曆體"。

曆論　据《春秋長曆》説。　三　案《疇人傳》作"上"。　元乾度曆　据本書傳云："時曆差舛，不應晷度。奏上，行於世。"　上二種並杜預撰。

天文志　郭琦撰。据本書《隱逸傳》。

天論　据《開元占經》。　正曆四卷　案《開元占經》云："以斗曆改憲，推四分法，三百年而減一日。"　上二種並劉智撰。

小象千字詩一卷　据《崇文目》。　小象賦一卷　据《宋·藝文志》。苗爲注。　三家星歌一卷　玉函寶鑑星辰圖一卷　三鑑靈書三卷　上四種並据《宋·藝文志》。　上五種並張華撰。

古今曆　陸喜撰。据本書傳。

正天論　魯勝撰。据本書《隱逸傳》。

天文要集四十卷　太史令韓揚撰。　案揚見本書《禮志》，作“太醫令”。

五行三統正驗論　索靖撰。辯理陰陽氣運。据本書傳。

渾天記　据本書《天文志》。　**天說**　据《御覽》天部引。　上二種並賀道養撰。

穹天論　河間相虞聳撰。据本書《天文志》。　案《初學記》、《御覽》、《玉海》並引作“虞昺《穹天論》”。考《國志·虞翻傳》注引《會稽典錄》云：“聳字世龍，翻第六子。入晉，除河間相。昺字子文，翻第八子，濟陽太守。”

安天論六　案《唐志》存一卷。卷　**安天圖一卷**　**原天論一卷**　上三種並虞喜撰。

渾天釋　葛洪撰。据本書《天文志》。

星經一卷　郭璞撰。据《通志略》。

國志曆五卷　据《舊唐志》。

長曆十四卷　**千年曆二卷**　上二種並孔衍撰。並据《通志略》。

通曆二卷　**五曆紀二卷**　上二種並徐整撰。並据《通志略》。

通曆　永和八年，著作郎王朔之造。据本書《曆志》。　案《宋書·曆志》作“中領軍王朔之”。

乾象五星法　晉江左以來，用代《景初法》。据《宋書·曆志》。

魏武本紀　《通志略》有“年”字。**曆一卷**　樂資撰。

論頻月合朔法　**雜曆七卷**　**曆法集十卷**　**曆術十卷**　**京氏要集曆術四卷**　**三紀曆一卷**　**曆序一卷**　**乾度正曆四卷**　据《玉海》。　**三紀甲子元曆**　後秦姚興時，當孝武太元九年造。据本書《曆志》。案《宋書·曆志》云：“晉用《景初曆》，冬至在斗二十一度少，姜岌《三紀術》退在斗十七度。”　**渾天論**　以步日于黃道，駁前儒之失。据本書《曆志》。　案《隋志》有安岌《論天篇》。錢大昕曰：“安岌當爲姜岌，字脫其半耳，其文乃《渾天論》也。”　上十種並天水姜岌撰。

河西壬辰元曆一卷　据《唐志》。　**河西甲寅元曆一卷**　案甲寅爲北涼玄始二年，當晉義熙十一年，壬辰爲太元十七年，在蒙遜立國前七年矣。《魏書·曆志》謂之《玄始曆》，蓋作於玄始時故也。《舊唐志》“李淳風撰”，誤。　**甲寅元曆序**

一卷　七曜曆數算經一卷　算經一卷　與上別出。並見《隋志》。

陰陽曆　案《玉海》作"正"。**術一卷　周髀一卷　皇帝王曆三合紀**

一卷　上二種並据《宋書·外國傳》。沮渠茂虔與《甲寅元曆》並獻，當亦敗書。

玄始曆　魏世祖平涼，得趙敗《玄始曆》，後謂爲密，以代《景初》。据《魏書·曆志》。

上九種並涼太史趙敗撰。

既往七曜曆　徐廣撰。自太和至泰元之末，四十許年，記其得失。据《宋書·曆志》。

述曆贊　張亢撰。① 据本書傳。　案《御覽》時序部："王隱《書》曰：'張載弟、前烏程令亢，依蔡邕注明堂月令中台要解，②綴諸說曆數而爲《曆讚》。祕書監荀崧見讚異之曰："信該羅曆表義矣。"'"

綴術五卷　祖沖之撰。据《新唐志》。

右天文算法類推步之屬，七十一種。

九章術義序一卷　九章算術注九卷　九章六曹算經一卷　重差圖　案《通志·圖譜略》作《九章重差圖》。**一卷　海島算經一卷**　上五種並劉徽撰。　案劉徽舊列魏世，《四庫提要》稱晉劉徽。考《九章算術》有云："晉武庫中漢時王莽作銅斛。"是書撰於晉代確矣。

算經一卷　趙敗撰。

夏侯算經三卷　夏侯陽撰。据《疇人傳》附晉代。

右天文算法類算法之屬，七種。

術數類

汲冢師春一篇　案《通志略》作"二卷"。本書《束皙傳》云："書《左傳》諸卜筮，師春似造書者姓名也。"《中興書目》曰："杜預謂純集疏《左傳》卜筮事，今雜叙諸國世系及律呂謚法，末載變卦雜事。嘉祐間，蘇洵編定六家《謚法》，其表謂采《汲冢師春》者，即此書所載《謚法》也。"《玉海》云："唐劉貺以《師春》一篇錄卜筮事與《左氏》合，知按《春秋》經傳而爲也，因著《外傳》云。"

---

① "張"原誤作"陸"，據中華本《晉書》改正。

② "要"下原脫"解"字，據湯球《九家舊晉書輯本》補。

汲冢瑣語十一篇　案諸國卜夢妖怪相書也。《玉海》：“顏之推云：‘《汲冢瑣語》乃載《秦望碑》，非本文也。’”《隋志》作“璅語四卷”。《史通》曰：“《瑣語》，太丁時事，目爲《夏殷春秋》。”又云：“《瑣語》有《晋春秋》。”　上二種並据本書《束皙傳》。

張掖郡玄石圖一卷　晉玄石圖一卷　案與上疑一種。[①]　**晉德易天圖三卷**　上三種並孟衆撰。

說石圖　程猗撰。据《文選》注。

通玄經四卷　王長文撰。擬《易》，有《文言》、卦象，可用卜筮。据本書傳。　案《華陽國志》作“《通經》四篇”。《隋志》列儒家，作“《通經》二卷，丞相從事中郎王長元撰”，疑有誤。《通志略》作“《通玄》十卷”。

五行傳　京氏易傳　上二種並郭琦撰。[②] 据本書《隱逸傳》。

青囊書九卷　河東郭公撰。据本書《郭璞傳》。

遯甲肘後立成囊中祕　案《通志略》有“訣”字。**一卷　遯甲返**　案《通志略》作“反”。**覆圖一卷　遯甲要用四卷　遯甲祕要一卷　遯甲要一卷　龜決二卷　周易雜占十卷　三元遁甲圖三卷**　据《唐志》。上八種並葛洪撰。

周易新林四卷　周易新林九卷　案與上疑一種。　**周易林五卷**　案《隋志》云：“梁有。”据本書傳云：“抄京、費諸家要最，撰《新林》十篇。”　**卜韻一篇**　据本書傳。　**易立成林二卷　易林一卷**　据《崇文目》。　**易洞林**　案《唐志》作“周易洞林解”，《通志略》無“解”字。**三卷**　案本書傳云：“撰前後筮驗六十餘事，名爲《洞林》。”《中興目》云：“止存一卷，二十二事。”《宋·藝文》作“《周易洞林》一卷”。　**晉災異簿二卷　易八卦命錄斗內圖一卷　易斗圖一卷　周易竅書三卷　周易括地林一卷**　上三種並据《崇文目》。　**易腦一卷**　据《唐志》。　**八五經一卷**　案晁氏《讀書志》云：“相墓書也，八五謂八卦五行。”《直齋書錄》云：“《序》稱大將軍記室郭璞，《後序》云：‘余受郭公囊書數篇，此居其一，公戒以祕之。丞相王公，盡索余書，余以公言告之，得免。’末稱太興元年六月，

---

①　“疑”與“與上”原誤倒，據本書體例改。《周易新林》九卷條下有相同案語，可證。《二十五史補編》本誤同。

②　“並”上原衍“上”字，據《二十五史補編》本刪。

蓋晉元帝时。王公，謂導也。"　**青囊補註三卷**　据晁氏《讀書志》。　**狐首**

經一卷　續葬書一卷　上二種並据《直齋書録》。　**青囊經二卷**　案疑

與《青囊補註》一種。　**撥沙成明經一卷　錦囊經一卷　玄堂品決**

案疑當作"訣"。**三卷　周易穿地林一卷　地理碎金式一卷**　上六種

並据《通志略》。　**三命通照神白經三卷　周易玄義經一卷　葬書**

一卷　上三種並据《宋·藝文》。　**玉照定真經一卷**　据《四庫目録》云："舊

本題郭璞撰。"　**元經十卷**　案璞門人趙載註。宋儲泳《袪疑説》引其《山家五行

篇》，《欽定協紀辨方》引其《葬元篇》。考載名，亦見本書璞傳。　**葬經一卷　龜**

目神書一篇　上二種並据舊鈔本。　上三十種並郭璞撰。

八仙山水經一卷　郭璞等撰。据《通志略》。

璇璣經一卷　趙載撰。据姑蘇樂真堂刊《陰陽五要奇書》，《元經》爲首，此書在内。

　金雄記一卷　据《七録》。　**金雌詩**　上二種並郭文木片書。《金雄記》言

將來事，多有驗。据《建康實録》引《晉書》。　案《太平廣記》引《神仙拾遺》作"蒯莱書

《金雄詩》、《金雌記》"。

醫卜論　孫盛撰。据本書傳。

天文地理十餘篇　索襲撰。据本書《隱逸傳》云："游思陰陽之術，多所啓發。"

太玄經注　案晁氏《讀書志》作"解"。**十二**　案《文獻通考》無"二"字。**卷**

范望撰。据《唐志》、《通志略》。　案晁氏《讀書志》作"范望叔明"，司馬光《序》稱："尚書

郎范望作《解贊》。"《四庫提要》云："註惟宋衷、陸績最著，望因二家註，草爲編析。《玄

首》一篇，分冠八十一象之前；《玄測》一篇，分繫七百二十九贊之下。望所自註，特其贊

詞。概稱望註，要其終而目之耳。"

尋龍捉脈賦　陶侃撰。据張受祺《地理正義》。

天涯海角經　柏葉仙撰。据蘇毓煇《地理平陽萃玉》。

古符待賈録　苻堅末年，城中有此書。据本書載記。

周易筮占二十四卷　徵士徐苗撰。　案《唐志》"周"上有"徐氏"字，《通志略》

"徵"作"處"。

牽三歌讖　王嘉造，事過皆驗，累世傳之。据本書傳。　案《隋志》有《王子年歌》一

卷，當即此書。

靈棊經注一卷　顏幼明撰。據晁氏《讀書志》。

易七卷　成公智瓊撰。據《太平廣記》引《集仙錄》云：“有卦有象，以象爲屬。其《文言》既有義理，又可以占吉凶，猶揚子之《太玄》也。”

和公注黄帝四序經文三十六卷　魏殷紹《上四序堪輿表》曰：“姚氏之世，長廣東山道人法穆以先師和公《注黄帝四序經文》三十六卷，合三百二十四章，專説天地陰陽之本。第一孟序，九卷八十一章，説陰陽配合之原。第二仲序，九卷八十一章，解四時氣王休殺吉凶。第三叔序，九卷八十一章，明日月星宿交會相生爲表裏。第四季序，九卷八十一章，具釋六甲刑禍福德。傳授於臣，以甲寅年歸。”據《魏書·藝術傳》。案甲寅當晋安帝義熙十年也。

右術數類六十三種。

藝術類

博奕論　韋昭撰。據《文選》。

汲冢繳書二篇　案論弋射法。據本書《束皙傳》。

棊品序一卷　陸雲撰。

圍棊勢二十九卷　趙王倫舍人馬朗等撰。

棊勢　據《御覽》工藝部引。　　**隸書體**　上二種並成公綏撰。

四體書勢　衛恒撰。據本書傳。

草書狀　索靖撰。據本書傳。

草書賦　楊泉撰。

飛白勢銘　劉劭撰。　上二種並據《書苑英華》。　案張懷瓘《書斷》作“劉彥和”。

棊經一卷　葛洪。　案《崇文目》“洪”譌作“法”。

投壺變一卷　虞潭撰。

投壺經一卷　郝沖、虞譚撰。　案“譚”疑“潭”之譌，與上疑一種。

投壺道一卷　郝沖撰。　上二種並據《通志略》。

筆陳圖一卷　衛夫人撰。　案《書史會要》曰：“夫人名鑠，字茂漪，汝陰守李矩妻，中書充母。”《書斷》云：“廷尉展女弟。”《國志·李通傳》引《晋諸公讚》：“矩字茂約，永嘉中江州刺史。”本書《李充傳》：“父矩，江州刺史。”《御覽》工藝部引《晋中興書》：“李充母衛氏，廷尉展之妹。聰明有訓，又善楷書，妙參鍾索。"

筆説　《太平廣記》書部引羊欣《筆陳圖》曰："王羲之七歲於其父枕中竊讀前代《筆說》。"

用筆賦　据朱長文《墨池編》。　　**記白雲先生書訣**　据《書苑英華》。　　**自論書**　据羲之集。①　　**自敘草書勢**　**自敘草書訣**　**筆經**　案論製筆之法。　上三種並据《御覽》工藝部引。　　**筆勢論**　据周子發《書苑菁華》云："羲之告獻之作。"　案此《論》孫過庭已言其僞，張彥亦棄不錄，《墨池編》云恐後學所作。

筆陳圖　据馮武《書法正傳》云："永和九年，羲之作，授獻之。"　上八種並王羲之撰。

書訣　王獻之撰。据《飛鳧帖》。

行書狀　王珉撰。据《藝文類聚》。

圍棊九品序錄五卷　案《唐志》並作"《棊品》五卷"。

棊九品序錄一卷　范汪等撰。

十二棊卜　甯康初，襄城寺法味道人見一老公竹筒盛此書，以授法味。据《御覽》方術部引《異苑》。

徐安子五十八體書勢一卷　据《玉海》引《百葉書鈔》。

彈碁譜一卷　徐廣撰。

論書　**論畫篇**　上二種並顧愷之撰。据《歷代名畫記》。

南都賦圖　戴逵畫。据《世說》。

能書人名一卷　据《南齊書·王僧虔傳》。　　**筆陳圖**　据《玉海》。　　**筆法一卷**　据《通志略》。　上三種並羊欣撰。

右藝術類三十七種。

譜錄類

食疏　何曾撰。据《南齊書·虞悰傳》。

師曠禽經注一卷　張華撰。据《直齋書錄》、左圭《百川學海》。

竹譜一卷　戴凱之撰，并自註。　案晁氏《讀書志》云："凱之字慶預，武昌人。"又引

---

①　"羲"原誤作"義"。《二十五史補編》本誤同。

李淑《邯鄲圖書志》，謂不知何代人。《四庫提要》云："《隋志》譜系中有《竹譜》一卷，不著名氏。《舊唐志》載入農家，始題戴凱之，然不著時代。左圭《百川學海》題曰'晋人，字慶豫'，預、豫字近，未詳孰是。所引皆晋人之書，李善注《長笛賦》引其一條，足證爲唐以前書。"

周穆王八駿圖一卷　　史道碩畫。据《通志略》。

崔氏食經四卷　　崔浩撰。据《通志略》。　　案浩在晋義熙年已任魏博士。

右譜録類五種。

雜家類

汲冢名三篇　案似《禮記》，又似《爾雅》、《論語》。

汲冢梁邱藏一篇　案先叙魏之世數，次言邱藏金玉事。

汲冢生封一篇

汲冢大厯二篇　案鄒子談天類也。

汲冢圖詩一篇　案畫贊之屬。

汲冢雜書十九篇　案《周食田法》、《周書》、《論楚事》、《周穆王美人盛姬死事》。

　上六種並据本書《束晳傳》。

才性同異論　据《國志》傳。　　**才性同論**　据《世説》注。　　上二種並傅嘏撰。

夏少康漢高祖論　据《國志·高貴鄉公紀》注。　　**才性同異論**　**道論二十篇**　上二種並据《國志》傳。　　**才性合論**　据《世説》注。　　**芻蕘**　案《通志略》有"語"字。**論五卷**　据《唐志》。　　上五種並鍾會撰。

宅無吉凶攝生論難上中下三篇　　**難張遼自然好學論**　　**管蔡釋私論**　**明膽論**　上四種並嵇康撰。並据王楙《野客叢書》。

鬼谷子注三卷　皇甫謐撰。

家誡　李秉撰。据《國志·李通傳》注："秉答司馬文王問，因以爲《家誡》。秉字玄胄。"本書《李重傳》作"李景"，唐人避諱改。《世説》注作"李康《家誡》"，誤。

劉揚優劣論　范喬撰。据本書傳。

釋諱　**廣國論**　上二種並陳壽撰。据《華陽國志》。

六代論　曹景撰。据本書《曹志傳》。

唐子十卷　唐滂撰。　案舊題吳人。馬總《意林》云有"大晉應期,一舉席捲"語,則書實成於晉時。滂字惠潤,生吳太元二年,是吳亡時滂年甫三十,其入晉宜矣。

孫氏成敗志三卷　孫毓撰。

時務論五篇　何攀撰。据《華陽國志》云:"吳平後上。"

新議八篇　薛瑩撰。据《吳志》。

華林集　應吉甫撰。据《御覽》。　案吉甫名貞,本書《文苑》有傳。

汲冢書鈔　束晳撰。据《初學記》居處部引。

獨斷注　司馬彪撰。据《文選》註。

行事記　李嵩撰。据《通典》引。

羣英論一卷　郭頒撰。据《七錄》。

魯史敊器圖注一卷　劉徽撰。　**徙戎論**　江統撰。据本書《匈奴傳》。

安邊論　杜預撰。据本書傳。

釋時論　高平王沈撰。据本書《惠帝紀》。

典戒　賈充撰。据《類聚》歲時部引。

善文　華廙撰。据本書傳云:"集經史要事而成。"

連珠一卷　据《七錄》。

要覽三　案《崇文目》作"二",《中興目》作"三"。**卷**　据《唐志》。　案機《自序》云:"直省之暇,乃集《要術》三篇。上曰《連璧》,集其嘉名,取其連類;中曰《述聞》,實述予之所聞;下曰《析名》,乃搜同辨異也。"　**纂要**　据《御覽》引。與上別出。　**五等論　辨亡論**　上二種並据本書傳。　上四種並陸機撰。

較論品格篇　西州清論　案借稱諸葛孔明以行其書。　**訪論　審機**　上四書並据本書傳。　**辨政論**　据《御覽》引。　上五種並陸喜撰。

奴券　石崇撰。据《御覽》引。

感應類從志一卷　張華撰。据《四庫存目》。

索子二十卷　索靖撰。据本書傳。

傅子一百二十卷　傅玄撰。　案本書傳云:"內、外、中篇,百四十首。"《通志》存五卷。

明真論一卷　宗岱撰。据《七録》。　案《隋志》列總集類。

神鬼論　宋岱撰。据《説郛》引裴啓《語林》云：“岱爲青州刺史，禁淫祀著。”　案“宋岱”即“宗岱”之譌，説詳易類。

古今通論三　案《隋志》云：“梁有二卷。”《通志》作“二十卷”，“十”字疑衍。**卷**
松滋令王嬰撰。据《唐志》。　案《隋志》列儒家《孫氏成敗論》後，當亦晋人。

鄒子一卷　据《意林》。　案馬國翰云：“《意林》在《化清經》、《成敗志》之間。考《化清經》蔡洪撰，《成敗志》孫毓撰，皆晋人，鄒亦當晋人。《晋書·文苑傳》：‘鄒湛著詩及論議二十五首。’以時考之，與蔡、孫皆在西晋初。《御覽》引《鄒子·叙》‘邢高、吕安飲市仰天泣’，殆目覩其事而論之也。”

論三十餘篇　夏侯湛撰。据本書傳。

感應傳八卷　尚書郎王延秀撰。

桑邱先生書二卷　乘邱先生書三卷　据《宋書·外國傳》沮渠茂虔獻河西人所著書。　案書與《時務論》並獻，疑亦偉撰，與上一種。　**時務論十二卷**
上三種並楊偉撰。　案書獻於茂虔，是偉屬敦煌人。

析言論二十卷　古今訓十一卷　上二種並議郎張顯撰。

古今注三　案《舊唐志》作“五”，《新唐志》作“一”，別出亦作“三”。**卷**　崔豹撰。
　案《崇文目》云：“雜取古今名物，各爲考釋，凡八門，原釋事物刱始之意。”

錢神論一卷　魯褒撰。

錢神論　成公綏撰。据《御覽》引。

任子春秋一卷　杜嵩撰。　案本書《惠帝紀》：“廬江杜嵩疾時之作。”《杜夷傳》“嵩”作“崧”。　又案《通志·本紀》、顧炎武《日知録》、周濟《晋略》並作“壬子春秋”。壬子，晋惠帝元康二年，賈后弑楊后之歲也，以壬子命名，正與疾時之意合。王鳴盛《十七史商榷》云：“‘任子’當作‘杜子’。”則又望文生義，絶無證據者也。

家令　慕容庉撰。据本書載記。

伏林　二千餘言。　**集記世事**　數十萬言。　**典林二十三篇**　上三種並韋謏撰。据本書傳云：“皆深博有才義。”

二九神經　祈嘉撰。依《孝經》。据本書《隱逸傳》。

家訓　黄容撰。据《華陽國志》。

廊廟五格二卷　王彬撰。据本書傳。

變化論　据《荆楚歲時記》引。　案《埤雅·釋魚》引作"陰陽自然變化論"，《釋蟲》引作"變化論"，《釋魚》、《釋鳥》引作"自然論"，蓋一書也。　　**三百記**　据《史記·孔子世家》正義引。上二種並干寶撰。

在窮記　据《御覽》帛部引，云太安二年六月。　　**孔氏説林五卷**　据《唐志》。上二種並孔衍撰。

秦子二卷　据《意林》引其書有顧彦先難云云，當亦晋人。

梅子一卷　据《意林》。

廣志二卷　郭義恭撰。

異同志　李軌撰。据《玉燭寶典》引。

八賢傳　謝萬撰。据本書傳。

通葛論　孔嚴撰。据本書傳。

邁德論　龔壯撰。据本書《隱逸傳》。

廢莊論　王坦之撰。据本書傳。

古今善言三十卷　范泰撰。

答問　議郎董勛撰。据魏收《魏書·自序》。

正淮論二篇　伏滔撰。据本書傳。

蔡司徒書三卷　蔡謨撰。据《七錄》。

纂要一卷　戴逵撰。　案《隋志》作"戴安道"，考本書《隱逸傳》，戴逵字安道。

子林二十卷　孟儀撰。

道論　祖台之撰。据《初學記》引。

雜記　徐廣撰。据戴凱之《竹譜》引。

人物論　庾法暢撰。据《世説》註。

天聖論　殷仲堪撰。据《初學記》人事部引。

教誡二十餘篇　姚興太子中庶子刁雍撰。訓導子孫。据《魏書》傳。

劉劭人物志注三卷　劉昞撰。

俗問十一卷

亡典七卷　上二種並据《宋書·外國傳》沮渠茂虔獻河西人所著書。

廣志　郭義恭撰。据馬國翰《玉函山房叢書》。

右雜家類一百種。

類書類

會要一卷　陸機撰。据《宋·藝文志》。

聖賢羣輔錄一卷　陶潛撰。　案一名《四八目》，依《四庫存目》例列此。

右類書類二種。

小說家類

汲冢穆天子傳五篇　案言周穆王遊行四海，見帝臺西王母。据本書《束晳傳》。
又案《隋志》云：“體例與今起居注正同，蓋周時内史所記，王命之副也。”晁氏《讀書志》
云：“本謂之《周王遊行記》。原叙：中書監荀勖、校書郎中傅瓚同校定，以二尺黄紙
寫上。”

博物志十卷　案王嘉《拾遺記》云：“華嶠採天下遺逸，自書契之始，考驗神鬼及世
間閭里所說，造《博物志》四百卷。奏武帝，帝謂芟截浮疑，分爲十卷。”晁氏云：“載歷代
四方奇物異事，首卷有《地理略》，後有讚文。”　**張公雜記五卷**　据《七錄》。《隋》
存一卷，與《博物志》相似，小不同。　**雜記十一卷**　**東方朔神異經注二**
　案《隋志》暨《直齋書錄》、《通考》並作“一”。**卷**　据《唐志》、《崇文目》。　**異物**
評二卷　据《宋·藝文》。　**列異傳一卷**　据《新唐志》。　上六種並張華撰。
異林　陸氏撰。据《國志》註。陸雲兄子。　**穆天子傳註六卷**　**山海經**
注二十三　案《新唐志》、《崇文目》作“十八”。**卷**　案《玉海》云：“本三萬九千十
九字，注二萬三百五十字，總五萬一千二百六十九字。”　**山海圖經十卷**　**山海**
經圖讚　案《通志略》作“贊”。**二卷**　**山海經音二卷**　上五種並郭璞撰。
搜神記三十卷　案《宋·藝文》作“《搜神總記》十卷”。　干寶撰。
志怪　曹毗撰。据《初學記》地部，兩引。
西京雜記二　案《直齋書錄》、《宋·藝文志》並作“六”。**卷**　葛洪撰。据《舊唐
志》。
羣英論一卷　郭頒撰。

語林十卷　處士裴啓撰。　案《世説》註引《裴氏家傳》曰："榮字榮期，河東人。撰《語林》數卷，號曰《裴子》。檀道鸞謂裴松之以爲啓作《語林》，榮殆別名啓乎？"

郭子三卷　東晋中郎郭澄之撰，賈泉注。据《通志略》。

志怪書　案《御覽》引作"集"。**二**　案《唐志》作"四"。**卷**　祖台之撰。　案台之附本書《王述傳》。

述異記十卷　祖沖之撰。据《通志略》。

拾遺記十九　案《隋志》無"九"字。**卷**　据梁蕭綺《序》云："本二百二十篇，書後殘闕，因删集爲十卷。"　**王子年拾遺録二**　案《唐志》作"三"。**卷**　据《隋志》。與上別出。　**名山記一卷**　案《直齋書録》云："即《拾遺記》之第十卷。"上三種並王嘉撰。

搜神後記十卷　陶潛撰。

神境記　王韶之撰。据《御覽》引。

孔氏志怪四卷　据《新唐志》。　案《世説》注引有"毓爲魏司空，冠蓋相望，蓋相承至今"語，知爲晋撰矣。《文苑英華》顧況《廣異記·序》稱孔慎言《志怪》，殆即此書。

甄異記　戴祚撰。据《新唐志》。

神異記　王浮撰。据《御覽》引。

山海經圖畫讚　張駿撰。据《初學記》引。

右小説家類三十種。

釋家類

西國佛經　太始中，月支沙門竺法護西游得經，至洛翻譯，部數甚多。据《隋志》叙。

衆經目　据《法苑珠林》。　**耆闍崛山解**　据《高僧傳》。　上二種並竺法護撰。

阿難念佛經　**鏡面王經**　**察微王經**　**梵皇經**　**小品經**　**六度集**　**雜譬喻經**　上七種並康僧會譯。

安般守意經注　**法竟經注**　**道樹經注**　上三種並康僧會撰，并製經序。
　　上十種並据《高僧傳》，云："吴天紀四年，會遘疾終。"是歲，晋武太康元年也。

放光般若經九十章　元康中，朱仕行自西域于闐得之，至鄴譯題。据《隋志》叙。

維摩法華三本起等佛經 元康中,胡沙門支恭明譯。据《魏書·釋老志》。

泥洹經二十卷 僧祇律 上二種並劉淵元熙中新豐沙門智猛西到華氏城得,東至高昌譯成。並据《隋志·叙》。

維摩經 法華經 上二種並石勒時常山沙門衛道安解釋。

解意經一卷 成具光明經一卷 上二種並道安所受。上四種並据《高僧傳》。

般若經 道安建刹於太行常山初講。据《蓮社高賢傳》。

般若道行經注

析疑甄解二十餘卷 上二種並据《法苑珠林》。

大品經序一卷 了本生死經注序一卷 增一阿含經序一卷 鞞婆序一卷 十法句義序一卷 賢劫經略解一卷 持心梵天經略解一卷 金剛密跡經略解一卷 人欲生經注解一卷 了本生死經注解一卷 十二門經注解一卷 十二門禪經注解一卷 般若經注解一卷 光讚般若略解二卷 陰持入經注解二卷 大道地經注解二卷 上十六種並据《隋衆經目錄》。 **答法汰難二卷 般若析疑略二卷 大十二門注解二卷 光讚析中解一卷 道行集異注一卷 小十二門注解一卷 光讚鈔解一卷 般若析疑準一卷 起盡解一卷 賢劫諸度無極解一卷 安般守意解一卷 密跡持心二經甄解一卷 人本欲生經撮解一卷 衆經千法連雜解一卷 義指注解一卷 九十八結連劫通解一卷 三十二相解一卷 三界混然諸偽雜録一卷 答法將難一卷 綜理衆經目録一卷** 上二十種並据《大唐内典目錄》。 **泥洹經注** 据《文選》注。 上三十七種並釋道安撰。

釋道安傳 据《御覽》引書目。

安般經注 四禪經注 即色論 案亦見《世説·文學篇》。 **遊玄論** 案《大唐内典目錄》作“《即色遊玄論》一卷”。 **座右銘 切悟章** 上六種並据《高僧傳》。 **釋曚論一卷 解三乘論一卷 聖不辨智論一卷**

本業經序一卷　四本起禪序一卷　道行指歸論一卷 _{上六種並据}
《大唐内典目録》。　上十二種並支遁撰。

支法師銘贊 袁宏撰。

支法師誅 周雲寶撰。

支遁傳 上三種並据《高僧傳》。　**東山僧傳**据釋慧皎《高僧傳·序》。　上二
種並郗超撰。

沙門不得爲高士論 王坦之撰。据《世说·輕詆篇》。

遺教經一卷 案黄庭堅跋云："譯于姚秦弘始四年。"《直齋書録》云："佛涅槃時
所説。"

泥洹經三十卷　金光明等經　雜摩經　法華經 案《蓮社高賢·僧
叡法師傳》云："以竺法護本翻。" **成實論** 上五種並姚萇弘始十年天竺沙門曇摩
羅懺取智猛本至長安譯所賫胡本而成。並据《隋志》叙。　案"曇摩羅懺"一作"曇無
懺"，徐言、疾言之異。

大智度論一百卷　十住經 上二種並据《蓮社高賢傳》。　**維摩詰所説
經十卷** 案《直齋書録》作"一卷"。　**金剛般若波羅密經一卷　妙法
蓮華經　觀世音普門品** 上四種並据《通考》。　**諸深大經論十有餘
部　續出經論三百餘卷** 上八種並鳩摩羅什譯。据《魏書·釋老志》云："羅
什爲姚興所敬，於長安草堂寺重譯經本，發明幽致，更定章句，辭義通明，至今沙門共所
祖習。"　案羅什据《佛教遺經》稱天竺沙門，《維摩詰經》稱三藏法師。

十誦律 据本書《藝術傳》。　**龍樹菩薩傳一卷　馬鳴菩薩傳一卷
提婆菩薩傳一卷** 上三種並据《法苑珠林》。　**實相論二卷** 案本書
《藝術傳》云爲姚興著。　**維摩經注解三卷　答問論二卷** 上三種並据
《隋衆經目》。上七種並鳩摩羅什撰。

寶藏論三 案《崇文目》作"一"。**卷** 据《通志略》。　**僧肇寶** 案《唐志》無
"寶"字。**論三** 案《崇文目》作"二"。**卷** 据《宋·藝文》。　**丈六即真論
一卷　維摩經注解** 案《魏書·釋老志》無"解"字。① **五卷** 案《蓮社高賢

---

① "志"原誤作"傳"。

傳》云："肇注，世咸玩味。" **長阿含經序一卷** 上三種並据《隋衆經目録》。

物不遷論一卷　不真空論一卷　涅槃無名論一卷　般若無知論一卷 上四種並据《大唐内典目録》。　上九種並姚秦僧洪肇撰。案《魏·釋老志》云："肇著數論，皆有妙致。"《傳燈録》云："肇後爲姚興所殺。"

長阿含經二十二卷　四分律四十四卷 上二種並姚秦弘始中譯。

五明論　毗婆沙論解　虛空藏經一卷 上五種並佛陀邪舍撰。据《蓮社高賢傳》，云罽賓國沙門。案"邪舍"《隋志》作"耶舍"。

阿毗曇論 曇摩耶含譯。据《隋志》叙。　案與佛陀耶含疑屬一人，音之轉耳。

阿毗曇心論 案《世說》注引遠法師《叙》曰："阿毗曇者，晋言大法也。道標法師曰：'秦言無比法也。'"　**三法度論** 上二種並据《蓮社高賢傳·慧遠傳》。　**增一阿含經　中阿含經** 上二種並据《隋志》叙。　上四種並隆安中罽賓沙門僧伽提婆譯。

二諦論　佛無淨論　應有緣論　沙彌塞律 上四種並罽賓律師爲法師道生譯於龍光寺。据《蓮社高賢傳》。

善不受報義　頓悟成佛義　佛性常有論　應有緣論　維摩詰經義疏　法華經義疏　泥洹經義疏　小品經義疏 上八種並法師道生撰。据《蓮社高賢傳》。

涅槃諸經十餘部 沮渠蒙遜在涼州，有罽賓沙門曇摩與沙門智嵩等譯。

涅槃義記[①] 沙門智嵩撰。　上二種並据《魏書·釋老志》。

華嚴經三萬六千偈 義熙中，沙門支法領從于闐國得，至金陵宣譯。据《隋志》叙。　案《魏·釋老志》作《華嚴經本定律》。晁氏《讀書志》引《纂靈記》云："《華嚴大經》，龍宫有二本，佛滅度後六百年，有龍樹菩薩入龍宫誦下本，十萬偈，四十八品，流傳天竺。晋有沙門支法領得上本，三萬六千偈，至此土，義熙十四年，譯成六十卷。"

色空義 案在姚秦太子東宫與羅什論，羅什罔測。　**觀佛三昧經　般泥洹經　修行方便論　法顯大僧祇律十五部** 上五種並佛馱跋羅撰。据《蓮社高賢傳》。　案傳又云："義熙十四年，吳郡内史孟顗、右衛將軍褚叔度，請佛馱跋羅尊者爲主譯，與沙門法業、慧義、惠嚴、慧觀等爲筆授，譯成六千卷。有二青衣，旦從池

---

① "涅"原誤作"湼"，據中華書局1955年版《二十五史補編》本改。

出，灑埽研墨。"

大品經序一卷　小品經序一卷　法華經後序二卷　維摩經後序一卷　思益經序一卷　自在王經序一卷　道行經序一卷　關中出經序一卷　十部律序一卷 _{上九種並据《隋衆經目録》。}　大秦衆經目録 _{据《大唐内典目録》。}　十四音訓 _{据《蓮社高賢傳》。}　上十一種並僧叡撰。

毗曇指歸一卷 _{竺僧度撰。据《法苑珠林》。}

阿毗曇心論四卷　神無形論一卷 _{上二種並竺僧敷撰。}

經論都録一卷 _{支敏度撰。}

人物始義論一卷 _{康法暢撰。}

六識指歸十二首　譬喻經十卷 _{上二種並康法邃撰。}

立本論九卷 _{曇徽撰。}　上七種並据《唐内典目録》。

維摩經注 _{据《文選》注。}　十四科元贊義記一卷 _{据《宋·藝文志》。}　上二種並竺道生撰。

蓮社録 _{据《蓮社高賢傳》。}　維摩經正注五卷　窮通論一卷 _{上三種並瞿詵撰。}

釋駁論一卷 _{道恒撰。}　上三種並据《法苑珠林》。

立本論九卷 _{法遇撰。}

法華經義疏　十地經義疏　維摩經義疏 _{上三種並道融撰。}

法華經義疏四卷　中論注 _{上二種並曇影撰。}

護首楞嚴經注 _{帛遠撰。}

放光般若經注　顯宗論 _{上二種並法祚撰。}

法華經義疏四卷 _{竺法崇撰。}

崇勝鬘經注 _{慧超撰。}

人物始義論 _{支僧敦撰。}

十住經注解 _{僧衞撰。}

傳譯經録 _{支敏度撰。}

諸經目録 _{釋道祖撰。}

道人善道開傳一卷　康泓撰。　案本書《藝術傳》作"單道開"。

竺法曠傳　顧愷撰。

于法蘭別傳　上十八種並据《高僧傳》。

志節沙門傳　釋法安撰。据慧皎《高僧傳·叙》。

禪數諸經禪戒典百卷　**法性論十四篇**　上二種並据《蓮社高賢傳》。

沙門不敬王者論一卷　凡五篇。　**釋論二十卷**　**法性論一卷**
脩行方便禪經序一卷　**三法度論一卷**　**明報應論一卷**　**辨心**
識論一卷　**沙門袒服論一卷**　上八種並据《隋衆經目録》。　**問大乘中**
深義十八科三卷　**阿毗曇心論序**　**妙法蓮華經序**　**大智度論**
略鈔二十卷　案《蓮社高賢傳》作"抄要"，云："以羅什所譯百卷其文繁重，乃抄要
而爲之序。"　**大智度論序**　**佛影讚**　上五種並据《大唐内典目録》。　上十
六種並慧遠撰。

法華經講義　**阿毗曇講義**　上二種並慧持撰。据《蓮社高賢傳》。　案慧持
係慧遠之母弟。

摩訶僧祇衆律

薩婆多衆律　案《隋志》叙云："魏沙門法顯，自長安遊天竺，歷三十餘國，有經律
處，學其語，譯而寫之。十年，乃於南海師子國汎舟至青州。是歲，神瑞二年也。至江
南，更與天竺禪師跋陀參辨定。"①　案神瑞二年，當晋安帝義熙十年也。

雜阿毗曇心　可六千偈。　**綖經一部**　可二千五百偈。

方等般泥洹經　五千偈。

摩訶泥洹經　五千偈。　案《蓮社高賢傳》云："法顯所翻《泥洹經》先至，本六卷。"

摩訶僧祇阿毗曇

彌沙塞律藏本

長阿含

雜阿含

雜藏一部　上十一種並法顯得自外國。据顯《佛國記》。

---

① 案是處引文當出自《魏書·釋老志》。

法顯傳二卷

法顯行傳一卷

于法蘭別傳　据《高僧傳》。

高坐道人別傳　案西域僧帛尸黎密多，華言吉友，時稱爲高坐上人。

佛圖澄別傳

名德沙門題目

安法師傳

安和上傳

支遁別傳

支法師傳　上七種並据《世説》註。

蓮社高賢傳　案《説郛》作“《東林蓮社十八高賢傳》，晉無名氏撰”。

右釋家類二百二十三種。

道家類

丹青符經五卷　　**丹臺録三卷**　上二種並哀帝撰。据柳宗元《龍城録》。

簡文談疏六卷　簡文帝撰。

養生論三卷　案王楙《野客叢書》有《與向子期論養生難答》一篇，四千餘言，辨論甚悉。　**聲無哀樂論**　据《世説》注。　上二種並嵇康撰。

達莊論　据本書傳。叙無爲之貴。　**通老論**　据《御覽》。　上二種並阮籍撰。

老子道德經注二卷　鍾會撰。据《釋文·叙録》。

道德經解釋二　案《釋文》、《唐志》並作“四”。**卷**　**道德經注二卷**　据《唐志》。　案本書傳作“老子傳”。　上二種並羊祜撰。

老子注　案《宋·藝文》作“道德經音義”。**二卷**　傅玄撰。　案《隋志》作“傅奕”，疑緣玄字休奕而誤。

莊子注二十卷　案《釋文》云：“二十六篇，一作二十七篇，一作二十八篇，亦無《雜篇》。”据本書《郭象傳》云：“秀注《秋水》、《至樂》二篇，未竟而卒。”　**莊子音一**　案《釋文·叙録》作“三”。**卷**　上二種並向秀撰。

莊子注十六卷　案《釋文》作"二十一卷，五十二篇。《内篇》七，《外篇》二十八，《雜篇》十四，《解説》三"。　**莊子音一**　案《釋文・叙録》作"三"。　**卷**　上二種並司馬彪撰。

莊子注三十卷　目一卷　案梁有三十三卷，《釋文》同，《内篇》七，《外篇》十五，《雜篇》十一。《唐志》、《崇文目》、《通志略》、《宋・藝文》並作"十卷"。　**莊子音三卷**　上二種並郭象撰。

老子例略　王倫撰。據《世説・排調篇》注引《王氏譜》曰："倫字太沖，司徒渾弟，大將軍參軍。"

丹山圖詠　木玄虚撰。據《道藏》。

元微論　徐苗依道家撰。據本書傳。

黄庭内景經　案《御覽》引《内傳》云："一名《太上琴心》，一名《大帝金書》，一名《東華玉篇》。"　**一卷　黄庭外景經一卷**　上二種並扶桑碧阿暘谷神王景林真人授南嶽魏夫人者。　案《直齋書録》云："王羲之有《書黄庭外景經》三卷。"

黄庭内景經注　南嶽魏夫人述。

寶經三十一卷　《太上寶文》、《八素隱書》、《大洞真經》、《靈書八道》、《紫度炎光》、《石精金馬》、《神真虎文》、《高仙羽玄》等經，並小有洞天仙主王褒授南嶽魏夫人者。
案褒見醫家類，《紫度炎光經》見《御覽》引用書目。

大洞真經　南嶽魏夫人讀於陽洛山中。　上五種並據《太平廣記》引《集仙傳》，云："夫人，任城人，晉司徒劇陽文康公舒女。名華存，字賢安。幼好道慕仙，父母強適太保掾南陽劉文，字幼彦，生二子璞、瑕。幼彦後爲修武令，夫人齋於别寢。逾三月，忽有真人來降授經。中原亂，携二子渡江。璞爲庾亮司馬，又爲温太真司馬，後至安成太守；瑕爲陶侃從事中郎將。夫人住世八十三年，以晉成帝咸和九年託劍化形，徑入陽洛山，道陵天師授符籙之訣，太微帝君授爲紫虚元君領上真司命。南嶽夫人後屢降茅山，子璞後至侍中，夫人令璞傳法于司徒瑯琊王舍人楊羲、護軍長史許穆、穆子玉斧，並皆昇仙，以晉興寧三年乙丑降楊家，與衆真吟詩。"

清虚真人王君内傳一卷　南嶽魏夫人撰。據《道藏》。本題弟子華存。[①]　案《御覽》道部："《茅君傳》曰：'清虚王真人，總真王君弟子，南岳魏夫人師，夫人撰《傳》顯於世。'"

---

①　"華存"原互倒。

胞一胎息歌訣一卷　楊羲撰。据《通志略》。　案"楊義"疑即"楊羲"，形近偶

譌耳。

三元真經　太上智慧經　上二種並南嶽夫人受自王君而傳於楊君轉傳許掾

者。据《御覽》道部引《東卿司命經》。

上清王霞紫映内觀隱書　上清還晨歸童日暉中元書　上二種並九

華真妃擝付楊君。据《御覽》道部引《登真隱訣》。

奇法書二卷　安妃授楊君。据《御覽》道部引《八素奔辰訣》。

洞房經　楊君、許長史同書。据《御覽》道部引《登真隱訣》曰："書於小碧牋紙。"

神化經　神咒經　三五大齋訣　上三種並道君於西晋末授道士王纂。据

《廣記》道部引《神仙感遇傳》曰："纂，金壇人，居馬跡山。"

杜氏幽求新書　案《通志略》作"幽求子"，無"杜氏"、"新書"字。**二十卷**　杜

夷撰。　案本書傳作"《幽求子》三十篇"，《唐志》作"《杜氏幽求子》三十卷"。

陸子十卷　陸雲撰。　案本書傳作"《新書》十篇"。

攝生論二卷　阮侃撰。

莊子注　盧諶撰。据本書傳。

道德經注二卷　蜀才撰。据《釋文》。

老子序次一卷　据《玉海》引《國史志》。　　**運元真氣圖一卷**　据《通志

略》。　上二種並葛仙公撰。案"公"《通志》作"翁"。

葛仙翁抱息術一卷　据晁氏《讀書志》曰："仙翁，葛洪也。"案《列仙傳》曰："葛玄

字孝先，吳人。從左慈學道，後得道，號葛仙翁。"本書《葛洪傳》稱"玄仙公"。　**太清**

丹經三卷　九鼎丹經一卷　金液經一卷　三皇内文　枕中五

行記　上五種並鄭君受自仙公而傳於葛洪者。据葛洪《抱朴子》。

抱朴子内篇二十一卷　音一卷　案本書傳云："言黃白之事，名曰《内篇》。"

《舊唐志》、《崇文》、《中興目》、《讀書志》、《書錄解題》、《宋·藝文志》並作"二十卷"，《新

唐志》作"十卷"。　　**抱朴子外篇三十卷**　案本書傳云："駁難通釋，名曰《外

篇》，凡内、外一百一十六篇。"梁、《舊唐志》有五十一卷，《崇文》、《中興目》、《宋·藝文

志》並作"五十卷"，《新唐志》作"二十卷"，《讀書志》作"十卷"。　　**神仙**　案《隋志》、

《通志略》並作"列仙"。　**傳十卷**　据《唐志》。　案《四庫提要》云："据洪《自序》，《抱

朴子內篇》既成之後,因其弟子滕升問仙人有無而作,凡八十四人。” **抱朴君書一卷**　案《隋志》列別集類。　**老子道德經序訣二卷**　据《唐志》。　**莊子十七卷**　据釋法琳《辨正論》引。　**神仙傳略一卷　五嶽真形圖文一卷**　葛仙翁叙一卷　見《東觀餘論》。　**五金龍虎歌一卷　葛仙翁**　案《通志略》作“公”。**歌訣一卷**　上五種並据《崇文目》。　**陰符十德經一卷　老子戒經一卷　抱朴子別旨一卷**　上三種並据《通志略》。

葛仙翁胎息術一卷　据《通考》。　**抱朴子養生論一卷　太清玉碑子一卷**　案洪與鄭惠遠問答。　**馬陰二君內傳一卷　上真衆仙記一卷**　案宋《道藏》目作“元始上真衆仙記”。　**隱論雜訣一卷　金木萬靈訣一卷**　案宋《道藏》目作“論一篇”。　上六種並据《宋史·藝文志》。　**神仙金汋經三卷　大丹問答一篇**　上二種並据宋《道藏》目。　**枕中書一卷**

据《四庫提要》云:“《宋·藝文》有《墨子枕中記》及《枕中素書》,而無葛洪《枕中書》。此本載《説郛》中,一名《元始上真衆仙記》,而《通志》所列《元始上真記》無‘衆仙’字,似亦非此書。”　上二十四種並葛洪撰。

太乙真君固命歌一卷　葛洪譯。据《宋·藝文志》。　案《中興目》云:“真人勒于羅浮山朱明洞陰谷壁,古篆文字,葛洪譯,鮑靚行于世,言房中術。”　**序房內祕術一卷**　葛氏撰。　案疑亦洪撰,《隋志》列醫家類,据《通志略》移。

三皇經　鮑靚撰。据《法苑珠林》。

紫陽真人周君傳一卷　華嶠撰。据《新唐志》。

列子注八卷　列子音義一卷　据《宋·藝文》。　**養生要集十卷**　据《舊唐志》。　上三種並張湛撰。

孝道寶經一卷　許遜得。据《廣記》道部引《十二真君傳》。

靈劍子一卷　据《通志略》。　**靈劍子引導子午記　度人經釋例一卷　玄都省須知一卷　許真君石函記**　上四種並据宋《靈佑宮道藏目録》。　**許真君脩九幽立成儀**　案《通志略》作“旌陽遺教”。**一卷**　据《崇文目》。　上六種並許遜撰。

老子經注二卷　江州刺史王尚述撰。　案《釋文·序録》:“字君曾,琅邪人。東晋封壯忠侯。”又案“尚述”《通志略》作“尚楚”,《唐志》無“述”字。

老子集解　案《唐志》作"注"。**二卷**　郎中程韶撰。　案《釋文·叙録》："鉅鹿人,東晋關内侯。"

老子道德經注二卷　音一卷　尚書郎孫登撰。　案《釋文·叙録》作"集註",字仲山,太原中都人。本書附見孫楚子統傳。

莊子注十卷　議郎崔譔撰。　案《釋文·序録》："清河人。注二十七篇,《内篇》七,《外篇》二十。"

莊子集解三　案《唐志》作"二"。**十卷**　案《隋志》作"《集注莊子》六卷"。　丞相參軍李頤撰。据《通志略》。　案《釋文·叙録》云："三十篇,一作三十五篇,《音》一卷。字景真,潁川襄城人,自號玄道子。"

宣子二卷　宣城令宣聘撰。　案《通志略》作"宜城令"。

蘇子七卷　北中郎參軍蘇彦撰。

顧道士新書經論三卷　方士顧谷撰。据《七録》。　案《玉燭寶典》曾引一條。《舊唐志》作"《顧道士論》二卷"。

太清石壁記一卷　太清石壁靈草記一卷　案疑與上一種。　**龍虎還丹通元要訣二卷　龍虎金液還丹通元論一卷　青霞子寶藏論三卷　青霞授茅君歌一卷**　上六種並蘇元明撰。元明號青霞子,晋太康時人。

老子注二卷　劉仲融撰。　上七種並据《通志略》。

孫子十二卷　案《通考》作"十卷",《宋·藝文》列雜家,作"《孫綽子》十卷"。

列仙傳讚　案《通志略》作"贊"。**三卷**　上二種並孫綽撰。

苻子二十卷　案本書傳云："數十篇。"《唐志》作"三十卷"。　苻朗撰。

老子注二卷　鳩摩羅什撰。据《舊唐志》。

王真人陰丹訣一卷　王長生撰。

侯真人傳一卷　盧播撰。

紫虚元君魏夫人内傳一卷　項宗撰。

紫虚元帝南嶽夫人内傳一卷　范邈撰。　案陶弘景《真靈位業圖》,邈字度世。　上四種並据《通志略》。

玉清神虚内真紫元丹章十餘卷　興寧三年,紫清上宫九華安真妃降授。据

《御覽》道部引《真誥》。

老子化胡經二卷　道士王浮撰。据法琳《辨正》引《晋書雜録》云："浮與沙門帛遠抗論屢屈,遂改《西域記》爲《化胡經》,言喜與聃化佛,佛起于此。"

釋莊子論　案《通志略》無"釋"字。**二卷**　李充撰。

老子音一卷　莊子音一卷　上二種並李軌撰。

莊子音三　案《册府元龜》作"一"。**卷　莊子集音三卷**　上二種並徐邈撰。

老子注　盧裕撰。

老子注　劉仁會撰。　上二種並見唐君相《道德經三家注集解》。

列仙傳讚　案《通志略》作"贊"。**二卷　列仙讚序一卷**　上二種並郭元祖撰。

許先生傳一卷　据《舊唐志》。　**仙人許遠游傳一卷**　据《通志略》。案疑與上一種。　上二種並王羲之撰。

葛仙翁別傳

真人王褒内傳　上二種並据《御覽》引。

葛洪別傳

吳猛別傳　上二種並据《北堂書鈔》引。

許邁別傳　据《藝文類聚》引。

老子道德經注二卷　西中郎將袁真撰。　案《釋文·叙録》："字彦仁,陳郡人。"考真見本書《穆帝紀》,永和十二年稱龍驤將軍,《哀帝紀》元年爲西中郎將、豫州刺史,《海西紀》四年以壽陽叛。

老子注　劉黃老撰。据本書《劉隗傳》。

老子音一卷　戴逵撰。

老子注二卷　張嗣撰。

老子注二卷　張憑撰。　上二種並据《釋文·叙録》。

老子玄　案《通志略》作"元"。**譜一卷**　柴桑令劉遺民撰。　案《釋文·叙録》,彭城人。《新唐志》作"劉道人"。考本書《桓沖傳》,命處士南陽劉驎之爲長史。《隱逸傳》:"劉驎之字遺民。"

老子注　鄧粲撰。据本書傳。

莊子逍遙篇註　据《高僧傳》云："王羲之謂遁曰：'《逍遙篇》可聞乎？'遁乃作數千言，標揭新理，才藻驚絕。"　**逍遙論**　据《世說》注。　上二種並支遁撰。

老子注二卷　**莊子注十八卷**　五十二篇。　上二種並孟氏撰。

老子注二卷　盈氏撰。

老子注二卷　邯鄲氏撰。

老子巨生　案《釋文》有"内"字。　**解二卷**　案巨生疑撰人姓名，《釋文》不詳何人。

老子注二卷　常氏撰。　上六種並据《釋文·叙錄》。

服餌偓佺經數十篇　魏天興中，議曹郎董謐獻。据《魏書·釋老志》。　案《通鑑》列晉安帝隆安四年。

雲中音誦科誡二十卷　魏神瑞二年十月乙卯，太上老君賜嵩岳道士上谷寇謙之。　案當晉義熙十一年。

錄圖　案《隋志》作"圖錄"。　**真經十餘卷**　魏泰常八年十月戊戌，牧土上師李譜來臨嵩岳，云老君之玄孫，授謙之劾召百神。　上二種並据《魏·釋老志》。

右道家類一百四十六種。

補晉書藝文志卷四

上海秦榮光炳如纂

集部

楚辭類

楚辭注三　案《唐志》並作"十"。**卷**　郭璞撰。

楚辭音一卷　徐邈撰。

右楚辭類二種。

別集類

晉宣帝集五　案《舊唐志》作"十"。**卷**　梁有《録》一卷。

晉文帝集三　案《唐志》作"一"，《通志略》作"二"。**卷**

晉懷帝樂府歌　據本書《劉聰載記》。　案《御覽》帝王部引《晉陽秋》曰："帝雅好辭章，著詩論，粲然可觀。"

晉明帝集五卷

晉簡文帝集五卷　録一卷

晉孝武帝集二卷

嵇康集十三　案梁有十五，《唐志》、《通志略》並同，《崇文總目》、《書録解題》、《宋史·藝文》作"十"。**卷　録一卷**

吕安集二卷　録一卷

阮籍集十　案梁有十三，《唐志》作"五"。**卷　録一卷**　案《宋·藝文》別出

《阮林集》十卷，疑與上一種。

傅嘏集二卷　鍾會集九　案梁有十。**卷　錄一卷**

齊王攸集二　案梁有三。**卷**

鄭袤　案《隋志》譌"褒"。**集二卷**　据《唐志》。

王沈集五卷　案晉初有兩王沈，一高平人，爲郡文學掾，本書《惠帝紀》稱作《釋時論》者是也，《文苑》有傳；一晉陽人，字處道，封博陵公，以泰始二年卒，見本書《武帝紀》，又列傳第九稱"與荀顗、阮籍共撰《魏書》，高貴鄉公號爲文籍先生，出鎮豫州下教"云云，則亦能文矣。《隋志》於撰書人有官者例書官，此不書，豈以沈不忠於魏貶削耶？抑實屬高平《王沈集》耶？

宗正嵇喜集一　案梁有二，《唐志》並同。**卷　錄一卷**　案喜見本書《武帝紀》泰始十年，稱江夏太守。《嵇康傳》云："歷太僕、宗正。太康二年，徐州刺史。"《世説》注："字公穆。歷揚州刺史。"

應貞集一　案梁有五，《唐志》並同。**卷**

傅玄集十五　案梁有五十，《唐志》並同，《宋·藝文》作"一"。**卷　錄一卷**

著作郎成公綏集九　案梁有十，《唐志》並同。**卷**　案本書傳作"中書郎"，著詩賦雜筆十餘卷。

裴秀集三卷　錄一卷

金紫光禄大夫何禎集一　案梁有五，《唐志》並同。**卷**　案本書《文帝紀》甘露二年有廷尉何禎，《武帝紀》泰始八年有監軍何楨，《匈奴傳》稱夒侯何楨，《禮志》作雩夒侯，《宋書·禮志》作雩夒侯。考本書《地理志》，作雩夒者是。《何充傳》稱魏光禄大夫楨，《國志·管寧傳》注引《文士傳》："楨字元幹，盧江潛人。歷幽州刺史、廷尉。入晉，爲尚書光禄大夫。"据此，充傳稱魏光禄者誤矣。禎，各書皆作"楨"，唯本書《職官志》作"禎"，以字元幹推之，作"楨"者是。

袁準集二卷　錄一卷

少傅山濤集九卷　案梁有五卷，《錄》一卷，一本十卷，齊奉朝請裴津注。《通志略》"裴津"作"裴聿"。　又案本書傳，濤不官少傅。

向秀集二卷　錄一卷

平原太守　案本書傳作"平原相"。**阮种**　案《唐志》並譌"沖"。**集二卷　錄一卷**

阮侃　案兩《唐志》、《通志略》並譌"偘"。**集五卷　錄一卷**

阮咸集一卷　据《宋·藝文》。

羊祜集一　案梁有二，《唐志》並同。**卷**　録一卷

蔡元　案《通志略》作"玄"。**通集五卷**

賈充集五　案《唐志》並作"二"。**卷**　録一卷

荀勖集三　案《唐志》並作"二十"。**卷**　録一卷

杜預集十八　案《唐志》並作"二十"。**卷**

王濬集一　案梁有二，《唐志》並同。**卷**　録一卷

皇甫謐集二卷　録一卷　案本書傳云："著詩賦誄頌論難甚多。"

侍中程咸集三　案《唐志》並作"二"。**卷**

劉毅集二卷　録一卷

庾峻集二　案《唐志》並作"三"。**卷**

巴西太守郤　案兩《唐志》、《通志略》並作"郗"。**正集一卷**　案《三國志》本傳云："著述詩論賦之屬垂百篇。"

薛瑩集三　案《舊唐志》作"二"。**卷**

陳壽集　據本書傳云："文章傳於世。"

陸景集　据《國志·陸抗傳》注云："澡身好學，著書數十篇。"

殷褒集二卷　案《唐志》列魏，《通志》作"魏章武太守"，《藝文類聚》録《薦朱倫表》亦稱魏，《誡子書》則稱晋，當是魏人入晋者。

南中郎長史應亨集二卷　据《唐志》作"享"。《初學記》："亨《讓著作表》云：'自司隸校尉奉，至臣五葉。'"

任熙集　据《華陽國志》云："熙字伯遠，成都人。歷南鄭梓潼令。太康中，除越嶲護軍，即家拜朱提太守。好述作，詩誄論皆爍艷。"

散騎常侍陶濬集二卷　録一卷

通事　案《通志略》作"仕"。**郎江偉集六**　案《唐志》並作"五"。**卷**

宣舒集五　案《唐志》並作"三"。**卷**　案《唐志》並作"聘"，説詳易類。

曹志集二卷　録一卷

鄒湛集三　案《舊唐志》作"四"。**卷**　録一卷　案本書傳云："著詩及論事議二十五首。"

汝南太守孫毓集六　案《舊唐志》作“二”，《新唐志》作“五”。**卷**

楊泉集二卷　錄一卷

王渾集五卷

冀州刺史王深　案兩《唐志》、《通志略》、監本《隋志》並作“深”，殿本《隋志》作“琛”，局本遵改。考本書《王覽傳》，子琛字士瑋，官國子祭酒，不云刺冀。《國志·王昶傳》，子深字道沖。裴注：“深，冀州刺史。”①据此，作“深”者是。又本書《荀勖傳》監軍王深、《石苞傳》淮北監軍王琛，疑實一人，苞傳譌“琛”耳。**集五**　案《唐志》並作“四”。**卷**

徵士　案《通志略》作“處士”。**閔鴻集三**　案《唐志》並作“二”。**卷**　案鴻見本書《陸雲傳》，稱廣陵吳尚書，《紀瞻傳》亦稱尚書，意鴻入晋不仕，故稱徵士歟。

裴楷集二卷　錄一卷

文立集　据本書傳云：“著章奏詩賦數十篇。”　案《華陽國志》“詩賦”下有“論頌”字，《國志·譙周傳》注引並同。

張華集十卷　錄一卷　案晁氏《讀書志》云：“詩一百二十，哀辭冊文二十一，賦三。”《直齋書錄》云：“前二卷四言、五言詩，後一卷冊祝哀誄等文。”《宋·藝文志》作“集二卷，詩一卷”。

裴頠集九　案《唐志》並作“十”。**卷**

太子中庶子許孟集三　案《唐志》並作“二”。**卷　錄一卷**

何劭　据《唐志》。按《隋志》譌“邵”。**集一卷　錄一卷**

劉頌集三卷　錄一卷

劉實集二卷

散騎常侍王佑　案《唐志》並作“祜”，考本書《羊祜》、《王濟傳》，並作“王佑”，《唐志》誤矣。**集三**　案《舊唐志》作“二”。**卷**　案佑見本書《崔洪傳》，稱都水使者，《楊濟傳》云出爲河東太守，《武帝紀》末以爲北軍中候，《王湛傳》同，均不云散騎常侍。

王濟集二卷

華嶠集八　案梁作“二”，《新唐志》同。《舊唐志》作“一”。**卷**　案本書傳云：“論

---

①　“冀”原誤作“翼”，據中華本《三國志》改正。

議駁難詩賦數十萬言。"

司馬彪集四　案梁作"二",《新唐志》同。**卷**　**録一卷**

尚書庾儵　案《通志略》作"儵"。**集二**　案《唐志》並作"三"。**卷**　**録一卷**

國子祭酒謝衡集二卷　案衡見本書《賈謐傳》,稱國子博士。

李虔集一卷　案梁有二卷,《録》一卷。《唐志》並作"十卷","十"疑"一"之譌。

傅咸集十七　案梁有三十,《唐志》並同。**卷**　**録一卷**　案《春秋正義》云:"咸爲七經詩,王羲之寫。"詩見《初學記》。

束據集二卷　**録一卷**　案本書傳云:"著詩賦論四十五首。"

劉寳集三卷

傅祇集　据本書傳云:"著文章駁論十餘萬言。"

華暢集　据本書《華嶠傳》云:"著文章數萬言。"

陸喜集　据本書傳云:"作《言道》、《訪論》、《審機》、《娛賓》、《九思》近百篇。"

劉兆集　据本書傳云:"所讚述百餘萬言。"

魯勝集　据本書傳云:"著述爲世所稱。"

上廉令陳符集　案壽兄子,字長任。

齊王府掾陳蒞集　案符弟,字叔度。

建寧興古太守陳階集　案蒞從弟,字達之。　上三種並据《華陽國志》,云各述作數十篇。

孫楚集六　案梁有十二,《唐志》並作"十"。**卷**　**録一卷**

夏侯湛集十卷　**録一卷**

弋陽太守夏侯淳集二　案《舊唐志》作"十"。**卷**

散騎常侍王瓚集三　案《隋志》作"五"。**卷**　据《唐志》。　案瓚見本書《賈謐傳》,稱著作王瓚。《文選》注引臧榮緒《晋書》:"瓚字正長,義陽人。博學有俊才,辟司空掾,歷散騎侍郎。"《隋志》、《通志略》並作"讚"。考本書《懷帝紀》,永嘉四年,讚與陳留内史擊敗石勒。又見《苟晞傳》,稱征虜將軍,爲勒攻滅。《水經·汳水》注:"苟晞使司馬東萊王讚據倉垣。"据此,讚別一人,不官騎侍,作"讚"者誤。

石崇集六　案《唐志》並作"五"。**卷**　**録一卷**

尚書郎張敏集五　案《唐志》作"二"。**卷**　案《容齋隨筆》云:"《晋代名臣文集》

有張敏者，太原人，仕歷平南參軍、太子舍人、濟北長史。有《頭責子羽文》。"見《五筆》："《集仙傳》中《成公智瓊傳》，蓋敏作也。"考《魏書·張偉傳》云："高祖敏，晉祕書監。"本書《張載傳》有益州刺史張敏，未知是一人否。

黃門郎伏偉集一卷

潘岳集十　案《宋·藝文志》作"七"。卷

潘尼集十卷

頓邱太守歐陽建集二卷　案本書傳，建官馮翊太守。

宗正劉訏　案《新唐志》作"許"。集二卷　録一卷　案《國志·劉放傳》注："劉許字文生，晉惠帝世爲越騎校尉。"《世說·排調篇》注："《晉百官名》：'劉許字文生，涿鹿郡人。惠帝時爲宗正。'"

李重　案《新唐志》譌"黃"。集二卷　案重本書有傳。《魏書·李先傳》："大父重，晉平陽太守、大將軍右司馬。"似別一李重。

光禄大夫　案本書傳作"尚書令"。樂廣集二卷　録一卷

阮渾集三　案《舊唐志》作"二"。卷　録一卷

稽紹集二卷　録一卷

木華集　據《文選》注引《七序》云："字玄虛。華集曰：'爲楊駿府主簿。'傅亮《文章志》曰：'廣川木玄虛爲《海賦》，文甚儁麗，足繼前良。'"

錢唐令楊建集九卷

長沙相盛彦集五卷　《西晉文紀》曰："彦字翁子，廣陵人。吳中書侍郎，劉頌爲本邑大中正，舉爲小中正。歷長沙相。太康中卒。"《通典》録《通桑梓敬議》。

楊乂集三卷　録一卷

尚書盧播集一　案《唐志》並作"二"。卷　録一卷　案播見本書《惠帝紀》，稱爲齊王冏將。《梁王肜》、《周處傳》並稱振威將軍。

樂肇集五　案《舊唐志》作"二"。卷　録一卷

南中郎長史應亨集二卷

杜育集二　案《新唐志》作。①卷

摯虞集九　案梁有十，《新唐志》同。《舊唐志》作"二"。卷　録一卷

---

① 《二十五史補編》本同。整理者按，《新唐志》亦作二卷。

祕書監繆徵　案《通志略》譌“證”。**集二卷**　**録一卷**　案徵見本書《賈謐傳》，云蘭陵人。

左思集二　案梁有五，《唐志》並同。**卷**　**録一卷**

豫章太守夏　案《唐志》有“侯”字。**靖集二卷**　**録一卷**

吳王文學鄭豐集一　案《唐志》並作“二”。**卷**　**録一卷**　案《文館詞林》曰：“豐字曼季。”

張翰集二卷　**録一卷**　案本書傳云：“文筆數十篇。”

陸機集十四　案梁有四十七，《唐志》並作“十五”，《宋·藝文志》作“十”。**卷**
録一卷　**連珠一卷**　案《文選》注云：“何承天註。”《玉海》作“劉孝標注”。本書傳云：“著文章凡三百餘篇。”晁氏《讀書志》云：“今存詩賦論議箋表碑誄一百七十餘首。”

清河王文學陳略集二卷　**録一卷**

揚州從事陸沖集二卷　**録一卷**

陸雲集十二　案梁有十，《唐》、《宋志》並同。**卷**　**録一卷**　案本書傳云：“著文章三百四十九篇。”

少府丞孫極集二卷　**録一卷**　案本書《陸機傳》有司馬孫拯，附傳云：“爲涿令，能屬文。”考《國志》註引《吳書》作“丞”，字顯世。《文士傳》：“丞有文章，作《螢火賦》行世。吳平，爲涿令，陸機請爲司馬，與機同被害。”据此，“極”當是“拯”，形近致譌，裴註或脱旁耳。《通鑑考異》曰：“孫拯，《晋春秋》作‘孫丞’。”

張載集七卷　**録一卷**　案梁有，一本二卷。《舊唐志》作“二卷”，《新唐志》作“三卷”。

張協集三　案梁有四，《唐志》並作“二”。**卷**　**録一卷**

張敞集　据《御覽》引書目。

束皙集七　案梁作“五”，《唐志》並同，《宋·藝文》作“一”。**卷**　**録一卷**　案本書傳云：“補亡詩文集數十篇。”

王接集　据本書傳云：“撰論議詩賦碑頌駁難十餘萬言。”

曹攄集三　案《唐志》並作“二”。**卷**　**録一卷**

江統集十　案《宋·藝文》作“一”。**卷**　**録一卷**

著作郎胡濟集五卷　**録一卷**

中書令卞粹集一　案梁有十。**卷**　案粹見本書《卞壼傳》。

光禄勳聞邱沖集二卷　録一卷　案沖見本書《荀組傳》,稱散騎常侍;《懷帝紀》,永嘉五年遇害,稱尚書。《世說》注引荀綽《兗州記》:"字賓卿,高平人。歷太傅長史、光禄勳。遭亂,爲賊所害。"《通志・氏族略》作"太常聞邱沖"。

太傅從事中郎庾敳　案《舊唐志》譌"凱"。**集一**　案梁有五卷,《録》一卷。**卷**　案敳見本書《和嶠傳》,亦稱太傅從事中郎。本傳云:"參太傅軍事,轉軍諮祭酒。"

太子中　案本書傳無"中"字。**舍人阮瞻集二卷　録一卷**

阮修　案本書傳暨《通志略》並作"脩",《舊唐志》譌"循"。**集二卷　録一卷**

廣威將軍裴邈集二卷　録一卷　案《世說》注:"《晉諸公讚》:'邈字景聲,河東聞喜人。歷太傅從事中郎、左司馬監東海王軍事。'"

郭象集二　案梁有五,《唐志》並同。**卷　録一卷**　案本書傳云:"著碑論十二篇。"

嵇含集十卷　録一卷

安豐太守　案本書傳作"内史"。**孫惠集八**　案梁有十一,《唐志》並作"十"。**卷　録一卷**

松滋令蔡洪集一卷　録一卷　案洪附本書《文苑・王沈傳》,云:"有才名,作《孤奮篇》。"《世說・賞譽篇》稱秀才,注引集載《與刺史周浚書》。

牽秀集四　案梁作"三",《唐志》並作"五"。**卷　録一卷**

蔡克　案《通志略》譌"充"。**集二卷　録一卷**

索靖集三　案《唐志》並作"二",《宋・藝文志》作"一"。**卷**

隴西太守閻纂集二卷　録一卷　案本書傳作"漢中太守"。

張輔集二卷　録一卷

交阯太守殷巨集二卷　録一卷　案《國志》注:"《文士傳》:'巨字元大,仕吳爲偏將軍。入晉,守交阯。'"《御覽》録巨《奇布賦・序》稱:"太康二年,安南將軍廣州牧滕侯作鎮南方,余時承乏忝備下僚。"

太子洗馬陶佐集五卷　録一卷

鄱陽太守　案本書傳作"内史"。**虞溥**　案《新唐志》譌"浦"。**集二卷　録一卷**　案本書傳云:"文章詩賦數十篇。"

益陽令吳商集五卷

仲長敖集二卷

太常卿劉弘集三卷　**録一卷**　案《世説·賞譽篇》注：“《晉諸公讚》：‘弘字終嘏。歷祕書監、光禄大夫。’”

山簡集二卷　**録一卷**

兗州刺史宗岱集二　案《唐志》並作“三”。　**卷**

漢主劉聰集　据本書載記云：“著述懷詩百餘篇，賦頌五十餘篇。”

李賜集　据本書《李密傳》云：“嘗爲《玄鳥賦》。”《華陽志》云：“賜字宗碩，汶山太守。”

李興集　据本書《李密傳》云：“撰諸葛孔明、羊叔子碑文，甚多詞理。興一名安，字儁石。”《華陽志》作“儁碩，太傅參軍”。王隱《蜀記》：“永興中，鎮南將軍劉弘至隆中觀亮故宅，立碣表閭，命太傅掾犍爲李興爲文。”①

棗嵩集一　案梁有二，《唐志》並同。　**卷**　**録一卷**　案嵩附本書《文苑·棗據傳》。

襄陽　案本書傳作“城”。**太守棗腆集二卷**　**録一卷**

侍中王峻集二卷　**録一卷**

濟陽内史王曠集五卷②　**録一卷**　案曠見本書《王羲之傳》，作“淮南太守”。

劉琨集九　案梁有十，舊、新《唐志》、《崇文目》、《宋·藝文》並同。　**卷**　案《直齋書録》云：“前五卷差全可觀，③後五卷闕誤，類鈔節者，《劉府君誄》尤多訛。”

劉琨别集十二卷

盧諶集十卷　**録一卷**

傅暢集五卷　**録一卷**

彭城王紘集二　案《唐志》並作“八”。　**卷**

譙烈王　案本書傳名無忌。**集九**　案《唐志》並作“三”。　**卷**　**録一卷**

會稽王道子集八　案梁有九。　**卷**

鎮東將軍中郎傅毅集五卷

---

① “犍”原誤作“捷”，據中華本《三國志》改正。
② “史”原誤作“吏”，據中華書局 1955 年版《二十五史補編》本改正。
③ “差”原誤作“善”，據上海古籍出版社點校本《直齋書録解題》改正。

衡陽内史曾瓌集三　案梁有四。卷　録一卷

顧榮集五　案《舊唐志》作“二”。卷　録一卷

賀循集十八　案梁有二十,《唐志》並同。卷　録一卷

散騎常侍張抗　案本書《張協傳》作“亢”。集二卷　録一卷

車騎長史賈彬　案《唐志》並作“霖”。集三卷　録一卷

衛展集十二　案梁有十五,《舊唐志》作“四十”,《新唐志》作“十四”。卷　案展
見本書《衛玠傳》。

荀組集三　案《唐志》作“二”。卷　録一卷

祕書郎張委集九　案梁作“五”。卷

關内侯傅珉集一卷

周顗集二卷　録一卷

謝鯤　案《新唐志》譌“琨”。集六　案梁作“二”,《唐志》並同。卷

王廙集十　案梁有三十四。卷　録一卷

華譚集二卷

熊遠集十二　案梁作“五”,《唐志》並同。卷　録一卷

湖　案《通志略》作“湘”。州秀才谷儉集一卷　案儉見本書《甘卓傳》。

大鴻臚周嵩集三卷　録一卷　案本書傳不云官鴻臚。

郭璞集十七　案梁作“十”,《唐志》並同,《宋·藝文》作“六”。卷　録一卷
案本書傳云:“詩賦誄頌數萬言。”

葛洪集一百三十卷　據本書傳云:“碑誄詩賦百卷,移檄章表三十卷。”

張駿　案《舊唐志》譌“俊”,《新唐志》譌“峻”。集八　案《唐志》並作“六”。卷

王敦集十　案《唐志》並作“五”。卷

吳興太守沈充集二卷　案充本書附《王敦傳》。《世説·規箴篇》注:“《晉陽秋》
曰:‘充字士居,吳興人。少好兵,王敦以爲車騎將軍,領吳國内史。’”《御覽》引《吳興記》
稱:“充有《前溪曲》。”

散騎常侍傅純集二卷　録一卷

光禄大夫梅陶集九　案梁有二十,《唐志》並作“十”。卷　録一卷　案陶
見本書《祖納傳》,稱汝潁之士,《刑法志》稱大將軍諮議參軍,《王敦傳》稱尚書。《世説》

注引《永嘉流人名》："字叔真。"

荀邃集二卷　録一卷

王濤集五卷　案濤附本書《王鑒傳》。

王茂略集四卷　案本書《王鑒傳》："濤字茂略。"濤集已列，此疑譌複。

阮放集十　案《唐志》並作"五"。卷　録一卷

宗正卿張悛集二卷　録一卷　案《文選》注引孫盛《晋陽秋》云："字士然，吴國人。爲太子庶子。"

汝南太守應碩　据《新唐志》暨《通志略》、《隋志》作"頎"，《藝文類聚》《祝社文》作"顧"，疑譌誤。集二卷

散騎常侍王覽集九　案梁作"五"。卷　案本書傳，覽不官騎侍，亦不言能文。考兩《唐志》，均無覽集，而並有《王鑒集》五卷。据本書鑒傳，亦不官騎侍，唯云有文集傳世，則作"鑒"近似。

王鑒集五卷　据兩《唐志》。說見上條。

張闓集二　案《唐志》並作"三"。卷　録一卷　案本書傳云："賤表文議傳於世。"

揚州從事陸沈集二卷　録一卷

卞壺集二卷　録一卷

鍾雅集一卷

劉超集二卷　録一卷

温嶠集十卷　録一卷

戴邈集五卷　録一卷

荀崧集一卷

孔坦集十七　案梁作"五"，《唐志》並同。卷　録一卷

臧沖集一卷

應詹　据兩《唐志》。案《隋志》暨《通志略》並譌"瞻"。集五　案《舊唐志》作"三"。卷

太僕卿王嶠集八　案《新唐志》作"二"。卷　案本書傳不云官太僕。

荀闓集一卷

劉隗集二　案《唐志》並作"三"。**卷**

陶侃集二卷　録一卷　王導集十一　案梁作"十",《唐志》並同。**卷**

録一卷

郗鑒集十卷　録一卷

紀瞻集　据本書傳云:"著詩賦牋表數十篇。"

常寬集　据《華陽志》云:"著詩賦論議二十餘篇。"

庾亮集二十一　案梁作"二十",《唐志》並同。**卷**　録一卷

虞預集十卷　録一卷　案本書傳云:"著詩賦碑誄論難數十篇。"

平越司馬黃整集十卷　録一卷

護軍長史庾堅集十三　案梁作"十"。**卷**　録一卷

庾冰集七　案梁有二十,《唐志》並同。**卷**　録一卷

庾闡集九　案梁有十,《舊唐志》同。**卷**　録一卷　案《世説》云:"闡《揚都賦》

成,庾亮曰:'可三《二京》,四《三都》。'"

虞喜集　据本書傳云:"著述數十萬言。"《隋志》《奉朝請虞喜集》十一卷,列宋人中。

王隱集十　案梁有二十。**卷**　録一卷

干寶集四　案梁有五。**卷**

殷融集十卷

衛尉張虞集十　案《唐志》並作"五"。**卷**

諸葛恢集五卷　録一卷

庾翼集二十二　案梁作"二十",《唐志》並同。**卷**　録一卷

何充集四　案梁有五,《唐志》並同。**卷**

盧欽集　据本書傳云:"著詩賦論數十篇,名曰《小道》。"

索綏集　据《御覽》引《前涼録》曰:"作《六夷頌》、《符命傳》十餘篇。"

前燕慕容儁集　据本書載記云:"著述四十餘篇。"《御覽》引《前燕録》曰:"善屬

文,雅長辭賦。至於器物車室,皆著銘讚,以爲勸戒。"

韋謏集　据本書傳云:"述作及集記故事數十萬言,深博有才義。"

何琦集　据本書傳云:"撰録百許篇。"

御史中丞郝默集五卷

征西諮議甄述集十二 <small>案《唐志》並作"五"。</small>卷 <small>案述見本書《王尼傳》，稱河南功曹。</small>

武昌太守徐彥則集十卷

王廙期集七 <small>案梁有十，《唐志》並同。</small>卷 錄一卷

王濛集五卷 丹陽尹劉恢 <small>案"恢"疑"愷"之譌，然《唐志》並別出愷集。俟考。</small>集二 <small>案《新唐志》作"五"。</small>卷

劉愷集二卷 <small>据兩《唐志》。</small>

顧和集五卷 錄一卷

袁喬集七 <small>案《舊唐志》作"五"。</small>卷

尚書僕射劉瑕集五卷 <small>案本書傳，退官安北將軍，不言能文。《世說·品藻篇》注引《劉瑾集》曰："瑾，南陽人。祖遐。"据此，則別一人。</small>

江惇 <small>据《新唐志》。案《隋志》、《舊唐志》、《通志略》並作"淳"。</small>集三 <small>案《舊唐志》作"五"。</small>卷

魏興太守苟述集一卷

平南將軍賀翹集五卷 李軌集八卷

李充集二十二 <small>案梁作"十五"，《唐志》並作"十四"。</small>卷 錄一卷 <small>案本書傳云："詩賦表頌雜文二百四十首。"</small>

蔡謨集十七 <small>案梁有四十三，《唐志》並作"十"。</small>卷

司空參軍安固令高柔集 <small>据《世說·輕詆篇》注引孫統爲柔集叙曰："柔字世遠，樂安人。"</small>

殷浩集四 <small>案梁有五，《唐志》並同。</small>卷 錄一卷

吳興孝廉鈕滔集五卷 <small>案滔別見《孫瓊集》，稱松滋令。</small>

宣城内史劉系之集五卷 錄一卷

尋陽太守庾統 <small>据《唐志》。案統見本書《庾亮傳》，《隋志》、《通志略》並作"純"。考本書傳，純不官尋陽太守。</small>集八 <small>案《唐志》並作"二"。</small>卷

庾赤玉集四卷 <small>案《世說》注，庾統小字赤玉，疑"王"即"玉"之譌。統集既列，此疑複出。</small>

驃騎司馬王脩　案兩《唐志》、《通志略》並作"脩"。集二卷　録一卷　案本書傳，脩官中軍司馬。

謝尚集十　案《唐志》並作"五"。卷　録一卷

青州刺史王洽　案官本《隋志》誤"俠"。集二卷　案本書《穆帝紀》永和五年有石遵、揚州刺史王洽來降。

西中郎將王胡之集十　案梁作"五"，《唐志》並同。卷　録一卷　案胡之，本書附《王廙傳》。

王洽集五　案《唐志》並作"三"。卷　録一卷

宜春令范保集七卷

范宣集十卷　録一卷　案《唐志》並別出《范宣集》五卷。

建安太守丁纂集四　案《唐志》並作"二"。卷　案纂見本書《蔡謨傳》，稱黃門郎。

王羲之集九　案梁有十，《唐志》並作"五"。卷　録一卷

謝萬集十六　案梁作"十"，《唐志》並同。卷　案本書傳云善屬文。

張憑　案《舊唐志》作"馮"。集五卷　録一卷

楊方集二卷　案本書傳云："雜文筆皆行於世。"

徵士許詢集三　案梁有八。卷　録一卷　案《世說》注："《續晉陽秋》曰：'詢字玄度，高陽人。司徒掾辟，不就。蚤卒。'"《文選注》："《晉中興書》曰：'詢寓居會稽，有才藻，善屬文。'"

征西將軍張望集十　案梁有十二，《唐志》並作"三"。卷　録一卷

餘姚令孫統集二　案梁有九。卷

晉陵令戴元集三卷　録一卷

衛　案本書傳作"廷"。尉卿孫綽　案《新唐志》誤"紳"。集十五　案梁有二十五。卷

江逌集九　案《唐志》並作"五"。卷　案本書傳云："著贊箴詩賦奏議數十篇。"

謝沈集十卷

李顒集十卷　録一卷

曹毗集十　案梁有十五，本傳、兩《唐志》並同。卷　録一卷　案《隋志》別出

《曹毗集》四卷，疑複。

王蔑　案《唐志》、《通志略》並作"篾"。　**集五卷**

劉彧集十六卷

張重華酒泉太守謝艾　案《舊唐志》謁"文"。　**集七**　案梁有八，《宋書·外
國傳》沮渠茂虔獻河西人書亦作"八"，《唐志》並同。　**卷**

蔡系集二卷

江彪　据《舊唐志》。《隋志》、《通志略》並謁"彬"，《新唐志》謁"霖"。　**集五卷**

録一卷　案彪附本書《江統傳》。

范汪集一　案梁有十，《唐志》並作"八"。　**卷**

范堅集　据本書《范汪傳》云："有文筆傳世。"

尚書僕射王述集八　案《唐志》並作"五"。　**卷**　案本書傳，述不官尚僕。

王度集五卷　録一卷　案度不書官，未知與雜史類撰《二石傳》之王度爲一
人否？

中領軍庾龢集二卷　録一卷

將作大匠俞　案《通志略》作"喻"。　**希集一卷**

孔嚴集十一　案《唐志》並作"五"。　**卷　録一卷**

桓溫集十　案梁有四十三，《唐志》並作"二十"。　**卷**

桓溫要集二十卷　録一卷

車灌集五卷　録一卷

尚書僕射王坦之集七卷　録一卷　案本書傳，坦之不官尚僕。

王彪之集二十卷　録一卷

新安太守郗　案《唐志》並作"郭"。　**愔集四**　案梁有五，《唐志》並同。　**卷**
案本書傳，愔終司空，贈侍中，嘗一守臨海，不云新安。

郗超　案《新唐志》謁"起"。　**集九**　案梁有十，《唐志》並作"十五"。　**卷**

桓嗣集五卷

平固令邵毅集五卷　録一卷

太學博士滕輔集五卷　録一卷

苻秦王猛集九卷　錄一卷

苻秦苻融集　据本書載記，傳云：“下筆成章，未有升高不賦，臨喪不誄。”

苻秦皇甫真集　據本書載記，傳云：“著詩賦十餘篇。”

顧夷集五卷

散騎常侍鄭襲集四卷

撫軍掾劉暢集一卷

韓康伯集十六　案《唐志》並作“五”。卷

范啟　案本書傳作“啓”，《唐志》並譌“起”。集四　案《唐志》並作“五”。卷

豫章太守王恪集十卷　案恪附本書《外戚·王遐傳》。

零陵太守陶混集七卷

海鹽令祖撫集三卷

吳興太守殷康集五卷　錄一卷　案康爲顗父，見本書顗傳。

謝安集十　案《唐志》並作“五”。卷　錄一卷

中軍參軍孫嗣集三卷　錄一卷　案嗣附本書《孫綽傳》。

司徒左長史劉袞集三卷

御史中丞孔欣時集八　案梁作“七”。卷

伏滔集十一　案梁作“五”，《唐志》並同。卷　錄一卷

習鑿齒集五卷

孫盛集五　案梁有十，《唐志》並同。卷　錄一卷　案本書傳云：“造詩賦論難數十篇。”

袁宏集十五　案梁有二十，《唐志》並同。卷　錄一卷　案本書傳云：“詩賦誄表雜文三百首。”

黃門郎顧淳集一卷　案淳附本書《顧和傳》，作“左衛將軍”。

尋陽太守熊鳴鵠集十卷　案鳴鵠附本書《熊遠傳》，作“武昌太守”。

車騎將軍謝韶集三卷　案韶附本書《謝萬傳》。

王獻之集十卷　錄一卷

袁質集二卷　錄一卷　案質附本書《袁耽傳》。

太宰從事中郎袁邵集五　　案《唐志》並作"三"。**卷**　録一卷

車騎長史謝朗集六　　案《唐志》並作"五"。**卷**　録一卷

車騎將軍謝頎　　案本書《謝玄傳》,贈車騎將軍,"頎"疑"玄"之譌。**集十卷**

録一卷

吳郡功曹陸法之集十九卷

太常卿王珉　　据《通志略》。《隋志》譌"岷"。**集十卷**　　録一卷　　案珉本書
附《王導傳》,云有才藝,贈太常。

羅含集三卷

太宰　　案《通志略》有"中郎"字。**長史庾蒨**　　案本書《庾冰傳》:"子倩,太宰長
史,有才器。"疑即蒨。**集二卷**

大司馬參軍庾攸　　据《通志略》。案本書《庾冰傳》:"子希,聞難便與子攸之逃海
陵。"《隋志》作"悠",疑誤。**之集三卷**

司徒右長史庾凱　　案《唐志》並作"軌"。**集二卷**

國子博士孫放集一　　案梁有十,《唐志》並作"十五"。**卷**　　案放本書附《孫盛
傳》。

聘士殷叔獻集四　　案梁作"三",《唐志》並同。**卷**　録一卷　　案本書《殷覬
傳》云:"弟仲文、叔獻,別有傳。"今有仲文傳,而無叔獻。

湘東太守庾肅之集十卷　　録一卷　　案肅之,本書附《庾闡傳》。

北中郎參軍蘇彦集十卷

太子左率王肅之集三卷　　録一卷　　案《世説》注:"肅之字幼恭,羲之第四
子。歷中書郎、驃騎諮議。"

黃門郎王徽之　　案本書傳作"黃門侍郎"。**集八卷**

謝敷集五卷

戴逵集九　　案梁有十,《唐志》並同。**卷**　録一卷

光禄大夫孫廞集十卷

尚書左丞徐襌集六卷

太常卿孔汪集十卷　　案本書傳,汪不官太常。

陳統集七卷

太常王愷集十五卷　　案晋有兩王愷，此屬王坦之子。

右將軍王忱集五卷　　録一卷

徐邈集九　　案梁有二十，《唐志》並作“八”。卷　　録一卷

太常殷允　　案《新唐志》作“充”。集十卷　　案《世説》注引《晋中興書》曰：“允字子思，陳郡人。太常康第六子，歷吏部尚書。”

給事中徐乾集二十一　　案梁作“二十”。卷　　録一卷

冠軍將軍張玄之集五卷　　録一卷　　案《世説》注引《續晋陽秋》曰：“玄之字祖希，少以學顯。歷吏部尚書，出爲冠軍將軍、吳興太守。”

員外常侍苟世之集八卷

袁山松集十卷

黃門郎魏邈之集五卷

驃騎將軍卞湛之　　案《通志略》無“之”字。集五卷

范甯集十六　　案《唐志》並作“五”。卷

褚爽集十六卷　　録一卷

餘杭令范弘之集六卷

王珣集十一　　案梁作“十”，《唐志》並同。卷　　録一卷

處士薄蕭　　案兩《唐志》、《通志略》並作“蕭”。之集九　　案梁有十。卷

安北參軍薄要集九卷

薄邕集七卷

延陵令唐邁之集十卷　　録一卷

孫恩集五卷

殿中將軍傅綽集十五卷

驍騎將軍弘戎集十六卷　　案弘見本書《庾冰傳》，稱曲阿人。

御史中丞魏叔齊集十五卷

司徒右長史劉甯之集五卷

臨海太守辛德遠集五　　案梁作“四”。卷　　案兩《唐志》有《辛昺集》四卷，而無德遠集，疑昺字德遠，唐人避諱，改稱其字。本書《安帝紀》、《孫恩傳》並稱臨海太守辛

景，蓋亦避唐諱也。《世説·德行篇》注作“辛昺”。

車騎將軍何瑾之集十一卷

王恭集五卷　録一卷

殷覬集十卷　録一卷

殷仲堪集十二 案梁作“十”，《唐志》並同。**卷**

驃騎長史謝重景 案本書傳有謝重，字景重，歷官正同，此疑衍“景”字。《通志略》作“謝景重”。**集一卷**

桓玄集二十卷

丹陽令卞範之集五卷　　録一卷 案範之爲桓玄尚書僕射，見本書玄傳。《世説·寵遇篇》稱範之爲丹陽尹，注引邱淵之《文章録》曰：“字敬祖，濟陰冤句人。”

光禄勳卞承之集十卷　　録一卷 案承之爲桓玄祕書監，見本書玄傳。

殷仲文集七 案梁作“五”。**卷**

王謐集十卷　録一卷

光禄大夫伏系之集十卷　録一卷

右軍參軍孔璠 案《唐志》有“之”字。**集二卷**

衛軍諮議湛方生集十卷　録一卷

祖台之集十六 案梁有二十，《唐志》並作“十五”。**卷**

通直常侍 案本書傳作“散騎常侍”。**顧愷之集七**案梁有三十。**卷**

太常劉瑾集九 案梁作“五”，《唐志》並作“八”。**卷** 案《世説·品藻篇》注引《劉瑾集叙》曰：“瑾字仲璋，南陽人。歷尚書、太常卿。”

左僕射謝混集三 案梁有五。**卷**

祕書監滕演 案《舊唐志》作“衍”。**集十** 案《唐志》並作“一”。**卷　録一卷**

司徒長史王誕集二卷

太尉諮議劉簡之集十卷 案《世説》注引《劉氏譜》曰：“簡之字仲約，南陽人。大司馬參軍。”

丹陽太守袁豹集八 案梁有十，《唐志》並同。**卷　録一卷** 案本書傳作“丹陽尹”。《隋志》誤，江左都建鄴，改丹楊太守爲尹。

廬江太守殷遵集五卷　　録一卷

興平令荀軌集五卷

西中郎長史羊徽集九　案梁有十,《唐志》並作“一”。卷　　録一卷

國子博士周祗集十一　案梁有二十,監本、閣本《隋志》並作“一十”,《唐志》作
“十”。卷　　録一卷

相國主簿殷闡集十卷　　録一卷

太常傅迪集十卷

始安太守卞裕集十三　案梁有十五,《唐志》並作“十四”。卷

韋公藝集六卷

卞伯玉集五卷　　録一卷

毛伯成集一卷　案《隋志》總集別見《毛伯成詩》一卷,稱東晉征西將軍。《世説》
注引《征西寮屬名》曰:“毛玄字伯成,潁川人。仕至征西行軍參軍。”

宗欽集二卷　案《魏書》傳:“欽字景若,金城人。仕沮渠蒙遜爲太子洗馬,上《東宮
侍臣箴》。”

中軍功曹殷曠之集五卷　案曠之附本書《殷仲堪傳》,云仕至剡令。

太學博士魏説集十三　案《通志略》無“三”字。卷　案《世説》注引《魏氏譜》
曰:“説官至大鴻臚。”

孔瞻集九卷

征西主簿邱道護集五卷　　録一卷

劉遺民集五卷　　録一卷

郭澄之集十卷

徵士周桓之　案《通志略》作“處士周元之”。集一卷

涼王李暠集　据本書《李玄盛傳》云:“誄詩賦數十篇。”

涼段業集　据本書《吕光載記》云:“表志詩《九歎》、《七諷》十六篇,又有《龜兹宮
賦》。”

蜀龔壯集　据本書《李壽載記》云:“詩七篇,託言應璩以諷壽。”

南燕封孚集　据本書載記傳云:“文筆多傳世。”

宋纖集　据本書《隱逸傳》云:“詩頌數萬言。”

徐廣集十二　案梁有二十,《唐志》並同,《通志略》作"十五"。**卷**

陶潛集九卷　案梁作"五卷,《錄》一卷",《舊唐志》作"陶淵明集",《新唐志》作"二十卷,又五卷",《宋·藝文志》作"《陶淵明集》十卷"。北齊陽休之序稱:"潛集行世有三本,一本八卷,無序;一本六卷,有序目,而編比顚亂,兼復闕少;一本爲蕭統所撰,亦八卷,少《五孝子傳》及《四八目》。休之合三本,定爲十卷。"

侯瑾集二卷

賀道養集十卷

魏刁雍集　据《魏書》傳:"字淑和,姚興太子中庶子。爲詩賦頌論雜文百餘篇。"

胡方回集　据《魏書》傳:"安定臨涇人,赫連屈丐中書侍郎。爲《統萬城銘》、《蛇池碑》諸文行世。"

蔡司徒書三卷　蔡謨撰。

左將軍王鎮惡與劉丹陽書一卷

逍遙戲馬賦　据《御覽》引《前秦錄》曰:"苻堅宴羣臣於逍遙園,有洛陽年少者上《逍遙戲馬賦》。"

豐草詩　姚興時杜埏撰,箴興好田損農。据本書載記。　案《御覽》資產部引《後秦錄》曰:"京兆杜延以左僕射齊難無匡輔之益,著詩以箴之。"

漁獵賦　姚秦相雲撰。据本書《姚興載記》。　案《通志·氏族略》曰:"《漢書》:'武洛山出四姓,其二曰相氏。'姚秦有相雲作《獵德賦》,世居馮翊,望出西河。"《御覽》資產部又作"相靈《德獵賦》",疑有誤字。

高殿賦　据《御覽》引《南涼錄》曰:"禿髮傉檀子歸,年十三,傉檀命爲《高殿賦》,下筆即成。"

沙門支遁集八　案梁有十三,《舊唐志》作"十"。**卷**

沙門釋惠　案《通志略》作"慧"。**遠集十二卷**　案《舊唐志》作"十五卷",《崇文目》、《宋·藝文》作"《廬山集》十卷"。《蓮社高賢傳》曰:"著經論諸序銘贊詩凡十卷,號《廬山集》。"

沙門支曇諦集六卷

沙門釋僧肇集一卷

武帝左九嬪集四　案《唐志》並作"一"。**卷**

賈充妻李扶集一卷　案充妻李氏名婉,"扶"疑"夫人"字之譌。

王渾妻鍾夫人集五 案《唐志》並作"二"。**卷** 案《世說‧賢媛篇》注引《婦人集》曰："夫人有文才，其詩賦誄行於世。"

王凝之妻謝道韞集二卷 案本書《列女傳》云："詩賦誄頌並傳於世。"

武平都尉陶融妻陳窈集一卷 案窈《箏賦》見《初學記》樂部。

都水使者妻陳玢集五卷 案本書《徐邈傳》，父藻，都水使者。藻妻陳氏《與妹書》見《藝文類聚》。

海西令劉驕妻陳珍集七卷 案"驕"應作"臻"，臻妻陳氏，本書《列女》有傳。《藝文類聚》錄《正旦獻椒花頌》、《答舅母書》。《御覽》宗親部引《晉書》曰："陳統字元方，弟絃字偉方，俱清秀知名。姊妹四人，並有美才。姊適東莞徐氏，生邈。一姊適同郡劉氏，文章最盛。"

劉柔妻王邵之集十卷 案邵之《懷思賦》見《藝文類聚》。《類聚》歲時部又有劉和妻王氏《正朝詩》，似別一人。

散騎常侍傅伉妻辛蕭集一卷 案《藝文類聚》有傅充妻辛氏《元正詩》，疑即辛蕭，"抗"、"充"形近致譌耳。《通志略》作"傅統"。

松 《通志略》作"滋"。**陽令鈕滔母孫瓊集二卷** 案《類聚》有鈕滔母《與虞定夫人薦環夫人書》，《初學記》有鈕滔母《筕篖賦》。《御覽》木部有劉滔母《答虞吳國書》，《類聚》有劉滔母《悼娘賦》，皆誤"鈕"爲"劉"。

成公道賢妻龐馥集一卷

宣城太守何殷妻徐氏集一卷

璇璣圖一卷 苻堅秦州刺史竇滔妻蘇氏作。据《四庫全書》目錄。 案滔字連波，蘇名蕙，字若蘭。本書《列女傳》："作《迴文旋圖詩》八百四十首。"《四庫提要》云："縱橫往復，皆成章句。其字本織以五色，以別三五七言。"

王羲之妻郗夫人集 据《世說》注引《婦人集》有謝表。

陳新塗妻李氏集 据《藝文類聚》有《冬至詩》。

處士劉參妻王氏集 据《藝文類聚》有夫誄。

右別集類四百四十種。

總集類

文章流別集四十一 案梁有六十，本書傳暨兩《唐志》並作"三十"。**卷** 建安以來，辭賦轉繁，衆家之集，日以滋廣。虞苦覽者之勞倦，于是採摘孔翠，芟翦繁蕪，自詩賦以下，各爲條貫，合而論之。据《隋志》叙。　**文章流別志論二卷**　上二種並摯虞撰。

相風賦七卷　傅玄等撰。

七林　傅玄集。　案《玉海》云："玄又作《七謨》。"

古遊仙詩注一卷　据《七録》。　**應璩百一詩注八卷**　上二種並應貞撰。

集要　据《御覽》引書目。　**善文五十**　案《唐志》並作"四十九"。**卷**　上二種並杜預撰。　案《玉海》云："《史記·李斯傳》注：'辯士隱姓名，遺秦將章邯書，在《善文》中。'"

雜碑二十二卷

碑文十五卷　將作大匠陳勰撰。　案勰見本書《摯虞》、《華廙傳》。

善文　華廙撰。集經書要事行世。据本書傳。

晋歌章八　案梁有十。**卷**　**晋歌詩十八卷**　上二種並荀勖撰。

晋詩三十卷　索靖撰。据本書傳。

碑論十二篇　郭象撰。据本書傳。

五都賦六卷　并録張衡、左思作。　案孫綽絶重之，曰："《三都》、《二京》，五經之鼓吹也。"

齊都賦二　案《舊唐志》作"一"。**卷**①　左思撰。

左思三都賦注三卷　張衡及侍中劉逵、懷令衛瓘撰。据本書《左思傳》云："張載爲注《魏都》，劉逵注《吴》、《蜀》而序之，陳留衛瓘又爲思賦作《略解》。"　案瓘本書傳安邑人，並非陳留，亦未令懷。考《國志·衛臻傳》注，季子楷，楷子權字伯輿，汝南王亮輔政，以爲尚書郎，作《吴都賦叙》及注。据此，"瓘"實"權"之譌。

詩鈔十卷　**古今五言詩美文五卷**　据《通志略》。　上二種並荀綽撰。

五經百家方伎雜事三百一十卷　**碑誄詩賦一百卷**　**移檄章表三十卷**　上三種並葛洪撰。据本書傳。

百志詩九卷　案梁作"五卷"，《唐志》並作"《百志詩集》五卷"。　干寶撰。

---

①　"齊"，原誤作"齋"，《二十五史補編》本誤同，據武英殿本《舊唐書·經籍志》改。

子虛上林賦注一卷　郭璞撰。

古今箴銘集十四卷　錄一卷　古今九代歌詩七卷　上二種並張湛撰。

三都賦注三卷　据《七錄》。　誡林三卷　上二種並綦毋邃撰。

二京賦音二卷　李軌、綦毋邃撰。　案《通志略》作"三京"，無李軌名。

三都　案《通志略》作"京"。賦音一卷　齊都賦音一卷　据《唐志》。　上二種並李軌撰。

迦維國賦二卷　右軍行參軍虞干紀撰。

木玄虛海賦注一卷　蕭廣濟撰。

皇德頌　石虎稱趙天王時上者一百七人。据本書載記。

百一詩二卷　蜀郡太守李彪撰。

碑記十卷　車灌撰。

蘭亭詩一卷

翰林論二　案梁有五十四，《新唐志》、《玉海》並作"三"。卷　李充撰。　案《中興書目》："凡二十八篇，論爲文體要。"《文選》注、《初學記》並引之。

名文集四十卷　文章志錄雜文八卷　上二種並謝沈撰。

書集八十八　案梁作"八十"，《唐志》並同。卷　散騎常侍王履撰。

止馬詩　符堅時，大宛獻千里駒，堅返之。羣臣以爲盛德事，獻詩者四百餘人。据本書載記。

甘棠頌　慕容儁觀兵近郊，見甘棠於道周，內外臣寮並上頌。据《御覽》文部引《前燕錄》。

佐命功臣銘　石勒徙洛陽暑影於襄國，銘功臣三十九人於石函，①置於建德前殿。据《御覽》文部引《後趙錄》。

木連理頌二卷　太元十九年羣臣上。

靖恭堂頌一卷　涼王李暠撰。

論集八十六　案梁有九十六，《唐志》並同。卷　雜論十三卷　雜論五

―――――――

① "函"上原脫"石"字，据中華本《晉書》補。

十八卷 上三種並殷仲文撰。 案《隋志》列雜家類。

策集一卷 雜集一卷 雜集九十五卷 据《唐志》。 上三種並殷仲堪撰。

晋文章記 顧愷之撰。

文章流別本十二卷 集苑六十 案《隋志》作"四十五"。 卷 据《唐志》。

　名文集四十卷 上三種並謝混撰。 案《名文集》,《唐志》作"謝沈撰"。

晋元正宴會集四卷 伏滔、袁豹、謝靈運撰。

羊祜堕淚碑一卷

桓宣武碑十卷

長沙景王碑文三卷

荆州雜碑二卷

雍州雜碑四卷

廣州刺史碑十二卷

義興周許 案"許"疑"訪"之譌。 碑一卷

太原王氏家碑誄頌贊銘集二十六卷

設論集三卷 東晋人撰。

諸郡碑一百六十六卷

雜碑文集二十卷

吳晋雜筆九卷

二晋雜詩二十卷

文檢六卷 据《宋書·外國傳》沮渠茂虔獻河西人所著書。

四帝誡三卷 王誕撰。据《七録》。

晋代名臣文集 据《容齋隨筆》。

右總集類七十七種。

　　　　　　　附録石刻類案石刻亦藝文之一,兹特附録於後。

晋辟雍行禮碑 泰始二年。

征南大將軍宋均碑　泰始三年。　上二種並据《水經注》。

南鄉太守司馬整德政碑頌　泰始四年。

南鄉郡建國碑　上二種並据《金石錄》。　案趙明誠曰："碑文有云河内司馬府君者，即整也。碑無建立年月，因附於整碑之次。"

晋城門校尉昌原恭侯鄭仲林碑　泰始六年。

潘宗伯韓仲元造橋格題字　泰始六年。据《寰宇訪碑錄》。　案翁方綱曰："宋晏袤謂魏泰和，愚按魏太和是'太'非'泰'，今審石本，是'始'字非'和'字也。"

南鄉太守郭休碑　有陰，泰始六年。　案張德容曰："碑稱其先出黄軒后稷，有虢叔者以德建國，命氏爲郭。按字書，郭，郭也。郭姓世系正出自虢叔，顏魯公《郭家廟碑》與《唐書·世系表》並同，似郭即郭字。"

任城太守孫夫人碑　泰始六年。　案錢大昕曰："任城太守，據文有'夫人在羊氏'語，其姓羊也。年號已損，'庚寅'上有'八年'字，泰始六年，歲次庚寅，但'六'字殘其上耳。"

北嶽祠堂頌　泰始六年。据《通志·金石略》。

千金渠石人脇下文　泰始八年。据《水經注》。

天發神讖碑　吳天璽元年。案即晋泰始八年。

禪國山寺碑　吳天璽元年。　上二種並据《金石萃編》。

魏大長秋游述碑　泰始十年追造，碑陰咸寧中書。据《通志·金石略》。

晋右嶠北山石銘　太康三年。据《水經注》。

右將軍鄭烈碑　太康四年。据《通志·金石略》。

楊紹買冢莂　太康五年。据《金石萃編》。

晋六門碣碑　太康五年。据《水經注》。

太原寺塼浮圖石銘　太康六年。据《洛陽伽藍記》。

晋梁王妃王氏碑　太康十年。据《水經注》。

太公吕望表　有陰有側，太康十年。据《金石萃編》。

雲南太守碑　太熙元年。

議郎陳先生碑　元康二年。　上二種並据《通志·金石略》。

護羌校尉彭祈碑　有陰，元康二年。据《金石錄》。

伊闕石壁銘 永康五年。　案永康祇一年，當是元康五年。

中散大夫胡均碑 元康八年。　上二種並据《水經注》。

太子詹事裴權碑 有陰，元康九年。

裴權後碑

光禄勳向凱碑 永康元年。　上三種並据《通志·金石略》。

郭巨石室泰山高全明題名 永康元年。据《寰宇訪碑録》。

鴻臚成公重墓碑 永甯二年。据《通志·金石略》。

陸機太山吟 据《金石索》。

郭巨石室庾其連題名 据《寰宇訪碑録》。

青山神君頌 永安元年。据《通志·金石略》。

郭巨石室侯泰題名 永興二年。据《寰宇訪碑録》。

故西戎令范君墓碑 永嘉二年。

譙定王司馬士會碑 永嘉三年。据《水經注》。

僞漢司徒劉雄碑 嘉平三年，即晋建興元年。据《通志·金石略》。

征南將軍胡奮碑 据《元和郡縣志》。

太傅羊祜碑

鎮南將軍杜預碑 上二種並据《水經注》。

方城侯鄧艾碑

陳武王碑

陳壽碑

王戎碑

僞趙浮圖澄遺像碑 光初五年，即晋永昌元年。

宣城内史陸睲碑 咸和七年。

廣昌長暨遜碑 咸和中。

郭文碑 咸和中。

老父嚴氏碑 咸康五年。

僞趙横山神李君碑 建武六年，即晋咸康六年。　上十種並据《通志·金石略》。

僞趙西門豹祠殿基記 建武六年，即晋咸康六年。据《金石録》。

鄧太尉祠碑 建元二年。据《寰宇訪碑録》。

路君墓石闕文 永和元年。

樂毅論 永和四年。

蘭亭脩禊序 永和九年。 上二種並王羲之書。

白石神君碑陰主簿程疵家題名 前燕元璽三年，即晋永和十年。

黄庭經 永和十一年。

散騎常侍周處碑 陸機文。

東方朔畫贊

平西將軍墓銘

定水寺題 上五種並王羲之書。

秦山君改高樓碑 升平三年。 上九種並据《通志・金石略》。

保母磚志 興甯三年。据《金石萃編》。

遺教經 世言小王書。

洛陽賦 王獻之書。 上二種並据《通志・金石略》。

王大令桓山碑 据絳帖。

王獻之法帖

晋七賢帖

晋賢法帖 上三種並据《集古録》。

廣武將軍□產碑 有陰，前秦建元四年，即晋太和三年。据《金石萃編》。

石柱文 太元十年。据《通志・金石略》。

徵士襲玄墓銘 太元中車武子立。据《水經注》。

騎都尉枳陽府君神道碑 隆安三年。

夜郎太守毋稚碑 隆安三年。

遼東太守吕憲墓表 姚秦弘始元年，即晋隆安三年。

爨寶子碑 太亨四年。 案安帝元興元年，改元太亨，次年復爲元興，四年已改義熙元年。此碑蓋在偏遠不知，故仍書太亨四年也。

宋武帝檄譙縱文 義熙九年，晋刺史朱齡石勒。

安南將軍劉儼碑

征南將軍胡羆碑

征西將軍周訪碑

桓宣碑

郗恢碑 魯宗之立。 上五種並据《水經注》。

丁議碑

巴西太守盧茂碑

紀穆侯碑

遂州刺史李豪碑

西平將軍葛府君碑

尉氏令陳君單碑

周胙墓石柱題

西平侯顏含碑

魏興郡太守覃毅德政碑

張愷碑

征虜將軍楊亮碑

安邑令徐君碑

金鄉長薛君頌

張子平碑

吳延陵季子二碑 殷仲堪文。 上十五種並据《通志·金石略》。

征東將軍司馬韜碑

散騎常侍韓府君神道碑

處州南明山葛洪題字

侍中楊君闕

中書賈公闕

關中侯劉韜墓志

學生題名　据《金石録》。　案趙明誠曰："《集古録》以爲漢文翁學生題名,余考甯蜀、遂甯、晉原,並桓温平蜀後置,則碑爲東晉人所立矣。"

右石刻類一百三種。

補晉書藝文志終

補晉書藝文志

〔清〕黃逢元 撰

朱新林 整理

底本:民國四年(1915)排印本

校本:1955 年中華書局影印《二十五史補
編》本

黃木父先生墓誌銘

長沙黃兆枚宇逑

　　清宣統辛亥後十有五年乙丑冬十月，黃君木父卒於里第。逾月，其弟可度、孫炳蔚卜葬長沙南門外十里爛泥衝蓮塘尾乾向之山，其同學友黃兆枚爲墓之銘。君諱逢元，字少雲，晚號木父，前善化人。曾祖諱光爕，祖諱執修，考諱漢章，妣徐氏。漢章公三子，君居長；次思衍，諸生，善畫，前卒；次可度；皆無子。而君配李氏，生五男，子駿極、中極、錫極、棟極、肇極。中、棟、肇殤，駿、錫逾冠即没。錫既娶，無子，立子，君同高祖以下宗，自期至總皆絶，立高祖之父七世孫。三女子，長許字未嫁而卒，次嫁同縣吕舉人之子延慶。君家故貧，漢章公有軍勞叙官，而不樂以武進，汙隱困約，專用文事程督諸子，諸子果皆能學，而君尤勤。君於書無所不窺，鉤考辨核，抉奥隱，常能獨到，爲文樹骨鐫肌，鑄辭堅實，盡落浮艷。其勝者，古如鼎彝，而有淵然之光。所箸有《怡雲室文集》六卷、《家譜義例》一卷，已刊行。其《補晉書藝文志》、《校註碧山樂府詞》皆手寫全帙，付其門人席閬運鋟惠來者。君由邑廩生中光緒癸卯鄉試，科舉既罷，疆吏送試禮部，用知縣發廣西。時君縣人新授廣西巡撫沈秉堃方在籍，會君先還長沙，君師孔先生賢君於沈，使往見，君謝曰：“知縣宜謁巡撫，兹非地。”及至廣西，沈果嗛君，故摭逾部限罪相愒恐，藩司收牒，移月日報部，意護君，君留旬月，卒乞病去。蓋君方嚴峭兀，唾棄塵鄙，有不可於意，輒發吻刺擊，圭鋒逼人，何能洄溯詭隨外吏，況上以私威福？歸才兩月，國遂變亂，沈巡撫棄疆圻，率師北指。君念紀綱名分絶滅，憤慨彌深，自是杜門不問世事。時亦賣文，然必審而後許，苟非其人，雖多金不顧也。嘗客江左、右，館永州，游日本，爲文章紀述山川，雜以詠歌，充盈篋衍，顧嘗自疑其詩，謂不足存而傳，蓋知所失得云。君生於同治二年癸亥四月，至於卒，春秋六十有三。銘曰：有疑於今，而信其私。惟重以固，縝不可巇。其人其文，綮古之遺。

黃木父君傳

長沙黃山麓森

　　君名逢元，字少雲，木父其自號，湖南故善化縣人。世爲儒門，而君父漢章早孤，赭寇之亂，貧不克竟讀，入營伍，司軍遞，常隨文書賫達往來，閒關數千里，不失期會，謹約勤幹，爲主者所倚，積勞得官。寇亂既平，人輕武職，又自恥無戰功，乃棄歸，以微資營度給朝夕，未嘗取贏。懲其早荒，益屬諸子於學，卒年八十四，猶及見諸子名成也。子三，君居長，少與弟思衍、可度皆挺特有志，爲學自成。思衍學不拘方，而才思清曠，詩文能盡情致，善畫山水，以諸生再娶，無子，前卒。可度不娶，約己自好，早棄帖括，致力於詩，忻戚一於詩寓之，而名以起。君於書無所不觀，旁及金石文字，比次考訂，獨喜緣間鉤沈，發經史之蔽，尤亟治史。適然有得，輒自擊案，咄絕快慰，至忘寢饋。然非反覆無憾，不以視人，人益服其精。能雅好辭章，工爲儷體，已乃上規兩漢，通其法於古文，別蓁體裁，業存綜述，不肯苟投人好。受知張尚書亨嘉，爲弟子員，以高材牒送兩湖書院，益讀所未見書。居兩年，月試常最。一日，試討蝗檄，分校某謂蝗害稼，當用官書程式。君憤且笑曰：“是捕蝗令耶。”即謁病歸，食餼。後嘗客永州，過祁陽，訪柳文惠三吾故蹟。繼復薄游江左、右，弔古感事，每有造述。光緒癸卯，始舉於鄉，一赴會試，科舉驟罷，從支提學恒榮游日本，返國，同儕多張所聞見詫人，君顧默然。丙午，循新例赴禮部試官，在都得家書，子病卒，遂不試，歸。宣統庚戌，試得知縣，發廣西，以弟思衍卒未葬，復歸。辛亥，葬弟畢，乃之廣西繳憑。巡撫同縣某，本相知名，故以逾部限相詰難，君不爲屈，布政使意賢君，爲依限報部，事訖，仍謁病歸。歸三閱月，清廷外遜，君年甫四十九，竟不復出，旁羅羣籍，以考訂自娛。法斁綱淪，異説蠭起，聖人之道熄，爭以故書爲詢病，甚欲廢絕中國文字，倣西人讀音。大師宿儒日益蕭落，君與二三同志，撰述古義，講論文藝，力持其敝。間爲文表章幽隱，非所心許，雖厚匄之，不爲執筆。門牆高峻弟子，惟東安席闓運終得事君，君亦嫛主其家，病乃移歸，卒年六十三。所作詩文，僅卒前二年自刪存文七十餘首，付梓，顏曰《怡雲室文集》，並簡其弟思衍《湘蘅館遺文》廿餘首，附刻集後。所箸書有《補晉書藝文志》及《碧山樂府鈔》，皆手自寫定，病革，以付闓運，餘皆未就。妻李氏，生五子，殤其三。長駿極，溺苦於學，甫冠以瘵卒，君傷之，乃俾叔子錫極棄書習商，已娶，亦卒，婦史氏守節，有志行，君乃立族孫炳蔚爲孫，使子之。女三，長在室卒，次適呂。前年，余自杭歸，臥疾，君來問，貽以所刻文集。昨秋九月，晤君席氏，更出所寫定書視余，謂將再詳審之，踰月而君卒矣。可度既乞黃君兆枚銘君墓，復屬余爲之傳。

黃山曰：余交木父君，蓋餘四十年。其始皆幼少，才知學，即過從相商推。常得見君尊父，深衣緩帶，貌恭而安，喜道咸、同來勛舊鉅公軼事，並記其言之可法者及詩歌，以爲時值阽危，而諸公思艱圖大，其丰采言論，顧整暇有餘，聽者意遠。而君卞急難容物，終身落落無所合，家國多故，強自振厲，心彌苦矣，卒老書叢，惜哉！然世極於此，雖通悗，將何爲乎？今君學猶足傳，君抑幸也。

補晋書藝文志序例

晋史立志，不撰藝文。今采本書紀傳、各家目録、《隋》、《唐》諸志、鄭、馬二《通》，旁及金石遺文、類鈔古本，竊補闕畧，以成此編。凡四十家，一千二百八十八部，一萬一千九百九十三卷，卷數無考者二百七十九家，依類坿末，而有晋一代藝文，庶幾乎備是矣。迺序之曰：嗚呼！文章之升降，其亦係夫國運之盛衰乎。晋開基洛陽，中興江左，荀勗分《中經》，始創四部之目，李充校舊簿，總没衆篇之名，甲乙改觀，存亡異數，唐釋道宣《廣弘明集》卷三《七録序》云：“《中經簿》二萬九千三十五卷，《元帝目》二千一十四卷。”此則古籍可無贅言。若夫當代英才、兩京文獻，入《儒林》有十八家，列《文苑》凡十七子，以外作者，實繁有徒，郁郁彬彬，亦云盛矣。然通計一百五十六年中，道家學倡清談誤國，經生術陋，贗撰亂真，史官筆繁，僞體異正，辭章彙雜，流別殊名，風會一移，變態百出，其弊可勝言哉！因斯以談經，以闡聖，惟漢蔚爲大宗。文以起衰，至唐興復古學。晋則上承正始之玄風，下開六代之波靡，殆其一樞紐也歟。至於黃帝子孫，神禹疆域，禮樂明備，車書大同，歷世相承，一王而已。獨司馬代魏，再傳以後，人雜羌夷之族，學殊南北之宗，天喪斯文，地分中夏，竊據僭爭，垂三百年而莫之統一，屬階戎首，是又其椎輪也，吁可慨已！雖然典午往矣，其運固否，以今準之，而又加酷。中邦雲擾，亂華不止五胡；異學日新，焚書將及六籍。劉氏歆曰：“夫子没而微言絶，七十子終而大義乖。”痛哉斯言，先我而發，有感於心，因撰此志。嗚呼！藝文之幸不幸，獨晋云乎哉？

晋分《中經》，創立四部，有甲、乙、丙、丁之目。唐因四部，別立門户，有經、史、子、集之目。茲本《隋志》定法，以次晋代遺文，近宗唐賢，亦遠師荀氏。

《關東》立傳志曰："墳籍惟取當代，不録先朝。"劉氏《史通》申明此旨，《明史》依据，即以代斷。茲所采録，故限典午。雖汲冢諸祕顯於咸寧，据《晋書·武帝紀》云咸寧五年，《束晳傳》作"太康二年"。而撰非晋人，概不屬入。惟各家注釋之篇，則依類存目。

嵇康、阮籍，仕本曹魏，徐廣、陶潛，卒在劉宋，《晋書》雖立專傳，本志代斷，其撰著皆不收録，遵《隋志》也。惟《隋志》集部有宣帝、文帝兩集，首次晋代，夷考兩帝，卒皆在魏；陳壽，本朝臣子，《魏志》礙難立傳，唐修《晋書》，補冠本紀。是《隋志》既誤於前，而《晋書》復承其後。本志無可出入，亦未敢删省，仍存《隋志》舊觀。

江左以還，僭竊十六，事各異主，作者亦多。本志采録遺書，悉援《隋志》，坿諸有晋一代。同文同軌，王土王臣，分而合之，以大一統。

自注，班法也。本志采録《隋》、《唐》、《宋志》各書卷目以次，自加案語，異同别之，譌謬正之，脱漏補之，爵里姓字有可考者詳之。《隋志》不詳里字。惟已見前篇，再有他撰，則文從省約，署名而已。陸氏《釋文》已開先例，各書引用，均亦如之。《隋書·經籍志》省云《隋志》，他書同。

後人著書，竊名前賢，以相倚重，班志藝文，注明依託。凡此類者，本志録存，亦援据班書，别識贗鼎。

秦以前曰篇，其用竹簡；漢以後曰卷，其用縑素。故班志藝文，篇、卷互見，統而核之，篇悉卷計。本志一準此例，以總成數。

本志大畧，固依《隋志》，其中部目卷次，篇第甲乙，《隋志》有未安者，則援班《志》出入劉《畧》之例，輔以兩《唐志》通其變，又參以宋、明諸家及國朝《四庫目》濟其窮，小有所異，大無不同，則古遵王，勿敢創制。

一類之書，或別出他部；一書之目，或互見別家。通官聯事，《周禮》則然，故劉《畧》如之。兹本班法，省歸於一。《隋志》所複，則互注於下，不於別類再次篇目。

注解，經類也；傳記述志，史類也；論說，子類也。晉人此撰，有爲《隋》、《唐》各志所遺，而見引於《國志》、《世說》、《文選》等注，《書鈔》、《藝文類聚》、《初學記》、《御覽》、《通典》諸書者，但存篇名，不言卷數。兹特并錄，依類坿末。至詩賦箴銘頌誄之屬，則集類也，或又他見，文統於集，無事複存，集即不傳，亦難采入，碎金片羽，多不勝收，志在搜遺，此有餘恨。

唐、宋各《志》，鈔胥相仍，并不核實。惟《隋志》體例，大書記存，細注記亡，_{阮孝緒《七錄》亡，注云"梁有"即《七錄》，本志仍引稱《七錄》。}顯示區別，覽者了然。本志於未亡之書，注云"今存"。已亡之書，或有輯佚，注云"某氏輯存"。如無輯本，注云"某書某卷引存"。至篇逸無考，則存目而已。

《隋》、《唐》、《宋志》所錄之書，撰人名氏、篇目卷數均相符合，則引諸《志》見之最先者，注明所出，餘不悉載。諸《志》互異，亦本其最先者標目，餘則臚注以備參考。

誦詩讀書，尤貴知人。班《志》各書撰人，《史記》有列傳者，間亦注明，本志準之。凡《晉書》已立傳者，或坿見於某傳，及舊《晉書》有傳而見引於他書者，於首先著錄之書下一并標識。因傳知人，因人知書，互證參觀，書即亡佚，學術文流亦見厓畧。

班志藝文，圖皆細注。《隋》、《唐》各志，一律編目。_{《通志·圖譜畧》云："王儉《七志》，一志專收圖譜，阮孝緒散圖而歸部錄，雜譜而歸記注。"案《隋》、《唐志》即阮法。}本志如衛協《毛詩圖》，譙周、崔游《喪服圖》，郭璞《爾雅圖》，則入經部。如《晉鹵簿圖》，裴秀《禹貢地域圖》，孫結

《太康國照圖》，顧凱之《夏禹治水圖》，又《古列女傳圖》，楊佺期
《洛陽京城圖》，則入史部。以外人物故事，此墨戲也，畫史收
録，古志采入，而本志不必強同。子部雖立藝術一門，概不
存目。

佛法、仙道，阮《録》立部已列外篇，《隋志》坿末，不標子目，
總計卷帙，例尤嚴謹。本志依据《隋志》，故不録二氏經典。又
推廣《隋》例，並不存兩家部目。

補晋書藝文志目錄

卷一

甲部經録，十家，二百五十部，一千三百五十二卷，無卷數者六十八家。

卷二

乙部史録，十三家，三百二十一部，四千五百八十九卷，無卷數者一百四十八家。

卷三

丙部子録，十四家，二百六十三部，一千九百九十三卷，無卷數者四十四家。

儒家類一	道家類二
法家類三	墨家類四
從橫家類五	雜家類六
農家類七	小説家類八
兵書類九	天文類十
曆數類十一	五行類十二
醫方類十三	雜藝術類十四

卷四

丁部集録，三類，四百五十四部，四千三十卷，無卷數者一十九家。

楚辭類一	別集類二
總集類三	

補晉書藝文志卷第一

善化黃逢元木父撰

甲部經錄，十家，二百五十部，一千三百五十二卷，無卷數者六十八家。

易類一　　　　書類二
詩類三　　　　禮類四
樂類五　　　　春秋類六
孝經類七　　　論語類八
經解類九　　　小學類十

歸藏十三卷 太尉參軍薛貞注。

本《隋志》。新、舊《唐志》卷同，均誤作"司馬膺注"。宋《崇文目》存三卷，《中興目》卷同。仁宗名禎，諱"薛貞"作"薛正"。《宋志》存一卷。今存王謨輯本一卷。

周易十卷 太子中庶子潁川荀煇景文撰。

《經典釋文·序錄》："張璠《集解》十二卷。"注云："煇，晉太子中庶子，爲《易義》。"引《七志》云："注《周易》十卷。"本《志》從陸說，故次晉。《隋志》注引《七錄》云："煇，魏散騎常侍。"《舊唐志》"煇"作"暉"，《新唐志》"煇"作"惲"，卷均同。元案《魏志·荀彧傳》注引《荀氏家傳》："荀閎從孫惲字景文，太子中庶子，亦知名，與賈充共定音律。又作《易集解》。"據此，知煇仕晉，但誤"煇"爲"惲"。《新唐志》承《家傳》之誤，故作"惲"。惲本彧子，字長倩，爲煇族祖，即見彧傳。朱彝尊《經義考》

云："煇字景文，又字長倩。"更誤合兩人爲一。

又 十卷 <small>廣州儒林從事南海黃穎注。</small>

本《七錄》。《隋志》存四卷，新、舊《唐志》復作"十卷"。今存馬國翰《玉函山房》輯本一卷，又黃奭《漢學堂叢書》輯存一卷。

又 三卷 <small>驃騎將軍琅邪王廙世將注。</small>

本《隋志》，注云："殘缺。"《釋文·序錄》作"十二卷"，引《七志》、《七錄》云"十卷"，新、舊《唐志》復作"十卷"。馬國翰輯存一卷，又黃奭《漢學堂》輯存。廙有傳。

又 十卷 <small>僞蜀丞相涪陵蜀才注。</small>

本《隋志》。《釋文·序錄》卷同，注云："《七錄》云：'不詳何人。'《七志》云：'是王弼後人。'案《蜀李書》云：'姓范，名長生，一名賢，隱居青城山，自號蜀才，李雄以爲丞相。'"元案《華陽國志》李志："范賢名長生，一名延久，又名九重。一曰支，字元，涪陵丹興人。"又見本書《周訪傳》，云："賢爲李雄國師。"今存張澍《二酉堂》輯本一卷，馬國翰又加補校，又黃奭《漢學堂》輯存。

又 十卷 <small>散騎常侍新蔡干寶令升注。</small>

見《隋志》。今存馬國翰輯本三卷。寶有傳。

又 十卷 <small>著作郎安定張璠注。</small>

本《七錄》。《隋志》存八卷，注云："殘缺。"唐新舊《志》作"《集解》十卷"，《釋文·序錄》作"《集解》十二卷"，注云："璠，安定人，東晉秘書郎，參著作。《集二十二家解序》云依向秀本。"元案二十二家惟鍾會爲魏鎮西將軍，餘皆晉人。應貞、荀煇、阮咸、阮渾、楊乂、欒肇、鄒湛、宣舒，凡八家有專書，本《志》錄存卷數。其無卷數者，凡十三家，坿後璠書。今存馬國翰輯本一卷，又黃奭《漢學堂》輯存。

周易繫辭二卷　太常卿潁川韓伯康伯注。

見《隋志》。元案《隋志》有《周易》十卷,注云:"魏尚書郎王弼
注《六十四卦》六卷,韓康伯注《繫辭》以下三卷。王弼又撰
《易略例》一卷。"併王、韓爲一書,共十卷。又別出康伯《繫
辭》二卷。"二"即"三"之脱誤,新、舊《唐志》但據《隋志》《周
易》十卷,故題"王弼、韓康伯注",不別出康伯《繫辭》,書今
存。伯有傳。

又　二卷　西中郎將謝萬等注。

本《隋志》。新、舊《唐志》卷同,無"等"字。《釋文·序録》
"萬"字作"万"。元案《淳化閣王右軍阮公帖》云:"阿万即謝
萬。"是"萬"字已作"万"。萬有傳,字萬石,陳郡人。

又　二卷　僞楚皇帝譙國桓玄敬道撰。

見《隋志》。據《釋文·序録》題名如此。《釋文》《繫辭》引存
三事。玄有傳。

周易爻義一卷　干寶撰。

本《隋志》。《舊唐志》卷同,"爻"誤作"文"。

周易難王輔嗣義一卷　揚州刺史晋陵顧夷悦之等撰。

見《七録》。元案《宋書·隱逸·關康之傳》云:"晋陵顧悦之
難王弼《易》義四十餘條,康之申王難鄭。"據此,知悦之當即
夷字。本書有顧悦之,坿《殷浩傳》,字君叔,官尚書右丞。又
《世説·文學篇》注引《顧氏譜》有顧夷,字君齊,吳郡人,辟州
主簿,不就,皆別一人。

周易論二卷　馮翊太守陳留阮渾長成撰。

本《隋志》。新、舊《唐志》卷同,作"阮長成難,阮仲容答",《通
志》因之,作"二阮答難論"。元案《釋文·序録》張璠《集解》
引有阮咸、阮渾《易》義,當即是書。《隋志》或脱咸名,咸字仲
容,坿《阮籍傳》,官始平太守。

又　一卷　散騎常侍汝南應貞吉甫撰。

本《舊唐志》。《釋文·序錄》張璠《集解》引貞《明易論》,當即是書,《新唐志》因之,作"明易論"。新、舊《志》均題應吉甫,舉其字也。貞有傳,字吉甫。

又　一卷　荆州刺史宋岱處宗撰。

本《隋志》。新、舊《唐志》卷同,均作"宋處宗《通易論》",處宗當即岱字,本書無岱傳。元案《惠帝紀》有荆州刺史宋岱,《羅尚傳》作"荆州刺史宗岱",《隋志》集部有《兗州刺史宗岱集》二卷。又《御覽》八百八十四引《裴子語林》云:"宗岱官終青州刺史。""宋"、"宗"二字,各書異說,未知孰是。

又　四卷　范氏撰。

見《隋志》,注云:"范氏撰。"元案本書《儒林》有《范宣傳》:"陳留人,字宣子,詔徵太學博士、散騎郎,並不就。著《禮》、《易論難》,皆行於世。"范氏當即范宣。又《隋志》有《周易音》一卷,注有《擬周易說》八卷,范氏撰,亦疑宣書,坿著於此。

周易象論三卷　尚書郎太山欒肇永初撰。

本《隋志》。新、舊《唐志》作"《通易象論》一卷"。元案《釋文·序錄》張璠《集解》引肇《易論》,當即是書。云:"肇字永初,太山人。"《史記·仲尼弟子傳》正義云:"肇字永初,高平人。"[1]

通易象論一卷　宣城令陳郡宣舒幼驥撰。

見《舊唐志》,"舒"字譌爲"聘",《新唐志》誤同。元案《釋文·序錄》張璠《集解》引舒《通知來藏往論》,當即是書。

周易卦序論一卷　司徒右長史汝南楊乂玄舒撰。

見《隋志》。元案《釋文·序錄》張璠《集解》引乂《易卦序論》。

---

[1]　"永"下原脫"初"字,據 1959 年中華書局點校本《史記》補。

又《初學記》卷五引《蒙卦序論》,當即是書之一。

周易畧論一卷　張璠撰。

見唐新、舊《志》。

周易統畧五卷　國子祭酒南陽鄒湛潤甫撰。

本《隋志》。新、舊《唐志》均作“《周易統畧論》三卷”。《釋文·序錄》張璠《集解》引之,《釋文》上經《泰》,下經《明夷》引存二事。湛有傳。

周易問難二卷　干寶撰。

見《册府元龜》,云:“寶領著作,撰《周易問難》二卷,《周易玄品》二卷,《周易爻義》一卷。”據此,知梁《錄》有是書二卷,作“王氏撰”,“王”即“干”之譌。

周易旨六篇　中書侍郎江夏李充弘度撰。

見充傳。《經義考》譌“旨”爲“音”。

周易卦象數旨六卷　江夏太守李顒長林撰。

本《七錄》。《通志》作“一卷”。元案《釋文·序錄》云:“顒字長林,江夏人,本郡太守。”顒坿《李充傳》,字不詳,云“郡舉孝廉”,不言官江夏太守。

周易宗塗四卷　干寶撰。

見《七錄》。

京氏易注三卷　佐著作郎太原郭琦公偉撰。

見《崇目》。本書《隱逸》琦有傳,云:“琦作《天文志》、《五行傳》,注《穀梁》、《京氏易》百卷。”合併計之,并未分晰。

周易畧譜一卷　東陽太守陳郡袁宏彥伯撰。

見新、舊《唐志》。宏有傳。

周易音一卷　祠部郎中江夏李軌宏範撰。

見《隋志》。《釋文》引存七條。

又　一卷　太子前衞率東莞徐邈仙民撰。

見《隋志》。《音》散入《釋文》,馬國翰輯存一卷。邈有傳,缺字。《釋文·序録》云:"字仙民。"唐修《晋書》諱民,故傳缺字。《初學記》十一引《晋中興書》又云:"邈字景山。"

易義 散騎常侍河内向秀子期撰。

見《釋文·序録》,張璠《集解》引之。元案秀《易義》,《史記索隱》二十六、《史記正義》八十四、《釋文》、李鼎祚《集解》、《易正義》均引存。秀有傳。

易義 尚書新野庾運玄度撰。

見同上。一云《易注》。

易義 侍中梁國張輝義元撰。

見同上。

易義 太常山陽王宏正宗撰。

見同上。

易義 河南尹太原王濟武子撰。

見同上。濟,王渾坿傳。

易義 太保河東衛瓘伯玉撰。

見同上。瓘有傳。

易義 國子祭酒襄陽杜育方叔撰。

見同上。

易義 司徒右長史楊瓚撰。

見同上。

易義 涼州刺史安定張軌士彦撰。

見同上。元案《釋文》上經《旅》"得其齊斧"引軌云"齊斧,黄鉞也"一語。軌有傳。

易義 邢融撰。

見同上。

易義 裴藻撰。

見同上。

易義　許適撰。

見同上。

易義　楊藻撰。

見同上。

周易注　太子僕劉邠令元撰。

見《魏志·管輅傳》注引輅《別傳》。又引《晋諸公贊》云："邠本名炎,犯晋太子諱,改爲邠。"又劉敬叔《異苑》卷九云："邠字令清。"與輅傳小異。

易論　司空河東裴秀季彦撰。

見《魏志·裴潛傳》注引《文章序録》。秀有傳。

周易訓注　徵士濟南劉兆延士撰。

見《儒林》兆傳。

周易傳　給事中陳郡袁準孝尼撰。

見《魏志·袁渙傳》注引《袁氏世紀》。準有傳。

繫辭注　驃騎諮議參軍陳郡袁悦之元禮撰。

見《釋文·序録》。悦之坿《王湛傳》。元案《世説·讒險篇》作"袁悦",云："悦能長短説,語人曰：'少年時讀《論語》、《老子》,又看《莊》、《易》,此皆是病痛事,當何所益耶? 天下要物,正有《戰國策》。'"據此,悦之注《繫辭》,少作也。

右易二十九部,凡一百十七卷,無卷數者十八家。

東漢末流,以讖緯説《易》。魏王弼獨標新學,闡明義理,晋人承之,奉爲宗師。入室升堂,韓伯最著。然祖尚虛無,流入莊老,清談召禍,輔嗣是其作俑。顧夷起而難之,殆當時之矯矯者也。干寶知空虛之壞道,竟欲以術數捄之,其説猥瑣附會,而《易》道愈墜矣。注家今存無幾,間引他書,時見賸義。《歸藏》漢亡,有薛貞注,《隋志》冠首,云："以備《殷易》之闕。"兹復編始，以著晉儒好撰僞經之謬。

尚書十五卷　祠部郎會稽謝沉行思注。

本《隋志》。《釋文·序録》卷同，多《録》一卷。新、舊《唐志》作“十三卷”。元案《御覽》三十七《徐州土蔽墳》引沉注曰：“蔽音志。”沉有傳。

又　十卷　豫章太守穎陽范寧武子注。

本《七録》。《釋文·序録》卷同，作“集解”。《舊唐志》題作“孔安國傳，范寧注”。元案《序録》云：“寧變爲《今文集注》。”故題爲“集解”。又云：“古文科斗，安國以校伏生所誦，爲隸古寫之。”據此，知《尚書》改爲今字自寧始。《新唐志》云：“天寶三載，詔集賢學士衛包改古文從今文。”猶後也。寧有傳。

集解尚書十一卷　李顒注。

本《隋志》。《釋文·序録》、《舊唐志》作“十卷”。《新唐志》作“集注十卷”，“顒”譌作“顯”。馬國翰輯存一卷，《玉函叢書》今闕。

古文尚書舜典一卷　范寧注。

見《隋志》。《經典釋文》考證云：“梁有《尚書》十卷，范寧注，亡。”蓋范書本十卷，因孔傳闕《舜典》，故取范所注《舜典》補孔傳之闕。後范所注本書亡，而《舜典》一卷獨以傳合孔傳得存也。馬國翰輯存一卷。

尚書義疏四卷　樂安王友伊説撰。

本《七録》。新、舊《唐志》作“釋義”。元案本書《樂安王傳》：“名鑒，武帝踐阼，爲鑒及燕王機高選師友，詔曰：‘取明經儒學。’”伊説當即師友中之明經者。

尚書義問三卷　五經博士孔晁撰。

見《七録》，題云：“鄭玄、王肅及晉五經博士孔晁撰擬，各一卷。”《七録》合併計之。

尚書新釋二卷　李顒撰。

見《隋志》。

尚書要畧二卷　李顒撰。

見新、舊《唐志》。

逸篇三卷　徐邈注。

本《新唐志》。《隋志》作"《尚書逸篇》二卷"，不題邈注。元案《逸篇》三卷即《漢書·藝文志》所謂多得十六篇，孔安國獻之，遭巫蠱事，未列學官者也。《隋·經籍志》云："《尚書逸篇》出於齊、梁之間，考其篇目，似孔壁中書之殘缺者。"據《新唐志》，《逸篇》題作邈注，是晉儒猶見及全書，故得而注之，非晚出齊、梁者。孫星衍曰："或稱爲逸書者，非亡逸之謂，逸在伏生二十九篇之外也。"其説甚通。

三墳書一卷　阮咸注。

今存王謨《漢魏叢書》中。元案宋《中興目》云："是書晚出，元豐七年本三篇，合爲三卷，皆依託也。"《通志》作三卷，與《歸藏》、《連山》二易冠《易經》首，《通考》坿在《書經》。

古文尚書音一卷　徐邈撰。

見《隋志》。今存馬國翰輯本一卷。

尚書音五卷　孔安國、鄭玄、李軌、徐邈撰。

見《七録》。《釋文·序録》云："漢人不作音，後人所託。"

尚書注　李充撰。

見充傳。

右尚書一十二部，凡五十八卷，無卷數者一家。

《隋志》曰："永嘉之亂，歐陽、大、小夏候《尚書》并亡。"顯於漢而晦於晉，是亦學術之升降也。於是梅賾之僞孔傳興，與伏生所傳之二十八篇淆而混之，且改塗而删削之，此秦火以後又一大厄。惜哉！在當時既置博士，而學徒亦稱盛焉。兹録八家,以著於篇。《三墳》是亦僞書,坿入此類。

毛詩二十卷　謝沉注。

見《七録》。

又　二十卷　兗州別駕濟陽江熙太和注。

見《七録》。

毛詩義疏十卷　謝沉撰。

見《七録》。

又　二十卷　舒援撰。

見《隋志》。今存馬國翰輯本一卷,云:"援,晋末人。"

毛詩異義二卷　楊乂撰。

見《隋志》。

毛詩雜義五卷　楊乂撰。

見《七録》。

又　四卷　江州刺史陳郡殷仲堪撰。

見《七録》。仲堪有傳。

毛詩釋義十卷　謝沉撰。

見《七録》。

毛詩辯異三卷　楊乂撰。

本《隋志》。新、舊《唐志》作"毛詩辯"。

毛詩異同評十卷　長沙太守北海孫毓休明撰。

本《隋志》。《釋文·序録》"異同"作"同異",云"毓,豫州刺
史",注又云:"字休明,北海平昌人,長沙太守。"《隋志》集部
有毓集,又作"汝南太守"。又《魏志·臧霸傳》云:"毓,孫觀
子,仕至青州刺史。"注引《魏書》云:"泰山人。"馬總《意林》
云:"毓字仲。"各書互異,未知孰是。馬國翰輯存三卷,又黄
奭《漢學堂》輯存。

難孫氏毛詩評四卷　徐州從事陳統元方撰。

見《隋志》。新、舊《唐志》無“毛”字。今存馬國翰輯本一卷。

毛詩拾遺一卷　宏農太守河東郭璞景純撰。

見《隋志》。今存馬國翰輯本一卷。璞有傳。元案《詩》疏一之一校勘記云：“‘璞’當作‘樸’，樸字景純，取純樸相應，字當從木，《正義》多作‘璞’，或改作‘朴’，‘朴’即‘樸’之俗字。”

毛詩表隱二卷　陳統撰。

見《七録》。

毛詩音隱一卷　干寶撰。

見《七録》，題云“干氏”。《釋文·序録》云：“爲《詩》音九人。”其八有干寶。《經義考》作“干寶”，即本陸説，本《志》從之。

毛詩音二卷　徐邈撰。

見《七録》。今存馬國翰輯本一卷

又　十六卷　徐邈等撰。

見《七録》。元案是書題云“徐邈等撰”，殆即《釋文·序録》所稱“爲《詩》音九人”，而編集成十六卷，以邈冠首。

衛協　毛詩北風圖一卷

見唐裴孝源《貞觀公私畫史》，云隋朝官本。

衛協　毛詩黍離圖一卷

見同上。元案《困學紀聞·詩》云：“《唐志》《毛詩草木蟲魚圖》二十四卷。”引《名畫録》云：“太和中，文宗好古重道，以晉明帝朝衛協畫《毛詩》草木鳥獸、古賢君臣之象不得其真，召程修己圖之。”据此，《七録》有《毛詩圖》三卷，又有《毛詩古聖賢圖》二卷，無作者名氏，疑即衛協所圖。

詩傳　袁準撰。

見《魏志·袁涣傳》注引《袁氏世紀》。

毛詩外傳　謝沉撰。

見沉傳。

毛詩義　釋惠遠撰。

見《釋文・毛詩音義》上，云：“周續之、雷次宗受《詩》義於遠
法師。”元案《隋志》有雷次宗《毛詩序義》二卷，又云“梁有《毛
詩義》一卷，雷次宗撰”，遠義當在二書中。《高僧傳》有遠傳，
姓賈氏，雁門樓煩人。

毛詩疑字議　司徒陳留蔡謨明道撰。

見《初學記》二十六。

毛詩畧　徵士會稽虞喜仲寧撰。

見喜傳，云：“釋《毛詩畧》，注《孝經》。”元案《隋志》郭璞《毛詩
拾遺》下注云“梁又有《毛詩畧》四卷”，無撰人，《經義考》作
“郭璞撰”，亦無据，疑即喜書。

毛詩音　孫毓撰。

見《釋文》《毛詩音義・終風》。

毛詩音　河內太守陳留阮侃德恕撰。

見《釋文・序録》。

毛詩音　益州刺史陳郡袁喬彥叔撰。

見袁瓌坿傳，云“注《論語》及《詩音》”。

毛詩音　徵士河內江惇思悛撰。

見《釋文・序録》，作“河內人”，梁皇侃《論語義疏・序》作“濟
陽人”。江統坿傳：“惇，統子，陳留圉人。”

毛詩音　李軌撰。

見《釋文・序録》。

右詩一十八部，凡一百三十二卷，無卷數者十家。

《詩》有四家，惟毛氏晚出於漢而盛行於晉，流傳至今，歸然獨
存。夫暖暖姝姝，奉一先生之言以相教授者，晉儒豈阿好哉？
萇之所學，淵源子夏，其義正而其説長也。《齊詩》亡於魏矣，
自毛學行而《魯》亦亡於晉，《韓》雖存，無傳之者。兹編所録，

三家闕如。至夏侯湛、潘岳、束皙,各有補亡,雖云言《詩》,徒
橅風雅,無與箋注,有集可歸,不備此數。

周官禮十二卷　伊說注。

本《隋志》。新、舊《唐志》無"禮"字,作"十卷"。

又　十二卷　干寶注。

本《隋志》。《釋文‧序錄》作"十三卷"。今存馬國翰輯本一
卷,又黃奭《漢學堂》輯存。

周官寧朔新書八卷　燕王師王懋約注。

本《七錄》。《舊唐志》作"司馬伷序,懋約注"。元案《琅邪武
王伷傳》,字子將,起家寧朔將軍,故書以寧朔名。

周官禮異同評十二卷　司空長史東海陳卲節良撰。

本《隋志》。《舊唐志》作"周官論評",注:"陳卲駁,傅玄評。"
《新唐志》作"傅玄《周官論評》",注云"陳卲駁"。卲有傳,作
《周禮評》,《釋文‧序錄》引卲《周禮論序》,當即是書。

周禮駁難三卷　孫琦問、干寶駁、虞喜撰。

見《七錄》。

周官禮駁難四卷　孫畧撰。

本《隋志》。《舊唐志》五卷,作"孫畧問,干寶注"。《新唐志》
作"《答問周官駁難》五卷",冠干寶名,注云"孫畧問"。畧,爵
里無考。《通典》九十一、又九十八引存略《服議》。

喪服釋疑二十卷　太常太原劉智子房撰。

見《七錄》,撰人誤作"孔智"。劉智坿《劉寔傳》,云:"著《喪服
釋疑》,多所辯明。"孔智,劉宋時人,見《通典‧禮序》注內。
劉智書今存馬國翰輯本一卷。

喪服經傳一卷　袁準注。

本《隋志》。《舊唐志》作"喪服紀",脫"傳"字,"紀"即"經"之
譌。《新唐志》誤爲全書,作"《注儀禮》一卷"。準坿《袁瓌

傳》，云"注《喪服經》"。今存馬國翰輯木一卷。

又　一卷　　陳銓注。

本《隋志》。《舊唐志》作"喪服紀"。紀，"經"之誤。《新唐志》
誤爲全書，作"儀禮注"。《通志》既承《唐志》之誤，又複出，作
"喪服注"。《釋文·序錄》云："銓，不詳何人。"元案《通典·
禮類》序次銓在賀循、任愷下，孔倫、劉逵上，知爲西晋時人。
今存馬國翰輯本一卷。

集注喪服經傳一卷　　廬陵太守會稽孔倫敬序撰。

本《隋志》。《新唐志》作"儀禮注"，誤爲全書。《釋文·序錄》
云："集《儀禮》衆家注。"今存馬國翰集本一卷。元案本書《孔
嚴傳》，父倫，黃門郎。又孔繼汾《闕里文獻考》卷三十一《孔
氏著述門》云："二十五代孫晋黃門郎倫《集注喪服經傳》一
卷。"又卷八十八《孔奕傳》："子倫、羣。倫官黃門郎，嘗注《儀
禮》。"

喪服要集二卷　　征南大將軍京兆杜預元凱撰。

本《隋志》。新、舊《唐志》作"《喪服要集議》三卷"。元案《禮
志》"武元楊后崩，既葬，擬除服即吉，杜預議以諒闇終制，使
博士段暢撰集書傳以證"，即是書。不題暢撰，預官顯，主其
事也。今存馬國翰輯本一卷。預有傳。

喪服要畧一卷　　太學博士環濟撰。

見《隋志》。官缺。嚴可均《全晋文》目云："濟，大興中太學博
士。"《隋志》史部雜史類有環濟《帝王要畧》十二卷，注云："紀
帝王及天官、地理、喪服。"是書作一卷，《隋志》於十二卷中別
出錄之。

喪服變除一卷　　散騎常侍丹陽葛洪稚川撰。

見《隋志》。《儀禮》釋文引存一事，《通典》八十七引存二事。
洪有傳。

喪服要記二卷　侍中濟南劉逵淵林撰。

見《七録》。《儀禮》釋文《喪服經傳》引存。元案《左思傳》，
《三都賦》成，劉逵注《吳》、《蜀》而序之。逵注今存《文選》，題
云"劉淵林注"，知逵字淵林。《傳》又云："陳留衞瓘又爲思作
《略解》。"《序》云"中書郎濟南劉逵"。

又　十卷　司空會稽賀循彦先撰。

本《七録》。《舊唐志》卷同，"記"作"紀"，題云"賀循撰，庾蔚
之注"。又有賀循《喪服要紀》五卷，題云"謝微注"。《新唐
志》卷同，作"要記"，亦云微注。今存馬國翰輯本一卷。循
有傳。

喪服要六卷　賀循撰。

見《七録》。

喪服儀一卷　衞瓘撰。

見《隋志》。

喪服譜一卷　賀循撰。

見《隋志》。

又　一卷　蔡謨撰。

見《隋志》。今存馬國翰輯本一卷。

凶禮一卷　廣陵相魯國孔衍舒元撰。

見《隋志》。《通典》四十八引衍《室廟藏主論》，九十八引《乖
離論》，一百三引《禁招魂葬論》，當即是書遺文。衍有傳。

葬禮一卷　賀循撰。

《隋》、《唐志》不著録。馬國翰据《通典》、《書鈔》輯存。

喪服圖一卷　郎中上黨崔游子相撰。

本《新唐志》。《舊唐志》"游"作"遊"。元案本書《儒林傳》，崔
游撰《喪服圖》。《隋志》是書兩出，均一卷，撰人一作賀遊，一
作崔逸。崔逸，《魏書》崔辯坿傳，不言撰著，疑"逸"字即"遊"

之譌，"賀"字又"崔"之譌，牽連誤合，是以顛倒複出。《通志》
既録崔游一卷，又録一卷，承《隋志》題作"崔逸"。

禮雜問十卷　范寧撰。

本《隋志》。新、舊《唐志》無"雜"字，作"九卷"。今存馬國翰
輯本一卷。

禮論答問九卷　范寧撰。

見《舊唐志》。

問禮俗十卷　議郎董勛撰。

見《隋志》。元案《北齊書‧魏收傳》，魏文帝問何故名人日，
收對曰"晉議郎董勛答問禮"云云，知勛官議郎。今存馬國翰
輯本一卷，又黃奭《漢學堂》輯存。

禮難十二卷　益壽令吳商撰。

見《七録》。元案《禮志》中商官稱博士，《通典》八十八商《答
劉寶議》亦稱國子博士。《隋志》集部有《益陽令吳商集》五
卷，是商官終益陽令。《七録》題作"益壽"，考本書《地理志》，
無益壽，惟衡陽郡有益陽，"益壽"當即"益陽"之譌。

禮論難一卷　范宣撰。

《隋》、《唐志》不著録。馬國翰據《禮記正義》、《晉志》、《通典》
輯存。元案宣傳云："博綜衆書，尤善三《禮》，著《禮論難》。"

雜議十二卷　吳商撰。

本《七録》。《新唐志》作《雜禮義》十一卷"，《舊唐志》卷同，
云"吳商等撰"。今存馬國翰輯本一卷。

禮議雜記故事十三卷　吳商撰。

本《七録》。《舊唐志》十一卷，"議"作"卷"，次在商《雜禮義》
下，脫撰人。

喪雜事二十卷　吳商撰。

見《七録》。

禮記寧朔新書二十卷　王懋約注。

本《七録》。《隋志》存八卷，新、舊《唐志》復作二十卷，《舊志》注云："司馬伷序，王懋約注。"元案《舊唐書·元行沖傳》：[①]《釋疑》云："馬伷增革，向踰百篇，葉遵刪修，僅全十二。"所謂馬伷，即指是書。

約禮記十篇　蜀國太守廣漢王長文德儁撰。

見《華陽國志·王長文傳》，云："撰《約禮記》，除煩舉要，凡十篇。"本書長文有傳。"德儁"一作"德歉"。

答問雜議二卷　杜預撰。

見《隋志》。又《通志》"雜議"作"雜儀"。

祭典三卷　安北將軍潁陽范汪玄平撰。

《隋志》注引《七録》，列經部禮類，《新唐志》列史部儀注。今存馬國翰輯本一卷，《初學記》、《書鈔》、《御覽》所引范汪《祠制》均入，馬氏序云："《祠制》，蓋《祭典》之篇目也。"汪有傳。

雜祭法六卷　司空從事中郎范陽盧諶子諒撰。

《隋志》注引《七録》，列經部禮類。《新唐志》作"雜祭注"，列史部儀注。《通志》作"雜儀注"。今存馬國翰輯本一卷。諶，盧欽附傳。

七廟議一卷　干寶撰。

見《七録》。

後養議五卷　干寶撰。

見《七録》。元案新、舊《唐志》史部儀注類有干寶《雜議》五卷，當即是書。馬國翰據《晉書·禮志》中論王曰日事，目為五卷中佚篇之一，輯存一卷。

雜鄉射等議三卷　太尉潁川庾亮元規撰。

---

① "書"原作"志"，據《舊唐書》改。

見《七録》。亮有傳。

周禮音一卷 徐邈撰。

馬國翰据《經典釋文》輯存。

又 一卷 李軌撰。

馬國翰据《經典釋文》輯存。

又 一卷 前燕慕容儁時祕書監清河聶熊撰。

馬國翰輯存本。熊,見《慕容儁載記》、《韓恒傳》,又見《石虎載記》。

儀禮音一卷 袁準撰。

見《舊唐志》。

又 一卷 李軌撰。

見《七録》。

禮記音一卷 孫毓撰。

見《七録》。

又 一卷 繆炳撰。

見《七録》。元案《釋文·序録》繆炳次孫毓下、曹耽上。

又 一卷 射貞撰。

見《七録》。元案"射貞",即《釋文·序録》列孫毓前"謝楨"之譌。

又 二卷 蔡謨撰。

見《七録》。

又 二卷 安北諮議將軍譙國曹躭愛道撰。

本《七録》。《舊唐志》作"鄭玄注,曹耽解",卷同。《新唐志》三卷,但題"曹耽解"。

又 二卷 國子助教天水尹毅撰。

本《七録》。《釋文·序録》作"一卷"。

又 二卷 范宣撰。

見《七録》。《釋文》、《集韻》引存共十二條。

又　三卷　<small>徐邈撰。</small>

見《七録》。今存馬國翰輯本一卷。

又　二卷　<small>李軌撰。</small>

本《七録》。《釋文·序録》作"三卷"，《舊唐志》同，《新唐志》作"《小戴禮記音》二卷"。

周官傳　<small>袁準撰。</small>

見《魏志·袁涣傳》注引《袁氏世紀》。

喪服經講義　<small>釋惠遠撰。</small>

見梁釋慧皎《高僧·惠遠傳》，云："遠講《喪服經》，雷次宗、宗炳等並執卷承旨。次宗後別著《義疏》，首稱雷氏。宗炳因寄書嘲之曰：'昔與足下共於釋和尚間面受此義，今便題卷首稱雷氏乎？'"據此，遠説殊不可没，故録入。《隋志》有《畧注喪服經傳》一卷，題云"雷次宗注"，遠解義當在是書中。

喪紀禮式　<small>漢嘉太守蜀郡杜襲敬修撰。</small>

見《華陽國志·常寬傳》。

喪服圖　<small>散騎常侍巴西譙周允南撰。</small>

見《御覽》五百四十。周，《蜀志》有傳。

三禮吉凶宗紀　<small>前趙劉聰時太常雁門范隆玄嵩撰。</small>

見《儒林》隆傳。

冠儀約制　<small>尚書光禄大夫廬江何禎元幹撰。</small>

見沈約《宋書·禮志》，云："何禎《冠儀約制》及王堪私撰《冠儀》，亦皆家人之可遵用者也。"《書鈔》五十九引虞預《晉書》，有禎傳。"禎"當作"楨"，詳丁部楨集注。

冠儀　<small>太尉東平王堪世胄撰。</small>

見同上。又《通典》五十六引作"冠禮"。堪官職、郡邑，見《世説·賞譽篇》注引《晉諸公贊》。

禮通論 <small>處士弘農董景道文博撰。</small>

見《儒林》景道傳,云:"三《禮》之義,專遵鄭氏,著《禮通論》,非駁諸儒,演廣鄭義"。

五禮駁 <small>孫毓撰。</small>

見《通典》禮五十二。又《禮記正義·檀弓》"馬鬣封"句引毓難語,"難"即"駁"也。

周官音 <small>干寶撰。</small>

見寶傳。

周官音義 <small>秦苻太常韋逞母宋氏傳。</small>

見《列女·宋氏傳》。

右禮五十二部,凡二百六十卷,無卷數者一十一家。

漢河間獻王好古,得古《禮》獻之,彬彬君子儒也。若司馬王仙,其亦河間亞歟。各家撰著,不一而足,獨賀氏循好學博聞,尤號兼長,當世遂推爲儒宗。而釋家若惠遠者,以禪宗爲經學師,講求《喪服》,傳之名山,斯又前古所未有也。其餘言《禮》諸家,篇目無考者,時見引於本書《禮志》,而《通典》尤多,統稱曰議,録難枚舉,故闕而不存。《音義》采十三家,惟韋氏宋母獨傳家學,絳紗受業,與伏女教錯可後先輝耀矣。

琴操三卷 <small>孔衍撰。</small>

本《隋志》。《新唐志》作"一卷",《宋志》同,多一"引"字。《崇目》云:"衍述詩曲之所從,總五十九章。"《初學記》十六引存。

樂畧四卷 <small>元愻撰。</small>

本新、舊《唐志》。《隋志》有是書,脱撰人。元案明凌迪功《萬姓統譜》元愻作晋人,未知何据。

聲律指歸一卷 <small>元愻撰。</small>

見唐新舊《志》。

太樂歌辭二卷 <small>司徒潁川荀勖公曾撰。</small>

本《新唐志》，入樂類。《舊唐志》入總集，脱撰人。勖有傳。

太樂雜歌辭三卷　荀勖撰。

見新、舊《唐志》。

晉讌樂歌辭十卷　荀勖撰。

《隋志》引《七録》列總集，《新唐志》卷同，作"樂府歌詩"，入
樂類。

新弄五部　徵士譙郡戴勃撰。

見《南史·隱逸·戴顒傳》。顒父逵，顒及兄勃并受琴於父，
各造《新弄》，勃制五部，顒制十五部，又制《長弄》一部，顒卒
宋元嘉後。本書《戴逵傳》："長子勃，有父風，義熙初，以散騎
常侍徵，不起，尋卒。"

樂論　裴秀撰。

見《魏志·裴潛傳》注引《文章序録》。

右樂六部，凡二十三卷，無卷數者二家。

《樂經》云亡兩漢，諸儒已少發明，刓在典午，去古愈遠。兹所
著録，五家而已，編以次之，庶補斯闕。

春秋左氏經傳集解三十卷　杜預撰。

本《隋志》。《舊唐志》作"春秋左氏傳"，卷同，題云預注。
今存。

春秋左氏傳義注十八卷　孫毓撰。

本《隋志》。《釋文·序録》作"二十八卷"，新、舊《唐志》作"三
十卷"。《正義》引存八節。

春秋左氏函傳義十五卷　干寶撰。

本《隋志》。《舊唐志》作"春秋義函傳"，《新唐志》作"春秋函
傳"，均十六卷。元案寶傳云："撰《春秋義外傳》。"當即是書。
《正義》隱十一年、《通典》四十二各引存一節。

左氏訓注十三卷　孔衍撰。

見《闕里文獻考》三十一《孔氏著述門》。

春秋左傳賈服異同畧五卷　孫毓撰。

見《隋志》。

春秋公羊經傳十三卷　散騎常侍河東王愆期門子注。

本《隋志》。唐新舊《志》作"十二卷"。《詩正義·鴻雁》引存。
愆期,本書王接坿傳。

春秋公羊傳十二卷　河南太守范陽高龍注。

本《七錄》。唐新舊《志》卷同,作"春秋公羊傳記","高龍"譌
作"高襲"。《釋文·序錄》云:"龍字文,范陽人。"

又　十四卷　孔衍集解。

本《七錄》。《舊唐志》作"春秋經傳集解",題云"孔氏注",《新
唐志》作"孔氏公羊集解",卷均同。元案《春秋左氏傳》杜預
《序》正義引存孔舒元《公羊傳》,本稱舒元,衍字也。

春秋公羊達義三卷　太尉平原劉寔子真撰。

本《隋志》。唐新舊《志》作"違義",卷同。《舊志》複出,俱云
"劉晏注"。寔有傳,云:"辨正《公羊》,以爲衛輒不應辭以王
父命,祭仲失爲臣之節,舉此二端以明臣子之體,遂行於世。"
當即是書。《七錄》有漢司徒掾王玢《春秋左氏達義》一卷,唐
新舊《志》作"達長義"。寔書題名本此。

春秋穀梁傳十四卷　孔衍注。

《隋志》題云"孔衍撰",誤。《釋文·序錄》作"集解",卷同。
唐新舊《志》作"十三卷",題云"孔衍訓注"。

又　十三卷　給事中東莞徐乾文祚注。

本《七錄》。《通志》作"十二卷"。《穀梁》范注引存五節,又楊
疏引存一節。

又　十卷　博士胡訥集解。

本《七錄》。《釋文·序錄》作"集解十卷",楊士勛《穀梁傳·

序》疏作“胡訥之”。

又　十二卷　<small>徐邈注。</small>

見《隋志》。元案《穀梁傳注校勘記》序云：“《晉書·范寧傳》云‘徐邈復爲之注，世亦稱之’，似徐在范後，而書中乃引邈注一十有七，可知邈成書於前，范寧得以捃拾也。”据此，知《晉書》先後失實，是書外又有《傳義》及《答春秋穀梁義》二種，均佚。馬國翰据《注疏》、《書鈔》、《初學記》輯存一卷，題曰“穀梁傳注義”。

又　十二卷　<small>范寧集解。</small>

本《隋志》。《釋文·序録》、《新唐志》作“集注”，《舊唐志》誤作“寧注”，卷均同。今存。

又　十六卷　<small>程闡注。</small>

《隋志》作“程闡撰”，唐新舊《志》作“經傳集注”。元案楊士勛《穀梁傳·序》疏云：“魏晉以來注《穀梁》者，有尹更始、唐固、糜信、孔衍、江熙、徐仙民、程闡、劉瑶、胡訥之等。”据此，知闡爲晉人。

又　四卷　<small>張、程、孫、劉四家集解。</small>

見《隋志》，注云“殘缺”。《經義考》云：“四家當是張靖、程闡、孫毓、劉瑶。”

又　十卷　<small>堂邑太守張靖注。</small>

本《隋志》。唐新舊《志》作“十一卷”，無“穀梁”二字，題云“張靖集解”。

春秋穀梁傳義十卷　<small>徐邈撰。</small>

本《隋志》。《舊唐志》作“十二卷”，云邈注。

答春秋穀梁義三卷　<small>徐邈撰。</small>

見《隋志》。徐邈名氏冠在“答春秋穀梁義”上。

穀梁經傳集解十卷　<small>沈仲義撰。</small>

見唐新舊《志》，均次在徐乾、徐邈、蕭邕、劉兆間，仲義當是晋人。

薄叔玄問穀梁義四卷

本《七録》，《隋志》存二卷，均脱撰人。楊疏引有范寧《答薄氏穀梁義》，知薄氏當即叔玄，書當爲范寧撰，馬國翰據楊疏輯存一卷。元案《舊唐志》有《穀梁傳義》三卷，題云"蕭邕問注"，《新唐志》作"《蕭邕問傳義》三卷"，據《隋志》集部録《范寧集》十六卷下中間五部注中，即次《薄邕集》七卷，范寧與薄邕爲同時人，即此可證。竊疑新、舊《志》所稱蕭邕，"蕭"即"薄"之譌，當爲薄邕，《隋志》所稱叔玄，當即薄邕字。是書爲《薄叔玄問穀梁傳義》，當即《舊唐志》題云"蕭邕問注"之《穀梁傳義》，《新志》承之，故作"蕭邕問傳義"。

春秋穀梁廢疾三卷　　張靖箋。

見《隋志》，題云"何休撰，鄭玄釋，張靖箋"。《舊唐志》作"張靖成箴"，《新唐志》無"何休撰"三字，作"張靖成均"，"箋"字之譌。

春秋穀梁傳説一卷　　鄭嗣撰。

《隋》、《唐志》不箸録。范寧《集解》引二十節，馬國翰據之輯存一卷，云："以范《序》考之，當是寧父門生。"

春秋集三傳經解十卷　　胡訥撰。

本《七録》。《舊唐志》無"集"字，作"十一卷"，《新唐志》卷同，作"集撰三傳經解"。

春秋公羊穀梁傳十二卷　　劉兆撰。

本《隋志》。《通志》作"集傳"。元案《儒林》兆傳云："兆思三家之異，合而通之，因《周禮》有調人之官，作《春秋調人》。"疑即是書。楊士勛《穀梁傳·序》疏，注《穀梁》十餘家，有劉瑤，盧抱經謂即劉兆。今存馬國翰輯本一卷。

春秋公羊穀梁左氏集解十一卷　劉兆撰。

　　本《舊唐志》。《新唐志》作"三家集解"。元案兆傳云："又爲
《春秋左氏解》，名曰《全綜》，《公羊》、《穀梁》解詁，皆納經傳
中，朱書以別之。"疑即是書。

春秋三傳十二篇　王長文撰。

　　見《華陽國志》長文傳。

春秋集三師難三卷　胡訥撰。

　　見《七錄》。

劉寔等　集解春秋序論一卷

　　見《隋志》。元案《春秋左氏傳》杜預《序》正義曰："晋太尉劉
寔，與杜同時人也，宋大學士賀道養去杜亦近，俱爲此《序》作
注。"當即是書。《隋志》題作"劉寔等"，道養即賅在內。

春秋序論二卷　干寶撰。

　　本《隋志》。新、舊《唐志》作"一卷"。

春秋公羊論二卷　庾翼問、王愆期答。

　　本《七錄》。《舊唐志》同，《新唐志》、《通志》作"《難答論》一
卷"，注云："庾翼難。"翼，本書庾亮坿傳，字稚恭，官車騎
將軍。

春秋左傳評二卷　杜預撰。

　　本《隋志》。《舊唐志》作"《左氏杜預評》二卷"。

公穀二傳評三卷　江熙撰。

　　本唐新舊《志》。《隋志》作"春秋公羊穀梁二傳評"，不著撰
人。范寧《穀梁集解》十九引，馬國翰据之輯存一卷。

春秋三傳評十卷　胡訥撰。

　　見《隋志》。

春秋經例十二卷　方範撰。

本《隋志》。①《舊唐志》十卷，《新唐志》六卷。

春秋釋例十五卷　杜預撰。

本《隋志》。《釋文·序録》卷同，云"四十篇"，《舊唐志》多"左氏"二字。元案《通志》録《釋例》十五卷外，又録《地名譜》一卷、《小公子譜》六卷、《長曆》一卷，又《盟會圖》，《宋志》同，又録《春秋世譜》一卷，考各書均在《釋例》中，預《序》已言及，惟圖今佚，本《志》故不别出。又案《魏志·杜恕傳》注引王隱《晉書》云："預參考衆家譜第，謂之《釋例》。又作《盟會圖》、《春秋長曆》。"一書分晰，隱已複誤。唐修《晉書》，悉本隱文，未及删定，《通志》、《宋志》因而承之。預書本存《永樂大典》中，文多闕佚。國朝《四庫書》據孔氏《左傳正義》及諸書所引《釋例》之文補之，仍分十五卷。

春秋條例十一卷　劉寔撰。

本《隋志》。寔本傳作"二十卷"，唐新舊《志》作"十卷"。《新志》既録是書，又有寔《左氏牒例》二十卷，疑複出，"牒"即"條"之譌。元案《春秋左氏傳》杜預《序》正義云："劉寔分變例、新義以爲二事。"②當即是書義意。

春秋穀梁傳例一卷　范寧撰。

見《隋志》。元案范寧《穀梁傳·序》曰："商畧名例。"楊士勛疏云："商畧名例，即范氏别爲例畧百餘條是也。"今考《集解》中時有"例曰"二字，又《四庫全書提要》並疑士勛割裂畧例，散入疏中。《東塾讀書記》云："隱二年疏與桓元年疏所引范氏例之語同。"即其證。黃奭《漢學堂》輯存二十四條。

春秋釋滯十卷　尚書左丞雲陽殷興撰。

---

① "志"字原脱，據本書體例補。

② "義"，阮刻十三經注疏本《春秋左傳注疏》作"意"。

本《七録》。唐新舊《志》、《通志》均作"左氏釋滯"。元案《吳
志·顧卲傳》注,殷興一名基,吳零陵太守殷禮子。

春秋釋難三卷　護軍長史潁陽范堅子常撰。

見《七録》。堅坿《范汪傳》。

春秋土地名三卷　裴秀客濟南京相璠等撰。

本《隋志》,又入史部地理類,無"等"字。《舊唐志》脱撰人,
《新唐志》無"等"字。元案《水經·穀水》注云:"京相璠與裴
司空彦季修《晉輿地圖》,作《春秋土地名》。"据此,書本璠一
人專著,當以《隋志》史部題名無"等"字爲是。又《元和姓纂》
卷二云:"晋有樗里璠著《春秋土地記》三卷。"作濟南人,"樗
里"二字當即"京相"之譌。今存馬國翰輯本一卷,又黄奭《漢
學堂》輯存。

春秋左氏傳音三卷　杜預撰。

本《七録》。《册府元龜》作"一卷"。

又　三卷　李軌撰。

本《隋志》。《舊唐志》作"李宏範撰",即軌字。

又　三卷　徐邈撰。

見《隋志》。《新唐志》撰人譌爲"孫邈"。馬國翰輯存一卷。

又　四卷　曹耽、荀訥等撰。

本新、舊《唐志》。《隋志》注引《七録》題云"曹耽音、尚書左人
郎荀訥等音四卷"。又《釋文·序録》有荀訥《音》四卷,不言
曹耽,當即是書,注云"訥字世言,新蔡人,東晋尚書左民郎"。
《隋志》注"民"作"人",避太宗諱改。

春秋公羊音一卷　李軌撰。

見《七録》。

又　一卷　江惇撰。

見《七録》。"江"譌作"汪"。

穀梁音一卷　范寧撰。

見《七録》。今散存《穀梁集解》中。

又　一卷　徐邈撰。

見新、舊《唐志》。

春秋外傳國語二十卷　孔晁注。

本《隋志》。《新唐志》作"二十一卷"，題云"孔晁解"。《舊唐志》卷與《隋志》同，題"左丘明撰"，不言孔注，又有二十一卷，不著撰人，卷數與《新志》合，或即孔注脱漏姓名。今存馬國翰輯本一卷，又黃奭《漢學堂》輯存。

春秋經傳注　尚書都令史高平虞溥允源撰。

見溥傳。

春秋公羊注　征虜將軍司馬河東王接祖游撰。

見接傳。

穀梁注　郭琦撰。

見琦傳。

穀梁注　聶熊撰。

見《石虎載記》。

春秋三傳注　范隆撰。

見隆傳。

三傳解注　徵士濟北氾毓稚春撰。

見毓傳。

春秋釋疑　氾毓撰。

見毓傳。

春秋墨説　秦苻太府左長史燉煌郭瑀元瑜撰。

見瑀傳。

姓族左傳鈔　蜀郡太守巴西黃容撰。

見《華陽國志》常寬坿傳。

右春秋五十部，凡四百五卷，無卷數者九家。

《春秋》三傳，《公》、《穀》盛行於漢，而《左氏》獨微，晚置博士，廢興相嬗，備員而已。自服虔倡於前，杜預踵其後，學乃大昌，而預功尤偉，信乎邱明忠臣也。江左中興，立《左氏傳》服氏、杜氏博士，二傳闕如，荀崧奏請，許立《公羊》，會王敦亂作，不果行。《穀梁》則以膚淺目之，不置博士。在當時治是學者，有孔衍、江熙、程闡、徐邈、徐乾、劉兆、胡訥諸家，獨范寧《集解》稱善。《公羊》之學，王接獨闡何休黜周王魯之謬，惜書遭喪亂，當時已佚，愆期繼父志，踵而成之，今亦不傳，然其家法有如此者。杜氏於邱明功固偉矣，而罪亦實甚，顯則強經就傳，隱則黨同司馬，藉傳行奸。說見焦循《春秋左傳補疏》。錄《春秋》三十一家，殿以外傳《國語》。

孝經二卷 荀勖注。

見《七錄》。《隋志》存有《集議孝經》一卷，題云"晉中書郎荀勖撰"。《經義考》誤合是書爲一。

又 一卷 處士高平虞槃佐弘猷注。

見《七錄》。《釋文·序錄》"佐"作"佑"，邢氏《孝經疏》同。

又 一卷 給事中天水楊泓注。

見《七錄》。

又 一卷 丹陽尹南平車胤武子注。

見《七錄》。胤有傳。

又 一卷 東陽主守陳郡殷仲文撰。

見《七錄》。邢昺《孝經正義·開宗明義章》、《五刑章》引存。仲文有傳。

又 一卷 晉陵太守陳郡殷道叔注。

見《七錄》，題作"殷叔道撰"，唐新舊《志》同。元案《經義考》，殷仲文《孝經注》引《冊府元龜》云："殷叔道爲東陽太守，注

《孝經》一卷。"爲仲文注《孝經》之證,似叔道即仲文字。考今《晋書》仲文傳,字不詳,亦不言晋陵太守。《世説·言語篇》注引《續晋陽秋》,殷仲文即字仲文,則叔道當別爲一人。即以梁《録》引書次第證之,一題"東陽太守殷仲文",一題"晋陵太守殷叔道",晰爲兩人,尤明確。又考《安帝紀》,義熙二年,誅東陽太守殷仲文、南蠻校尉殷叔文、晋陵太守殷道叔。《宋書·武帝紀》,誅仲文及仲文二弟,据此,殷道叔即仲文弟,《册府元龜》誤"晋陵"爲"東陽"。《七録》題"晋陵太守",倒誤作"叔道",故兩《唐志》承之。

又　一卷 孫氏注。

見《七録》,次晋。《釋文·序録》次在謝万下、楊泓上,云"不詳何人"。元案唐新舊《志》有孫熙《孝經注》一卷,是書當即熙注。

晋孝經一卷

見《七録》,作"《晋穆帝时晋孝經》一卷"。元案《釋文·序録》云,中朝穆帝集講《孝經》,云以鄭玄爲主,可知是書宗旨。

總明館孝經講議一卷

見《七録》,作"《武帝時送總明館孝經講議》各一卷","各"字衍誤,書次《穆帝時晋孝經》後。据《車胤傳》及《孝經·序》正義,武帝當是孝武帝,脱"孝"字。

集議孝經一卷　　荀勖撰。

見《隋志》,題云"晋中書郎荀勖撰"。《舊唐志》作"講孝經集解",題名與《隋志》同。元案《孝經·序》正義引劉知幾議云"晋穆帝永和十一年及孝武太元元年,再聚群臣,共論經義,有荀昶者監本、毛本、殿本作昺非。劉説作"荀茂祖"。撰集《孝經》諸説,始以鄭氏爲宗。"据此,《隋志》所題"晋中書郎"之荀勖,當即知幾所議之荀茂祖,譌"昶"爲"勖",並譌"宋"作"晋"。考《宋書·荀伯子傳》，族弟昶字茂祖，元嘉初，以文義至中書郎。又《釋文·序録》《孝經》注家，荀昶次車胤下、孔光上，可證。《晉書·荀勖傳》："始遷中書通事郎，入晉拜中書監，官終司徒。"是書既題勖名，録以存疑。

又　一卷　<small>袁宏集。</small>

見《隋志》，注云"東陽太守袁敬仲集"。元案敬仲係衞宏字，見《後漢書·儒林傳》。彦伯名宏，《隋志》誤混衞字，移之於袁，與史部雜傳《正始名士傳》同。《釋文·序録》《孝經》注家有袁宏，知書爲彦伯集。《孝經正義·五刑章》引存。

講孝經義四卷　<small>車胤等集。</small>

本《舊唐志》，《新唐志》無"等集"二字。元案《世說·言語篇》注："《續晉陽秋》曰：'寧康三年九月九日，帝講《孝經》，僕射謝安侍坐，吏部尚書陸納、兼侍中卞耽讀，黃門侍郎謝石、吏部郎袁宏兼執經，中書郎車胤、丹陽尹王混摘句。'"書或與諸人成於此時，故《舊志》注云"車胤等集"。

集解孝經一卷　<small>謝萬集。</small>

本《隋志》。唐新舊《志》作"謝萬注"。《孝經正義·庶人章》引存。

孝經注　<small>太傅陳郡謝安安石撰。</small>

《孝經正義·五刑章》引存。元案《世說·言語篇》云："孝武將講《孝經》，謝公兄弟與諸人私庭講習。"故有注。安有傳。

孝經注　<small>金紫光禄大夫臨沂王獻之子敬撰。</small>

見同上。獻之坿羲之傳。

孝經注　<small>虞喜撰。</small>

見喜傳。

孝經注　<small>庾氏撰。</small>

見《釋文·序録》，云"不詳何人"，次在虞槃佑下、殷仲文上。

孝經錯緯　郭瑀撰。

見瑀傳。

右孝經十三部,凡一十七卷,無卷數者五家。

《孝經》有今古文之分,今文稱鄭玄注,古文稱孔安國傳。孔
所傳亡於梁亂;鄭注立義,與所注他書不類,齊陸澄疑之,後
之學者遂紛紛聚訟。在晉江左中興後,永和、太元兩朝,群臣
集議,獨奉爲宗主,而注家滋多,異哉!殷氏之爲此學,一門
昆弟,諂事桓玄,卒以罪誅,無可末滅。《經》曰:"始於事親,
中於事君,終於立身。"言不顧行,實慚斯旨。

論語十卷　譙周注。

見《七録》。《釋文》引存《學而》"不亦樂乎"注。《續漢書·禮
儀志》注引存《鄉黨》"鄉人儺"注。

又　一卷　蔡謨注。

《隋》、《唐志》不著録。馬國翰据皇《疏》輯存。

又　十卷　李充注。

本《隋志》。唐新舊《志》作"集注",《史記·仲尼弟子傳》索隱
引作"論語解"。今存馬國翰輯本二卷。

又　十卷　國子博士天水梁顗注。

見《七録》。皇《疏》"子禽問於子貢"章引存二節。原題"梁
冀",馬國翰曰:"冀與顗,音相同,義亦相近,故通用之,非漢
之跋扈將軍也。"

又　十卷　袁喬注。

見《七録》。馬國翰据皇《疏》輯存一卷,序稱皇《疏》引十九
節,僅稱袁氏,江熙集十三家,有晉江夏太守陳國袁宏字叔
度,即爲袁喬。喬本傳,曾官江夏相,此云江夏太守,因官江
夏而失之。字作叔度,亦形似而訛。

又　十卷　尹毅撰。

見《七録》，名次袁喬下、張憑上。

又　十卷　司徒左長史吳人張憑長宗注。

見《七録》。《新唐志》作“張氏”，次在尹毅下，當即憑書。馬國翰據皇《疏》輯存十二節。憑有傳，名作“憑”，官至吏部郎、御史中丞。《七録》名作“馮”，《釋文·序録》同，均稱“司徒左長史”。

又　十卷　孟釐注。

本《七録》。唐新舊《志》九卷，均題“孟釐”。《釋文·序録》十卷，作“孟整”，一云孟陋字少孤，江夏人，東晉撫軍參軍，不就。元案《隱逸·孟陋傳》云：“注《論語》。”

又　十卷　盈氏注。

見《七録》，次在孫綽《集解》下、孟釐上，《釋文·序録》同。

又　十卷　楊惠明注。

見《七録》，次在張憑下。唐新舊《志》作“論語義注”，“楊”均作“暢”。

又　九卷　鄭玄注、虞喜讚。

本《隋志》。唐新舊《志》作“十卷”，《册府元龜》又作“《注論語讚》九卷”。皇《疏》《雍也》第六“仲弓問子桑伯子”節、《鄉黨》“色斯舉矣”節引喜讚。

集注論語六卷　衞瓘集。

本《隋志》，注云：“晉八卷。梁有《論語補闕》二卷，宋明帝補衞瓘闕。”《釋文·序録》併宋明帝《補闕》二卷，復作八卷，稱衞瓘注，無“集”字。唐新舊《志》併《補闕》，又均作“十卷”。今存馬國翰輯本一卷。

集解論語十卷　廷尉卿太原孫綽興公解。

本《隋志》。《釋文·序録》作“集注”，卷同。今存馬國翰輯本一卷。綽，孫楚姪傳。

又　十卷　江熙集。

　　本《隋志》。《釋文·序録》作"十二卷"。今存馬國翰輯本上
　　下二卷。

論語集義十卷　尚書左中兵郎燕國崔豹正熊集。

　　本《七録》。《隋志》存八卷。《釋文·序録》作"崔豹注"。唐
　　新舊《志》作"論語大義解",均十卷。《通志》誤分《隋》、《唐
　　志》爲兩書。

論語義一卷　司空長史太原王濛仲祖撰。

　　見《七録》。濛有傳。

論語別義十卷　范寧撰。

　　見《隋志》,題作"范廙撰"。晁公武《讀書後志》謂范廙或是范
　　寧之誤。元案江熙《集解》引有范寧。馬國翰据皇《疏》輯存
　　一卷。

論語釋一卷　撫軍長史陳留蔡系子叔撰。

　　見《七録》。皇《疏》引存。系,蔡謨子,坿謨傳。

又　一卷　張憑撰。

　　見《隋志》。

又　一卷　張隱撰。

　　見《七録》。元案《陶侃傳》,隱爲廬江太守,張夔子。侃鎮武
　　昌,命爲參軍。

又　一卷　李充撰。

　　見《七録》。

又　一卷　庾翼撰。

　　見《七録》。皇《疏》引存"子畏於匡"一節。

又　一卷　光禄勳譙國曹毗輔佐撰。

　　見《七録》。毗有傳。

論語釋疑十卷　欒肇撰。

本《隋志》。《釋文·序録》一作"釋義"，唐新舊《志》作"論語釋"，《舊志》次肇《論語駁》二卷上，脱撰人。今存馬國翰輯本一卷。

論語旨序三卷　衛尉蘭陵繆播宣則撰。

本《隋志》。唐新舊《志》二卷。今存馬國翰輯本。播有傳。

論語説一卷　繆協撰。

《隋》、《唐志》不著録。馬國翰輯存，序云"皇侃《疏》序稱江熙集解《論語》十三家，有繆播，無繆協。兹就皇《疏》所引，凡二十七節。録爲一卷，即坿繆播之後"云云。

論語駁序二卷　樂肇撰。

本《七録》。唐新舊《志》卷同，無"序"字，《史記·仲尼弟子傳》正義引存，亦無"序"字。

論語君子無所爭一卷　庾亮撰。

見《七録》。元案《隋志》禮類引《七録》有亮《雜鄉射等議》三卷，是書當亦言射，故題名如此。

新書對張論十卷　虞喜撰。

本《七録》。《册府元龜》作"對張論語"。

論語藏集解一卷　應琛撰。

見《七録》。

論語體畧二卷　太傅主簿河內郭象子玄撰。

見《隋志》。皇《疏》引存九節。象有傳。

論語隱一卷　郭象撰。

見《七録》。《御覽》三百六十六、《白帖》手部引作"論語隱義"，又《御覽》六百九十八引作"論語隱義注"。馬國翰曰："其語鄙俚，似小説，與郭氏《體畧》不類，疑後衍象義而成。"

通鄭一卷　郤原撰。

見《七録》。

鄭錯一卷　中軍司馬太原王修敬仁撰。

　　見《七録》，題云"王氏修"。修，王濛坿傳。

論釋一卷　姜道處撰。

　　見《七録》，次王修、鄭錯後。

論語音二卷　徐邈等撰。

　　本《七録》。《釋文·序録》作"一卷"，唐新舊《志》復作"二卷"，無"等"字。

論語注　張祚太子太傅燉煌宋纖令艾撰。

　　見《隱逸》纖傳。

論語注　荆州剌史陳郡殷仲堪撰。

　　見皇《疏》，引存九節。仲堪有傳。

論語解　太傅滎陽鄭沖文和集。

　　《隋志》有《集解論語》十卷，注云"何晏集"。元案本書《鄭沖傳》云："沖與孫邕、曹羲、荀顗、何晏共集諸家訓注之善者，記其姓名，因從其義，有不安者，輒改易之，名曰《論語集解》。"

論語解　太尉潁川荀顗景倩集。

　　見同上。顗，本書有傳。

論語解　散騎常侍陳留周瓌道夷撰。

　　見皇《疏》。

論語解　江淳撰。

　　見皇《疏》。

論語解　中書令瑯邪王珉季琰撰。

　　見皇《疏》。珉，王導坿傳。

論語音　繆播撰。

　　見引《釋文》。

論語音　李充撰。

　　見引《釋文》。

右論語三十六部，凡一百八十九卷，無卷數者九家。

魏有何晏《集解》，梁有皇侃《義疏》，世治《論語》學者盛稱之。
晏集之成，魏臣孫邕、曹羲外，鄭沖、荀顗與焉。侃於何氏《集
解》外，又本江熙所集引十三家，衛瓘、繆播、欒肇、郭象、蔡
謨、袁喬、江淳、蔡系、李充、孫綽、周瓌、范寧、王珉與焉。因
親貴而晏得名，有憑藉而侃邀譽，文藝與時高下，蓋有幸有不
幸也。然晉治是學者，獨賴二書之存，於義理固畧，而章句訓
詁名物之説詳，此亦有大造於二十篇也，一代注家，可考
見焉。

聖證論十二卷　魏王肅撰、晉馬昭駁、孔晁答、張融評。

見《隋志》，列論語類，僅題肅撰。《新唐志》詳注其人。今存
馬國翰輯本一卷。

五經鉤沉十卷　高梁太守楊方公回集。

《隋志》列論語類，"鉤"誤作"拘"。《舊唐志》列經解，卷同，
"沉"誤作"深"。《崇目》存五卷，"楊方"誤作"楊芳"。《中興
目》"高梁"作"高凉"，案《隋志》本作"高凉"。引方《自序》云"太寧元
年撰"。馬國翰輯存五節。方，賀循坿傳。

五經大義三卷　徵士譙國戴逵安道撰。

《隋志》列論語類。元案《通典》九十、又九十一引存。《書鈔》
一百五十八地部引逵《雜義》，亦即是書。逵有傳。

五經通論一卷　著作郎陽平束晳廣微撰。

《隋》、《唐志》不著錄，見晳本傳，不詳卷數。馬國翰據《春
秋正義》、《通典》輯成。元案《初學記》十四引存晳論，馬
輯脱。

五經然否論五卷　譙周撰。

《隋志》列論語類。元案逵音已分見各經，必總輯一部，以
成是書，故《隋志》著錄。鄭漁仲曰："徐音雖亡，然陸音多

本於此。"①

五經滯義論 袁準撰。

見《魏志·袁渙傳》注。

五經同異評 徵士高密徐苗叔胄撰。

見《儒林》苗本傳。

右經解六部,凡四十一卷,無卷數者二家。

自漢有石渠、白虎,薈萃群儒,講解同異,於是雜義成篇,通德著論,誠盛典也。東、西兩晉,臨雍釋奠,時有此舉,成書可考者,惟《孝經》一部,而六籍不備。至私家撰述,剖晰疑義,申明元旨,則往往有之。此類《隋志》坿諸《論語》,《唐志》定名經解,別爲一門,茲本其例,著於此篇。

爾雅五卷 郭璞注。

《隋志》列論語類。《釋文·序録》作"三卷",《舊唐志》同,《新唐志》一卷。今存。

爾雅圖十卷 郭璞撰。

《隋志》列論語類,唐新舊《志》列小學,作"一卷",云璞注。

爾雅圖贊二卷 郭璞撰。

《隋志》注列論語。嚴可均、馬國翰、黃奭各輯存一卷。

爾雅音義一卷 郭璞撰。

本唐新舊《志》。《隋志》注引《七録》作"二卷",無"義"字,題云"孫炎、郭璞撰",合兩家爲一,列論語類。《通志》作"《音畧》三卷"。今存馬國翰、黃奭輯本各一卷。

小爾雅一卷 李軌畧解。

《隋志》列論語類,新、舊《唐志》列小學,書本孔鮒撰。今存。

---

① 此段提要與標題内容不符,疑標題原作"五經音十卷,徐邈撰",而"五經然否論五卷"的提要排印時脱落。

方言十三卷　郭璞注。

《隋志》列論語類，《新唐志》列小學，卷同，作"揚雄《別國方言》"，不題郭注。《舊唐志》撰人、注家均脱。今存。

汲冢古文釋十卷　石勒時理曹參軍上黨續咸孝宗撰。

見咸傳。《隋》、《唐志》不著録。元案杜預《左傳後序》云："會汲郡縣有發其界内舊冢者，大得古書，皆簡篇科斗文字。"本書《束晳傳》云："漆書皆科斗字。科斗字者，周時古文也。"據二説，知續咸所釋當即科斗古文，改從今字，如壁中《古文尚書》本科斗文字，孔安國爲隸古寫之。其書當與《束晳傳》所云"隨疑分釋，皆有義證"同，故録入小學。

三蒼三卷　郭璞注。

本《隋志》，注云："秦相李斯作《蒼頡篇》，漢揚雄作《訓纂篇》，後漢郎中賈魴作《滂喜篇》，故曰三蒼。"唐新舊《志》卷同，題作"李斯等撰，郭璞解"。馬國翰輯存一卷。

吳章二卷　平原内史吳郡陸機士衡撰。

本《隋志》。《新唐志》多一"篇"字，《舊志》一卷，均脱撰人。機，本書有傳。

續通俗文二卷　漢中太守犍爲李虔令伯撰。

本新、舊《唐志》。《顏氏家訓·書證篇》云："《通俗文》，世間題云'河南服虔字子慎造'，[①]虔既漢人，其序乃引蘇林、張揖，[②]蘇、張皆魏人。且鄭玄以前，全不解反語，通俗反音，甚爲近俗。阮孝緒又云'李虔所造'。河北此書，家藏一本，遂無作李虔者。《晉中經簿》及《七志》並無其目，竟不得知誰制。"元案顏氏所見即孝緒所云李虔本也。服虔有《通俗文》

---

① "題"上原脱"世間"二字，據王利器《顏氏家訓集解》補。

② "揖"原誤作"楫"。

一卷，見《隋志》，李虔續之成二卷。《初學記》二十五引存。
《孝友·李密傳》，一名虔，《續通俗文》即密撰。

小學篇一卷　下邳内史王義撰。

見《隋志》。

又　一卷　右將軍琅邪王羲之逸少撰。

見唐新舊《志》。《顏氏家訓·書證篇》辨"陳"字引作"小學
章"。羲之有傳。

少學九卷　楊方撰。

本《隋志》。《舊唐志》作"《小學集》十卷"，《新唐志》作"《少
學》十卷"，《通志》作"《小學篇》九卷"。

發蒙記一卷　束皙撰。

見《隋志》，今存馬國翰輯本一卷。《隋志》史部又有束皙《發
蒙記》一卷，注云："載物産之異。"馬氏所輯是本已列入小學。
元案所引各節多係物産，殊難目爲經編定本。

啓蒙記三卷　散騎常侍無錫顧愷之長康撰。

見《隋志》。愷之有傳，"啟蒙"作"啓矇"。《魏志·明帝志》注
引作"啓蒙注"。今存馬國翰輯本一卷。

啓疑記三卷　顧愷之撰。

本《隋志》。唐新舊《志》卷同，無"記"字。

文字要記三卷　王義撰。

本《七錄》。《舊唐志》作"文字要説"，題云"王氏注"。《新唐
志》作"王氏《文字要説》一卷"，王氏當即王義，本一書。《通
志》誤分《七錄》、《唐志》爲兩書。

字指二卷　朝議大夫李彤撰。

見《隋志》。今存馬國翰、黃奭輯本。

單行字四卷　李彤撰。

見《七錄》。《文選·羽獵賦》注引存，云："礜崟，高大貌。青

熒，光明貌。"

字偶五卷　李彤撰。

見《七録》。元案郭忠恕《汗简》引有李彤《集字》，又彤《字
畧》，《文選》各注引彤《字説》，《御覽》二十二、又九百十五引
彤《四部》，《七録》、《隋志》並無其目，當即上三種異名。

字林七卷　弦令任城吕忱伯雍撰。

本《隋志》。《舊唐志》作"十卷"，陳《録》、《宋志》、《通考》均五
卷。元案《後魏書·江式傳》作"六卷"，云"義陽典祠令任城
吕忱"，不言"弦令"，《魏書·地理志》"東萊國有惣縣"，《隋
志》作"弦令"，疑即"惣"字缺誤。又唐張懷瓘《書斷》云：[①]"忱
字伯雍，撰《字林》，二千八百餘字。"書佚，今存任大椿輯本
《字林考逸》八卷。

要用字苑一卷　葛洪撰。

見唐新舊《志》。《元和姓纂》二十七删顔姓條引作"葛洪《要
字》"。今存馬國翰輯本一卷。

常用字訓一卷　殷仲堪撰。

見《七録》。元案《顔氏家訓·書證篇》云："殷仲堪《常用字
訓》亦引服虔俗説。"

韻集六卷　安復令任城吕静撰。

本《隋志》。唐新舊《志》作"五卷"。元案《魏書·江式傳》云：
"晉吕忱弟静别放故左校令李登《聲類》之法，作《韻集》五卷，
宫、商、羽、徵、羽各爲一篇。"據此，唐新舊《志》作五卷亦合，
《隋志》六卷，殆多一《録》。今存馬國翰輯本一卷。

文字音七卷　蕩昌長王延撰。

本《隋志》。唐新舊《志》作"雜文字音"，卷同。元案本書《王

---

①　"懷瓘"原誤作"瓌"。

延傳》："字延元，西河人，年六十方仕劉聰，官至金紫光禄大
夫。"不言爲蕩昌長。又《世説·規箴篇》注引《王氏譜》："緒
字仲業，太原人。祖延。"名同籍異，其人未知孰是。

翻真語三卷　王延撰。

見《七録》。

纂文三卷　王延撰。

見《七録》。元案《御覽》引《纂文》甚多，係宋何承天撰，並非
延書。《新唐志》有何承天《纂文》三卷。

四體書勢一卷　長水校尉河東衛恒巨山撰。

見《隋志》。今存。恒有傳。

太上章　前燕慕容皝撰。

見皝載記，云："親造《太上章》，以代《急就》。"

右小學二十八部，凡一百十卷，無卷數者一家。

《爾雅》注家，《釋文·序録》獨稱郭氏景純洽聞強識，詳悉古
今。今讀其書，信非虛美。《説文》成於許慎，吕忱《字林》，十
四篇之坿庸也。四聲分於沈約，吕静《韻集》，五音之遺響也。
全書雖佚，輯本具存，今可考見。獨惜有晉一代，胡亂中邦，
華言不通，夷語雜出，古昔先王同文之化，至此始異聲音之
理。微哉！識者於以覘世變矣。録小學凡十六家，以殿經部
之末。

補晉書藝方志卷一終

　　　　　　　　　　　　弟子東安席闓運校字

補晉書藝文志卷第二

善化黃逢元木父撰

乙部史録,十三家,三百二十一部,四千五百八十九卷,無卷
數者一百四十八家。

正史類一　　　　　編年類二
雜史類三　　　　　偽史類四
起居注類五　　　　舊事類六
職官類七　　　　　儀注類八
刑法類九　　　　　雜傳類十
地理類十一　　　　譜系類十二
簿録類十三

漢書集注十三卷　尚書郎河南晉灼子盛撰。

本《隋志》。唐新舊《志》十四卷。元案顏師古《漢書序例》云:
"《漢書》舊無注解,至典午,爰有晉灼,集爲一部,凡十四卷,
號曰《漢書集注》。"今顏注引"晉灼曰",即是書。

漢書音義十七卷　晉灼撰。

本《新唐志》。宋高似孫《史略》:"七卷,灼《音》散存《漢
書》注。"

漢書集解音義二十四卷　臣瓚撰。

見《漢書序例》,云:"臣瓚,莫知氏族,考其時代,亦在晉初,總
集諸家音義,凡二十四卷,分爲兩帙。今之《集解音義》則是
其書,而後人見者不知臣瓚所作,乃謂之應劭等《集解》。王

氏《七志》、阮氏《七録》，並題云然，斯不審耳。"据此，《隋志》有《漢書集解音義》二十四卷，注云"應劭撰"，即瓚書，顏謂"應劭等《集解》"，是《隋志》脱一"等"字。臣瓚姓氏，酈道元《水經注》作"薛瓚"。劉孝標《類苑》作"于瓚"，劉昭《注漢志注補》、①杜佑《通典》同。司馬貞《史記索隱》作"傅瓚"，_{《集解·序》注曰："《穆天子傳·目録》云：'傅瓚爲校書郎，與荀勖同校《穆天子傳》。'稱臣者，職典校書故也。"}李善《文選注》同。_{《嘯賦》注："傅瓚曰：'沙土曰幕。'"《洛神賦》注："傅瓚曰：'瀨，湍也。'"}綜舉各説，《索隱》爲近，而《選注》又其的證。瓚《音》，据顏説，蔡謨已全取一部散入《漢書》。

漢書叙傳五卷　　項岱注。

見《隋志》，誤題"岱撰"，《舊唐志》誤同。《新唐志》八卷，《玉海》作"項岱注《漢書叙傳》五卷"，据以改題岱注。元案《文選·答賓戲》注、《史述贊》注五引"項岱曰"，又《史記·高祖本紀》索隱引"項岱云"，即是書。顏注《漢書·序傳》，《賓戲》、《述贊》不引岱注，故《序例》無岱名。又《續漢·祭祀志》上，建武三十年，宜封禪泰山，注引"項威注曰"，"威"字疑"岱"之譌。

漢書駁議二卷　　安北將軍高平劉寶道真撰。

本《隋志》。唐新舊《志》"議"作"義"。《漢書序例》云："劉寶字道真，高平人，晋中書郎、河内太守、御史中丞、太子中庶子、吏部郎、安北將軍。"注云："侍皇太子講《漢書》，別有《駁義》。"元案宋祁《漢書校説》引景祐余靖校本云："劉寶字道宇，高平人，晋吏部侍郎。餘無説。"官爵及字，與《序例》稍異。靖云"餘無説"者，是《駁義》一書外，再無他説，以釋顏注

---

① 《二十五史補編》本同。當作"續漢志注補"。

"別有"二字之疑。《史記·高祖本紀》索隱引"晋劉寶云",①
當即《駁義》。

後漢記六十五卷　散騎常侍沛郡薛瑩道言撰。

本《隋志》,注云:"本一百卷,梁有,今殘缺。"《新唐志》復作百
卷。今存姚之駰輯本一卷,又黄奭《漢學堂叢書》輯存。瑩,
《吴志》薛綜坿傳。

續漢書八十三卷　祕書監高陽司馬彪紹統撰。

本《隋志》。《舊唐志》卷同,作"後漢書",《新唐志》又云"《録》
一卷"。元案彪書紀、傳均佚,惟存八志,梁剡令劉昭注范書,
闕志。宋真宗乾興元年,孫奭誤以彪志爲昭自作,奏請合刻,
與范書同爲一部。其紀、傳之佚者,姚之駰輯存一卷。彪
有傳。

後漢書十七卷　少府卿平原華嶠叔駿撰。

本《隋志》,注云:"本九十七卷,今殘缺。"唐新舊《志》作"三十
一卷"。今存姚之駰輯本一卷,又黄奭《漢學堂叢書》輯存。
嶠,本書華表坿傳。

又　八十五卷　謝沉撰。

本《隋志》,注云:"本一百二十二卷。"唐新舊《志》作"一百二
卷",沉本傳云百卷。今存姚之駰輯本一卷,又黄奭《漢學
叢書》輯存。

又　九十五卷　祕書監陳郡袁崧山松撰。

本《隋志》,注云:"本一百卷。"《舊唐志》作"百二卷",《新唐
志》作"百卷",又《録》一卷。山松,本書袁瓌坿傳,云:"著《後
漢書》百篇。"今存姚之駰輯本一卷,又黄奭《漢學堂叢書》輯
存。元案《通鑑·晋紀》作"吴國内史袁崧",崧即其名,《晋

————————

① "高"下原脱"祖"字,據《二十五史補編》本補。

書》本傳作"山松"，當以字行，名從畧，故《隋志》題云"山松"。又《書鈔》五十二及一百六、《晋書·謝混傳》均作"袁崧"。

後漢南記四十五卷 <small>江州從事張瑩撰。</small>

本《隋志》，注云："本五十五卷，今殘缺。"唐新舊《志》作"《南漢紀》十八卷"。元案《世説·言語》、《文學篇》注，《初學記》七、又十七、又二十四，《文選》四十九注，《御覽》三百四三、又三百五二，均引作"漢南記"，《書鈔》各部引同，惟卷十一引作"漢南"二字。

後漢書外傳十卷 <small>謝沉撰。</small>

本《舊唐志》。《新唐志》作"外傳"，無"後漢書"三字，卷同。

魏書四十八卷 <small>司空太原王沉處道撰。</small>

本《隋志》。《新唐志》作"四十七卷"，《史通·外篇》云"四十卷"。沉有傳，云："正光中，與荀顗、阮籍共撰《魏書》，多爲時諱。"元案是書《魏志》注、《書鈔》、《初學記》、《御覽》屢引。

三國志六十五卷　序錄一卷 <small>太子中庶子巴西陳壽承祚撰。</small>

《隋志》、《新唐志》均入正史，卷同。《舊唐志》、《魏志》三十卷，入正史；《蜀志》十五卷、《吳志》二十一卷，入編年。壽有傳，云"六十五篇"。今存。

晋書八十六卷 <small>著作郎陳郡王隱處叔撰。</small>

本《隋志》，注云："本九十三卷，今殘缺。"唐新舊《志》作"八十九卷"。《世説》各篇注、《書鈔》、《初學記》、《類聚》、《御覽》、《春秋正義》屢引存，惟《御覽》目別引隱書《處士傳》。畢沅輯存隱書《地道記》一卷。元案今《晋書》多襲隱書。隱有傳。

又　二十六卷 <small>散騎常侍會稽虞預叔寧撰。</small>

本《隋志》，注云："本四十四卷，訖明帝，今殘缺。"唐新舊《志》作"五十八卷"。預有傳，云"四十餘卷"。《文選》三十八注引作"晋錄"。今存黃奭輯本一卷。

又　十卷　<small>中書郎晋陵朱鳳撰。</small>

本《隋志》，注云："訖元帝，未成，本十四卷，今殘缺。"新舊《唐志》復作"十四卷"。今存黃奭輯本，凡八事。元案《初學記》十二引《晋中興書》云："華譚爲祕書監，時晋陵朱鳳、吳郡吳震二人，並有史才，譚薦補著作佐郎。"

又　三十卷　<small>謝沉撰。</small>

見沉傳，云："撰《晋書》三十餘卷。"元案《書鈔》五十七引《晋中興書》云："沉作《晋書》三十卷。"《史畧》卷同。

漢書注　<small>齊恭撰。</small>

見《元和姓纂》三齊姓條，云："晋有齊恭注《漢書》。"

漢書注　<small>郭璞撰。</small>

見《漢書·序例》，云："止注《相如傳序》及游獵詩賦。"

漢書集解　<small>蔡謨撰。</small>

見謨傳，云："總應劭以來注班固《漢書》者，爲之集解。"顏師古曰："蔡謨全取臣瓚一部散入《漢書》，自此以來，始有注本。"元案《漢書》注有"蔡謨曰"，是謨亦有自注。

漢書音義　<small>項岱撰。</small>

見《文選》十七《文賦》注，引《漢書音義》項岱曰："殿，負也。最，善也。"

補東觀漢記　<small>蜀郡太守廣漢王崇幼遠撰。</small>

《史通·史官篇》云："案《蜀志》稱王崇補《東觀》。"元案《蜀志》無此稱，崇見《華陽國志·後賢志·王化傳》，蜀時官東觀郎，撰《蜀書》，亦不言補《東觀漢記》，劉説疑出王隱《蜀記》。

蜀書　<small>王崇撰。</small>

詳上。

魏書　<small>散騎常侍譙國夏侯湛孝若撰。</small>

見《魏志》各注。元案本書《陳壽傳》云："湛著《魏書》，見壽所作，便壞己書而罷。"裴注引之，當時已有傳本。湛有傳。

吳書　平西將軍義興周處子隱撰。

見處本傳。

晋書　束晳撰。

見晳傳，撰《晋書》帝紀、十志。《史畧》引劉軻《太史公史筆姓氏》云："《晋洛京史》，有若陸機、束晳、王銓。"[1]機有《晋紀》四卷。銓，王隱父，隱傳云："録晋事及功臣行狀，未就而卒。"

晋洛京史　歷陽令陳郡王銓撰。

詳上。

右正史一十八部，凡七百二十七卷，無卷數者十家。

《隋志》以遷書冠正史，徐廣有《史記音義》，凡十三卷，本志斷代爲書，限於例不録。《漢書》注本孤行，總而集之，自晋灼始。音亦別出，散而入之，自蔡謨始。司馬彪《續漢》紀、傳亡佚，獨八志存。自彪以後，作者踵繼，推其所長，華氏居最。陳壽《國志》，高簡有法，亦馬、班之亞。惟王沉《魏書》，則辭爲時諱，曲筆也。《晋書》撰自當代，有卷目存諸史志者，五家而已。考其得失，王隱續父以成篇，不免蕪蔓；虞預竊隱而竟業，遂至傾凌，《史通》譏之。兹準朝代，依類編次，以備正史。

後漢紀三十卷　張璠撰。

《隋志》列古史，唐新舊《志》列編年。今存黃奭《漢學堂叢書》輯本。

又　三十卷　袁宏撰。

《隋志》列古史，題云"彥伯撰"。《舊唐志》列編年。今存。

獻帝春秋十卷　廣陵袁曄思光撰。

《隋志》列古史，唐新舊《志》列編年，多一"漢"字，均次晋。

---

① "機"原誤作"襪"，據《二十五史補編》本改正。

《續漢・五行志》、《百官志》注,《水經・濁漳水》注,《文選・西征賦》、《與陳伯之書》注,《魏國志》注,《書鈔》二十一、又一百一十五,《御覽》九十二均引存。曄,見《吳志・陸瑁傳》,云"廣陵袁迪",注云:"迪孫曄字思光,作《獻帝春秋》。"

魏氏春秋二十卷　祕書監太原孫盛安道撰。

《隋志》列古史,唐新舊《志》列編年,"魏氏"均謁作"魏武"。《荊楚歲時記》六月伏日條案語、《水經・渭水》注、《續漢書・志》注、《書鈔》、《初學記》、《御覽》屢引存,又屢引盛《魏氏春秋評》,或即是書紀傳後評語。盛有傳。

魏紀十二卷　左將軍燉煌陰澹撰。

《隋志》列古史,唐新舊《志》列編年,均謁作"魏澹",《新志》"紀"作"記"。元案《書鈔》七十三引王隱《晉書》云:"陰澹,州請爲治中從事。"又《十六國春秋・前涼錄》云:"澹,燉煌人,官至督護參軍、武威太守。"又本書《張軌傳》云:"陰澹爲股肱謀主。"《隱逸・索襲傳》有燉煌太守陰澹,均與《隋志》題作"左將軍"不同。澹書,《魏志・陳思王傳》注引存。

魏武本紀四卷　榮陽太守襄陽習鑿齒彥威撰。

本《新唐志》。《舊志》三卷,無撰人。《隋志》列古史,亦無撰人,注云:"梁并《曆》五卷。"鑿齒有傳。

漢晉陽秋四十七卷　習鑿齒撰。

《隋志》列古史,注云:"訖愍帝。"唐新舊《志》列編年。本傳作"《漢晉春秋》五十四卷"。元案"春秋"作"陽秋"者,晉避簡文母后諱也,簡文宣鄭太后諱阿春。他書作"陽秋"者同。鑿齒書,今存黃奭輯本。

吳紀九卷　環濟撰。

《隋志》列正史。唐新舊《志》十卷,均列編年。《史畧》卷同。元案《通志・校讐畧》曰:"《吳紀》九卷,《唐志》類於編年,是;

《隋志》類於正史，非。"是書《吳志》各注，《宋書·禮志》，《世說·政事》、《雅量》、《品藻》、《規箴》、《排調》各篇注，《初學記》六，《御覽》書目均引存。《御覽》九百二十五引作"環氏《吳紀》"。

晉紀二十三卷　干寶撰。

《隋志》列古史，注云："訖愍帝。"唐新舊《志》二十二卷，列編年。《新志》正史類有寶《晉書》二十二卷，自是複誤，《史畧》誤同。本《志》正史類不錄是書。寶本傳云："自宣帝迄於愍帝，五十三年，凡二十卷。"今存黃奭輯本。元案《南史·文學傳》，劉昭伯父肜集衆家《晉書》注、干寶《晉紀》爲四十卷。兩《唐志》又有劉協《注干寶晉紀》六十卷。

又　十卷　前軍諮議曹嘉之撰。

《隋志》列古史，新、舊《唐志》列編年。《世説·方正》、《賞譽篇》注，《文選·思舊賦》、《五君詠》、阮嗣宗《勸進表》、張華《女史箴》各注，《初學記》十一，《書鈔》五十七、又一百十一，《御覽》十三、又一百八十七、又五百八十一，均引存。《魏志·楚王彪傳》"彪子嘉"注引王隱《晉書》云："嘉入晉，官東莞太守。"當即嘉之。

又　十一卷　荆州別駕長沙鄧粲撰。

《隋志》列古史，注云："訖明帝。"新、舊《唐志》列編年。今存黃奭輯本。粲有傳，云："著《元明紀》十篇。"是書即《元明紀》，篇即卷。《隋志》作"十一卷"者，或加《錄》一卷。劉勰《文心雕龍·史傳篇》云："《春秋》經傳，舉例發凡，自《史》、《漢》以下，莫有準的。至鄧粲《晉紀》，始立條例。"又《晉書》列傳五十二史臣論云："鄧粲、謝沉，祖述前史，葺宇重軒之下，施牀連榻之上，奇詞異義，罕見稱焉。"

晉陽秋三十二卷　孫盛撰。

《隋志》列古史,注云:"訖哀帝。"《新唐志》列編年,二十二卷。《宋志》作"《晋陽春秋》三十卷","春"字誤增。盛本傳云:"《陽秋》直書枋頭事,桓温請删改,盛不可,子遂私改。太和中,得別本於遼東,考校多不同,書遂兩行。"今存黄奭《漢學堂》輯本。

又　二十二卷　鄧粲撰。

見《舊唐志》。《新唐志》作"三十二卷",即次粲《晋紀》十一卷下。元案是書《隋志》、粲本傳均不著録。《隋志》有孫盛《晋陽秋》三十二卷,《舊唐志》未見,疑是書即孫盛所撰之《陽秋》,誤題粲名,《新志》承之。作"三十二卷"者,盛書本三十二卷,《舊志》古本當亦三十二卷,今本字畫脱誤,作"二十二卷"。

隆安紀二卷　國子博士陳郡周祇穎文撰。[①]

本《舊唐志》,列編年,《新志》列雜史,"隆"字均作"崇"。《書鈔》九引作"龍安記",皆避明皇諱也。《世説·德行》、《文學》、《任誕》、《排調》、《尤悔》各篇注引存,作"隆安記"。《類聚》三十八引周祇《祭梁鴻文》云:"晋隆安四年,陳郡周穎文。"知祇字穎文,陳郡人。書名隆安,安帝年號。

周紀　大將軍參軍太原王倫太沖撰。

見《世説·排調篇》注。

三國陽秋　孫盛撰。

見《書鈔》五十七引《晋中興書》,云:"盛居史官,乃著《三國》、《晋陽秋》。"《初學記》十二引同,云:"著《三國陽秋》。"無"晋"字。

蜀本紀　譙周撰。

---

① "穎"原誤作"穎",據《二十五史補編》本改。

見《蜀志·秦宓傳》注。又《書鈔》一百六引作"蜀王本紀"。

晉陽秋　庾翼撰。

見明吳永《續百川學海》,輯存七事。

右編年十四部,凡二百六十二卷,無卷數者四家。

張璠以編年之體紀述後漢,踵而益之,復有袁宏,璠書佚而宏撰存,《史通》以配蔚宗,冠諸晉代。《春秋》者,經體之史,史體之編年,袁曄、孫盛、習鑿齒比而儗之,僭矣。然習氏帝蜀,其識量已度越承祚,盛能直書枋頭之事,有古董狐風,亦其卓卓者;干寶書則簡畧,直而能婉,尤爲良史。陸機三祖之紀,劉氏知幾曰:"年既不編,何紀之有?"《唐志》類此,茲据劉説出置雜史,錄編年篇。

周書八卷　孔晁注。

見新、舊《唐志》。《宋志》入經類之書類,作"《汲冢周書》十卷",注云:"晉太康中,於汲郡得之。孔晁注。"元案《周書》不出汲冢,有《束皙傳》可證,王伯原已辨正。今存,題作"《逸周書》孔晁注十卷"。

古史考二十五卷　譙周撰。

《隋志》列正史,新、舊《唐志》列雜史。本書《司馬彪傳》作"二十五篇"。《史畧》云:"古書有《周考》七十六篇。"顏師古曰:"考周事也。"譙之名蓋取此。章宗源輯存一卷,收入《平津館叢書》。

古國志五十篇　陳壽撰。

見壽本傳。又《華陽國志·後賢志》。

春秋時國語十卷　孔衍撰。

見《新唐志》。

春秋後國語十卷　孔衍撰。

本《新唐志》。《宋志》列別史。今存黃奭輯本,有盧藏用注。

春秋後傳三十一卷　著作郎魯國樂資撰。

　　本《隋志》。《史通》作“三十卷”，新、舊《唐志》同。今存黃奭
　　輯本一卷。

吳越春秋削繁五卷　楊方撰。

　　本《隋志》。新、舊《唐志》卷同，“繁”作“煩”。《崇目》云：“趙
　　曄爲《吳越春秋》十二卷，其後有楊方者，以曄所撰爲繁，又刊
　　削之爲五卷。”

漢尚書十卷　孔衍撰。

　　見新、舊《唐志》。

後漢尚書八卷　孔衍撰。

　　本《隋志》。新、舊《唐志》六卷。

魏尚書十卷　孔衍撰。

　　本《七錄》。《隋志》存八卷。《新唐志》作“《後魏尚書》十四
　　卷”，“後”字誤增。《史通》曰：“孔衍刪漢魏諸史，取其美詞典
　　言足爲龜鏡者，定以篇第，纂成一家，由是有《漢尚書》、《後漢
　　尚書》、《魏尚書》，凡爲二十六卷。”

漢春秋十卷　孔衍撰。

　　見新、舊《唐志》。《後漢書·明帝紀》注引存。

後漢春秋六卷　孔衍撰。

　　見新、舊《唐志》。

漢魏春秋九卷　孔衍撰。

　　《隋志》列古史，題云：“孔舒元撰。”舒元，衍字，《魏志·武帝
　　志》注、《楚王彪傳》注，《蜀志·先主傳》注、《黃權傳》、《劉璋
　　傳》注，《文選·三國名臣贊》注，《書鈔》四十八，《御覽》四百
　　三十六、又四百四十、又四百六十二，均引存。“孔衍”或作
　　“孔演”，因《七錄》避梁武帝諱也。

後魏春秋九卷　孔衍撰。

見新、舊《唐志》。《闕里文獻考》三十一《孔氏著述門》作“魏
春秋”。元案是書當即《隋志》之《漢魏春秋》九卷複出，“後”
字亦衍誤。

九州春秋十卷　　司馬彪撰。

本《隋志》，注云：“記漢末事。”新、舊《唐志》作“九卷”。《宋
志》列霸史，作“九卷”，又列別史，作“十卷”。《史畧》有《九州
春秋鈔》一卷，題云彪撰，劉孝標注。又見《通志》，止云孝標
注，當係劉氏節錄是書注之，故一卷。今存黃奭輯本。

帝王世紀十卷　　皇甫謐撰。

本《隋志》，注云：“起三皇，盡漢魏。”新、舊《唐志》避“世”字諱
作“代紀”，卷同。《宋志》九卷，列編年。元案《尚書·堯典》
正義曰：“《晋書·皇甫謐傳》云：‘姑子外弟梁柳得《古文尚
書》，故作《帝王世紀》。’”考今《晋書》謐傳無此文，當是舊《晋
書》。《後魏書·元延明傳》云：“延明注《帝王世紀》。”今存宋
翔鳳輯本一卷。

帝王要畧十二卷　　環濟撰。

本《隋志》，注云：“紀帝王及天官、地理、喪服。”新、舊《唐志》
作“畧要”。《隋志》經部禮類有濟《喪服要畧》一卷，即是書十
二卷之一分篇別出。今存馬國翰輯本一卷。

後漢雜事十卷　　司馬彪撰。

見《新唐志》。

山陽公載記十卷　　樂資撰。

本《隋志》。新、舊《唐志》卷同，均列編年。《魏志·武帝紀》
注、《袁紹傳》注、《蜀志·馬超傳》注、《文選·籍田賦》注、《恨
賦》注引存。

吳錄三十卷　　尚書郎敦煌張勃撰。

本《新唐志》。《隋志》注引《七錄》列正史。元案《書鈔》六十

八云："勃,尚書郎。"据本書《索靖傳》,知勃爲敦煌人。又《史記·伍子胥傳》索隱云："張勃,晋人,吳鴻臚儼之子,作《吳録》。"《蜀志·龐統傳》注、《書鈔》七十九、《初學記》七、《類聚》八十八、《文選·江賦》注均引存。書本有志,總稱曰録,《水經注》、《書鈔》、《選注》、《御覽》又間引《吳録·地理志》可證。《世説·賞譽篇》注引《吳録·士林》,當亦《録》中之一篇,或即儒林別名。

江表傳五卷　虞溥撰。

《舊唐志》列雜史,《新唐志》列雜史,又列雜傳,作"三卷"。溥傳云："溥子勃過江,上《江表傳》於元帝,詔藏於秘府。"《三國志》注、《書鈔》、《類聚》、《初學記》、《御覽》屢引。

魏陽秋異同八卷　孫盛撰。

見唐新舊《志》,撰人作"孫壽",《史畧》作"陳壽"。元案是書据《魏志·武帝紀》注引有孫盛《異同雜語》,又引孫盛《異同評》,書當孫盛撰。他傳注或引作盛《雜事》、盛《雜記》,皆是書篇名,小異。唐新舊《志》"孫盛"譌作"孫壽",而《史畧》又譌作"陳壽",陳壽無撰《魏陽秋異同》之證,孫壽亦無可考。章宗源《隋經籍志考證》定爲孫盛,本《志》從之。

晋紀四卷　陸機撰。

《隋志》列古史。新、舊《唐志》作"晋帝紀",列編年。元案《史通·本紀篇》云："陸機《晋書》,列紀三祖,直序其事,①竟不編年。年既不編,何紀之有?"本《志》據劉説入此。黃奭《漢學堂》輯存四事,題云《晋書》。

晋諸公讚二十一卷　祕書丞北地傅暢世道撰。

本《隋志》。唐新舊《志》二十二卷。暢,本書傅玄坿傳,作"序

————————

① "事"原誤作"序",據上海古籍出版社點校本《史通通釋》改正。

讚"。《水經·榖水》注作"傅暢《晋書》"，《左傳》莊公正義作
"晋語諸公讚"，"語"字當是誤增。今存黄奭輯本。

魏晋世語十卷　<small>襄陽令郭頒長公撰。</small>

本《隋志》。唐新舊《志》避"世"字諱作"代"。元案《魏志·高
貴鄉公傳》注案云："頒撰《世語》，蹇乏全無宫商，最爲鄙劣，
以時有異事，故頗行於世。干寶、孫盛等多采其言以爲《晋
書》。"《初學記》五引作"魏晋俗語"，避"世"字諱作"俗"也。
《水經注》屢引，稱"郭頒《世語》"，惟《溳水》注引作"郭長公
《世語》"，知頒字長公。

拾遺録三卷　<small>僞秦姚萇方士隴西王嘉子年撰。</small>

本《隋志》，列雜史，唐新舊《志》同。《通考》作"十卷"，列子部
小説，《宋志》同。嘉，《藝術》有傳。本作十卷，今存梁蕭綺綴
定本之十卷，題作《拾遺記》。

年曆六卷　<small>皇甫謐撰。</small>

見新、舊《唐志》。今存馬國翰輯本一卷。

國志曆五卷　<small>孔衍撰。</small>

見唐新舊《志》。

吴曆六卷　<small>吴郡太守汝南胡沖撰。</small>

本唐新舊《志》。《通志》列編年。元案《吴志·胡綜傳》："綜，
汝南人。子沖，天紀中中書令。"注引《吴録》云："沖後仕晋尚
書郎、吴郡太守。"裴注屢引。《後漢·袁術傳》注，《文選·奏
彈曹景宗》注，《辨亡論》注，《御覽》卷一百十八、又四百六十
七、又六百六、又八百十九均引存。

晋曆二卷

見新、舊《唐志》。

汲冢書鈔一卷　<small>束晳撰。</small>

馬國翰輯存本。

史記鈔十四卷 葛洪撰。

本《隋志》。《史畧》十五卷。

漢書鈔三十卷 葛洪撰。

見《隋志》。

後漢書鈔三十卷 葛洪撰。

見新、舊《唐志》。

周載八卷 臨賀太守孟儀撰。

本《隋志》，注云："畧記前代，下至秦。本三十卷，今亡。"《舊
唐志》復作"三十卷"，誤題"孟儀注"，《新志》同。《初學記》十
七、《御覽》四百六十二引存，四百七十八又引作"儀周載"。
元案陸游《南唐書·徐鍇傳》："後主嘗得《周載齊職儀》，江東
初無此書，人無知者，以訪鍇，一一條對。"是儀書五代時猶
存，故《御覽》引入。

删補蜀記七卷 王隱撰。

見唐新舊《志》。《三國志》注屢引，無"删補"二字。

晉後畧記五卷 司空從事中郎潁川荀綽彥舒撰。

本《隋志》。《舊唐志》作"畧記"，《新唐志》無"記"字，卷同。
《宋志》作"《晉畧》九卷"，列史鈔類。綽坿《荀勖傳》，云："撰
《晉後書》十五篇。"黃奭《漢學堂叢書》輯存九事。

史記正傳九卷 張瑩撰。

見《隋志》。《史畧》曰："張瑩《史記正傳》九卷，蓋瑩所自作。"
據高說，瑩書是史評之類。《史記集解》引"張瑩曰"，即是書。

史要三十八卷 尚書郎太原王延秀撰。

見《舊唐志》雜傳類，次張瑩《史記正傳》下、王蔑《史漢集要》
上。《新唐志》二十八卷，"延秀"誤作"廷秀"。元案《隋志》子
部雜家有《感應傳》八卷，題云"晉尚書郎王延秀撰"。又梁釋
慧皎《高僧傳·序》云"太原王延秀"。宋有王延秀，官祠部

郎,見《宋書·禮志》三,當別一人。

史漢集要二卷　祠部郎王蔑撰。

見《隋志》,注云:"鈔《史記》,入《春秋》者不録。"元案《隋志》集部引《七録》有《王蔑集》五卷,官題郡主簿。

三國志序評三卷　著作佐郎高堂王濤茂堂撰。

本《新唐志》。《隋志》注引《七録》列正史。濤坿《王鑒傳》,云:"歷著作郎、無錫令。"

論三國志九卷　常侍宣城何琦萬倫撰。

見《隋志》,列正史,題"何常侍撰",缺名。元案《孝友·何琦傳》云:"公車再徵琦通直散騎常侍,不行。"又云:"著《三國志評論》。"是書《隋志》題作"何常侍",以傳證之,知爲琦撰。

七代通記　束皙撰。

見皙傳。

條列吳事　薛瑩撰。

見《初學記》十一,又《御覽》二百二十。

條古史考事　司馬彪撰。

見彪傳,云:"譙周作《古史考》,彪條《古史考》中凡百二十二事爲不當,多據《汲冢紀年》之義。"

魏世籍　孫盛撰。

見《魏志·齊王芳紀》注。

魏晉紀傳　佐著作郎平原華暢撰。

見華表坿傳,云:"華嶠所撰書《十典》未成,繆徵奏嶠少子暢成《十典》,并草《魏晉紀傳》。"

右雜史四十二部,凡五百九卷,無卷數者五家。

晉好儗古,故有《國語》。尤好儗經,既有《春秋》,復有《尚書》之目,貌同心異,實去名存,司馬彪、皇甫謐、孔衍諸人先後爲之,今録其書,均之僭也。春秋吳楚之誅,罪可勝言哉?世紀、年曆及鈔評之屬，是皆雜史，并坿諸末，以備於篇。

漢趙記十卷　劉曜時諫議大夫和苞撰。

本《隋志》。《舊唐志》卷同，列編年。《新唐志》"記"作"紀"，十四卷。《宋志》一卷。《史通·正史篇》作"十篇"，云："事止當年，不終曜滅。"《史畧》作"《趙漢書》十卷"。《劉曜載記》："和苞，封平輿子，領諫議大夫。"

趙書十卷　僞燕太傅長史田融撰。

本《隋志》，注云："一曰《二石集》，記石勒事。"新、舊《唐志》有田融《趙石記》二十卷，又有田融《二石記》二十卷，當即是書，卷數誤增而又複出。《史通·雜説》："注田融《趙書》，謂勒爲前石，虎爲後石。"據此，注云"記石勒事"，當脱"石虎"二字。《書鈔》、《御覽》屢引。《高僧·竺佛圖澄傳》引作"田融《趙記》"。

二石僞治時事二卷　北中郎參軍太原王度撰。

本《隋志》。新、舊《唐志》作"《二石僞事》六卷"，云："王度、隋翻等撰。"元案《隋志》史部地理有晋國子助教陸翻《鄴中記》二卷，"隋"字即"陸"之譌。《舊唐志》無翻《鄴中記》，是合併《二石僞事》爲一，故卷數增多而《新志》承之。《新志》地理有《鄴中記》。嚴可均《全晋文》目云："度，太原人。"是書《書鈔》、《御覽》屢引。

二石傳二卷　王度撰。

本《隋志》。《新唐志》作"《二石書》十卷"，撰人作"王度、隋翻"。

漢之書十卷　參軍江原常璩道將撰。

本《隋志》。《舊唐志》作"《蜀李書》九卷"。《新唐志》承《隋志》録《漢之書》，又承《舊志》録《蜀李書》九卷，複誤，《史畧》、《通志》同。元案《顏氏家訓·書證篇》云："《蜀李書》，一名

《漢之書》。”《史通·正史篇》云：“蜀初號成，後改爲漢，璩撰《漢書》十卷，①入晋秘閣，改爲《蜀李書》。”《釋文·序録》、《御覽》各部均引存，作“蜀李書”。璩，李勢時官散騎常侍，仕晋爲參軍。見《桓温傳》。

華陽國志十二卷　　常璩撰。

本《隋志》。《舊唐志》三卷，《新唐志》十三卷，《宋志》霸史類作“十二卷”，別史類作“十一卷”。今璩書備存，《舊志》作“三卷”，當脱漏“十”字。《史通》曰：“璩撰《華陽國志》，具記李氏興滅。”今考本書，不專記李氏一姓，《宋志》互見別史以此。

南燕録六卷　　偽燕中書令趙郡王景暉撰。

見《隋志》，注云：“記慕容德事。”元案《史通·正史篇》云：“趙郡王景暉嘗事德、超，撰《二王起居注》。超亡，仕於馮氏，官中令，撰《南燕録》六卷。”又本書《慕容德載記》云：“會劉藻自姚興而至，與太史令高魯遣其甥王景暉隨藻送玉璽一紐。”即其人。《初學記》六引作“南燕書”。《御覽》屢引，不詳撰人。

又　　五卷　　偽燕尚書郎張詮撰。

本《隋志》，注云：“記慕容德事。”《舊唐志》卷同，作“南燕書”，“詮”誤“鉊”。《新唐志》作“《南燕書》十卷”，“詮”亦誤“鉊”。《初學記》十一、《御覽》四百六十四引存，作“南燕書”。

燕書三十卷　　慕容垂時董統撰。

見《史通·正史篇》，云：“前燕有起居注，杜輔全録以爲《燕紀》。後燕建興元年，董統受詔撰後書，著本紀并佐命功臣、王公列傳，合三十卷。”

秦書八卷　　何仲熙撰。

---

①　“璩”原在“爲漢”上，據上海古籍出版社點校本《史通通釋》及《二十五史補編》本乙正。

見《隋志》，注云："記苻健事。"又見《册府元龜》，次《晉史骨》，
作"三卷"。

苻朝雜記一卷　田融撰。

見《新唐志》。《史骨》作"苻朝記"。

涼國春秋五十卷　張駿時秀才敦煌索綏士艾撰。

見《史通·正史篇》，云："前涼張駿十五年，命西曹邊瀏集内
外事付秀才索綏，作《涼國春秋》五十卷。"《御覽》百二十四引
作"前涼録"。

涼記八卷　偽燕右僕射張諮撰。

本《隋志》，注云："記張軌事。"新、舊《唐志》作"十卷"，《舊志》
誤作"張證"。《世説·言語篇》注引作"涼州記"。"張諮"一
作"張資"。

又　十二卷　張重華時護軍參軍劉慶撰。

見《史通·正史篇》，云："張重華護軍參軍劉慶在東莞專修國
史二十餘年，著《涼記》十二卷。"《晉書·張駿傳》有從事劉慶
諫討辛晏事。

又　十卷　偽涼著作佐郎段龜龍撰。

本《隋志》，注云："記吕光事。"《史通·正史篇》曰："段龜龍記
吕氏。"今存張澍輯本一卷。

西河記二卷　侍御史南昌喻歸撰。

本《隋志》，注云："記張重華事。"新、舊《唐志》誤作"段龜龍
撰"。元案《張重華傳》作"御史俞歸"，《廣韻》"喻"作"諭"。
《元和姓纂》八引《姓苑》云："南昌有喻氏，東晉有喻歸，撰《西
河記》三卷。"今存張澍輯本一卷。

魏國記十卷　魏著作郎安定鄧淵彦海撰。

見《史通·正史篇》，云："元魏史道武時，始令鄧淵著《國記》，
唯有十卷。"又見《魏書》淵傳。又《北史·魏收傳》云："彦海

撰《代記》十餘卷。"元案魏道武時，正當晋孝武太元時，故是
書録入。

大單于志 <small>石勒時參軍石泰等撰。</small>

見《石勒載記》，參軍石泰、石同、石謙、孔隆同撰。

上黨國記 <small>石勒時記室佐明楷程機撰。</small>

見《石勒載記》。又《史通·正史篇》云："後趙石勒命其臣徐
光、宗歷、傅暢、鄭愔撰《上黨國記》、《起居注》、《趙書》，<small>案崔鴻</small>
<small>《後趙録》："徐光字季武，頓邱人。官中書令。"</small>其後又命王蘭、陳宴、程陰、
徐機等相次撰述。"案《石閔載記》有尚書令徐機。《續漢書·郡國志》
注、《書鈔》九十八、《初學記》八引存。《水經·沁水》注引作
"上黨記"，《御覽》五百六十又引作"上黨郡記"。

趙書

見上。

趙漢君臣紀傳 <small>劉聰時太中大夫領左國史公師或撰。</small>

見《史通·正史篇》，云："撰《高祖本紀》及功臣二十人。"元案
《劉淵載記》云："屯留崔懿之、襄陵公師或等皆善相人。"後或
爲劉聰所誅，時正官太中大夫。

秦史 <small>扶風馬僧虔、河東衛景隆撰。</small>

見《史通·正史篇》，云："並著《秦史》，及姚氏之滅，殘缺
者多。"

燕紀 <small>杜輔撰。</small>

見《史通·正史篇》，云："前燕有起居注，杜輔全録以爲《燕
紀》。"

燕記 <small>慕容暐時著作郎清河崔逞叔祖撰。</small>

見《魏書》逞傳，云："慕容暐時，郡舉上計掾，補著作郎撰。逞
仕魏，官至御史中丞。天興初，賜死。"元案魏之天興時，正當
晋安帝隆安時。

燕書　<small>魏寧朔將軍渤海封懿處德撰。</small>

　　見《魏書》懿傳。元案懿事慕容寶，官至民部尚書，是書殆成於此時。懿卒於魏太宗泰常二年，正當晉安帝義熙十三年。

秦書　<small>著作郎董誼撰。</small>

　　見《史通·正史篇》，云："前秦史官，初有趙淵、車敬、梁熙、韋譚相繼著述，苻堅嘗取而觀之，見苟太后幸李威事，怒而焚其本。後著作郎董誼追録舊語，十不存一。"

右僞史十七部，凡一百八十八卷，無卷數者九家。

　　永嘉亂後，國有十六，羣雄竊競，興廢靡常，而元海實爲禍首。元帝再造，江左偏安，秦漢以來，此統一變局。其間各據疆土，自爲政策，君臣上下，亦勤且勞，而録事紀言，史官備具。馬、班以後，是又著作變體，《隋志》曰霸，阮《録》稱僞，《史通·因習》一篇，區以別矣。兹本阮《録》，亦援唐例，録僞史篇，凡追撰在晉後者不入。

穆天子傳六卷　<small>汲冢書。郭璞注。</small>

　　《隋》、《唐志》均列史部起居注類。明《萬卷堂書目》作"五卷"，入子部小説，《四庫目》因之。今存，卷同。元案《束晳傳》云："《穆天子傳》五篇，言周穆王遊行四海，見帝臺西王母。"又姚首源《古今僞書考》云："《穆天子傳》稱璞注者，蓋即取璞所注《山海經》以移入之，故因謂璞注也。"

秦始起居注二十卷　<small>李軌撰。</small>

　　見《隋志》。《蜀志·諸葛瞻傳》注，《初學記》十，《類聚》八十六，《御覽》二十九、又一百四五、又九百七十均引存。

咸寧起居注十卷　<small>李軌撰。</small>

　　本《隋志》。《新唐志》二十二卷。《類聚》六十九，《初學記》二十六，《書鈔》一百二九，《御覽》六百九四、又六百九九引存。

太康起居注二十九卷　<small>李軌撰。</small>

本《隋志》。新、舊《唐志》二十二卷。《南齊書·州郡志》,《初學記》十一、又十二、又二七,《書鈔》五七、又六二,《御覽》目引作"晉武太康起居注"。又卷二百十五、又二百三十二均引存。

惠帝起居注二卷　<small>陸機撰。</small>

見《七録》,不著撰人。元案《宋書·蔡廓傳》傅亮《與蔡廓書》引陸士衡《起居注》,又《魏志·張燕》、《裴潛傳》注引陸機《惠帝起居注》,據此補題機撰。又《世説·言語》、《文學》、《賞譽》各篇注均引《惠帝起居注》,不著撰人。黃奭《漢學堂叢書》輯存十二事。

永平起居注八卷　<small>李軌撰。</small>

見《新唐志》。《御覽》二百一引《晉起居注》惠帝永平元年詔,當即是書。

元康起居注一卷

見《隋志》。《書鈔》四十八、《初學記》二十九引《晉起居注》元康元年詔,當即是書。元案《惠帝紀》永熙二年正月改爲永平元年,三月壬辰又大赦改元,是即元康,今《晉書》帝紀缺載"元康"二字。

永平元康永寧起居注六卷

見《七録》。

永嘉建興起居注十三卷

見《七録》。

愍帝起居注三十卷　<small>李軌撰。</small>

見《舊唐志》。

建武太興永昌起居注二十卷

本《七録》。《隋志》存九卷,新、舊《唐志》二十二卷。《御覽》七百九引《建武起居注》,《初學記》十,《御覽》一百四九、又二

百二四、又二百三四引《太興起居注》,《書鈔》一百三十引《永
昌起居注》,《御覽》六百八一同。

太寧起居注十卷

見《通志》。元案《御覽》五百二十七引《晉起居注》明帝太寧
三年事,當即是書。

咸和起居注十六卷　　李軌撰。

本《隋志》。新、舊《唐志》十八卷。

咸康起居注二十二卷　　李軌撰。

本《舊唐志》。《隋志》卷同,不著撰人。《書鈔》四,《類聚》七
十三、又八十五、又八十九,《御覽》十六、又二十九、又二百二
四、又七百五九、又七百六十均引存。

建元起居注四卷

見《隋志》。元案建元,康帝年號。《書鈔》五十九、《御覽》二
百十二引《康帝起居注》,當即是書。

永和起居注二十四卷

本《七錄》。《隋志》存十七卷,新、舊《唐志》復作"二十四卷"。
《初學記》十七,《御覽》二十九、又八百十均引存。

升平起居注十卷

見《隋志》。

隆和興寧起居注五卷

見《隋志》。

泰和起居注十卷

本《七錄》。《隋志》存六卷。《初學記》四引《晉起居注》海西
泰和六年詔。

咸安起居注三卷

見《隋志》。

寧康起居注六卷

　　見《隋志》。

泰元起居注五十四卷

　　本《七録》。《隋志》存二十五卷，新、舊《唐志》五十二卷。元案寧康、泰元，孝武年號。《類聚》十六、《御覽》一百四十九引《孝武起居注》，當即《寧康泰元起居注》。又《世説·賞譽篇》注引《泰元起居注》。

隆安起居注十卷

　　本《隋志》。元案新、舊《唐志》有《崇寧起居注》十卷，次《泰元起居注》五十二卷後，唐諱"隆"，故代以"崇"字，"寧"即"安"之譌。《御覽》三十三、又九百七十引存。

元興起居注九卷

　　見《隋志》。

義熙起居注三十四卷

　　本《七録》。《隋志》存十七卷，新、舊《唐志》復作"三十四卷"。《類聚》、《書鈔》、《御覽》屢引。

元熙起居注二卷

　　見《隋志》。

晋詔六十卷

　　《隋志》引《七録》入總集，唐新舊《志》入起居注類，作"晋雜詔書"，均六十六卷。

晋雜詔二十八卷　録一卷

　　《隋志》引《七録》入總集，唐新舊《志》入起居注類，作"詔書"，少《録》一卷。

晋雜詔書一百卷　録一卷

　　《隋志》引《七録》入總集，唐新舊《志》入起居注類，《舊志》作"晋書雜詔"。

晋朝雜詔九卷

見《隋志》，入總集。

錄晉詔十四卷

見《隋志》，入總集。

晉詔黃素制五卷

見唐新舊《志》，入起居注類。

晉定品制一卷

本《舊唐志》。《新唐志》作“晉定品雜制”，卷同，均入起居
注類。

晉文王武帝雜詔十二卷

見《隋志》，引《七錄》，入總集。

晉武帝詔十二卷

見《隋志》，引《七錄》，入總集。《書鈔》五十二、又五十八，《初
學記》十二，《御覽》二百二十一，《文館詞林》六百六十二、又
六百六十八引存。

成帝詔草十七卷

見《隋志》，引《七錄》，入總集。《御覽》二十九、又二百二九、
又三百三九、又九百二五引存。

康帝詔草十卷

見《隋志》，引《七錄》，入總集。

晉咸康詔四卷

見《隋志》，引《七錄》，入總集。

建元直詔三卷

見《隋志》，引《七錄》，入總集。

永和副詔九卷

見《隋志》，引《七錄》，入總集。

升平隆和興寧副詔十卷

見《隋志》，引《七錄》，入總集。《初學記》十二注引升平五年

詔,宋何法盛《中興書》引升平二年二月詔。

太元副詔二十一卷

見新、舊《唐志》。

泰元咸寧寧康副詔二十二卷

見《隋志》,引《七錄》,入總集。元案孝武帝紀元凡二,始稱寧康,後改稱太元,"太"一作"泰"。咸寧爲西晉武帝第一改元年號,《七錄》題作"泰元咸寧寧康","咸寧"二字疑衍,誤冠泰元於寧康上,誤倒。

隆安直詔五卷

見《隋志》,引《七錄》,入總集。元案隆安,安帝年號。《文館詞林》六百六十二引存《征劉毅詔》,宋傅亮撰。

隆安元興大亨副詔八卷

見唐新舊《志》,入起居注類,因諱"隆",代作"崇"。元案本書《桓玄傳》:"玄入京師,大赦,改元爲大亨。"

元興大亨副詔三卷

見《隋志》,引《七錄》,入總集。

晉義熙詔十卷

見《隋志》,入總集。

又　二十二卷

見唐新舊《志》,入起居注類。

義熙副詔十卷

見《隋志》,引《七錄》,入總集。

南燕起居注一卷　　王景暉撰。

見《隋志》。又《通志》作"六卷",均不著撰人。元案《史通·正史篇》云:"南燕有趙郡王景暉,嘗事德、超,撰《二王起居注》。"本《志》据以補題王景暉撰。

晉起居注

《三國志注》、《書鈔》、《初學記》、《御覽》屢引。又《文選·褚
淵碑》、《齊安陸王碑》注,《水經·淄水》注,又《隋書·宇文愷
傳》,《元和姓纂》十姥浦姓條均引存。

晉武帝起居注

見《書鈔》六十二,《御覽》一百四十五、又二百四十、又二百四
十二。

惠帝建興太元起居注

見《世說·言語》、《文學》、《賞譽》各篇注。

晉永安起居注

見《初學記》二十六。元案《惠帝紀》,永興元年改元永安,七
月改元建武,十一月改元復爲永安。

大將軍起居注　中大夫傅彪、賈蒲、江軌撰。

見《石勒載記》。又《史通·正史篇》"傅彪"作"傅暢"。

桓玄起居注

見玄傳。

後趙起居注

見《史通·正史篇》。詳上僞史《上黨國記》注。

前燕起居注

見《史通·正史篇》,云:"前燕有《起居注》,杜輔全錄以爲《燕
紀》。"

右起居注五十部,凡七百六十二卷,無卷數者八家。

左史記言,右史記動,起居注者,左、右史職也。晉西號中朝,
東稱江左,帝一十有五,起自泰始,訖乎元熙,年百五十有六。
此史既備,卷數滋多。詔書與起居注類也,《隋志》併入總集,
唐新舊《志》類此,本志因之。《穆天子傳》,汲冢所出,體制與
起居注同。南燕一卷,雖僞國僭擬,是或一類,仍本《隋志》錄
入此篇。

西京雜記二卷　　葛洪撰。

《隋志》入舊事,脱撰人。《舊唐志》題云洪撰,《新唐志》列地理,《宋志》列傳記,《四庫目》列子部小説。宋黄長睿《東觀餘論》謂事皆劉歆所記,葛稚川采之。唐段成式《酉陽雜俎·語資篇》載庾信語,是書爲吴均依託。今存。

晋故事三卷

本《舊唐志》。《新唐志》作"晋氏故事",卷同。《類聚》四十八、《御覽》八百十二引存。

又　四十三卷

見《隋志》。本書《刑法志》作"三十卷"。《唐六典》云:"晋賈充等撰律令,兼删定當時制誥之條,爲《故事》三十卷,與律令并行。"

晋諸雜故事二十二卷

見唐新舊《志》。

晋要事三卷

見《隋志》。《書鈔》五十六、《御覽》八百二十一引存。《初學記》十引《晋氏要事》。

晋太始太康故事五卷

本《舊唐志》。《新唐志》八卷。

永平故事二卷

見《新唐志》。

晋建武故事一卷

本《隋志》。《新唐志》無"晋"字,作"三卷"。《初學記》二十二,《御覽》三百五十五、又九百七、又九百六十六引存。

晋建武已來故事三卷

見新、舊《唐志》。

晋咸和咸康故事四卷　　車騎將軍會稽孔愉敬康撰。

本《隋志》。唐新舊《志》卷同，多"建武"二字。愉有傳。

晉雜議十卷

見唐新舊《志》。

晉修復山陵故事五卷　車灌撰。

見《隋志》。《初學記》三十六引存。《御覽》各部屢引。

尚書大事二十卷　范汪撰。

本《隋志》。新、舊《唐志》二十一卷，《舊志》脱撰人。《御覽》
五百三十五禮儀部釋奠引作"晉尚書大事"。

交州雜事九卷

本《隋志》，注云："記士燮及陶璜事。"唐新舊《志》作"交州雜
故事"，卷同。《初學記》二引作"交州雜記"。

晉八王故事十二卷　廷尉范陽盧綝撰。

本唐新舊《志》。《隋志》十卷，脱撰人。今存黃奭輯本。綝爲
盧志兄子，坿《盧欽傳》。

晉四王起事四卷　盧綝撰。

見《隋志》。今存黃奭《漢學堂》輯本十四事。

大司馬陶公故事三卷

本《隋志》。《通志》二卷，《書鈔》一百四十六引作"陶侃故
事"。又《白帖》十六，《御覽》三百二十一、又三百四十一、又
三百五十七、又七百五十九均引存。

郗太尉爲尚書令故事三卷

本《隋志》。《新唐志》卷同，《舊唐志》二卷。

東宮舊事十一卷　吳國內史吳郡張敞撰。

本《舊唐志》。《新唐志》十卷，多一"晉"字。《隋志》十卷，脱
撰人。《書鈔》、《類聚》、《初學記》、《御覽》屢引。又《後漢
書·劉盆子傳》注引作"東宮故事"。《宋書·張茂度傳》云：
"茂度，吳郡吳人。父敞，官侍中尚書、吳國內史。"

沔南故事三卷　平南將軍江州刺史汝南應詹思遠撰。

　　本《隋志》,題云:"應思遠撰。"新、舊《唐志》作"江南故事",
《舊志》脱撰人。《通志》既録是書,又録《征南故事》三卷,云
"應詹撰",複誤。詹有傳。

救襄陽上都督府事一卷　王愆期撰。

　　本《舊唐志》。《新志》無"督"字。①

桓公僞事二卷　應德詹撰。

　　本《舊唐志》。《隋志》作"《桓玄僞事》三卷",脱撰人,《新唐
志》同,入僞史。《初學記》二十二、《御覽》六百五引存。

蜀漢僞官故事一卷

　　見《隋志》,霸史類注引《七録》。

晋制

　　見《御覽》目。又卷二百二十。

晋雜事

　　見《書鈔》一百四、《初學記》二十。元案《御覽》三十五、又四
百六十七、又六百三十七引《晋朝雜事》。《南史·隱逸·庾
詵傳》云:"撰《晋朝雜事》五卷。"詵,齊梁人。《御覽》所引,當
即詵書。

咸寧故事

　　見本書《禮志》,云:"咸寧三年武皇故事。"

咸康故事

　　見《宋書·禮志》三。

隆安故事

　　見《宋書·自序》。

東關故事

---

①　"字"原誤作"字",據《二十五史補編》本改正。

見本書《禮志》。

石崇故事

見《書鈔》一百三十五。又《御覽》七百三十引作"本事"。

王閎本事

見《御覽》三百六十八。

徐江州本事

見《世説·賞譽篇》注。

右舊事二十三部，凡一百七十二卷，無卷數者九家。

策藏官府，世守章程，斯爲舊事。《隋志》曰："晉初，甲令已下，至九百餘卷，武帝命車騎將軍賈充博引羣儒，删采其要，增律十篇。其餘不足經遠者爲法令，施行制度者爲令，品式章程者爲故事，各還官府。"前事不忘，後事之師，《周官》太史職在是矣。兹据《隋志》，加以《唐志》，綜而理之，編舊事篇。

晉百官名三十卷

本《隋志》。《舊唐志》無"晉"字，四十卷。《新唐志》十四卷，亦無"晉"字。今存黃奭《漢學堂》輯本。

晉惠帝百官名三卷　陸機撰。

見《舊唐志》。

晉官屬名四卷

見《隋志》。

百官表注十六卷　荀綽撰。

見《七録》。今存黃奭《漢學堂》輯本。

晉官品一卷　博士徐宜瑜撰。

見《七録》，缺題官。《通典》禮類引稱爲博士。

大興二年定官品事五卷

見《七録》。元案大興，元帝年號。

晉公卿禮秩故事九卷　傅暢撰。

本《隋志》。《舊唐志》無“故事”二字，暢傳無“禮秩”二字。
《續漢書·輿服志》注、《宋書·禮志》引存，亦省“故事”二字，
《類聚》、《書鈔》引同。《宋書·禮志》又引作“傅暢故事”，無
“晉公卿禮秩”五字。《御覽》目有《傅暢故事》，又有《晉公卿
禮秩》，複誤。今存黃奭輯本一卷。

司徒儀一卷　干寶撰。

本《七録》。唐新舊《志》五卷，作“司徒儀注”，《舊志》列儀注
類。《書鈔》六十八、又六十九，《御覽》二百九引存。《南齊
書·百官志》云：“王導爲司徒，右長史干寶撰立官府，《職儀》
已具。”[1]當即是書。

晉百官儀服録五卷

見《七録》。

晉永嘉流士十三卷　衛禹撰。

本《舊唐志》。《新唐志》二卷。元案《世説》各篇注四引《永嘉
流人名》，當即是書。

晉過江人士目一卷

見唐新舊《志》。

吳朝人士品秩狀八卷。胡沖撰。

見唐新舊《志》，列雜史。

吳朝人行狀名品二卷　虞尚撰。

本《舊唐志》。《新唐志》作“虞禹撰”，均列雜史，次在胡沖、虞
溥之間，知係晉人。

官師論七篇　陳壽撰。

見《華陽國志·陳壽傳》。

晉百官名志

---

① “右”原作“左”，據武英殿本《南齊書》改。

見《魏志·司馬朗傳》注。又《初學記》十引《晉代百官志》，或即一書。

晉王公百官志

見《御覽》七百七十五。

晉武帝太始官名

見《御覽》二百九。

晉武帝百官名

見《魏志·臧霸傳》注，云："霸子舜，晉散騎常侍，見《武帝百官名》。此《百官名》不知誰所撰，皆有題目。"

元康百官名

見《通典·職官門》。又《唐六典》。

懷帝永嘉官名

見《御覽》二百十六。

晉東宮官名

見《世說·任誕》、《排調篇》注。

明帝東宮僚屬名

見《世說·雅量篇》注。

齊王官屬名

見《世說·方正篇》注。

征西僚屬名

見《世說·言語》、《排調篇》注。

庾亮僚屬名

見《世說·文學篇》注。

庾亮參佐名

見《世說·雅量篇》注。

大司馬官屬名

見《世說·品藻篇》注。

大司馬寮屬名　遊擊將軍平昌伏滔玄度撰。

見《世説・賞譽》、《黜免篇》注。滔有傳。

晋百官公卿表

見《唐六典》。

晋功臣表

見《水經・温水》注。

齊王功臣格

見《顧榮傳》。

選例　司徒襄平李胤宣伯撰。

見《類聚》四十八引《晋諸公贊》，胤爲吏部刊定《選例》，而著於令。胤有傳。

己亥格

見《陳頵傳》。元案顧炎武《日知録》卷二十二云：“稱歲必曰元年、二年，其稱日乃用甲子、乙丑，如《己亥格》、《庚戌制》、《壬午兵》之類，皆日也。”

甲午制

見《王戎傳》。

右職官十四部，凡一百五卷，無卷數者二十家。

《傳》曰：“物有其官，官修其方。”方者，書也，法術具焉，故《周官》三百六十屬官各有書而職事以舉。晋遠法《周官》，去丞相而立三公；近沿魏制，置中正而定九品。本書《職官志》詳之，而名品、禮秩，撰述亦多。兹採舊史，旁及他書，以編職官。

新禮百六十五卷　侍中太尉潁川荀顗景倩撰。

見《禮志》，云：“文帝命顗因魏代前事，撰爲《新禮》，羊祜、任愷、庾峻、應貞并共刊定，成百六十五篇。”又云：“顗爲百六十五篇，篇爲一卷。”顗有傳。

晉儀注三十九卷

見唐新舊《志》。《御覽》七百七十五引存。又《南史·裴昭明傳》引《晉太子納妃注》，當即是書中之一。

晉新定儀注十四卷

見《隋志》，列職官類。

又　四十卷　安成太守北地傅瑗叔玉撰。

見《隋志》，列儀注。元案《世說·識鑒篇》注引《傅氏譜》曰：“瑗字叔玉，北地靈州人。歷護軍長史、安成太守。”

晉雜儀注十一卷

本《隋志》。新、舊《唐志》二十一卷。

諸王國雜儀注十卷

見唐新舊《志》，均次晉。

晉尚書儀十卷

見《隋志》。

尚書儀曹事九卷

見《新唐志》。

晉尚書儀曹吉禮儀注三卷

見新、舊《唐志》。

甲辰儀五卷　江左撰。

本《隋志》。《新唐志》同，《舊唐志》多一“注”字，均不題“江左撰”。元案江左，晉無其人，惟《禮志》云：“江左則有荀崧、刁協，損益朝儀。”又云：“逮於江左，僕射刁協、太常荀崧補緝舊文，光禄大夫蔡謨又踵修其事。”疑是書當撰於江左時，故題名如此。《類聚》十六、《書鈔》八十五、《御覽》一百四十九均引存。

雜府州郡儀十卷　范汪撰。

見唐新舊《志》。

晋鹵簿圖一卷

見《隋志》。《書鈔》一百十七引王隱《晋書》有《三駕鹵簿圖》，《御覽》七百十五、又八百九十二引《晋中朝大駕鹵簿》，《隋書·禮儀志》引《晋代鹵簿》，當即是書。

鹵簿儀二卷

見《隋志》。元案《困學紀聞·雜識類》云："後漢應劭有《漢官鹵簿圖》，晋有《鹵簿圖》、《鹵簿儀》，齊有《鹵簿儀》。"據此，知爲晋書。

晋明堂郊社議三卷　孔晁等撰。

見唐新舊《志》。

晋七廟議三卷　蔡謨撰。

見唐新舊《志》。《册府元龜》作"《七廟錄》十卷"。元案《謝沉傳》，蔡謨曾版沉爲參軍，"康帝即位，朝議疑七廟迭毀，乃以太學博士徵，以質疑滯。"是書沉當與參訂。

晋雜議十卷　荀顗等撰。

本唐新舊《志》。《隋志》入刑法類，脱撰人。

雜議五卷　干寶撰。

見新、舊《唐志》。元案《隋志》經部禮類注引《七錄》有干寶《後養議》五卷，疑即是書。

決疑要注一卷　摯虞撰。

見《隋志》。元案《禮志》云："荀顗《新禮》，虞以爲繁，奏請删省。詔可其議。後虞與傅咸續續，竟未成功。中原覆没，虞之《決疑注》，是其遺事也。"[1]今存張澍輯本一卷。

謚法三卷　荀顗演，劉熙注。

《隋志》列經部論語類，注云"劉熙撰"，不題荀顗。唐新舊

---

[1] "遺"下原脱"事"字，據中華書局點校本《晋書》補。此段爲節引。

《志》列經解類,題名如此。《國史經籍志》編入儀注。

又　二卷　張靖撰。

見《玉海·藝文》五十四引《唐六典》注,又引沈約《諡例》云:"約案靖應是張靖,晋江左人也。"元案《隋志》經部有靖《注穀梁傳》十卷,注云"靖,堂邑太守"。

晋諡議八卷

見唐新舊《志》。

晋簡文諡議四卷

見唐新舊《志》。元案《世説·文學篇》:"桓公見謝安石作《簡文諡議》,曰:'此是安石碎金。'"注云:"劉謙之《晋紀》載安石議。"據此,謝議當係是書中之一事。

晋元康儀

見《初學記》十,又十四。

晋先蠶儀注

見《御覽》五百八十,引存二事。

藉田儀　賀循撰。

見《續漢書·禮儀志》注。

新禮儀志　摯虞撰。

見《御覽》五百六十七、又二百七十四,引作"摯虞《新禮》",《書鈔》八十八、又九十引作"新禮儀"。又《酉陽雜俎·貶誤篇》引作"初禮議",注云:"一曰《新禮》。"

晋尚書大事

見《御覽》五百三十五。

禮儀志　譙周撰。

見《續漢書·禮儀志·序》注,引謝承書云:"太傅胡廣博綜舊儀,立漢制度,蔡邕因以爲志,譙周後改定爲《禮儀志》。"

祭志　譙周撰。

見《宋書·禮志》卷四。又《通典》禮類四十八、又四十九引譙周《禮祭集志》,當即是書。

雜記 _{摯虞撰。}

見《御覽》五百二十六,引存"議曰:故事,祀皋陶於廷尉寺,祭先聖於太學也"二語。

右儀注二十二部,凡二百五十八卷,無卷數者八家。

《古禮經》即儀注也,故曰"禮儀三百,威儀三千"。自漢叔孫通、曹褒,始有別撰。晉代因之,荀顗、鄭沖乃創於前,荀崧、刁協又定於後,東西兩京,此其大畧。其間傅瑗、孔晁、摯虞、蔡謨、干寶諸人,因時立制,損之益之,并有著述。總類其目,編儀注篇。

晋令四十卷 _{太宰襄陵賈充公閭等撰。}

本《舊唐志》。《新唐志》題作"賈充、杜預撰",《隋志》不著撰人。元案《刑法志》云:"凡律令,合二千九百二十六條,十二萬六千三百言,六十卷。"蓋律二十卷,令四十卷也。《隋》、《唐志》故分晰録之。《書鈔》、《初學記》、《唐六典》、《通典》、《御覽》屢引。充有傳。

刑法律本二十一卷 _{賈充等撰。}

本《舊唐志》。《隋志》無"刑法"二字,作"杜預撰"。《新唐志》作"賈充、杜預撰"。元案是書本合《晋令》共六十卷,兹多一卷,殆有《録》一卷。《杜預傳》云:"預與賈充等定律令,既定,預爲注解。"《書鈔》四十五引預《律序》,《御覽》六百四十五、又六百五十、又六百九十四引作"晋律"。

雜律七卷 _{杜預撰。}

見《七録》。

雜律解二十一卷 _{僮長張斐撰。}

本《隋志》。唐新舊《志》無"雜"字,《舊志》卷同,《新志》二十卷。《書鈔》四十五作"張裴"，又本書《刑法志》作"明法掾張裴"，"裴"字即"斐"之譌。

漢晉律序注一卷　張斐撰。

見《隋志》。元案《刑法志》："泰始三年，賈充等表上新律，其後明法掾張裴又注律，表上之。"當即是書。《史記・平準書》索隱，《書鈔》四十四、又四十五，《御覽》六百三十八、又六百三九、又六百四二、又六百九四均引存，或作"律序"，或作"晉律"，或作"晉律注"，"斐"或作"裴"。

晉彈事十卷

本《隋志》。唐新舊《志》九卷。

晉駁事四卷

見《隋志》。

晉雜制六十卷

見《隋志》。

晉刺史六條制一卷

見《隋志》。

漢名臣奏事三十卷　陳壽集。

見《舊唐志》，作"陳壽撰"，《文選注》引作"壽集"，當以"集"爲是。《隋志》刑法類有是書，脫撰人，總集類注引《七錄》互見是書，卷同，云"陳長壽撰"，"長"字當是誤衍。《史記・五宗世家》、《惠景侯者年表》集解，《漢書・揚雄傳》注，《後漢書・張衡》、《蔡邕傳》注，《初學記》二十、又二十六，《文選注》五十七均引存。《書鈔》、《御覽》屢引，皆作"漢名臣奏"，無"事"字。

魏名臣奏事四十卷　**目一卷**　陳壽集。

見《隋志》，作"壽撰"，今改題作"集"。《新唐志》三十卷，《通志》同，亦均作"壽撰"。又《隋志》總集類注引《七錄》有《魏名

臣奏事》三十卷，陳長壽撰，即一書互見，"長"字誤衍。《書
鈔》、《初學記》、《御覽》、《魏志》紀傳各注屢引，皆作"魏名臣
奏"，無"事"字。《通志·校讐畧》云："《漢朝駁議》、《諸王奏
事》、《魏臺詔議》、《南臺奏事》之類，①《隋志》編入刑法者，以
唐人見其書也。"②

庚戌制

見《哀帝紀》。又彭城王子紕傳。

辛亥制度　石勒時法曹令史貫志撰。

見《石勒載記》，云："采集律令之要，爲施行條制，於是命法曹
令史貫志造《辛亥制度》五千文。"

右刑法十一部，凡二百三十六卷，無卷數者二家。

自世祖創制刑律，賈充、杜預諸臣與爲審定，而有晉一代大法
備矣。江左以來，傳之百年，亦本前規，無所損益。孝武當
國，道子樹黨，輕改祖制，遝以淫刑，而綱紀廢焉。荀卿曰：
"有治人，無治法。"不幾然歟！ 茲録刑律各書，坿以陳壽所集
《奏事》，著之於篇。

三輔決録七卷　漢趙岐撰，摯虞注。

見《隋志》。今存張澍輯本二卷，又黃奭《漢學堂》輯存。

益部耆舊傳十四卷　陳壽撰。

見《隋志》，作"陳長壽撰"，"長"字誤衍。《晉書》壽傳、《華陽
國志》壽傳均作"十篇"。《漢書》注、《蜀志》注、《水經·江水》
注、《史記·曆書》、又《大宛傳》索隱引存。《書鈔》、《初學
記》、《御覽》屢引。

---

① "漢朝駁議"，《隋書·經籍志》作"漢朝議駁"。又據《隋書·經籍志》，《諸王奏
事》即《魏王奏事》，《魏臺詔議》即《魏臺雜訪議》。
② "唐人"，中華書局點校本《通志二十略》作"隋人"。

益州耆舊雜傳記二卷　　陳壽撰。

　　見《新唐志》。

續益部耆舊傳二卷　　常寬撰。

　　見《隋志》，脫撰人。元案《華陽國志・常寬傳》云：“寬續陳壽
《耆舊傳》，作《益梁篇》。”當即是書，據以補題寬撰。

交州先賢傳三卷　　范瑗撰。

　　本《隋志》。唐新舊《志》四卷。

山陽先賢傳一卷　　太宰參軍長仲毅撰。

　　見《元和姓纂》卷五，不言卷數。《新唐志》作“一卷”，題云“仲
長統撰”。《舊唐志》作“仲長統《兗州山陽先賢讚》一卷”。
“仲長統”均“長仲毅”之譌。《隋志》有《兗州先賢傳》一卷，脫
撰人，當即是書。

魯國先賢傳二卷　　大司農白褒撰。

　　本《隋志》。新舊《唐志》十四卷，《舊志》“傳”作“志”。《類聚》
五十、《初學記》十七引存。《書鈔》三十七、又一百五十八，
《釋文》《左傳》音義襄四年番縣均作“魯國記”。《史記・自
序》索隱、《寰宇記・河南道》作“魯記”。《御覽》八百十一作
“魯國先賢志”。《漢書・地理志》魯國蕃顏注曰：“白褒即白
襃，褒、襃字同。”本書《劉頌傳》有散騎郎白襃，《山濤傳》作
“左丞白褒”。

楚國先賢傳贊十二卷　　張方撰。

　　本《隋志》。《舊唐志》十四卷，無“贊”字，作“先賢志”。《新唐
志》十二卷，作“先賢傳”。《蜀志・董允》、《揚儀傳》，《魏志・
高貴鄉公紀》、《韓暨傳》、《吳志・孫皓》、《孫休傳》均裴注引
存。又《世說・德行》、《方正篇》注，《類聚》二、又三十八，《文
選・百一詩》、《任彥昇策秀才文》注引存。《書鈔》、《初學
記》、《御覽》尤屢引。本書有《張方傳》，河間人，爲河間王顒

將，是書疑非顯將張方所撰。

陳留志十五卷　郑令江敞撰。

　　本《隋志》。新、舊《唐志》作"陳留人物志"，卷同。《續漢書·郡國志三》注，《世説·賞譽》、《賢媛篇》注，《水經·潧水》注、《渠水》注，①《文選·求立太宰碑》注均引存。

豫章舊志三卷　會稽太守熊默撰。

　　見《隋志》。《續漢書·郡國志》注、《水經·廬江水》注、《後漢書·馮衍傳》注、《世説·規箴篇》注、《御覽》目、又卷九百二十二均引存。

會稽典録二十四卷　虞預撰。

　　見《隋志》。預本傳作"二十篇"。《國志》注、《世説》各篇注、《書鈔》、《初學記》、《御覽》屢引。

襄陽耆舊記五卷　習鑿齒撰。

　　本《隋志》。唐新舊《志》"記"作"傳"，卷同。今存三卷。

長沙舊傳讚三卷　臨川王郎中劉彧撰。

　　本《隋志》。唐新舊《志》作"舊邦傳讚"，《新志》四卷，《史畧》撰人譌爲"劉彧"。《水經·洛水》、《濁漳水》注，《書鈔》六九、又七三、又七八、又九十、又九七、又一百四十、又百四一，《類聚》二，《初學記》二，《御覽》二百六八、又三百六四、又三百六六、又四百三六、又六百六六、又七百四十、又七百七一、又八百九七均引存，作"長沙耆舊傳"。據此，知《隋志》脱去一"耆"字。

東陽朝堂像讚一卷　南平太守留叔先撰。

　　本《隋志》。《新唐志》"像讚"作"書讚"，"書"即"畫"之譌，"留"作"劉"。《史畧》作"太山太守"。

---

①　"渠水"原作"渠"，據《水經注》補"水"字。

高士傳六卷　皇甫謐撰。

本《隋志》。《舊唐志》七卷,《新唐志》、《崇目》、《宋志》均十卷。今存三卷。元案《御覽》五百一十引《高士傳·序》末云:"自堯至魏,凡九十餘人,雖執節若夷、齊,去就若兩龔,皆不錄也。"今本人數,據晁氏、陳氏所稱,多寡不符,殆後人摭《御覽》所引,合嵇康《高士傳》、《後漢書·隱逸傳》成篇,[1]非謐原書。

又　二卷　虞槃佐撰。

本《隋志》。《新唐志》一卷。《御覽》五百十引存五事。"槃佐"一作"槃佑"。

至人高士傳讚二卷　孫綽撰。

見《隋志》。嚴可均《全晉文·孫綽集》輯存十二首。

逸人高士傳八卷　習鑿齒撰。

見唐新舊《志》。《書鈔》八十七引存,作"逸民傳",《御覽》五百三十引同。唐諱"民",故新、舊《志》作"人"。

逸士傳一卷　皇甫謐撰。

見《隋志》。《魏志·武帝紀》注、《荀彧傳》注,《文選·反招隱詩》、《演連珠》、《七啓》、《陶徵士誄》、《郭有道碑》各注,《世說·排調篇》注,《書鈔》十五,《御覽》四百九十六均引存。

隱逸傳十卷　葛洪撰。

見洪傳。又《抱朴子·自序》。

逸民傳七卷　張顯撰。

本《隋志》。唐新舊《志》三卷,"民"諱作"人"。《水經·潁水》注、《御覽》五百十引存。本書《涼武昭王子李士業傳》有從事中郎張顯。

---

① "嵇"原誤作"稽",據《二十五史補編》本改正。

名士傳三卷 袁宏撰。

本唐新舊《志》。《隋志》卷同，作"正始名士傳"，撰人譌作"袁敬仲"，與經部《集議孝經》作"袁敬仲集"誤同。元案《世説·文學篇》注，是書以夏侯太初等三人爲正始名士，阮嗣宗等七人爲竹林名士，裴叔則八人爲中朝名士，分爲三等，合成一部。《隋志》以"正始"標目，偏舉未備，當以《唐志》爲是。

竹林七賢論二卷 戴逵撰。

見《隋志》。《御覽》目撰人誤作"戴勝"。《世説》各篇注引存二十餘事。《羣輔録》竹林七賢目云："袁宏、戴逵爲《傳》。"《傳》即此《論》。

良吏傳十卷 葛洪撰。

見洪傳。

文士傳五十卷 張隱撰。

本《隋志》。《新唐志》卷同，撰人誤作"張騭"。《初學記》十二、又二十、又二十五引存，均作"張隱"。《御覽》目既列隱是書，又列張鄢《文士傳》、張騭《文士傳》，實即一書，"鄢"、"騭"皆"隱"字之譌。鍾嶸《詩品》云："張騭《文士》逢文。"即書"隱"誤爲"騭"，已在《唐志》之前。

孝子傳一卷 虞槃佐撰。

本《隋志》。《新唐志》録佐《孝子傳》，即次佐《高士傳》，《通志·校讐畧》故云："虞槃佐作《孝子傳》，又作《高士傳》，《高士》與《孝子》自殊，如何《唐志》因所作之人而合爲一。"《御覽》四百十三、又九百九十八引存。

又 十卷 輔國將軍蕭廣濟撰。

本《隋志》。新、舊《唐志》十五卷。今存黃奭《漢學堂》輯本。

列女傳六卷 皇甫謐撰。

見《隋志》。《三國志》各傳注、《書鈔》一百二十三、《御覽》四百四十一均引存。

又　七卷　<small>邵陽太守綦毋邃撰。</small>

見《隋志》。元案《元和姓纂》卷二"邃"作"遂"，云"江左時人，邵陽太守"。是書《史記·趙世家》集解引存二卷。

女記十卷　<small>杜預撰。</small>

本《隋志》。《新唐志》作"列女記"，預本傳作"女記贊"。《御覽》四百二十二、又四百四十一引存。

列女傳要録三卷　<small>杜預撰。</small>

《隋志》次在杜預《女記》上，脱撰人。《玉海》五十八藝文傳類作預撰，亦次《女記》上，無"列女傳"三字。

顧凱之　古列女傳圖十五卷

見《絳雲樓書目》史傳類。元案宋黄伯思《東觀餘論》卷下云："長康畫《列女圖》，有蘧伯玉車形。"即是書。

諸葛亮隱没五事一卷　<small>代郡太守金城郭沖撰。</small>

見新、舊《唐志》。今存《蜀志·諸葛亮傳》注。

玄晏春秋三卷　<small>皇甫謐撰。</small>

本《隋志》。新、舊《唐志》二卷。《史記·匈奴傳》索隱，《書鈔》九十七、又一百二十一，《初學記》三十六，《御覽》六百十四、又七百四十三、又八百六十均引存。《文選·三都賦·序》注引謐《自序》曰："始志乎學，而自號玄晏先生。"

管輅傳三卷　<small>州主簿從事平原管辰撰。</small>

本《隋志》。新、舊《唐志》二卷。元案辰爲管輅弟，見《魏志》輅傳注，云："辰仕宦至州主簿從事，太康之初物故。"《世説·規箴篇》注引存，作"管輅別傳"。

韋氏家傳三卷　<small>皇甫謐撰。</small>

本新、舊《唐志》。《隋志》一卷，脱撰人。

江氏家傳七卷　<small>江祚等撰。</small>

本《隋志》。《舊唐志》作"江統撰"，入譜牒類。《新唐志》作
"江饒撰"。元案江饒無考，當即《舊志》"統"字之譌。統，本
書有傳，字應元，陳留圉人。父祚，南安太守。《舊唐志》作
"統撰"。据章宗源《隋書經籍志考證》云："《藝文類聚》職官
部、《書鈔》設官部并引《江氏家傳》，言江統，庚子嵩雅敬君
德，東海王越請君爲別駕。與君書稱統爲君，則《傳》非統所
撰。"元謂《傳》中統不得自稱君，祚爲統父，更不得以君稱子，
《隋志》題作祚撰，亦誤。

曹氏家傳一卷　曹毗撰。

本《隋志》。《新唐志》同，《舊唐志》入譜牒類。《初學記》十二
引存。

褚氏家傳一卷　褚覬撰。

本《隋志》。《舊唐志》入譜牒類，《新唐志》入雜傳，均作"褚結
撰，褚陶注"。元案《世説·賞譽篇》注引《褚氏家傳》云："陶
字季雅，吳郡錢塘人。[1] 仕至中尉。"据此，知《傳》非陶所注，
當從《隋志》。《史記·孝武紀》索隱引存，作"褚覬家傳"，是
即覬撰之證。

虞氏家傳五卷　虞覽撰。

見《新唐志》。《書鈔》一百二，《御覽》一百七十六、又五百五
十五引存，均作"虞氏家記"，記虞潭事。

范氏世傳一卷　范汪撰。

見《隋志》。

紀氏家紀一卷　廷尉丹陽紀友撰。

見《隋志》。元案友，紀瞻孫，坿瞻傳。

諸虞傳十二篇　虞預撰。

---

[1]　"雅吳"原誤倒，据《世説新語校箋》及《二十五史補編》本乙正。

見預本傳。

神仙傳十卷　葛洪撰。

　　本《隋志》。新、舊《唐志》入子部道家。今存。

列仙傳讚三卷　孫綽撰。

　　見《隋志》，注云："劉向撰，鬷續，孫綽讚。"《史畧》但云"孫綽
撰"。今存。

又　二卷　郭元祖撰。

　　見《隋志》，注云："劉向撰，晉郭元祖讚。"今存《道藏》本。

列仙讚序一卷　郭元祖撰。

　　見《隋志》。

紫陽真人周君傳一卷　華嶠撰。

　　本《舊唐志》。《新唐志》入子部道家神仙類，《宋志》同，無"紫
陽"，"華嶠"作"華僑"。《御覽》六百六十九引存。

太元真人東鄉司命茅君內傳一卷　弟子李遵撰。

　　本《隋志》。新、舊《唐志》作"茅君內傳"，《舊志》脫撰人，《新
志》入子部道家神仙類，《宋志》同，作"三茅君內傳"。《御覽》
六百六十一、又六百七十七引存。《真誥·甄命授》第四云：
"李中候名遵，撰《茅三君傳》。"

清虛真人王君內傳一卷　弟子華存撰。[①]

　　本《隋志》。《舊唐志》同，列雜傳，《新唐志》入子部道家神仙
類，均脫撰人。《宋志》作"南嶽夫人清虛王君內傳"，入子部
道家神仙。《御覽》六百七十四引存。元案《南嶽魏夫人內
傳》，夫人名華存，字賢安，任城人，晉司徒魏舒女。

紫虛元君南嶽夫人內傳一卷　范邈撰。

　　本《舊唐志》。《隋志》作"南嶽夫人內傳"，脫撰人，《新唐志》

――――――――

①　"華存"原互倒，據《隋書·經籍志》乙正。下同。

入子部道家神仙類。今存。《傳》稱范邈爲夫人弟子。

許先生傳一卷 王羲之撰。

本《舊唐志》。《隋志》作"仙人許遠遊傳"，脱撰人。《新唐志》
入子部道家神仙類，《崇目》、《宋志》均作"許邁傳"。元案王
羲之坿傳，許邁字玄叔，後改名玄，字遠遊，好神仙，義之爲
傳，述靈異之迹甚多。

感應傳八卷 王延秀撰。

見《隋志》雜傳類，又互見子部雜家。《舊唐志》列雜傳，"延
秀"誤作"廷秀"。元案梁釋慧皎《高僧傳・序》，太原王延秀
作《感應傳》。

道人善道開傳一卷 康泓撰。

見《隋志》。元案本書《藝術傳》作"單道開"，云泓爲開作傳。
又慧皎《高僧傳》九《單道開傳》云泓作傳讚，讚存傳中。

高逸沙門傳一卷 釋法濟撰。

見《法苑珠林・傳記篇》，題云"晋武帝時郯東仰山沙門法濟
撰"。元案慧皎《高僧傳》四《竺道潛傳》云："竺法濟幼有才
藻，作《高逸沙門傳》。"法濟爲道潛弟子，道潛寧康二年卒，孝
武帝有詔，存傳中。據此，《法苑珠林》作"武帝"時，脱漏一
"孝"字。

龍樹菩薩傳一卷 姚秦釋天竺鳩摩羅什撰。

見同上。本書《藝術》鳩摩羅什有傳。又慧皎《高僧》有傳。

馬鳴菩薩傳一卷 鳩摩羅什撰。

見同上。

提婆菩薩傳一卷 鳩摩羅什撰。

見同上。

三魏人士傳 束晳撰。

見晳傳。

泰始先賢狀

見《通志·氏族畧》第三東里氏注。

後賢傳　常寬撰。

見《華陽國志》寬傳。

逸人傳　孫盛撰。

見《御覽》四百十四。

列女後傳　皇甫謐撰。

見《御覽》四百八十二。又七百八。《書鈔》一百五十。

列女後傳　王接撰。

見接傳，云："撰《列女後傳》七十二人，喪亂書亡，子愆期又集《列女後傳》。"注云："列一作烈。"

列女後傳　王愆期撰。

見上。

裴氏家記　傅暢撰。

見《蜀志·孟光傳》注。

焦先傳　傅玄撰。

見《魏志·管寧傳》注，引《魏氏春秋》曰："故梁州刺史耿黼，以先爲仙人也，北地傅玄謂之性同禽獸，并爲之傳。"

馬先生傳　傅玄撰。

見《白帖》、《意林》、《御覽》各書。又《魏志·杜虁傳》注引云"時有扶風馬鈞，巧思絕世，傅玄序之"云云，即此《傳》。

孫登傳　孫綽撰。

見《水經·洛水篇》注，云："余按孫綽之序《高士傳》，言在蘇門山，又別作登傳。"

管輅傳　閭纘撰。

見《魏志·管輅傳》注，云："近有閭纘伯者，名纘，該微通物，有良史風，爲天下補綴遺脫，敢以所聞，列于篇左。"据此，知管辰爲輅作傳，而纘又爲輅補傳。

王弼傳 司徒陽夏何劭敬祖撰。

見《魏志·鍾會傳》注。又劭本傳。

荀粲傳 何劭撰。

見劭傳。又《世説·文學篇》、《惑溺篇》注、《書鈔》一百均作"荀粲別傳"。

嵇康傳 宗正譙國嵇喜公穆撰。

見《魏志·嵇康傳》注。

顧譚傳 陸機撰。

見《吳志·顧譚傳》注。

樂廣傳 太常陽夏謝鯤幼輿撰。

見《魏志·裴潛傳》注引《晋諸公贊》。鯤有傳。

顔含傳 江夏李闡弘模撰。

見宋周應合《景定建康志》："《晋右光禄大夫西平靖侯顔府君碑》碑末云：'闡託姻顔氏，採集言行而著此《傳》。'"元案《傳》即碑文。

王堪傳 東陽太守陽夏謝朗長度撰。

見《世説·賞譽篇》，云："謝胡兒爲著作郎，嘗作《王堪傳》。"元案《世説·言語篇》注云："胡兒，謝朗小字也。"朗，謝安坿傳。

曹肇傳 曹毗撰。

見《書鈔》百三十。又《御覽》六百八十九。

郭文傳 葛洪撰。

見《隱逸·郭文傳》。

郭文傳 給事中鄢陵庾闡仲初撰。

見同上。闡有傳。

辛憲英傳 散騎常侍譙國夏侯湛孝若撰。

見《魏志·辛毗傳》注引《世語》。湛有傳。

顧悅傳　顧愷之撰。

見《世說·言語篇》注，云：“愷之爲父傳。”愷之父名悅。

傅嘏別傳　傅玄撰。

見《魏志·劉表傳》注。又《傅嘏傳》注、《世說·賞譽篇》、《文學篇》注引“傅子曰”，當即《傳》中語。

山濤別傳　袁宏撰。

見《初學記》十八。又《御覽》四百九。

顧愷之家傳

見《世說·夙惠篇》注。元案傳文即愷之撰。

支遁傳　中書郎高平郗超景興撰。

見《高僧·支遁傳》。《傳·序》作“中書郗景興《東山僧傳》”。[①]超，郗鑒垺傳。

竺法乘傳　李顒撰。

見《高僧·法乘傳》，云“高士李顒爲之贊傳”。

竺法曠傳　顧愷之撰。

見《高僧·法曠傳》。

徵應傳　吳興朱君台撰。

見《高僧傳·序》，次在太原王延秀《感應傳》下、陶淵明《搜神記》上，當是晉人。案法琳《破邪論》卷下云：“君台爲吳興人。”

神女傳　益州刺史太原張敏撰。

見《書鈔》一百二十八。《類聚》七十九引作“神女賦”。《文選·劍閣銘》注引臧榮緒《晉書》云：“敏，益州刺史。”《容齋五筆》云：“敏，太原人。”

杜蘭香傳　曹毗撰。

---

① 案《傳·序》即《高僧傳·序録》。

見《御覽》五百八十四。又七百五十九、《類聚》三百九十引作"神女杜蘭香傳",又引作"別傳",并見毗傳。

右雜傳五十八部,凡三百十九卷,無卷數者三十三家。

自鄉老廢獻書之典,使臣無問俗之軒,世有賢能隱逸,名湮没而不彰者,可勝道哉! 故私家傳記尚焉。兩漢以前,斯體尚少,司馬一代,其書實多,記事載言,足以坿庸國史。至別傳之屬,又往往引存於《國志》、《世説》、《水經》、《文選》各注,《書鈔》、《類聚》、《初學記》、《御覽》諸書,既無卷數,復脱撰人,當時創立,異代追補,無所徵考,殊難臆定。兹據其有撰人名氏者録之,餘不編入,闕以存信。

山海經二十三卷 郭璞撰。

本《隋志》。《舊唐志》十八卷,《宋志》卷同,誤次子部五行類。

山海經圖贊二卷 郭璞撰。

見《隋志》。元案《玉海》引《中興目》云:"《山海經》十八卷,郭璞傳,凡二十三篇,每篇有贊。"據此,知贊已散入經内,今書缺。嚴可均輯存二卷。

山海經音二卷 郭璞撰。

本新、舊《唐志》。《隋志》不著撰人,次在璞《山海經圖贊》二卷下。元案璞音古本别行,今已散入注中。

神異經一卷 司空范陽張華茂先注。

書本漢東方朔撰,《隋志》、《舊唐志》列地理,《新唐志》列子部道家,《通考》、《宋志》列小説,今存。華有傳。

水經三卷 郭璞注。

本《隋志》。《新唐志》作"桑欽《水經》三卷",注云:"一作郭璞撰。"元案畢沅《山海經篇目考》云:"此《水經》,隋、唐二《志》皆次《山海經》末,當即《海内中經》文也。"

畿服經一百七十卷 摯虞撰。

見《隋志》史部地理類序,云:"摯虞依《禹貢》、《周官》作《畿服經》,凡一百七十卷,今亡,故部目不箸錄。"元案《水經·洛水》注引摯仲洽曰:"古之周南,今之洛陽。"又《續漢書·郡國志》注引同,作"摯虞曰"。又《文選·南都賦》注引摯虞曰:"南陽郡,治宛在京之南,故曰南都。"此數語當即是《經》佚文。

禹貢地域圖十八篇　裴秀撰。

見秀傳。元案是《圖》雖以禹貢名篇,實晉輿地也,《水經·穀水》注云"京相璠與裴司空彥季修《晉輿地圖》"可證。又《魏志·裴潛傳》注引《文章序錄》云:"畫《地域圖》十八篇。"《書鈔》九十六引《晉諸公贊》云:"司空裴秀以舊天下大圖用縑八十疋,省視既難,事又不審,乃裁減爲方丈圖,以一分爲十里。"又《隋書·宇文愷傳》云:"裴秀輿地,以二寸爲千里。"

地記五卷　太康三年撰。

本《舊唐志》。今存畢沅輯本一卷,題云《太康三年地志》。其《序》云:"沈約止稱《地志》,酈道元稱爲《地記》,司馬貞、張守節稱爲《地理志》,《新唐書》稱爲《土地記》,其實一也。"元案《新唐志》作"《泰康土地記》八卷"。又黃奭《漢學堂叢書》輯存。

元康三年地記六卷

見《隋志》。《續漢書·郡國志》注四引《晉元康地道記》,《文選·謝靈運經竹澗詩》注引《元康地記》,即是書。

州郡縣名五卷　太康三年撰。

本《舊唐志》。《新唐志》卷同,作"太康州郡縣名"。

太康國照圖一卷　孫結撰。

見《通志》。

元康六年戶口簿記三卷

見《隋志》。

風土記三卷　周處撰。

本《隋志》。新、舊《唐志》十卷。今存嚴可均輯本一卷，其序云："以史能之《毗陵記》考之，知石晋後有續補本，或《舊志》誤注而《新志》沿之，故卷數加多。"又云："其正文協韻如古賦，而故實皆載於注，注即處自撰。"元案《史通·補注篇》云："周處《陽羨風土》，委曲序事，存於細書。"細書，處注也。

洛陽記一卷　陸機撰。

見《隋志》。《水經·穀水》注、《文選·閒居賦》注、《後漢書·光武紀》注、《書鈔》一百四十五、《寰宇記·河南道》引存。《御覽》一百七十九又引作"洛陽地記"。

又　一卷　西戎主簿戴祚延之撰。

《隋志》四卷，脫撰人。《新唐志》一卷，題"戴延之撰"，延之即祚字。

洛陽圖一卷　雍州刺史弘農楊佺期撰。

本《隋志》。《舊唐志》同，《新唐志》作"洛城圖"。《通志》作"楊佺期《唐洛陽京城圖》"，"唐"字係"晋"之譌。《文選·閒居賦》注、陸士衡《皇太子宴玄圃宣猷堂詩》注、《續漢書·郡國志》河東郡注引存。《寰宇記·河南道》引作"洛陽記"，《後漢書·儒林傳序》注引作"楊龍驤《洛陽記》"，《御覽》屢引，同。据《孝武紀》太安十八年，云龍驤將軍楊佺期，故有此稱。又《文選·東京賦》注、應貞《華林園集詩》注引作"洛陽圖經"。張彥遠《歷代名畫記》作《洛陽圖》，一名《楊宮圖狀》。佺期有傳。《隋志考證》引錢氏《考異》曰："案晋無懷州，當是雍州之譌。"

關中記一卷　黃門侍郎滎陽潘岳安仁撰。

本《隋志》。新、舊《唐志》、《中興目》、陳《錄》、《宋志》又作"葛洪撰"。元案《史記·司馬相如傳》索隱、《文選·西都賦》注、潘岳《西征賦》注,《書鈔》一百六,《初學記》五、又六,《御覽》一百七十九均引作"潘岳《關中記》",据此,知《中興目》諸書作"葛洪撰"誤。洪傳及《抱朴子·自序》亦不錄是書。岳有傳。

鄴中記二卷　國子助教陸翽撰。

見《隋志》。陳《錄》稱不知撰人名氏,因書引唐馬溫《鄴都故事》,疑爲肅、代後人撰。《四庫目》本《隋志》定爲翽撰,云:"所引《鄴都故事》,殆爲後人所摭綴。"今存。

吳郡記一卷　顧夷撰。

見《隋志》,複出,前作一卷,後作二卷。《文選·富春渚詩》注引存。《後漢書·濟南安王康傳》注引作"顧夷《吳地記》",《文選》二十八《吳趨行》注同。又《續漢書·郡國志》吳郡注引"顧夷曰",即是書。

會稽記一卷　賀循撰。

見《隋志》。《御覽》四十七引存。

吳地記一卷　張勃撰。

見新、舊《唐志》。《通志》既錄是書,又錄張勃《吳都記》一卷,複出,又譌"地"作"都"。

蜀志一卷　常寬撰。

見《隋志》。元案《華陽國志》寬傳云:"族祖武平府君、漢嘉杜府君并作《蜀後志》,書其大同,及其喪亂。"[1]又《西州後賢志》云:"武平府君操簡援翰,[2]据其遺闕,然但言三蜀,巴漢未列。"即是書。寬爲常璩族祖,故稱名如此。

湘中山水記三卷　中散大夫桂陽羅含君章撰。

本《崇目》,云"盧拯注"。又見《宋志》。《通志》作"《湘川記》"

---

①　案此段引文不見於《常寬傳》,見《華陽國志·大同志》。

②　"援"原誤作"授",據《華陽國志》校補圖注改正。

一卷"，《國史經籍志》都邑類作"《湘川記》一卷"，名山洞府類作"《湘中山水記》三卷"，既沿《崇目》，又承《通志》，複誤。《水經·湘水》注、《續漢書·郡國志》零陵郡注、《初學記》五、《御覽》四十九、又一百七十一均引存，作"湘中記"。含有傳。

三巴記一卷　譙周撰。

見《隋志》。《玉篇》卷三十巴郡、《通典》郡門、《御覽》目、又卷六十五、又一百六十七、又五百五十六均引存。《續漢書·郡國志》巴郡注又作"巴記"。

齊地記二卷　慕容德時尚書郎青州晏謨撰。

見《新唐志》。《御覽》四十三引作"晏謀《齊地記》"，"謀"即"謨"之譌。《太平寰宇記》作"三齊記"，又作"齊記"，《初學記》八、《元和郡縣志·河南道》、《水經·濟水》注亦作"齊記"。《史記·晏子傳》正義誤稱作"晏氏《齊記》"。[1] 謨，見《慕容德載記》，德問謨齊之山川邱陵、賢哲舊事，謨歷對詳辨，畫地成圖，書殆成於此時。

交廣二州記一卷　廣州大中正王範撰。

見《新唐志》。《續漢書·郡國·交州志》注、《水經·浪水》注引存，作"交廣春秋"。虞喜《志林》已云："太康八年，廣州大中正王範上《交廣二州春秋》。"又見《吳志·孫策傳》注。又《呂岱傳》注"王範"誤作"王隱"。

四海百川水源記一卷　釋道安撰。

見《隋志》。道安，《高僧》有傳，常山薄柳人，姓衛。

西域志一卷　釋道安撰。

見《大唐内典》目。《御覽》七十六、又七百九十七，《類聚》七十六引存。

---

① "氏"原誤作"子"，據中華書局點校本《史記》改正。

西征記一卷　參軍江東戴祚延之撰。

見《隋志》，複出，一作"戴延之撰"，一作"戴祚撰"，延之即祚字也。《水經·河水》注，《史記·高祖紀》正義，《續漢·郡國志》注，《初學記》五、又二十四，《御覽》三十、又四十二引存。《後漢書·班固傳》注引作"延之記"，《水經·洛水》注又稱"參軍戴延之"，又云"戴延之從劉武王西征記"云云。《封氏聞見記》云："祚，江東人，從劉裕西征姚泓。"知劉武王即裕。又《書鈔》一百八引作"西京記"，《文選》二十二《鍾山詩》注引作"西征賦"，均誤。

遠遊志十卷　續咸撰。

見咸傳。

珠崖傳一卷　偽燕聘晋使蓋泓撰。

見《隋志》。《初學記》八引存。又《御覽》目。

吳興山墟名一卷　車騎將軍武康沈充士居撰。

《隋》、《唐志》不著錄。嚴可均輯存，其序云："《御覽》所載《吳興記》引有一事，《寰宇記》所載引有二十五事，皆作沈充之，或作沈玄之。"元案宋王象之《輿地碑記》目曰："《吳興山墟名》，張玄之作。"又云："晋吳興太守王韶之撰。"葉夢得《玉澗雜書》亦云："張玄之，晋吳興太守，嘗爲《吳興山墟名》一卷。"充，王敦坿傳。又《世說·規箴篇》注引《晋陽秋》云："字士居，吳興人。"《宋書·沈演之傳》云："高祖充，晋車騎將軍，吳國內史。"據此，知各書作"玄之"誤。

幕阜山記一卷　葛洪撰。

見陳《錄》。又《通志》、《寰宇記》一百六云："分寧縣幕阜山在縣西二百九十里，晋葛洪著《山記》一卷。"今存。

廬山紀畧一卷　釋慧遠撰。

見《四庫目》史部地理，末坿宋陳舜俞《廬山記》三卷。今存，收入錢熙祚《守山閣叢書》。

聖賢冢墓記一卷　　李彤撰。

見《隋志》。《文選・邱希範與陳伯之書》注，《御覽》一百八十八、又九百九十引存。《寰宇記・淮南道》引作“古今冢墓記”，又引作“古今葬地記”。

洛陽宮殿簿一卷

本《隋志》。唐新舊《志》作“三卷”，《隋志》次在陸機《洛陽記》下、楊佺期《洛陽圖》上，當是晋人撰。《文選・景福殿賦》注、《初學記》二十四引存。

三輔故事二卷　　晋世撰。

見《隋志》。元案《隋志》題云“晋世撰”者，書即晋代時所撰，遺佚人名，猶儀注類《甲辰儀》，《隋志》注云：“江左撰也。”張澍輯存一卷。

發蒙記一卷　　束晳撰。

見《隋志》，注云：“載物産之異。”元案《隋志》經部小學有晳撰《發蒙記》一卷，史部地理又録是書，注云“載物産之異”，必小學外別爲一種，名同書異。馬國翰有輯本，列經編小學。案所引各事，多係物産，或即是書原文。

異物評二卷　　張華撰。①

見《宋志》地理類。

異物志十卷　　續咸撰。

見咸傳。元案《通志・氏族畧》續氏注云：“晋有續武威，撰《異物志》，石趙有太子少保續咸。”是誤晰一人爲二。

顧愷之　夏禹治水圖一卷

見《經義考》，引宋《宣和畫譜》云：“今御府所藏，有顧愷之《夏

---

① “張華”原互倒，據《宋史・藝文志》乙正。

禹治水圖》。"

江圖一卷　<small>張氏撰。</small>

　　見《隋志》。章宗源《考證》云："《尚書·禹貢》正義:'張須元《緣江圖》云:"一曰三里江,二曰五州江,三曰嘉靡江,四曰烏土江,五曰白蚌江,六曰白烏江,七曰菌江,八曰沙提江,九曰廩江。"'<small>陸氏《釋文》亦稱張須元《緣江圖》。《通典》州郡門注稱張須《九江圖》,据《書》疏,須元乃雙名,《通典》注,則須爲單名。《史記·夏本紀》索隱稱張滇《九江圖》,滇與須字相似而訛。</small>① 按此當即《隋志》所稱張氏《江圖》。"元案《南史·隱逸傳》有張孝秀,云南陽宛人,徙居尋陽,曾祖須無,祖僧鑒,父希,並別駕從事。僧鑒,《新唐志》有《潯陽記》二卷,父子世其家學。須無當即須元,蓋用齊賓須無名,"無"古通作"无",因譌爲"元",亦如"須"譌爲"滇"也。孝秀,梁普通三年卒,<small>《梁書·處士傳》云,時年四十二。</small>須無其曾祖,知是晉人。

晉中州記

　　見《水經·穀水》注。

永寧地志

　　見《宋書·州郡志》。

地書　<small>皇甫謐撰。</small>

　　見《隋書·隱逸·崔廓傳》,廓子頤,云"臣案皇甫士安撰《地書》"云云。士安,謐字也。又見《北史·齊紀》詔問崔頤。

地記　<small>伏滔撰。</small>

　　見《書鈔》六十。《類聚》百八十五、《御覽》百七十七、又《水經·洛水》注引存,無撰人名。

九州記　<small>樂資撰。</small>

---

① "字"原誤作"宇",據《二十五史補編》本改正。

見《水經·江水》注。又《沔水》注、《御覽》五百五十六又引作
"九州志"。又《史記·外戚世家》集解、《御覽》、《寰宇記》多
引作"九州要記"。

冀州記　荀綽撰。

見《魏志·夏侯尚》、《陳思王植》、《邴原》、《崔琰》、《裴潛》等
傳注。又《文選》注四十，又《世説·言語》、《賞譽篇》注。

兗州記　荀綽撰。

見《魏志·杜畿傳》注、《世説·文學篇》注、《書鈔》一百二十
七、《初學記》十二。

冀州記　裴秀撰。

見《史記·封禪書》索隱。

荆州記　范汪撰。

見《史記·五帝紀》正義。《類聚》六十四，《初學記》二十四，
《御覽》一百八十、又七百九、又九百十均引存。《書鈔》一百
六引作"汪州記"，云："舜葬九疑，民俗始作韻歌。"當即《荆州
記》。

交州記　劉欣期撰。

見《水經·葉榆河》注，《書鈔》一百六，《初學記》七，《文選·
吳都賦》注，《御覽》六十六、又三百七十、又四百九十九。

交州牋　將作大匠豫章喻希益期撰。

見《書鈔》一百十九。《類聚》八十七，《御覽》八百三十九、又
一百八十七，《水經·溫水》注均引作"喻益期牋"。元案《隋
志》集部有《將作大匠喻希集》，即其人，益期蓋字也。

益州志　譙周撰。

見《文選·蜀都賦》注。

蜀後志　漢嘉太守蜀郡杜襲敬修撰。

見《華陽國志·常寬傳》。

汝南記　杜預撰。

見《初學記》十二。《後漢書·應奉傳》注不著撰人名。

臨安地志　郭璞撰。

見宋錢儼《吳越備史》卷一。

三吳土地記　顧長生撰。

見王象之《輿地碑記》目。又《寰宇記》九十四、《玉澗雜書》作
“三吳記”。

梁州巴記　黃容撰。

見《華陽國志》常寬坿傳。

齊記　伏琛撰。

見《水經·濟水》、《淄水》、《汶水》注。《後漢書·耿弇傳》注，
《書鈔》一百四十六，《初學記》二、又二十四，《御覽》四十二、
又一百五十七，《文選·江賦》注均存，作“齊地記”。《御覽》
十四又引作“伏琛記”。

宜都記　袁山松撰。

見《書鈔》一百四十六。《初學記》二、又六，《御覽》四十六、又
四十九、又六十，《水經·江水》注引“袁山松曰”，即此《記》。

勾將山記　袁山松撰。

見《御覽》四十九，又《太平寰宇記·山南東道》。

羅浮山記　袁宏撰。

見《元和郡縣志·嶺南道》。又《御覽》七百五十九引作“羅山
疏”。

南嶽記　徐靈期撰。

見《初學記》五，《類聚》六十四、又七十，《御覽》三十九、又一
百八十五、又七百十，《輿地紀勝》五十五。元案宋陳田夫《南
嶽總勝集》卷中“衡嶽觀”條有晉太康八年吳人徐靈期，又“上
清宮”條云：“吳人徐靈期真人修行之所，採訪山洞嵒谷，作

《南嶽記》，叙其洞府靈異。"

鄉邑記注　<small>太原王劭撰。</small>

見《顏氏家訓·勉學篇》。

北征記　<small>伏滔撰。</small>

見《續漢書·郡國志》注。《文選·初發石首城詩》注、《謝靈
運擬劉楨詩》注、《奏彈曹景宗》注、《御覽》四十三、又五十三，
《水經·濟水》注，引作"伏韜"，即"滔"之譌。

異物志　<small>譙周撰。</small>

見《文選·左思蜀都賦》劉注。

荆揚以南異物志　<small>薛瑩撰。</small>

見《文選·吳都賦》注。

晋宮閣名

見《水經·穀水》注，《文選·陸士衡贈馮文羆遷斥丘令詩》
注、又《景福殿賦》注，《初學記》二四、又二五，《書鈔》一百三
七，《御覽》目。

晋宮閣記

見《御覽》目。

晋宮闕簿

見《太平寰宇記·河南道》。

右地理四十二部，凡二百九十五卷，無卷數者二十九家。

裴秀圖《禹貢》地域，晋有天下，版輿始大一統，而地官之職以
舉。厥後，摯虞又依据《禹貢》、《周官》，以成《畿服》一經，事
詳篇富，用集大成，《隋志》缺目，其亡佚久矣。然別家纂述，
或紀其險夷，或條其風土，或狀其物産；使臣旅客、方外釋子，
又或記其行役景光，其書猶有存者，考覽者資焉。若夫《山
海》、《神異》二經，郭璞、張華取而注之，體近小説，僅備異聞，
《隋志》既入此類，兹仍其舊，以存古制。

族姓昭穆記十卷　<small>摯虞撰。</small>

見《隋志》譜系類序，云：“晋亂已亡，故無其目。”又見虞本傳。《史通》作“族姓記”，無“昭穆”二字。

百姓族譜七百十二卷　<small>員外郎平陽賈弼之撰。</small>

見《南史·文學·賈希鏡傳》，云：“希鏡，平陽人。祖弼之，晋員外郎，廣集百家譜記。晋太元中，朝廷給弼之令史書吏，[①]使撰定繕寫，藏秘閣及左户曹。希鏡三世傳學，凡十八州士族譜，合百帙，七百餘卷。”又《王僧孺傳》作“七百一十二卷”，云弼之“晋太元中員外散騎侍郎”。又《唐書·柳沖傳》作“七百一十二篇”，《元和姓纂》卷七作“賈弼”，無“之”字。

魏世譜

見《文選·陸機答賈長淵詩》注、《御覽》九十四。又《魏志·少帝紀》注引之，其《譜》云：“晋受禪，封齊王爲邵陵縣公，太始十年薨。”據此，知《譜》爲晋人撰。

蜀世譜　<small>孫盛撰。</small>

見《蜀志·先主穆后》、《後主太子璿傳》注、《費詩》、《張嶷傳》注。又《後漢書·蠻夷傳》注引作“蜀譜”。

晋世譜

見《世説·言語》、《政事篇》注。

潘氏家譜　<small>潘岳撰。</small>

見《元和姓纂》卷二。

華氏譜　<small>華嶠撰。</small>

見《世説·方正篇》、《德行篇》注引嶠《譜·序》，又《魏志·華歆傳》注。

司馬氏系本　<small>譙王司馬無忌公壽撰。</small>

---

① “史”字下原脱“書吏”二字，據中華書局點校本《南史》補。

見《史記·序傳》索隱,又正義。無忌有傳。

複姓録　傅餘頠撰。

見《元和姓纂》卷二。元案《廣韻》九魚餘韻注作"餘頠",又云:"複姓。傅餘氏本自傅説,説既爲相,[1]其後有留於傅巖者,因號傅餘氏。"

右譜系二部,凡七百二十二卷,無卷數者七家。

魏立九品,晋世因之,於是門閥相高,右族權重,凡有舉選,譜牒是稽,故其時官有世胄,譜有世官,摯虞、賈弼撰述斯備。梁沈約曰:"晋咸和以來,所書譜牒,并皆詳實。"休文去晋未遠,据所目見,其評論如此。今已亡佚,并無其目,小史定繫,職又在是,故編次之,存其有撰人可考者録諸篇。

晋中經十四卷　荀勖撰。

本《隋志》。《新唐志》作"晋中經簿",《舊唐志》作"中書簿",卷同。元案《廣弘明集》載《七録》序目云:"《晋中經簿》,四部書一千八百八十五部,二萬九百三十五卷。其中十六卷佛經,書簿少二卷,不詳所載多少。"又云:"一千一百一十九部亡,七百六十六部存。"《魏志·王肅傳》注、《蜀志·秦宓傳》注、《周禮·天官》正義、《釋文·序録》、《漢書·貨殖傳》注、《書鈔》一百四、《御覽》七百四均引存。

隆安西庫書目二卷

見《宋志》,注云:"不知作者。"

雜撰文章家集序十卷　荀勖撰。

本《隋志》。唐新舊《志》"雜撰"作"新撰",均五卷。元案《魏志·王粲》、《夏侯淵傳》注引荀勖《文章序録》,當即是書。又《世説·文學》、《巧藝篇》注引《文章序録》,不著撰人。

---

① "相"原誤作"祖",據中國書店影印本《宋本廣韻》改正。

文章志四卷　摯虞撰。

見《隋志》。《魏志·陳思王傳》注，《後漢書·桓彬傳》注，《文選·長笛賦》注、《與魏文帝牋》、《答東阿王牋》注均引存。《世説》各篇注屢引。

正書目録一卷

見《陶弘景集·與梁武帝啓》，云："臣昔於馮澄處見逸少《正書目録》一卷。"

衆經目録一卷　竺法護撰。

見《法苑珠林·傳記篇》。又《大唐内典》卷十云："右依檢是晉武帝時長安青門外大寺沙門也，翻經極廣，因出其録。"《高僧傳》有晉長安竺曇摩羅刹，即法護，其先月支人，本姓支氏，世居燉煌，惠帝時卒。

綜理衆經目録一卷　釋道安撰。

見《歷代三寶記》卷八。《高僧·道安傳》云："自漢魏迄晉，經來稍多，而傳經之人，名字弗説，後人追尋，莫測年代。安乃總集名目，表其時人，詮品新舊，撰爲《經録》。"當即是書。

羣經都録別録一卷　支愍度撰。

見《歷代三寶記》卷七，云："右《録》一卷。成帝世，豫章山沙門支愍度總校羣經，合古今目録，撰此《都録別録》一卷。"[1]愍度，《高僧》康僧淵坿傳，云："愍度聰哲有譽，著《傳譯經録》，今行於世。"

魏中經簿　太常滎陽鄭默思玄撰。

《隋志·序》云："魏秘書郎鄭默，始制《中經》。"又《初學記》十二引王隱《晉書》云："爲秘書郎，删省舊文，除其浮穢，著《魏

---

①　據《續修四庫全書》本《歷代三寶記》，此段文字至"撰此都録"止。"別録一卷"實見《開元釋教録》。

中經簿》。"今《晋書》默坿《鄭袤傳》,入晋,官太常。

晋元帝書目

見《廣弘明集》所載《七録》序目,云:"《元帝書目》,四部三百
五袠,三千一十四部,不言撰人。"元案《隋志·序》云:"東晋
之初,漸更鳩集。著作郎李充,以勘舊簿校之,其見存者,但
有三千一十四卷。充遂總没衆篇之名,但以甲乙爲次。"又充
傳云:[1]"删除煩重,以類相從,分作四部。"据此,《元帝書目》
當是充撰。

義熙四年秘閣四部目録

見《廣弘明集》所載《七録·序》。孫星衍《續古文苑》十一録
阮《序》,案云此下當有脱文。

晋文章記　顧愷之撰。

見《世説·文學篇》注。

諸經目　釋道祖撰。

見《高僧傳》,云:"道祖,吴國人,支法濟弟子。與同志僧遷、
道流等,共入廬山。道流撰《諸經目》未就,祖爲成之。"

右簿録八部,凡三十四卷,無卷數者五家。

劉歆嗣父業著《七畧》,荀勖分《中經》創四部,此學淵源,析爲
兩派。用劉法者,班固以外,王儉之《志》、[2]阮孝緒之《録》,兩
家而已。用荀法者,李充以後,宋有謝靈運,齊有王亮、謝朓,
梁有任昉、殷鈞,下及隋唐之《經籍》、《藝文》諸志,悉祖之。
其中篇目出入,非無異同,總之以四部爲限。釋家者流,竊取
儒術,凡有經典,亦成簿目,晋以前未之聞也,若法護,其開山
祖歟,今并列之。

---

① "傳"原誤作"儉",據《二十五史補編》本改正。
② "儉"原誤作"傳",據《二十五史補編》本改正。

補晉書藝文志卷第三

善化黃逢元木父撰

丙部子録，十四家，二百六十三部，一千九百九十三卷，無卷
數者四十四家。

儒家類一	道家類二
法家類三	墨家類四
從橫家類五	雜家類六
農家類七	小説家類八
兵書類九	天文類十
曆數類十一	五行類十二
醫方類十三	雜藝術類十四

孟子九卷　綦毋邃注。

見《七録》，誤題邃撰。唐新舊《志》作“七卷”。《孟子》本七
篇，梁《録》邃注加多二卷，當合《外書》爲一部。今存吳騫輯
本邃注《外書》一卷，又馬國翰輯存一卷。

楊子法言十五卷　解一卷　李軌注。

本《隋志》。《舊唐志》十三卷，《新唐志》三卷。今存。

楊子太玄經十二卷　范汪注。

見唐新舊《志》。范汪《序》云十卷，《通考》同。馬總《意林》作
“十四卷”。今存，作“十六卷”。

通經二卷　王長文撰。

見《七録》，“長文”誤作“長元”。《通志》作“通玄”。長文有

傳,云："著書四篇,擬《易》,名曰《通玄經》,有《文言》、卦、象,可用卜筮,時人比之揚雄《太玄》。"《華陽國志》長文傳作"《通經》四篇"。

通語十卷　尚書左丞殷興撰。

本《七録》。《舊唐志》作"文禮撰,殷奧續","奧"即"興"之譌。《新唐志》作"文禮《通語》",注云殷興續,卷同。《意林》作"八卷",《御覽》二百六引作"古今通語"。馬國翰輯存一卷,其《序》据《吳志·顧劭傳》注云:"禮子基作《通語注》。"又引《文士傳》曰:"禮子基,無難督,著《通語》十篇。"遂定爲吳殷基撰。《序》又云:"《唐志》以文禮標目,其誤顯然,父名禮,子不得以父名爲字,謂文禮即殷禮,而《通語》實非禮作,蓋因書載父事,遂訛父爲文。"

袁子正論十九卷　袁準撰。

本《隋志》。《意林》作"二十卷",唐新舊《志》卷同。馬國翰輯存一卷,嚴可均又輯存一卷,其《序》曰:"準《自序》所稱論治世之務,即《正論》也。《羣書治要》載《正書》十七篇,皆有篇名,撰人題曰袁准,唐初人似未知袁准即袁準,故《晉書》於準所著,但言著《喪服經》,不言《正論》及《正書》,蓋分袁准、袁準爲二人也。"

袁子正書二十五卷　袁準撰。

見《七録》。馬國翰、嚴可均各輯存一卷。嚴《序》云:"準《自序》所稱論五經滯義,聖人之微言,即《正書》也。"

孫氏成敗志三卷　孫毓撰。

見《七録》。《意林》引存二則。

譙子法訓八卷　譙周撰。

見《隋志》。今存馬國翰輯本一卷。

譙子五教志五卷　譙周撰。

本《七録》。又《意林》、唐新舊《志》卷同，無"志"字。

譚言十篇 江陽太守蜀郡何隨季業撰。

見《華陽國志》隨傳，云："著《譚言》十篇，論仁義道德。"

新論十卷 夏侯湛撰。

見《隋志》。今存馬國翰輯本一卷。湛傳云："著《論》三十餘篇。"當即是書。

又　十卷 秘書監廣陵華譚令思撰。

見《七録》。《初學記》十七引存。《御覽》五百六十五引作"華譚論"。譚有傳。

辨道三十卷 華譚撰。

見譚傳，云："建元初，元帝命爲軍諮祭酒。譚博學多通，在府無事，乃著書三十卷，名曰《辨道》。"

楊子太玄經十四卷 徵士望國楊泉德淵撰。

本《隋志》。新、舊《唐志》云："楊泉撰，劉緝注。"《意林》云泉字德淵，引存七節。《書鈔》六十三引《晉録》云詔拜泉郎中。

楊子物理論十六卷 楊泉撰。

見《七録》。今存孫星衍輯本一卷，又黃奭《漢學堂》輯存。

梅子新論一卷

見《七録》，無撰人名。《意林》作"《梅子》一卷"，無"新論"二字，引存一節。元案《書鈔》三十七、《初學記》十二引梅陶《自序》。《書鈔》一百五十六又引作"陶梅書"，《御覽》三十五引同，"陶梅"當是誤倒，書疑即《新論》，爲梅陶撰。《世説·方正篇》注引《晉諸公贊》：[1]"陶，汝南西平人，字叔真，官諮議參軍。"

古今通論二卷 松滋令王嬰撰。

---

① "篇"原誤作"論"。

本《七録》。《意林》、唐新舊《志》三卷,《通志》作"二十卷","十"字誤增。今存馬國翰輯本一卷。

蔡氏化清經十卷　松滋令吳郡蔡洪叔門撰。

本《七録》。唐新舊《志》卷同,作"清化"。《書鈔》一百三十六引作"清化論"。今存馬國翰輯本一卷。

志林新書三十卷　虞喜撰。

本《隋志》。唐新舊《志》二十卷,《意林》二十四卷,無"新書"二字,喜傳作"《志林》三十篇"。今存馬國翰輯本一卷。

廣林二十四卷　虞喜撰。

見《七録》。《通典》八十八引一節稱《廣林》,餘均稱"虞喜曰",凡二十四節,馬國翰據之輯存一卷。

後林十卷　虞喜撰。

本《七録》。唐新舊《志》作"後林新書",卷同。元案《三國志》注、《通典》九三引喜《釋滯》,又九五引喜《通疑》,又一百三十引喜《釋疑》,《隋》、《唐志》無其目,疑即《廣林》、《後林》二書篇名,本《志》故不別出。

鄒子一卷

見《意林》。馬國翰輯存一卷,其《序》云:"《意林》次此書於蔡洪《化清經》、孫毓《成敗志》之間,蔡、孫晋人,則鄒自亦同時人。蓋鄒湛之書,湛傳言所著詩及論事議二十五首,爲時所重,此湛有撰述之證,又與蔡洪、孫毓同在晋初,益可無疑。"

無名子十二篇　王長文撰。

見《華陽國志》長文傳,云:"著《無名子》十二篇,依則《論語》。"

典言五篇　常寬撰。

見《華陽國志》寬傳,云:"鳩合經籍,研精著述,依孟楊宗、盧師矩著《典言》五篇。"

述理論十篇　李密撰。

見《華陽國志》密傳，云：“著《述理論》，論中和仁義儒學道化之士，①凡十篇。”

干子十八卷　干寶撰。

見《七録》。元案《通典》一百三引《駁招魂議》一篇，宗懍《荆楚歲時記》夏至節日條案語引《變化論》逸句，或出是書中。

正言十卷　干寶撰。

見唐新舊《志》。

立言十卷　干寶撰。

見唐新舊《志》。

閎論二卷　江州從事蔡韶撰。

見《七録》。《書鈔》一百八十五穴篇引存，“閎”譌爲“閨”，《初學記》一雷又引作“闈論”。

顧子十卷　揚州主簿吳郡顧夷君齊撰。

本《七録》。唐新舊《志》作“顧子義訓”。今存馬國翰輯本一卷。元案《世説·文學篇》注引《顧氏譜》：“夷字君齊，吳郡人。辟州主簿，不就。”

要覽十卷　郡儒林祭酒吕竦撰。

本《隋志》。唐新舊《志》五卷。《御覽》四百六引存。

明氏家訓一卷　僞燕衞尉明岌撰。

見《隋志》史部雜傳類。元案《書鈔》一百六十引《三十國春秋》：“岌，官終黄門郎，有《將死誡子文》。”

典誡十五篇　慕容皝撰。

見皝載記。

典式八篇　賈充妻李氏撰。

見《世説·賢媛篇》，“賈充妻李氏作《女訓》行於世”注引《婦

---

①　士，《叢書集成初編》本《華陽國志》作“事”。

人集》云：“李氏至樂浪，遺二女《典式》八篇。”《荆楚歲時記》人日條案語引作“典戒”，《初學記》四同。又《世説·賢媛》“賈充前婦”條注引《婦人集》曰：“充妻李氏，名婉，字淑文。”《隋志》集部充妻有集一卷，題作“李氏扶”。元案《女訓》、《女戒》，當即《典式》，書同名異。充妻名婉、名扶，未知孰是。

二九神經　張重華儒林祭酒酒泉祈嘉孔賓撰。

見嘉傳，云：“依《孝經》作《二九神經》。”元案《孝經》凡十八章，是書依《孝經》，題名二九，殆增倍計數，亦十八章也。其曰“神經”，或近緯書。

邁德論　處士巴西龔壯子瑋撰。

見壯傳，云：“壯每歎中夏多經學，而巴蜀鄙陋，兼遭李氏之難，無復學徒，乃著《邁德論》。”

善文　南中郎將軍華廙撰。

見華表坿傳，云：“廙教誨子孫，講誦經典，集經書要事，名曰《善文》。”

家記　左光禄大夫會稽虞潭思奥撰。

見《書鈔》一百二十九。

家訓　黄容撰。

見《華陽國志·常寬傳》。

家令　偽燕大將軍慕容庱撰。

見前燕載記。

起居誡　李充撰。

見《書鈔》一百，又一百二。《御覽》五百九十七、又五百九十五引作“起居注”，誤。

右儒家三十五部，凡三百八十八卷，無卷數者七家。

梁元帝曰：“桓譚有《新論》，華譚又有《新論》；揚雄有《太玄經》，楊泉又有《太玄經》；是皆不學。"①雖然，亦晉人風氣使然耳。經造《尚書》，史比《春秋》，子何論哉！王長文之《通玄》，蔡洪之《化清》，祈嘉之《二九》，且僭而爲經矣，更何華譚、楊泉之足云？儒者，子之冠也，司馬遷序六家，班固志九流，並褒然以爲首舉。晉承正始，玄學大昌，江左以還，此風未寢，而猶有游心經籍，推本仁義，遵先王之法，師孔氏之言，於道最高，斯可貴已。今備録之，以存墜緒。

老子二卷　太傅泰山羊祜叔子撰。

　見唐新舊《志》。祜有傳，云："爲《老子傳》行世。"

又　二卷　江州刺史瑯邪王尚述君曾注。

　本《七録》。新、舊《唐志》作"王尚注"，《釋文》作"王尚述二卷"。元案盧文弨《序録考證》云："案《隋志》王尚述注，是王氏名尚述也，此脱注字，蓋誤以述字當之。《唐志》王尚注二卷，竟以爲名尚矣，然王氏字君曾，則述必其名也。"

又　二卷　釋鳩摩羅什注。

　見唐新舊《志》。

又　二卷　郎中鉅鹿程韶集解。

　本《七録》。《新唐志》作"集注"。

又　二卷　邯鄲氏注。

　見《七録》。

又　二卷　盈氏注。

　見《七録》。

又　二卷　常氏注。

　見《七録》。

又　二卷　孟氏注。

---

① 案此處引文見《金樓子·雜記篇》下。引文有刪畧。

見《七録》。以上四家,《册府元龜》學校部均次晉。

解釋老子道德經二卷　　羊祜撰。

本《七録》。《釋文·序録》四卷,唐新舊《志》同。

老子道德經二卷　　張憑注。

見《七録》。

又　二卷　　蜀才注。

見《七録》。

又　二卷　　西中郎將豫州刺史陳郡袁真彦仁注。

見《七録》。元案《哀帝紀》有袁真,爲西中郎將、監護豫司并冀四州諸軍事、豫州刺史,即其人。又見《桓温傳》。

又　二卷　　尚書郎太原孫登仲山注。

本《隋志》。《經典·序録》作"集注",唐新舊《志》作"老子注"。《通志》既録《老子道德經》二卷,又録《老子注》一卷,複誤。登爲孫統子,孫楚坿傳。

又　二卷　　張嗣注。

見《七録》。《册府元龜》學校部次晉。

老子道德經序訣二卷①　　葛洪撰。

見唐新舊《志》。

老子玄譜一卷②　　柴桑令劉遺民撰。

本《隋志》。《舊唐志》又一本,注云"劉道人","道"字即"遺"之譌,唐諱民,故作人。元案《宋書·隱逸·周續之傳》有劉遺民,彭城人。《世説·任誕篇》注引《中興書》曰:"劉驎之,一字遺民。"考《晉書·劉驎之傳》,字子驥,南陽安衆人,與

---

①　原脱"老"字,據《新唐書·藝文志》、《舊唐書·經籍志》補。《二十五史補編》本誤同。

②　原脱"老"字,據《隋書·經籍志》、《舊唐書·經籍志》補。《二十五史補編》本誤同。

《中興書》不合。又《蓮社高賢·劉程之傳》云："字思仲,彭城人,劉裕族,其號曰遺民。"不言爲柴桑令,惟《陶淵明集》有《酬和劉柴桑》二詩。《史通·雜説》自注云："舊《晋書》有《劉遺民傳》。"

老子音一卷　孫登撰。

見《隋志》,次在登《注老子道德經》二卷下。

又　一卷　李軌撰。

見《隋志》。

又　一卷　戴逵撰。

見《七録》。

列子八卷　光禄勳高平張湛處度注。

見《隋志》。今存。《世説·任誕篇》注引《張氏譜》云："湛仕至中書郎。"

列子音義一卷　張湛撰。

見《宋志》。音存,今散入《列子》注中。

莊子二十卷　向秀注。

見《隋志》。《釋文》引存。秀傳題作《莊子隱解》。

又　十卷　議郎清河崔譔注。

見《七録》。《釋文》引存。

又　十六卷　司馬彪注。

本《隋志》,注云："本二十一卷,今闕。"《經典·序録》、唐新舊《志》復作二十一卷。今存馮翼輯本一卷,補遺一卷。又黄奭《漢學堂》輯存。

又　三十卷　目一卷　太傅主簿河内郭象子玄注。

本《隋志》。《七録》作"三十三卷",《經典·序録》同。唐新舊《志》十卷,《宋志》同。今存。象有傳。

又　三十卷　丞相參軍潁川李頤景真注。

本《七錄》,《經典·序錄》同,云:"頤自號玄道子。"唐新舊《志》作"集解",二十卷。《釋文》引存。

又　十八卷　録一卷　孟氏注。

見《七錄》。《册府元龜》學校部次晋。

釋莊子論二卷　李充撰。

本《舊唐志》。《新唐志》作"釋莊論",《通志》作"莊子論",充傳作"《釋莊論》上、下篇"。

莊子音一卷　向秀撰。

本《七錄》。《經典·序錄》三卷,《釋文》引存。

又　三卷　郭象撰。

本《隋志》。《經典·序錄》一卷,音散存注中。

又　一卷　李軌撰。

見《經典·序錄》,《釋文》引存。

又　三卷　徐邈撰。

見《隋志》。《釋文》引存。

莊子集音三卷　徐邈撰。

見《隋志》。

莊子註音一卷　司馬彪等撰。

本《隋志》。《經典·序錄》云:"彪注《莊子》二十一卷。"注又云:"爲音三卷。"《新唐志》一卷,無"等"字,音散見《釋文》。

陸子十卷　陸雲撰。

見《七錄》。雲傳云:"撰《新書》十篇。"當即是書。《初學記》九,《御覽》七十六、又八百十九、又八百三十二引存。

唐子十卷　唐滂惠潤撰。

見《隋志》,題作吳人。元案《意林》次在《傅子》一百二十卷下,注云:"滂字惠潤,生吳太元二年。"吳太元二年,當魏嘉平四年,後十三年魏亡,爲晋太始元年,滂年才十四,再十六年吳亡，爲晉太康元年，《意林》引滂書其第十八條故有“大晉應期，一舉席捲”之語，知是書成之於晉太康後。今存馬國翰輯本一卷。

蘇子七卷　北中郎參軍蘇彥撰。

見《七錄》。馬國翰、嚴可均各輯存一卷。元案《十六國春秋·後趙石閔傳》有常山太守蘇彥，是一是二，難定其人。

宣子二卷　宣聘撰。

見《七錄》。

抱朴子內篇二十一卷　音一卷　葛洪撰。

本《隋志》。《意林》、《舊唐志》、《崇目》均作“二十卷”，《新唐志》十卷。今本仍存二十卷，《音》佚。

抱朴子內篇佚文一卷　葛洪撰。

見《平津館叢書》，繼昌錄。又嚴可均《全晉文》輯存。

抱朴子別旨二卷

見《宋志》，入道家，注云：“不知作者。”

抱朴子金汋經一卷

見《絳雲樓書目》道藏類。今存《平津館叢書》。嚴可均《鐵橋漫稿》云：“其上、下二卷，即《金丹篇》。”

顧道士新書論經三卷　方士顧谷撰。

本《七錄》。唐新舊《志》無“新書”二字。《新志》三卷。

孫子十二卷　孫綽撰。

《隋志》入道家，唐新舊《志》同，《秘目》列儒家，《通考》、陳《錄》、《宋志》入雜家。馬國翰輯存一卷。

杜氏幽求新書二十卷　國子祭酒廬江杜夷行齊撰。

本《隋志》。唐新舊《志》作“《幽求子》三十卷”，《魏志·杜恕傳》注作“杜氏新書”。今馬國翰輯本一卷。夷有傳。

苻子二十卷　員外散騎侍郎苻朗元達撰。

本《隋志》。唐新舊《志》三十卷。朗坰《苻堅載記》,云:"著《苻子》數十篇。"今存馬國翰、嚴可均輯本各一卷。

攝生論二卷　河內太守陳留阮侃德如撰。

見《七錄》。

簡文談疏六卷　簡文帝撰。

見《隋志》。

枕中書一卷　葛洪撰。

見《說郛》。今存。《四庫提要》云:"說多謬悠,後人僞託也。"

老子注　尚書郎彭城劉黃老撰。

見《劉波傳》。

老子注　鄧粲撰。

見粲傳。

老子例畧　參軍太原王倫太沖撰。

見《世說·排調篇》注引《王氏家譜》。

文子注　張湛撰。

見《文選·東都賦》注。又《鷦鷯賦》、《天監三年策秀才文》、《奏彈曹景宗》、《恩倖傳》各注均先引"文子曰",後引"張湛曰",知湛有注。

莊子注　盧諶撰。

見諶傳。

莊子逍遥篇注　支法遁撰。

見《高僧·支法遁傳》,云:"遁注《逍遥篇》。"《世說·文學篇》注引作"支氏《逍遥論》"。遁字道林,河內林慮人。[1]

玄微論　徐苗撰。

見苗傳,云:"依道家著《玄微論》。"

---

[1]　《高僧傳》卷四《支遁傳》云:"本姓關氏,陳留人,或云河東林慮人。"

廢莊論 <small>安北將軍太原王坦之文度撰。</small>

見坦之傳。

右道家四十九部，凡三百二卷，無卷數者八家。

明儒術以補黃老之偏，黃老治漢，攟經學以助老、莊之虐，老莊亂晉，不然，守一家言，道無二也，功效豈有異乎？今考其書，《老》得十九家，而羊祜居首；《莊》得九家，而郭象為冣；悉編次之，凡同類者屬焉。嗚呼！道家法自然，宗主無為，亦人君南面之術也，流弊所極，幾亡人國，是可懼已。誕者矯之而有神仙之說，巧者竊之而有釋氏之學，變本加厲，惑又甚矣。《唐志》不別立目，皆坿道家，其知本也。茲獨刪削，實遵《隋》例，且其部目汎濫，謬悠尤多。本志限斷，不惟所譯之經典闕如，并徒眾論說，亦不著錄。

慎子十卷 <small>滕輔注。</small>

本唐新舊《志》。《隋志》卷同，不云輔注。元案《隋志》別集注："梁有《晉太學博士滕輔集》五卷。"當即其人。

蔡司徒難論五卷 <small>三公令史黃命撰。</small>

見《七錄》。

刑名二篇 <small>建康令代郡魯勝叔時撰。</small>

見《隱逸》勝傳。

慎子注 <small>劉黃老撰。</small>

見《劉波傳》。

右法家三部，凡十七卷，無卷數者一家。

太史公曰："法家不別親疏，不殊貴賤，一斷於法。"然其流蓋出於理官。晉之律令，賈充、杜預修而明之，藏諸官府，本志史部已具錄矣。茲輯私人撰箸，以存一家學派。

墨辨注篇 <small>魯勝撰。</small>

見勝傳，《序》存傳中。

右墨家，一部，凡四卷。

墨學漢初已微，論者以爲孟氏一距力，然六家之中，與儒抗者獨墨。晉去漢又遠矣，於舉世不爲之日，猶有獨抱遺經，引申師說者，庶幾此學晦而復明，興微繼絶。魯氏一《序》，殆其自道歟。

鬼谷子三卷　　　皇甫謐注。

見《隋志》。

右從橫家一部，凡三卷。

從橫家，《漢志》謂出行人之官，而書以蘇、張冠首。此《國策》長短之說，晉袁悦能之，傳稱甚有精理，會稽王道子納其說，後竟見誅，利口覆邦，與蘇、張何一轍也！悦無著述，錄皇甫氏一家。

博物志十卷　　　張華撰。

本《隋志》，又互見史部雜傳類。唐新舊《志》入小說，卷同，華傳作“十篇”。今存。元案王嘉《拾遺記》云：“華造《博物志》四百卷，奏於武帝，以爲繁芜，截爲十卷。”

張公雜記一卷　　　張華撰。

見《隋志》，注云：“梁五卷，與《博志》相似，小小不同。”又互見史部雜傳類。

雜記十一卷　　　張華撰。

見《隋志》，又互見史部雜傳類。

傅子百二十卷　　　傅玄撰。

本《隋志》。唐新舊《志》、《意林》卷同。《崇目》載十篇，存五卷，《宋志》同。玄傳云：“内、外、中篇，凡四部六錄，合百四十首。”今存一卷，嚴可均又輯存四卷。

抱朴子外篇三十卷　　　葛洪撰。

本《隋志》。《七錄》五十一卷，《舊唐志》五十卷，《宋志》同。

《意林》、《新唐志》、《崇目》二十卷，晁《志》十卷。今存本五十
二卷。

抱朴子外篇佚文一卷　葛洪撰。

見《平津館叢書》，繆昌輯。又嚴可均《全晉文》輯存。

析言論二十卷　張顯撰。

本《七錄》。《意林》作"《析言》十卷"。《舊唐志》卷同，誤合
"析言"二字爲一，題云"誓論"。《新志》二十卷，其誤同，撰人
均作"張明"，唐中宗名顯，故諱"顯"作"明"。《書鈔》六十二，
《類聚》九十二，《御覽》八十、又三百七十八、又九百二十二均
引存。《御覽》八十古詩云條誤作"鄧析言"，又三百七十八古
諺條誤作"哲言"。

時務論十二卷　征南軍師馮翊楊偉世英撰。

見《隋志》。《御覽》三百五十九、又九百五十一引存。《書鈔》
六引作"楊傸《時務論》"，"傸"即"偉"之譌。偉郡、字見《魏
志‧曹爽傳》注引《魏晉世語》。

又　五篇　兖州刺史蜀郡何攀惠興撰。

見《華陽國志》攀傳。

秦子三卷　秦菁撰。

見《隋志》，題作吳人。元案《書鈔》一百四十五、又《意林》有
顧彥先與秦子問難語，彥先，顧榮字，秦子與榮同時，當是晉
人。馬國翰輯存一卷。

廣志二卷　郭義恭撰。

見《隋志》。今存馬國翰輯本上、下卷。

默語三十篇　周處撰。

見處傳。

新議八篇　薛瑩撰。

見《吳志‧薛綜傳》。

古今訓十一卷 張顯撰。

　　本《隋志》。《新唐志》十卷，因諱"顯"作"張明"。《爾雅·釋地》釋文引存"土乙力爲地"一句。又見郭忠恕《佩觿》上。

古今注三卷 崔豹撰。

　　本《隋志》。《舊唐志》五卷，《新唐志》作"三卷"，又入史部儀注類，作"一卷"。今存。

要覽三卷 陸機撰。

　　見唐新舊《志》，題云"陸士衡撰"。元陶宗儀《説郛》輯存一卷，馬國翰又補輯。元案《玉海》五十四藝文載機《自序》云："省直之暇，乃集《要覽》之篇，上曰《連璧》，集其嘉名，取其連類；中曰《述聞》，實述余之所聞；下曰《析名》，乃搜同辨異也。"

會要一卷 陸機撰。

　　見《宋志》。

正訓十卷 陸機撰。

　　《宋志》入雜家，《通志》入儒家，其《校讐畧》云："陸機《正訓》，《隋》、《唐》諸志并無，今出荊州田氏。"元案《御覽》六百二引葛洪《外篇》云：[1]"陸平原作《子書》，未成。"又云："今才士何不贊成陸公子書。"并引機言"吾所作《子書》未成，以此爲恨耳"。據此，當即《正訓》，本未成書，宜《隋志》缺載。田氏晚出之本，似未可信。

孔氏説林二卷 孔衍撰。

　　本《七録》。《舊唐志》五卷。

纂要一卷 戴逵撰。

　　見《隋志》，題云安道，即逵字。一云顔延之撰。

---

　　① "案"原誤作"覽"，據《二十五史補編》本改正。

索子二十卷 <small>司空敦煌索靖幼安撰。</small>

　見靖傳。

任子春秋一卷 <small>廬江杜嵩行高撰。</small>

　見《隋志》集部總集注引梁《錄》。元案《惠帝紀》云："高平王
　沉作《釋時論》，南陽魯褒作《錢神論》，廬江杜嵩作《任子春
　秋》，皆嫉時之作也。"又《杜夷傳》"嵩"作"崧"，夷兄。顧炎武
　《日知錄》二十"古人不以甲子名歲"條云："惠帝時，杜嵩作
　《壬子春秋》。壬子，元康二年，賈后弑楊后於金墉城之歲。"
　《經義考》又題作"杜子春秋"。王鳴盛《十七史商榷》亦云：
　"任子當作杜子。"

論集九十六卷 <small>殷仲堪撰。</small>

　本《七錄》。《隋志》存八十六卷，唐新舊《志》復作"九十六
　卷"。

子林二十卷 <small>孟儀撰。</small>

　見《七錄》。

纂要 <small>陸機撰。</small>

　見《御覽》十二。

言道 <small>散騎常侍吳郡陸喜恭仲撰。</small>

　見喜傳，云："感子雲之《法言》而作《言道》。"《吳志·陸瑁傳》
　注引《吳錄》："喜字作文仲。"

訪論 <small>陸喜撰。</small>

　見喜傳，云："睹賈生之美才而作《訪論》。"

審機 <small>陸喜撰。</small>

　見喜傳，云："覽蔣子通《萬機》而作《審機》。"

西州清論 <small>陸喜撰。</small>

　見喜傳，云："吳平，又作《西州清論》。"

崇有論 <small>侍中河東裴頠逸民撰。</small>

見裴秀坿傳。《論》存頠傳中。《世説・文學篇》注引《晋諸公贊》云："頠疾世俗尚虛無之理,故著《崇有》二論以折之。"又引《惠帝起居注》曰："頠著二論,以規虛誕之弊。"

無化論　陳留董養仲道撰。

見《隱逸》養傳。

釋時論　高平王沉彦伯撰。

見《文苑》沉傳。

孤奮論　蔡洪撰。

見《文苑・王沉傳》。

劉揚優劣論　陳留范喬伯孫撰。

見《隱逸》喬傳。

右雜家二十四部,凡四百二十一卷,無卷數者七家。

兼儒墨,合名法,斯爲雜家。其道在綜而能貫,博而能通,張華《雜記》、《抱朴外篇》故次於此。若傅玄之書,傳稱九流三史,評斷得失,各爲區別,準之流派,尤爲符合。

晋牛經一卷

見《意林》,又《祕目》農家時類。元案《世説・汰侈篇》注引《相牛經》曰："《牛經》出自甯戚,傳百里奚,漢世河西薛公得其書以相牛。至魏世,高堂生又傳晋宣帝,其後王愷得其書焉。"《隋志》子部五行類注云："梁有《甯戚相牛經》,又《高堂隆相牛經》,各二卷。"當即是書。明左圭《百川學海》存《相牛經》一卷。

南方草木狀一卷　廣州刺史譙國嵇含君道撰。

見《宋志》。《通考》題作"襄陽太守"。今存,作三卷。含,嵇紹坿傳,字君道,官至廣州刺史。《抱朴子・自序》含字作"居道"。

錢神論一卷　處士南陽魯褒元道撰。

見《通志》,列食貨類。褒有傳,存是《論》。《元和姓纂》六云:

"魯襃，晉光祿大夫。"與傳不合。

夏小正注　<small>郭璞撰。</small>

見葛洪《神仙傳》卷九《郭璞傳》。

田家十月圖

見《御覽》七百五十引《古今名畫錄》曰："晉有史道碩畫《田家十月圖》，爲世所珍。"

右農家三部，凡三卷，無卷數者二家。

古者未耡教民，中土遂以農立國。《書》之八政，《周禮》冢宰之九職，先務在此，錄《牛經》、《夏小正注》、《田家十月圖》。樹藝足，則食貨充，故圤稭、魯二家。

郭子三卷　<small>中郎太原郭澄之仲靜撰。</small>

見《隋志》。今存馬國翰輯本一卷。澄之，《文苑》有傳。

列異傳三卷　<small>張華撰。</small>

《舊唐志》作三卷，入史部雜傳。《新唐志》一卷，列子部小說。《水經·渭水》注，《御覽》八百八十四、又八百八十五、又八百八十八引存。

集異傳十卷　<small>葛洪撰。</small>

見洪傳。

搜神記三十卷　<small>干寶撰。</small>

《隋志》入史部雜傳，《舊唐志》同，《新唐志》入子部小說。今存二十卷。

志怪二卷　<small>侍中光祿大夫范陽祖台之元辰撰。</small>

《隋志》入史部雜傳，《舊唐志》同，作"四卷"。《新唐志》入子部小說，互見史部雜傳，卷與《舊志》同。《史通·雜述篇》作"祖台《志怪》"，無"之"字。《書鈔》九十四引作"志怪集"，《御覽》目同。台之有傳。

語林十卷　<small>處士河東裴啓榮期撰。</small>

見《七録》。今存馬國翰輯本一卷。元案《世説·文學篇》"裴郎作《語林》"條注引《裴氏家傳》云："裴榮字榮期，河東人。撰《語林》數卷，號曰《裴子》。檀道鸞謂裴松之以爲啓作《語林》，榮儻别名啓乎？"

羣英論一卷　郭頒撰。

見《七録》。

魯史欹器圖一卷　儀同劉徽撰。

《隋志》入小説，《宋志》同，唐新舊《志》均入儒家。

甄異傳三卷　戴祚撰。

《新唐志》入小説，《隋志》入史部雜傳，《舊唐志》同。今存《説郛》中，凡五事，"傳"作"記"。

雜語五卷

《隋志》小説類有是書，不著撰人。《世説》各篇注引孫盛《雜語》，疑即盛撰。

異林　陸氏撰。

見《魏志·鍾繇傳》注，引云："叔父清河太守説如此。"注又云："清河，陸雲也。"裴注外，《御覽》八百十九、又八百七十九、又八百八十七引存。元案《陸機傳》，子二，蔚、夏，書殆蔚、夏所撰。稱清河説，當即陸子《新書》中語。

志怪　曹毗撰。

見《初學記》七。《御覽》各部屢引。

神異記　王浮撰。

見《御覽》八百六十七。

右小説家，十部，凡六十八卷，無卷數者三家。

晉好清談，人矜語妙，若小説家言，細其甚矣，故裴啓《語林》，安石譏之。然《周禮》誦訓、訓方所掌，其職在是，芻蕘狂夫，聖人不棄，采而録之，可廣見聞。

兵記八卷　司馬彪撰。

本《隋志》，注云："一本二十卷。"新、舊《唐志》作"十二卷"。元案《國志》注引彪《戰畧》，《御覽》目引彪《戰經》，兵部又引作《戰畧》，當即一書異名。今存黃奭輯本一卷，題作"戰畧"。

兵林六卷　孔衍撰。

見《隋志》。

六軍鑑要一卷　大司馬鄱陽陶侃士行撰。

見《宋志》，疑依託。侃有傳。

風后握機經一卷　西平太守東平馬隆孝興撰。

見高似孫《子畧》，又《宋志》。陳《録》云《經》後原坿《續圖》，馬隆所補。今存。隆有傳。

兵法孤虛月時祕要法一卷　葛洪撰。

見《新唐志》。元案嚴可均《全晉文》輯存葛洪軍術四十餘事，當即是書佚文。

陰符十德經一卷　葛洪撰。

見《新唐志》。

保聚圖一卷　秀才鄢陵庾袞叔褒撰。

見晁《志》，又《通考》。袞有傳，不詳是書。晁《志》辨其撰書歲次錯誤，疑依託。

右兵書七部，凡一十九卷。

《晉書》無《兵志》矣，私家箸述若司馬氏，若孔氏，書無存者。至馬隆、陶侃、庾袞諸篇，晚出於宋，殆依託也。惟葛洪《祕要》近陰陽家言，《唐志》録之，而逸文殘句，時又引見他書，證驗既多，庶可傳信。

天文集占十卷　太史令陳卓季胄定。

本《隋志》。唐新舊《志》七卷。卓字見虞喜《安天論》，卓官太史令。見《天文志》。

五星占一卷 陳卓撰。

　本《隋志》。唐新舊《志》二卷。

天官星占十卷 陳卓撰。

　見《隋志》。

四方宿占一卷 陳卓撰。

　本《隋志》，注云："梁四卷。"宿占，《新唐志》作"星占"。

石氏星經七卷 陳卓記。

　見《七録》。元案《天文志》云："武帝時，太史令陳卓總甘、石、
　巫咸三家所著星圖，以爲紀。"即此書。

星述一卷 陳卓撰。

　見《通志》。

星經一卷 郭璞釋。

　本《祕目》。《通志》題作璞注。

天文要集四十卷 太史令韓楊撰。

　見《隋志》。《書鈔》一百五八，《初學記》十二、又二十、又二十
　四，《御覽》一百八二、又一百九七、又三百四七、又三百五八、
　又六百四三均引存。《續漢書·天文志》注兩引韓楊，即
　是書。

三家星歌一卷 張華撰。

　見《宋志》，疑依託。

小象千字詩一卷 張華撰。

　見《通志》，疑依託。

小象賦一卷 張華撰。

　見《宋志》，云："苗爲注。"疑依託。

玉函寶鑑星辰圖一卷 張華撰。

　見《宋志》。

安天論六卷 徵士會稽虞喜撰。

本《七録》，作"虞喜圖"，"圖"字是"撰"之譌。唐新舊《志》一卷。《初學記》一，《御覽》二、又四，《隋書·天文志》均引存。

天文志 譙周撰。

見《續漢書·天文志》注引謝沉書，又見《晉書·天文志》。

天文志 郭琦撰。

見琦傳。

渾天論 姚興時天水姜岌撰。

見《律曆志》。

正天論 魯勝撰。

見勝傳。

穹天論 河間相會稽虞聳世龍撰。

見本書、《宋書》、《隋書》各《天文志》。[①] 元案《吳志·虞翻傳》注引《會稽典録》："聳爲翻第六子，字世龍，入晉爲河間相。"《御覽》目誤爲虞昺撰。

右天文十三部，凡八十一卷，無卷數者五家。

微乎渺哉，高遠而難測者，其天文乎！《易》曰："觀乎天文，以察時變。"又曰："天垂象，見吉凶，聖人則之。"其明顯又若此。晉治是學者，虞氏世其家法，創穹天、安天之論以難渾、蓋，史氏譏之，以爲好奇徇異。陳卓身老是官，著述富矣，無傳之者。張華詩一歌一賦一圖一，真耶僞耶，談天者當自辨之。

景初曆三卷 楊偉撰。

見《隋志》。元案《律曆志》云："魏明帝景初元年，尚書郎楊偉造《景初曆》表上，帝遂改正朔，旋行偉曆。偉入晉，官征南軍師。"

景初曆術二卷 楊偉撰。

---

① "隋書"原誤作"隋志"，據《隋書·天文志》改。

見《七録》。

景初曆法三卷 楊偉撰。

見《七録》,云:"又一本五卷。"

景初曆畧要二卷 楊偉撰。

見《七録》。

桑丘先生書二卷 楊偉撰。

見《七録》,《隋志》入雜家。元案《漢書‧藝文志》陰陽家有《乘丘子》五篇,沈欽韓《漢書疏證》云:"《隋志》晋征南軍師楊偉撰《桑丘先生書》二卷本此。" 邵思《姓解》兩引《漢志》,作"桑丘",沈説不誤。《隋志》此類録偉撰曆書,凡四種。《乘丘子》,《漢志》入陰陽家,《漢志》之陰陽,《隋志》之曆數也,故是書入此。

正曆四卷 劉智撰。

見《隋志》。又《新唐志》云:"薛夏訓。"《書鈔》一百四十九引存。《初學記》一引作《曆正問》。《御覽》目、又卷二引同。

長曆十四卷 孔衍撰。

見《闕里文獻考》三十一《著述門》。

千年曆二卷 孔衍撰。

見同上。

朔氣長曆二卷 皇甫謐撰。

見《七録》。

河西甲寅曆一卷 涼太史趙𢾺撰。

見《隋志》。

甲寅元曆序一卷 趙𢾺撰。

見《隋志》,複録。

陰陽曆術一卷 趙𢾺撰。

見《隋志》。

三紀曆一卷 姜岌撰。

見《隋志》，冠"姜氏"二字，於目不題岌名。元案《律曆志》下云："後秦姚興時，當孝武太元九年，歲在甲申，天水姜岌造《三紀甲子元曆》。"即是書。《通志》作"三紀驗曆一卷"，注云："姜岌撰。"

曆序一卷 姜岌撰。

見《隋志》，題作"姜氏撰"，次在《姜氏三紀曆》一卷後，當即岌撰，本《志》補題岌名。

京氏要集曆術四卷 姜岌撰。

本《七錄》。唐新舊《志》一卷。

九章算術十卷 劉徽撰。

本《隋志》。《新唐志》九卷，《宋志》同。元案《律曆志》上云："魏景元四年，劉徽注《九章》。"又案《四庫目》云是書本有《重差》一卷，後人因其卷首以《海島》設問，故改名《海島算經》。[①]唐新舊《志》錄之，《隋志》是書作"十卷"，蓋《九章》九卷，《重差》一卷，合爲十卷也。今存一卷。

九章重差圖一卷 劉徽撰。

見《隋志》。

九章算田草九卷 劉徽撰。

見《宋志》，作"劉微注"，又云："一作劉徽。"

九章六曹算經一卷 劉徽撰。

見《國史經籍志》經類小學。《隋志》有是書，無撰人。

河西壬辰元曆一卷 趙歐撰。

見《舊唐志》。

七曜曆數算經一卷 趙歐撰。

---

① 案是處所稱"《四庫目》云"見《四庫提要》子部天文算法類《海島算經》條，不見於《九章算術》條。

見《隋志》。

筭經一卷　趙敯撰。

見《隋志》。

又　三卷　清河張邱建撰。

本《隋志》。唐新舊《志》一卷。今存,卷與《隋志》同。是書据阮元《疇人傳》次晋。

又　二卷　夏侯陽撰。

本《隋志》。《舊唐志》三卷,《新志》一卷。今存。亦据《疇人傳》次晋。

刻漏經一卷　楊偉撰。

見《七録》,云:"漢待詔太史霍融、宋何承天、楊偉等撰。"作三卷,殆各撰一卷,本《志》分析録之。

述曆讚一篇　佐著作安平張亢季陽撰。

見張載坿傳,文存《律曆志》。

古今曆　陸喜撰。

見喜傳,云:"覩子政之《洪範》而作《古今曆》。"

泰始曆

見《律曆志》。

通曆　著作郎琅邪王朔之撰。

見《律曆志》,云:"穆帝永和八年,王朔之造《通曆》,以甲子爲上元。"

乾度曆　李修、卜顯撰。

見《律曆志》下載。杜氏《春秋長曆》云:"咸寧,善筭者李修、卜顯,[1]依論體爲術,名《乾度曆》。"元案《春秋長曆》"卜顯"作"夏顯","論體"作"曆體"。

---

① "修卜"原誤倒,據《晋書·律曆志》引《春秋長曆》乙正。

右曆數二十六部，凡七十四卷，無卷數者四家。

晉初用《景初曆》，楊偉諸書，其法具在，史氏稱其疏濶。元帝渡江，以乾象五星法代之，此劉洪術也。夫帝堯授時，舜齊七政，統一天下，其道在是。五胡亂晉，南北局分，僭僞諸朝，不奉正朔，別有元測，曆驗各殊，而書亦旁出。觀天文，察時變，吁可慨已。茲類其目，以明日官職司而別疇人流派，故不編入小學。至杜預、皇甫謐、孔衍諸家，各著書曆，据《隋》、《唐志》次目，已錄入經、史部中者，不備此類。

周易林五卷　郭璞撰。

見《七錄》。

周易洞林三卷　郭璞撰。

本《隋志》。新、舊《唐志》卷同，作"周易洞林解"。《崇目》、《宋志》均一卷。今存馬國翰輯本三卷，又補遺一卷。元案璞傳云："撰前後筮驗六十餘事，名曰《洞林》。"

周易新林四卷　郭璞撰。

本《隋志》。新、舊《唐志》一卷，無撰人。元案璞傳云："又鈔京、費諸家要冣，更撰《新林》十篇。"

又　　九卷　郭璞撰。

見《隋志》。

周易括地林一卷　郭璞撰。

見《崇目》。《通志》錄璞《周易穿地林》一卷，或即是書。

易立成林二卷　郭氏撰。

見《隋志》。全祖望《讀易別錄》定爲郭璞撰。

周易雜占十卷　葛洪撰。

見《七錄》。

周易筮占二十四卷　徐苗撰。

見《七錄》。

周易玄品二卷 　干寶撰。

本《册府元龜》。《隋志》經部易類、子部五行類互見，不著撰人。

周易玄義經一卷 　郭璞撰。

見《宋志》五行類，是書下次《周易察微經》、《周易鬼御算》、《周易逆刺》各一卷，又《易鑑》三卷，《志》雖連録，似非璞書，坿此。《讀易別録》上四種已舉其三，亦不云璞撰。

周易竅書三卷 　郭璞撰。

本《通志》。《宋志》一卷，無撰人。

易腦一卷 　郭氏撰。

見新、舊《唐志》，題云：“郭氏撰。”當即郭璞。

易髓十卷 　郭璞撰。

本《通志》。《宋志》入經部，作“八卷”，注云：“晋人撰，不知姓名。”《隋志》五行類有《周易髓腦》二卷，無撰人。唐新舊《志》《易腦》、《易髓》各一卷，是據《隋志》分析録之，惟《易腦》題郭氏。

易斗圖一卷 　郭璞撰。

見《隋志》。

易八卦命禄斗内圖一卷 　郭璞撰。

見《隋志》。

遯甲要用四卷 　葛洪撰。

見《隋志》。

遯甲祕要一卷 　葛洪撰。

本《隋志》。《新唐志》卷同，無撰人。

遯甲要一卷 　葛洪撰。

見《隋志》。

遯甲肘後立成囊中祕一卷 　葛洪撰。

見《隋志》。元案《抱朴子·登涉篇》云："余少有入山之志，由此乃行遁甲書，乃有六十餘卷，事不可卒精，故抄集其要，爲《囊中立成》云。"即是書。

三元遁甲圖三卷　<small>葛洪撰。</small>

本唐新舊《志》。《隋志》卷同，脫撰人。

遁甲反覆圖一卷　<small>葛洪撰。</small>

見《隋志》。

卜韵一篇　<small>郭璞撰。</small>

見璞傳。又《神仙傳》作"卜繇"。

龜訣二卷　<small>葛洪撰。</small>

見《七錄》。

三命通照神白經三卷　<small>郭璞撰。</small>

見《宋志》。

青囊經二卷　<small>郭璞撰。</small>

見《通志》。元案璞傳云："有郭公者，客居河東，精於卜筮。從之受業，公以《青囊中書》九卷與之。"是書題名本此。《經》止二卷，殆從九卷中鈔集其要。

青囊補注三卷　<small>郭璞撰。</small>

見陳《錄》，疑即補注郭公所與之書。

錦囊經一卷　<small>郭璞撰。</small>

本《通志》。《宋志》五行類有是書，無撰人。

三鑑靈書三卷　<small>張華撰。</small>

見《宋志》。

玄堂品訣三卷　<small>郭璞撰。</small>

見《祕目》。

葬書一卷　<small>郭璞撰。</small>

見《通志》。今存。

續葬書一卷　郭璞撰。

見陳《錄》，云璞撰，鄙俗依託。

撥法成明經一卷　郭璞撰。

本《祕目》。《通志》"法"作"沙"。

地理碎金訣一卷　郭璞撰。

本《祕目》。《通志》"訣"作"式"。

八仙山水經一卷　郭璞撰。

本《通志》。《祕目》"山水"作"中水"，云："郭璞等撰。"

玉照定真經一卷　郭璞撰。

見《四庫目》。又明葉盛《菉竹堂書目》，不著撰人。

元經十卷　郭璞撰，趙載注。

見樂真堂所刊《陰陽五要奇書》。趙載，璞門人，見璞傳。

旋璣經一卷　趙載撰。

見樂真堂刊本。

晉玄石圖一卷

見《七錄》。元案《武帝紀》："泰始三年，張掖太守焦勝上言，氐池縣大柳谷有玄石一所，白畫成文，大晉之休祥，圖之以獻，詔藏之天府。"即是書。

晉德易天圖二卷

見《七錄》。

晉災異簿二卷

見《七錄》。

金雄記一卷　處士河內郭文文舉撰。

見《隋志》經部讖緯類，注引梁《錄》。元案宋鄧牧《洞霄圖志》引《吳地記》載："文書上曰《金雄記》，下曰《金雌記》。"據此，知文書分上、下二卷。文，《隱逸》有傳。

金雌記一卷　王文撰。

説見上。

王子年歌一卷　王嘉撰。

見《隋志》經部讖緯類。《藝術・王嘉傳》，字子年，云："所造《牽三歌讖》，事過皆驗，累世猶傳之。"即是書。《南史・齊高帝紀》、又《祥瑞志》引存。

師曠禽經一卷　張華注。

見陳《録》。《隋志》五行類録《相馬》、《相鶴》、《相鴨》、《相雞》諸經，故是書入此。今存王謨《漢魏叢書》，謨云："書爲曠撰，《漢志》及《隋志》、《唐志》均不録，當僞託，即華注亦然。華卒於惠帝初年，而引郭璞《爾雅注》，則在東晉後。又引李膺《蜀志》、顧野王《符瑞圖》，更遠出齊、梁矣。"

晉中興簿

見《御覽》七百五。

災異志　譙周撰。

見《續漢・五行志序》。

五行傳　郭琦撰。

見琦傳。

五行三統正驗論　索靖撰。

見靖傳，云："辯陰陽氣運。"

右五行四十四部，凡一百三十二卷，無卷數者四家。

《洪範》五行，實徵人事，後世移休咎之説，驗天道，相地形，斯術數耳，故泰始初年有星氣讖緯之禁。今考傳書，葛洪以外，郭璞尤多，《青囊》所儲，必無此富，殆依託也。夫精其術而猶罹王敦之害，讀璞遺書，可以鑒矣。雖然，璞亦殺身成仁者，術士云乎哉。

黄帝三部針經十三卷　皇甫謐撰。

本《舊唐志》。據《四庫目提要》云："是書即《隋志》《黄帝甲乙

經》十卷，注曰：'音一卷，梁十二卷。'不著撰人。《舊唐志》始
題謐名，併音計之，故較梁本多一卷。《新唐志》既録《黄帝甲
乙經》十二卷，又録《黄帝針經》十三卷，是兼襲二《志》之文，
誤分爲兩矣。"元案《通志》亦承《新唐志》複誤，惟《宋志》録皇
甫謐《黄帝三部針灸經》十二卷，注云："即《甲乙經》。"知《提
要》辨論即本此。今存，作"《甲乙經》八卷"。

脈經十卷　太醫令高平王叔和撰。

　　本《隋志》。《新唐志》不題叔和名，唐甘伯宗《名醫傳》叔和有
傳。《御覽》七百二十二高湛《養生論》曰："王叔和，性沉靜，
好著述，考覈遺文，采摭衆論，撰成《脈經》十卷。"今存。

脈訣一卷　王叔和撰。

　　見晁《志》，云："皆歌訣，鄙淺之言，後人依託者。"元案《古今
僞書考》引吳崑《脈語・序》曰："五代高陽生僞撰。"

脈賦一卷　王叔和撰。

　　見《祕目》。

脈訣發蒙三卷　王叔和撰。

　　見《通志》。

脈訣機要一卷　王叔和撰。

　　本《通志》。《通考》三卷，無撰人。

脈訣提要一卷　王叔和撰。

　　見《萬卷堂目》。

脈訣圖要六卷　王叔和撰。

　　見《萬卷堂目》，又《國史經籍志》。

論病六卷　王叔和撰。

　　見《七録》。元案《御覽》七百二十引高湛《養生論》述叔和所
云，當即此論。

新集病總要署一卷　王叔和撰。

本《通志》。《崇目》"新集"作"新書"，疑誤。

養生論一卷　葛洪撰。

　　見《宋志》，題作"抱朴子養生論"。今存《平津館叢書》。

養生要集十卷　張湛撰。

　　本《隋志》。《舊唐志》入子部道家，又互見醫術類。《初學記》四、又三十七，《文選注》二十一、又五十二，《御覽》二十九、又三十一、又八百三十九、又八百四十一、又九百三均引存。

張仲景藥方十五卷　王叔和編。

　　見《舊唐志》，誤題作叔和撰。《隋志》不著王叔和名氏。

金匱玉函經八卷　王叔和集。

　　本《通考》。《宋志》無"經"字。

金匱要畧方三卷　王叔和集。

　　見《宋志》。今存，作"《金匱要畧論注》二十四卷"。

傷寒卒病論十卷　王叔和編。

　　見《新唐志》。《通志》、《通考》卷同，作"傷寒論"。今存，作"《傷寒論注》十卷"。元案《御覽》七百二十二引高湛《養生論》云："王叔和編次張仲景方、論三十六卷。"以上四種，合計適符三十六卷之數，高湛所云，是未分析前古本。

劉涓子鬼遺方十卷

　　見《隋志》，注云："龔慶宣撰。"元案《崇目》有《劉涓子鬼遺方》一卷。《龔慶宣傳》云"涓子，晉末人。於丹陽縣得《鬼遺方》十卷，皆治癰疽之法，慶宣得而次第之"云云。今存《知不足齋叢書》中。

鬼論一卷　劉涓子撰。

　　見《崇目》。

本草經三卷

　　見《七錄》，題作"王季琰撰"。元案季琰，王珉字，王導坿傳。

唐諱民,并珉亦諱,修《隋志》時故舉珉字。

藥方一卷　王珉撰。

見《七錄》,題作"王季琰撰"。

金匱藥方一百卷　葛洪撰。

見洪傳。元案《抱朴子·雜應篇》云:"余所撰百卷,名曰《玉函方》,皆分別病名,以類相續,不相雜錯。"其九十三卷,皆單方。即是書。

神仙服食藥方十卷　葛洪撰。

本《隋志》,注云:"抱朴子撰。"唐新舊《志》脫撰人。

太清神仙服食經一卷　葛洪撰。

見唐新舊《志》,撰人均題"抱朴子"。《新志》作"五卷"。《御覽》三百六十八引存,作"神仙服食經"。

肘後急要方四卷　葛洪撰。

本《七錄》。《隋志》六卷,唐新舊《志》四卷,作"肘後救卒方"。《通考》作"肘後百一方",《宋志》作"肘後備急方",均三卷。洪傳作"《肘後要急方》四卷",洪《自序》本云《肘後救卒方》三卷,故新、舊《唐志》因之。今存,作"《肘後備急方》八卷"。

玉函煎方五卷　葛洪撰。

見《隋志》。

葛仙翁杏仁煎方一卷　葛洪撰。

見《崇目》。

黑髮酒方一卷　葛洪撰。

見《崇目》。

雜藥方二十九卷　廣州刺史會稽孔汪德澤撰。

見《七錄》,題云"孔中郎雜藥方"。元案孔愉坿傳,孔汪都督交廣二州諸軍事、征虜將軍、平越中郎將、廣州刺史,故梁《錄》官題"孔中郎",即汪也。是書又錄入《闕里文獻考》三十一《孔氏著述門》。

范東陽方一百五卷　錄一卷　_{范汪撰。}

本《隋志》，注云："梁一百七十六卷。"唐新舊《志》卷與梁《錄》同，云："范汪方，尹穆纂。"元案《隋志》注又云："梁有《范氏解散方》七卷、《范氏療婦人藥方》十一卷、《范氏療小兒藥方》一卷。"三書均不著名，疑即《范東陽方》一百七十六卷中別出之本。汪傳云方書五百餘卷，又一百七卷。《御覽》七百三十九引《范汪祕方》，又七百四十二引《范汪方》，又九百二十五引《范汪治咽方》，又九百四十六兩引《范汪方》，又九百四十八引汪《治不得小便方》，又九百八十九引汪《方》，又一千引汪《治淋方》。

殷荆州要方一卷　_{殷仲堪撰。}

見《七錄》。元案仲堪傳："父病，積年衣不解帶，躬學醫術，究其精妙。"書殆成於此時。

論寒食散方二卷　_{曹翕、皇甫謐撰。}

見《七錄》。元案《魏志·東平靈王徽傳》"徽子翕"注案語云："翕入晉封廩邱公，撰《解寒食散方》，與皇甫謐所撰并行於世。"據此，則人各一卷也。

依諸方一卷　_{皇甫謐撰。}

見《隋志》，題云"皇甫士安《依諸方撰》一卷"，"撰"字衍誤。士安，謐字也。

議論備豫方一卷　_{于法開撰。}

見《隋志》。法開，《高僧》有傳，不詳何人，云："祖述耆婆，妙通醫法。"又《世說·術解篇》注引《晉書》言法開療產事，殆舊《晉書》也，今本未見。

申蘇方五卷　_{支法存撰。}

見《七錄》。元案《千金方·序》云："支法存，嶺表人，性敦藥

方。自永嘉南移，衣纓士族，不襲水土，多患軟腳之疾，染者
無不斃踣，而此僧獨能療之，天下知名焉。"

藥錄一卷　李密撰。

見《隋志》。

右醫方三十五部，凡三百七十三卷。

醫者，意也，心之所會，口不能宣，奚以書爲？然廢書以求醫，
則《黃帝素問》、《神農本草》可以不作，死生亦大矣，可無術治
之哉？徵諸有晉，葛、范兩家經方，集其大成，故卷帙最富。
王氏一人脈理，發其祕訣，其依託亦多。昔馬遷作《史》，扁、
倉立傳。唐修《晉書》，有藝術矣，多載推步，而此道闕如，
惜哉！

投壺經四卷　虞潭撰。

《隋志》注引梁《錄》，列兵書類。《舊唐志》列雜藝術，作"一
卷"，云："郝沖、虞潭法撰。""法"字衍誤。一書兩人同撰，亦
誤合。

投壺變一卷　虞潭撰。

《隋志》注引梁《錄》，列兵書類。《御覽》七百五十三引存。

投壺道一卷　郝沖撰。

《隋志》注引梁《錄》，列兵書類。

大小博法一卷　虞潭撰。

《隋志》注引梁《錄》，列兵書類，《舊唐志》列雜藝術，卷同，脫
撰人。

碁品序一卷　陸雲撰。

見《隋志》，列兵書類。

碁九品序錄一卷　范汪等注。

見《隋志》，列兵書類。

圍碁九品序錄五卷　范汪等撰。

《隋志》注引梁《錄》,列兵書類。《舊唐志》列雜藝術類,[①]作
"《碁品》五卷"。《世說·政事》、《方正篇》注引存汪《碁品》。

圍碁勢二十九卷　<small>趙王倫舍人馬朗等撰。</small>

《隋志》注引梁《錄》,列兵書類。元案《抱朴子·辯問篇》云:
"嚴子卿、馬綏明於今有碁聖之名。"《説文》:"朖,明也。"<small>《佩</small>
<small>觿》:"朗"本作"朖"。</small>《白虎通》云:"旁其名,爲之字。"疑朗字綏明。

筆陣圖一卷　<small>汀州刺史李矩妻衛鑠茂猗撰。</small>

今存《續百川學海》。元案唐張彦遠《法書要錄》已見,云:"衛
夫人名鑠,字茂猗,隸書尤善。"王義之有《題衛夫人筆陣圖
後》,見《要錄》卷一。[②]

筆勢圖一卷　<small>王義之撰。</small>

見《國史經籍志》小學類。

右軍王義之正書五卷

見《法書要錄》。褚遂良撰《晋右軍王義之書目》云:"正書、行
書目,貞觀八年,[③]河南公褚遂良於禁中西堂,[④]臨寫之際錄
出。唐初有史目,[⑤]實錄此之標目,蓋其類也。"

又　行書五十八卷

見上。

華林集　<small>應貞撰。</small>

見《御覽》目,作"應吉甫《華林集》",次在《名畫記》、《古今藝
術圖》下,故錄入。吉甫,貞字也。

---

① "術類"原誤倒,據《二十五史補編》本乙正。
② "一"原誤作"二",據《津逮秘書》本《法書要錄》改正。
③ "貞"原作"正",蓋避雍正諱使然,據《津逮秘書》本《法書要錄》改正。《二十五
史補編》本不誤。
④ 於禁中西堂,《津逮秘書》本《法書要錄》作"中禁西堂"。
⑤ "目"原誤作"曰",據《津逮秘書》本《法書要錄》改正。

草書狀　索靖撰。

　見靖傳。又《御覽》七百四十七。

筆經　王羲之撰。

　見《初學記》二十、又二十一，《御覽》六百五。

右雜藝術十二部，一百八卷，無卷數者三家。

　　挐蒲投江，蓋陶侃之精勤；圍碁却敵，又謝安之静鎮。故器可
　寓道，上下以之。晋好清談，陶寫性真，狎玩世機，尤資助焉。
　此類《隋志》本劉《畧》，故入兵書，《舊唐志》別立一門，今用
　其例。

補晋書藝文志卷三終

弟子東安席闓運校字

補晉書藝文志卷第四

善化黃逢元木父撰

丁部集録，三類，四百五十四部，四千三十卷，無卷數者一十九家。

楚辭類一　　　　　　別集類二

總集類三

楚辭三卷　郭璞注。

本《隋志》。唐新舊《志》十卷。

楚辭音一卷　徐邈撰。

見《隋志》。

右《楚辭》二部，凡四卷。

劉勰有言：《楚辭》者，"雅頌之博徒，詞賦之英傑"。故西漢以來，枚、賈、馬、揚，靡不導源湘水，取實楚材，而一時稱盛。考厥注家，自淮南王安始，逮至王逸，《章句》迺傳。晉人承之，惟傅玄擬體頗富，散在別集，外無專書。録郭、徐二氏，存一家之學，以冠部首。

宣帝集五卷　録一卷

本《七録》。《隋志》、《新唐志》少《録》一卷，《舊唐志》十卷。今存嚴可均《全晉文》輯本。元案本書帝紀，宣帝卒在魏齊王芳永嘉三年，《隋志》次晉誤。本志過而存之，説見《序例》。

文帝集三卷

本《隋志》。《舊唐志》一卷，《新唐志》二卷。今存嚴輯本。元案本書帝紀，文帝魏元帝咸熙二年八月卒，十二月魏始禪，《隋志》次晉誤。

齊王攸集三卷

本《七錄》。《隋志》二卷。今存嚴輯本。攸有傳，字大秋。

司空王沉集五卷

見《隋志》，缺官補題。今存嚴輯本。元案梁元帝《金樓子·立言篇》引沉集，又《書鈔》九十九引沉集《序》，所云與本書沉傳同。据此，知是集爲司空王沉撰，在晉初，宜《隋志》次《齊王攸集》後。本書《文苑傳》有王沉，惠帝時，著《釋時論》，官郡文學，別一人。

儀同三司鄭袤集二卷

見《七錄》。袤有傳，字林叔，滎陽開封人。《魏志·鄭渾傳》注引《晉陽秋》，[①]袤字一作材叔。

宗正嵇喜集二卷　録一卷

本《七錄》。《隋志》存一卷，唐新舊《志》復作二卷。《書鈔》六十八引存喜集，"喜"作"憙"。今存嚴輯本。

散騎常侍薛瑩集三卷

本《隋志》。《新唐志》二卷，次三國吳。元案《吳志·薛綜傳》，瑩卒在晉太康三年，故《隋志》次晉。《書鈔》五十七引存瑩集，今存嚴輯本。

散騎常侍應貞集五卷

本《七錄》。《隋志》存一卷，唐新舊《志》復作五卷。今存嚴輯本。

司隸校尉傅玄集五十卷　録一卷

本《七録》。《隋志》存十五卷,《舊唐志》五十二卷,《新唐志》五十卷,《宋志》一卷。明張溥《百三家集》存一卷,又存嚴輯本。

著作郎成公綏集十卷

本《七録》。《隋志》存九卷,注云:"殘缺。"唐新舊《志》復作十卷。《書鈔》一百引存綏集,今存嚴輯本。《文選·嘯賦》注引臧榮緒《晉書》曰:"成公綏字子安,東郡人。徵爲博士,歷中書郎。"今《晉書》有傳,云:"東郡白馬人,歷祕書郎轉丞,遷中書郎。"均不言著作。

司空裴秀集三卷　　録一卷

見《七録》。今存嚴輯本。

金紫光禄大夫何禎集五卷

本《七録》。《隋志》存一卷,唐新舊《志》復作五卷。元案《魏志·管寧傳》"何禎"作"何楨",注引《文士傳》云:"何楨字元幹,廬江人。歷幽州刺史、廷尉,入晉爲尚書光禄大夫。"本書《何充傳》:"充曾祖禎,魏光禄大夫。"又《書鈔》五十七引虞預《晉書·何禎傳》云禎字元幹,與《文士傳》同,既以幹爲字,則"禎"當從《魏志》寧傳及《文士傳》作"楨"爲是。虞預《晉書》誤,《隋志》、今《晉書》均承之。《類聚》六引存楨集,今存嚴輯本。

給事中袁準集二卷　　録一卷

見《七録》。今存嚴輯本。

少傅山濤集五卷　　録一卷

本《七録》。《隋志》九卷,注云:"又一本十卷,齊奉朝請裴津注。"今存嚴輯本。《元和姓纂》十九代佰姓條引作"晉山公集"。

散騎常侍向秀集二卷　　録一卷

見《七録》。今存嚴輯本。

平原太守阮种集二卷　録一卷

見《七録》。《書鈔》六十引存，題作"阮德猷集"。今存嚴輯本。种有傳，字德猷，陳留尉氏人。

河内太守阮侃集五卷　録一卷

見《七録》，缺官補題。《釋文·序録》云："侃字德恕，陳留人，河内太守。"

太傅羊祜集二卷　録一卷

本《七録》。《隋志》存一卷，唐新舊《志》復作二卷。今存嚴輯本。

蔡玄通集五卷

見《七録》。

太宰賈充集五卷　録一卷

本《七録》。唐新舊《志》二卷。

秘書監荀勖集三卷　録一卷

本《七録》。唐新舊《志》二十卷。《書鈔》五十九引存勖集，《百三家集》存一卷，又存嚴輯本。

征南將軍杜預集十八卷

本《隋志》。唐新舊《志》二十卷。《書鈔》九十四、又一百十九引存預集《序》，《百三家集》存一卷，又存嚴輯本。

輔國將軍王濬集二卷　録一卷

本《七録》。《隋志》存一卷，唐新舊《志》復作二卷。《書鈔》百三十七引存濬集，今存嚴輯本。濬有傳，字士治，弘農湖人。

徵士皇甫謐集二卷　録一卷

見《隋志》。《書鈔》五十九，《御覽》目、又卷二百四十引存謐集。今存嚴輯本。

侍中程咸集三卷

本《隋志》。唐新舊《志》二卷。今存嚴輯本。元案《搜神後記》卷三：“程咸字咸休，晋武帝時，位至侍中。”又《書鈔》五十八引王《晋書》云：“咸字延祚。”又引臧《晋書》，字同。

光禄大夫劉毅集二卷　録一卷

見《七録》。《御覽》目引存毅集，今存嚴輯本。毅有傳，字仲雄，東萊掖人。又有劉毅字希樂，彭城沛人，在東晋末。

侍中庾峻集二卷　録一卷

本《七録》。唐新舊《志》併作“三卷”。今存嚴輯本。峻有傳，字山甫，潁川鄢陵人。

巴西太守卻正集一卷

見《隋志》。今存嚴輯本。正，《蜀志》有傳，字令先，河南偃師人。仕蜀爲秘書郎，入晋仕至巴西太守。

散騎常侍陶濬集二卷　録一卷

本《七録》。唐新舊《志》併作“三卷”。元案本書《陶璜傳》：“璜，丹陽秣陵人。弟濬，吳鎮南大將軍、荆州牧。”當即其人。梁《録》題云“散騎常侍”，殆入晋官此。

通事郎江偉集六卷

本《隋志》。唐新舊《志》五卷。今存嚴輯本，《目》云：“偉，陳留襄邑人。”

宜城令宣舒集五卷

本《七録》。《舊唐志》“舒”誤“聘”，《新志》誤“騁”，三卷。今存嚴輯本。

散騎常侍曹志集二卷　録一卷

見《七録》。今存嚴輯本。志有傳，字允恭，陳思王庶子。

少府卿鄒湛集三卷　録一卷

本《七録》。唐新舊《志》併作“四卷”。今存嚴輯本。

汝南太守孫毓集六卷

　　本《隋志》。《舊唐志》二卷，《新唐志》五卷。今存嚴輯本。

處士楊泉集二卷　錄一卷

　　見《七録》。今存嚴輯本，次《全三國文》吳。

司徒王渾集五卷

　　見《七録》。《御覽》二十九引存渾集，今存嚴輯本。渾有傳，
字玄沖，太原晋陽人。

冀州刺史王琛集五卷

　　本《七録》。唐新舊《志》四卷。元案本書王祥坿傳，覽子琛，
字士瑋，國子祭酒。又《御覽》二百四十五引《晋起居注》作
"尚書郎王琛"，均不言冀州刺史。

徵士閔鴻集三卷

　　本《隋志》。唐新舊《志》二卷。今存嚴輯本，次《全三國文》
吳。元案本書《陸雲傳》云："吳尚書廣陵閔鴻，入晋，徵，
不就。"

光禄大夫裴楷集二卷　錄一卷

　　見《七録》。今存嚴輯本。楷有傳，字叔則，河東聞喜人。

司空張華集十卷　錄一卷

　　本《隋志》。晁《志》、《通考》三卷，《宋志》二卷，又《詩》一卷。
《百三家集》存一卷，又存嚴輯本。

尚書僕射裴頠集九卷

　　本《隋志》。唐新舊《志》、《通志》均十卷。《類聚》五十二引存
頠集，今存嚴輯本。

太子中庶子許孟集三卷　錄一卷

　　本《七録》。唐新舊《志》二卷。元案本書《賈謐傳》二十四友
有高陽許猛，"孟"疑"猛"字之脱誤。《魏志・夏侯玄傳》有中
領軍高陽許允，注引《世語》："允子猛，字子豹，晋元康幽州刺
史。"今存嚴輯《許猛集》。

太宰何劭集二卷　録一卷

見《七録》。劭坿《何曾傳》，字敬祖。

光禄大夫劉頌集二卷　録一卷

見《七録》。今存嚴輯本。頌有傳，字子雅，廣陵人。官終光
禄大夫。

太尉劉寔集二卷　録一卷

見《七録》，缺官補題。今存嚴輯本。

散騎常侍王佑集三卷　録一卷

本《七録》。唐新舊《志》二卷。元案本書王湛坿傳，王嶠父
佑，位至北軍中候。

驃騎將軍王濟集二卷

見《七録》。今存嚴輯本。濟坿《王渾傳》，字武子。

少卿華嶠集八卷

本《隋志》，注云：“梁二卷。”缺官補題。《舊唐志》一卷，《新唐
志》復作二卷。《初學記》十二，《御覽》二百二十四、又二百三
十三引存嶠集，《書鈔》五十八、又九十九引存嶠集《序》，今存
嚴輯本。

秘書丞司馬彪集三卷　録一卷

本《七録》。《隋志》併作“四卷”。唐新舊《志》三卷。今存嚴
輯本。

尚書庾儵集二卷　録一卷

本《七録》。唐新舊《志》併作“三卷”。今存嚴輯本。元案《魏
志·管寧傳》注引《庾氏譜》“儵”作“霈”，潁川人，字玄默，晉
尚書陽翟子。《類聚》六、《初學記》七引晉庾儵《冰井賦》，
“儵”即“儵”字。

國子祭酒謝衡集二卷

見《七録》。今存嚴輯本。元案本書《謝鯤傳》：“鯤，陳國陽夏

人。父衡，以儒素顯，仕至國子祭酒。"

漢中太守李虔集二卷　錄一卷

本《七錄》。《隋志》存一卷，唐新舊《志》均十卷，"十"即"一"之譌。本書《孝友·李密傳》："密一名虔，官終漢中太守。"今存嚴輯本，題作"李密"。

太子中庶子棗據集二卷　錄一卷

見《七錄》。據有傳，字道彥，潁川人，云："所著詩、賦、論四十五首，遇亂多亡佚。"今存嚴輯本。

安北將軍劉寶集三卷

見《七錄》，缺官。《隋志》史部有劉寶《漢書駁議》二卷，題"安北將軍"，據以補。今存嚴輯本。

馮翊太守孫楚集十二卷　錄一卷

本《七錄》。《隋志》存六卷，唐新舊《志》十卷。《百三家集》存一卷，又存嚴輯本。楚有傳，字子荆，太原人。

散騎常侍夏侯湛集十卷　錄一卷

見《隋志》，注云："梁有《錄》一卷。"《百三家集》存一卷，又存嚴輯本。

弋陽太守夏侯淳集二卷

本《七錄》。唐新舊《志》十卷。今存嚴輯本。淳坿《夏侯湛傳》，字孝沖，即湛弟。

司隸校尉傅咸集三十卷　錄一卷

本《七錄》。《隋志》存十七卷，唐新舊《志》復作三十卷。《書鈔》六十、又六十一、又六十二、又一百二十四引存咸集。《百三家集》存一卷，又存嚴輯本。咸坿《傅玄傳》，字長虞。

散騎侍郎王讚集五卷

本《七錄》。《舊唐志》三卷，《新唐志》二卷。今存嚴輯本。元案《文選·王正長雜詩》注引臧《晉書》："王讚字正長，義陽

人。博學有俊才,辟司空掾,歷散騎侍郎,卒。"本書《荀晞傳》
有征虜將軍王讚,別一人。

衛尉卿石崇集六卷

本《隋志》,注云:"梁有《録》一卷。"唐新舊《志》五卷。今存嚴
輯本。崇有傳,字季倫,渤海南皮人。

尚書郎張敏集五卷

本《七録》。《宋志》二卷。《世説・排調篇》注引存敏集,今存
嚴輯本。

黄門郎伏偉集一卷

見《七録》。

黄門郎潘岳集十卷

本《隋志》。《宋志》七卷。《百三家集》存一卷,又存嚴輯本。

太常卿潘尼集十卷

本《隋志》。《百三家集》存一卷,又存嚴輯本。尼有傳,字正
叔,滎陽人。

頓丘太守歐陽建集二卷

見《隋志》。今存嚴輯本。建坿《石崇傳》,字堅石,渤海人,官
馮翊太守。《世説・仇隟篇》注引《晋陽秋》亦云馮翊太守,均
與《隋志》所題不合。

宗正劉許集二卷　録一卷

本《七録》。《舊唐志》"劉許"誤作"劉訐"。元案《世説・排調
篇》注引《晋百官名》:"劉許字文生,涿鹿郡人。父放,魏驃騎
將軍。許,惠帝時爲宗正。"劉孝標案云:"許與張華同郡。"

散騎常侍李重集二卷

見《七録》。《書鈔》六十、《初學記》十一、《文選・褚淵碑》注、
《御覽》二百三引存重集,今存嚴輯本。重有傳,字茂曾,江夏
鍾武人。

光祿大夫樂廣集二卷　錄一卷

見《七錄》。廣有傳，字彥輔，南陽育陽人。

馮翊太守阮渾集二卷　錄一卷

見《七錄》，缺官補題。

始平太守阮咸集一卷

見《宋志》。今存嚴輯本。

建威參軍劉伶集三卷

見宋魏泰《臨漢隱居詩話》云：“東坡詩云：‘文章不在多，一頌了伯倫。’朱少章云：‘《唐·藝文志》有《劉伶文集》三卷，坡豈偶忘乎？’”又見王若虛《滹南詩話》。宋朱翌字少章，有《風月堂詩話》，此說當出《詩話》。元案《新唐書·藝文志》、《舊唐書·經籍志》均無伶集。本書伶有傳，字伯倫，沛國人，嘗爲建威參軍，未嘗厝意文翰，惟著《酒德頌》一篇。据傳，伶本無文集，朱云《唐志》三卷，或宋刻有而今本脫。又案《文選·陶徵士誄》注云：“《劉勁集》有《酒德頌》。”“勁”即“伶”之譌，是亦伶有文集之一證，朱說不爲無据。

侍中嵇紹集二卷　錄一卷

見《隋志》。《文選·趙景真與嵇茂齊書》注引存紹集。今存嚴輯本。紹有傳，字延祖，譙國銍人。

錢唐令楊建集九卷

本《七錄》。《舊唐志》二卷。

長沙相盛彥集五卷

見《隋志》。今存嚴輯本。彥有傳，字翁子，廣陵人。

左長史楊乂集三卷　錄一卷

見《七錄》。今存嚴輯本。

尚書盧播集二卷　錄一卷

本《七錄》。《隋志》存一卷，唐新舊《志》復作二卷。今存嚴輯

本。元案《類聚》五十三阮籍《與晉文王書》薦盧播有"伏見鄩
州別駕同郡盧播年三十二字景宣"云云。据此,知播爲陳
留人。

尚書郎樂肇集五卷　錄一卷

本《七録》,缺官補題。《舊唐志》二卷,《新唐志》復作五卷。

南中郎長史應亨集二卷

見《七録》。《書鈔》五十七、《初學記》十二引存亨集。今存嚴
輯本,《目》云:"亨,應貞從孫。"

國子祭酒杜育集二卷

見《隋志》。今存嚴輯本。元案《世説・品藻篇》注:"育字方
叔,襄城人。"

太常卿摯虞集十卷　錄一卷

本《七録》。《隋志》存九卷,《舊唐志》二卷,《新唐志》復作十
卷。《百三家集》存一卷,又存嚴輯本。

秘書監繆徵集二卷　錄一卷

見《七録》。今存嚴輯本。元案《魏志・劉劭傳》注引《文章
志》,知徵爲魏尚書光禄勳東海繆襲孫。兄播,本書有傳。
《書鈔》六十二卷三引《繆世應石鑒碑》,一稱《繆世應集》,世
應當即徵字。本書《張軌傳》有秘書監繆世徵,是名、字混合
而誤。又《和嶠傳》有後監繆徽,"徽"即"徵"之譌。

齊王府記室左思集五卷　錄一卷

本《七録》。《隋志》存二卷,唐新舊《志》復作五卷。今存嚴輯
本。思有傳,字太沖,齊國人。

豫章太守夏靖集二卷　錄一卷

本《七録》。唐新舊《志》卷同,作"夏侯靖","侯"字衍誤,《文
館詞林》百五十七引有夏靖《答陸士衡詩》可證。

吳王文學鄭豐集二卷　錄一卷

本《七録》。唐新舊《志》併作"三卷"。今存嚴輯本。元案《吳志·大帝傳》赤烏二年注引《文士傳》："豐爲鄭胄子，沛國人，字曼季。司空張華辟，未就，卒。"

大司馬東曹掾張翰集二卷　録一卷

見《七録》。今存嚴輯本。翰有傳，字季鷹，吳郡人，有文筆數十篇行世。

清河王文學陳略集二卷　録一卷

見《七録》。元案《書鈔》六十五引臧《晋書》云："陳略字永曜，有譽西湖。渡江，爲太子太保也。"是集題"清河王文學"，或別一人。

揚州從事陸沖集二卷　録一卷

見《七録》。今存嚴輯本。

平原內史陸機集四十七卷　録一卷

本《七録》。《隋志》存十四卷，唐新舊《志》十五卷，《宋志》十卷。《百三家集》存二卷，又存嚴輯本。元案機傳云："所著文章三百餘篇行世。"《書鈔》五十七存《陸機集·序》，嚴輯本脫"序"字。又《書鈔》一百四陸雲《與兄平原書》云："前集兄文爲二十卷，書不工，紙不精，恨之。"

清河內史陸雲集十卷　録一卷

本《七録》。《隋志》十二卷，唐新舊《志》、《宋志》復作十卷。《百三家集》存二卷，又存嚴輯本。元案雲傳云："所著文章，三百四十九篇。"

少府丞孫拯集二卷　録一卷

見《七録》。唐新舊《志》卷同，均誤作"孫極"，《通志》作"孫丞"。元案孫拯坿《陸機傳》，字顯世，吳郡富春人。又《吳志·孫桓傳》注引《吳書》及《文士傳》，又《世説·尤悔篇》注皆作"丞"。《書鈔》一百二十一引作"司馬孫掾"，《通鑑考異》

引《晉春秋》又作"丞"。《文館詞林》百五十六有孫承《贈陸機詩》、機《答承詩》，人一而名數異，形聲均近，未知孰是。

中書郎張載集七卷

本《隋志》，注云："梁一本二卷，《録》一卷。"《舊唐志》三卷，《新唐志》一卷。《百三家集》存一卷，又存嚴輯本。載有傳，字孟陽，安平人。

黄門郎張協集四卷　録一卷

本《七録》。《隋志》存三卷，唐新舊《志》二卷。《百三家集》存一卷，又存嚴輯本。協字景陽，坿見載傳。

著作郎束晳集五卷　録一卷

本《七録》。《隋志》七卷，唐新舊《志》復作五卷，《宋志》一卷。《書鈔》五十八兩引晳集。《百三家集》存一卷，又存嚴輯本。

征南司馬曹攄集三卷　録一卷

本《七録》。唐新舊《志》二卷。今存嚴輯本。攄有傳，字顔遠，譙國譙人，官終征南司馬。

散騎常侍江統集十卷　録一卷

本《七録》。《宋志》一卷。今存嚴輯本。

著作郎胡濟集五卷　録一卷

見《七録》。今存嚴輯本。本書《隱逸·伍朝傳》有尚書郎胡濟，疑即其人。

中書令卞粹集五卷

本《七録》。《隋志》存一卷，唐新舊《志》二卷。今存嚴輯本。元案《卞壼傳》："壼父粹，字玄仁，濟陰冤句人。"

光禄勳閭丘沖集二卷　録一卷

見《七録》。今存嚴輯本。元案《世説·品藻篇》注引荀綽《兖州記》："沖字賓卿，高平人。家世二千石。"

太傅從事中郎庾敳集五卷　録一卷

本《七録》。《隋志》存一卷,唐新舊《志》二卷。今存嚴輯本。
敳,庾峻壻傳,字子嵩。

太子中舍人阮瞻集二卷　録一卷

見《七録》。今存嚴輯本。瞻壻《阮籍傳》,字千里。

太子洗馬阮修集二卷　録一卷

見《七録》。今存嚴輯本。修壻《阮籍傳》,字宣子。

廣威將軍裴邈集二卷　録一卷

見《七録》。元案《魏志·裴潛傳》注引荀綽《冀州記》:"邈,裴
頠從父弟,字景聲,爲太傅司馬越從事中郎,假節監中外營諸
軍事。"①《世説·雅量篇》注引《晉諸公贊》邈歷官,與《冀州
記》同,均不言廣威將軍。

太傅主簿郭象集五卷　録一卷

本《七録》。《隋志》存二卷,官題"太傅郭象",今据象傳題作
"太傅主簿"。《舊唐志》卷同,《新唐志》、《通志》復作五卷。
今存嚴輯本。

廣州刺史嵇含集十卷　録一卷

見《七録》。《書鈔》九十七、又一百三十一引存含集。今存嚴
輯本。

安豐太守孫惠集十一卷　録一卷

本《七録》。《隋志》存八卷,唐新舊《志》十卷。今存嚴輯本。
惠有傳,字德施,吳國富陽人。

松滋令蔡洪集二卷　録一卷

見《七録》。《世説·言語篇》注引存洪集《録》,《賞譽篇》注引
存洪集。今存嚴輯本。

平北將軍牽秀集三卷　録一卷

---

① "營諸"原誤倒,"事"上又脱"軍"字,據中華書局點校本《三國志》補正。

本《七録》。《隋志》併作"四卷"，唐新舊《志》五卷。今存嚴輯本。秀有傳，字成叔，武邑觀津人。

車騎從事中郎蔡克集二卷　録一卷

見《七録》。今存嚴輯本。元案《蔡謨傳》："父克，字子尼，濟陽考城人。""克"一作"充"。

遊擊將軍索靖集三卷

本《七録》。唐新舊《志》二卷，《宋志》一卷。今存嚴輯本。

隴西太守閻纂集二卷　録一卷

見《七録》。今存嚴輯本。元案本書《揚駿傳》有太傅舍人巴西閻纂，纂即閻纘，有傳，字纘伯，巴西安漢人，官至漢中太守。又《華陽國志·序志》作"漢中太守閻纘伯"，《書鈔》六十九引干寶《晉紀》作"閻纘伯"，又《唐書·宰相世系表》閻氏云："璞生晋殿中將軍、漢中太守讚。"各書互異，其實一人。《書鈔》五十七引《間暮集》四言詩啓，"間暮"即"閻纂"二字之脫誤。

秦州刺史張輔集二卷　録一卷

見《七録》。今存嚴輯本。輔有傳，字世偉，南陽西鄂人。

交州刺史殷巨集二卷　録一卷

見《七録》。今存嚴輯本。元案《吳志·顧邵傳》注引《文士傳》："巨字元大，興子。[1] 仕吳爲偏將軍。入晉，歷交趾太守。"

太子洗馬陶佐集五卷　録一卷

見《七録》。

益陽令吳商集五卷

見《七録》。今存嚴輯本。《隋志》經部禮類注引梁《録》有《益

---

[1] 據中華書局點校本《三國志》注，巨為殷基子。

壽令吳商禮難》十二卷，“益壽”爲“益陽”之譌。

仲長敖集二卷

見《七録》。《類聚》二十一存敖《覈性賦》。

鄱陽太守虞溥集二卷　録一卷

見《七録》。今存嚴輯本。

太常卿劉弘集三卷　録一卷

見《七録》。今存嚴輯本。弘有傳，字和季，沛國相人。《魏志·劉馥傳》注引《晉陽秋》，弘字作叔和。

開府山簡集二卷　録一卷

見《七録》。簡坿《山濤傳》，字季倫。

兗州刺史宗岱集二卷

本《七録》。唐新舊《志》三卷。元案《隋志》經部有《周易論》一卷，作“荆州刺史宋岱撰”。《御覽》八百八十四引《裴子語林》，宗岱官終青州刺史。

侍中王峻集二卷　録一卷

見《七録》。

濟陽内史王曠集五卷　録一卷

見《七録》。今存嚴輯本。元案本書《王羲之傳》：“父曠，淮南太守。”《惠帝紀》有丹陽太守王曠，《顧榮傳》有丹陽内史王曠，又《魏志·裴潛傳》注引《晉諸公贊》有侍中王曠，均不言濟陽内史，疑“濟陽”爲“丹陽”之譌。又《御覽》一百八十四引《語林》曰“大將軍、丞相諸人在此時閉户共爲謀身之計，[①]王曠世宏來在户外，諸人不容之，乃剗壁闚之”云云。据此，世宏當爲曠字。

散騎常侍棗嵩集一卷

---

① 原脱“時”字，據中華書局影印本《太平御覽》補。

見《隋志》，注云：“梁二卷，《録》一卷。”唐新舊《志》復作二卷。嵩圩《棗據傳》，字臺産。

襄陽太守棗腆集二卷　録一卷

見《七録》。腆圩《棗據傳》，字玄方，永嘉中爲襄城太守。梁《録》題作“襄陽”，未知孰是。

太尉劉琨集十卷

本《七録》。《隋志》存九卷，唐新舊《志》、《通志》、《宋志》復作十卷。《百三家集》存一卷，又存嚴輯本。琨有傳，字越石，中山魏昌人。

又　別集十二卷

見《隋志》。

司空從事中郎盧諶集十卷

見《隋志》，注云：“梁有《録》一卷。”《文選·盧諶贈崔温詩》注引存諶集，今存嚴輯本。

秘書丞傅暢集五卷

見《隋志》，注云：“梁有《録》一卷。”今存嚴輯本。

明帝集五卷　録一卷

見《七録》。今存嚴輯本。

簡文帝集五卷　録一卷

見《七録》。今存嚴輯本。

孝武帝集二卷　録一卷

見《七録》。今存嚴輯本。

彭城王紘集二卷

本《七録》。唐新舊《志》八卷。今存嚴輯本。紘有傳，字偉德，彭城穆王權孫。

譙烈王無忌集九卷　録一卷

本《七録》，名缺今補。唐新舊《志》三卷。宗室有傳，名無忌，字公壽，譙剛王遜孫。

會稽王道子集九卷

本《七錄》。《隋志》存八卷。今存嚴輯本。宗室有傳，名道子，字道子，簡文帝第五子。

鎮東從事中郎傅毅集五卷

見《七錄》。《書鈔》一百三十四引存毅《扇銘》。

衡陽内史曾環集四卷　録一卷

本《七錄》。《隋志》存三卷，唐新舊《志》併作“五卷”。今存嚴輯本。

驃騎將軍顧榮集五卷　録一卷

本《七錄》。《舊唐志》二卷。今存嚴輯本。榮有傳，字彦先，吳國吳人。

司空賀循集二十卷　録一卷

本《七錄》。《隋志》存十八卷，唐新舊《志》復作二十卷。今存嚴輯本。

散騎常侍張杭集二卷　録一卷

本《七錄》。新、舊《唐志》三卷，“杭”作“抗”。元案《書鈔》一百四紙類引存《張抗詩》。陳本《書鈔》“抗”一作“杭”。

車騎長史賈彬集三卷　録一卷

本《七錄》。唐新舊《志》卷同，誤作“賈霖”。《書鈔》一百五十四引賈林《感秋賦》，“林”亦“彬”之誤。今存嚴輯本。

光禄大夫衛展集十五卷

本《七錄》。《隋志》存十二卷，《舊唐志》四十卷，《新唐志》十四卷。今存嚴輯本。展坿《衛恒傳》，字道舒。

太尉荀組集三卷　録一卷

本《七錄》。《舊唐志》二卷，《新唐志》一卷。今存嚴輯本。組坿《荀勖傳》，字大章。

關內侯傅珉集一卷

見《七録》。

光禄大夫周顗集二卷　録一卷

見《七録》。今存嚴輯本。顗有傳，字伯仁，汝南安成人。

太常謝鯤集二卷

本《七録》。《隋志》六卷，唐新舊《志》復作二卷。鯤有傳，字幼輿，陳國陽夏人。

秘書郎張委集五卷

本《七録》。《隋志》九卷，《舊唐志》十卷。今存嚴輯本。元案《御覽》三百五十八引存張委《九愍》，次在顏延之《七繹》下、殷玉宣《貴妃誄》上，嚴輯本據此，故誤列張委在《全宋文》中。

驃騎將軍王廙集三十四卷　録一卷

本《七録》。《隋志》存十卷。今存嚴輯本。

秘書監華譚集二卷

見《七録》，缺官補題。《書鈔》六十、《通典》二十三引存譚集。今存嚴輯本。

御史中丞熊遠集五卷　録一卷

本《七録》。《隋志》十二卷，唐新舊《志》復作五卷。今存嚴輯本。遠有傳，字孝文，豫章南昌人。

湘州秀才谷儉集一卷

見《七録》。今存嚴輯本。《通典》五十九引晉谷士風"叔母寡姑遣還未嫁而亡服議"，嚴輯云："士風即儉字。"本書《甘卓傳》云："備禮舉桂陽谷儉爲秀才，後以高第除中郎，儉恥銜燿取達，遂歸，終身不仕。"

大鴻臚周嵩集三卷　録一卷

見《七録》。今存嚴輯本。嵩有傳，字仲智，汝南安成人。

弘農太守郭璞集十卷　録一卷

本《七録》。《隋志》十七卷，唐新舊《志》復作十卷，《宋志》六卷。《百三家集》存二卷，又存嚴輯本。元案璞傳云："所著碑、誄、詩、賦百卷。"

大將軍張駿集八卷

見《隋志》，注云："殘缺。"今存嚴輯本。駿有傳，字公庭，安定烏氏人。《隋志》缺官，據傳補題。

大將軍王敦集十卷

本《隋志》。唐新舊《志》五卷。《書鈔》五十七引存敦集。今存嚴輯本。敦有傳，字處仲，臨沂人。

吳興太守沈充集二卷

見《七録》。今存嚴輯本。

散騎常侍傅純集二卷　録一卷

見《七録》。今存嚴輯本。

光禄大夫梅陶集二十卷　録一卷

本《七録》。《隋志》存九卷，唐新舊《志》十卷。今存嚴輯本。

散騎常侍王覽集九卷

見《隋志》，注云："梁五卷。"元案"王覽"即"王鑒"之譌。唐新舊《志》無《王覽集》，有《王鑒集》五卷。本書王鑒有傳："字茂高，堂邑人，官永興令，有文集傳世。"其不言散騎常侍者，傳略。案《隋志》編録體例，凡兄弟有集，必類次之，如夏侯湛、夏侯淳，阮渾、阮咸，陸機、陸雲，張載、張協，棗腆、棗嵩等集可證。《志》於《王覽集》九卷下注云："梁五卷。又有《晋著作佐郎王濤集》五卷。"濤即王鑒弟，與夏侯、阮、陸諸集自同一律。據此，知覽集爲鑒集無疑。如以爲太傅王祥弟宗正卿覽，時在西晋初，集不得次在東晋。今存嚴輯《王鑒集》。

著作佐郎王濤集五卷

見《七録》。濤，王鑒弟，字茂略，歷著作郎、無錫令。見鑒傳。

又　集四卷

見《隋志》，次在《釋僧肇集》後，題云“王茂略集”，茂略，王濤字也，是書當是濤集五卷外別一本，非複出。

金紫光祿大夫荀邃集二卷　錄一卷

見《七錄》。邃坿《荀勖傳》，即勖孫，字道玄。

廷尉卿阮放集十卷　錄一卷

本《七錄》。唐新舊《志》五卷。放坿《阮籍傳》，字思度。

宗正卿張俊集五卷　錄一卷

本《七錄》。唐新舊《志》二卷，《新志》作“張峻”。元案《類聚》九十五有《白兔頌》：“一作張浚。”《文選·爲吳令謝詢求爲諸孫署守冢人表》注引孫盛《晉陽秋》：“張悛字士然，吳國人。”又引《晉百官名》：“悛爲太子庶子。”疑“張俊”爲“張悛”之譌。各書轉寫，“俊”又譌爲“峻”、“浚”二字。

汝南太守應碩集二卷

見《七錄》。《類聚》五引存碩《祝祖文》。

金紫光祿大夫張闓集二卷　錄一卷

見《七錄》。唐新舊《志》併作三卷。今存嚴輯本。闓有傳，字敬緒，丹陽人，云：“有牋、表、文、議傳於世。”

揚州從事陸沉集二卷　錄一卷

見《七錄》。

驃騎將軍卞壼集二卷　錄一卷

見《七錄》。今存嚴輯本。壼有傳，字望之，濟陰冤句人。

光祿勳鍾雅集一卷

見《七錄》。今存嚴輯本。雅有傳，字彥冑，潁川長社人。

衛尉卿劉超集二卷

見《七錄》。今存嚴輯本。超有傳，字世瑜，瑯琊臨沂人。《世說·政事篇》注引《晉陽秋》：“超字世踰。”既名超，以踰爲是。

衛將軍戴邈集五卷　錄一卷

見《七録》。今存嚴輯本。邈有傳，字望之，廣陵人。

光禄大夫荀崧集一卷

見《七録》。崧有傳，字景猷，潁川臨潁人。

大將軍溫嶠集十卷

見《隋志》，注云："梁《録》一卷。"今存嚴輯本。嶠有傳，字太真，太原祁人。

侍中孔坦集五卷　錄一卷

本《七録》。《隋志》十七卷，唐新舊《志》復作五卷。今存嚴輯本。坦附《孔愉傳》，字君平，會稽山陰人。

臧沖集一卷

見《七録》。

鎮南大將軍應詹集五卷

見《七録》，"詹"誤"瞻"。唐新舊《志》三卷，均作"應詹"。今存嚴輯本。詹有傳，字思遠，即貞子。

太僕卿王嶠集八卷

本《隋志》。《新唐志》二卷。嶠坿《王湛傳》，字開山，仕至廬陵太守，不言太僕卿。

衛尉荀闓集一卷

見《七録》。闓坿《荀勖傳》，字道明。

鎮北將軍劉隗集二卷

本《七録》。唐新舊《志》三卷。今存嚴輯本。隗有傳，字大連，彭城人。

大司馬陶侃集二卷　錄一卷

見《七録》。今存嚴輯本。

丞相王導集十卷　錄一卷

本《七録》、《隋志》，併作"十一卷"。唐新舊《志》復作十卷。

《書鈔》三十四、又七十三,《通典》三十二,《御覽》二百六十五均引存,作"王丞相集"。今存嚴輯本。導有傳,字茂弘,臨沂人。

太尉郗鑒集十卷　錄一卷

見《隋志》。今存嚴輯本。鑒有傳,字道徽,高平金鄉人。

太尉庾亮集二十卷　錄一卷

本《七錄》、《隋志》,併作"二十一卷"。唐新舊《志》復作二十卷。《世說·尤悔篇》注、《書鈔》七十三、《通典》三十二、《御覽》二百六十三引存亮集,今存嚴輯本。

散騎常侍虞預集十卷　錄一卷

見《七錄》。今存嚴輯本。

平越司馬黃整集十卷　錄一卷

見《七錄》。今存嚴輯本。

護軍長史庾堅集十卷　錄一卷

本《七錄》。《隋志》十三卷。

司空庾冰集二十卷　錄一卷

本《七錄》。《隋志》存七卷,唐新舊《志》復作二十卷。《書鈔》五十三、《初學記》十二引存冰集,今存嚴輯本。冰坿《庾亮傳》,字季堅。

給事中庾闡集十卷　錄一卷

本《七錄》。《隋志》存九卷,唐新舊《志》復作十卷。今存嚴輯本。闡傳云:"著詩、賦、銘頌十卷,行於世。"

著作郎王隱集二十卷　錄一卷

本《七錄》。《隋志》存十卷。今存嚴輯本。

散騎常侍干寶集五卷

本《七錄》。《隋志》存四卷。今存嚴輯本。

太常卿殷融集十卷

見《隋志》。今存嚴輯本。元案《世説・文學篇》注引《中興書》：“融字洪遠，陳郡人。累遷吏部尚書、太常卿。”

衛尉張虞集十卷

見《七録》。唐新舊《志》五卷。元案本書《孝友傳》存咸康中太守張虞《請旌孝子許孜疏》，即其人。

光禄大夫諸葛恢集五卷　　録一卷

見《七録》。《御覽》七百八、又七百五十九、又七百六十、又八百八引存恢集，今存嚴輯本。恢有傳，字道明，琅邪陽都人。

車騎將軍庾翼集二十卷　　録一卷

本《七録》。《隋志》二十二卷，唐新舊《志》復作二十卷。《類聚》七十四、《御覽》七百五十四引存翼集。

司空何充集五卷

本《七録》。《隋志》存四卷，唐新舊《志》復作五卷。充有傳，字次道，廬江灊人。

御史中丞郝默集五卷

見《七録》。

征西諮議甄述集十二卷

本《七録》。唐新舊《志》五卷。《書鈔》一百三十六引存述《美女詩》。《元和姓纂》二甄姓云：“述，中山無極人。爲後漢上蔡令。甄逸玄孫。”

武昌太守徐彦則集十卷

見《七録》。《通典》九十九有徐彦《與征西桓温牋》，當即彦則，脱一“則”字。

散騎常侍王愆期集十卷　　録一卷

本《七録》。《隋志》存七卷，唐新舊《志》復作十卷。今存嚴輯本。

司空左長史王濛集五卷

見《七録》。今存嚴輯本。濛,《外戚》有傳,字仲祖,太原晉陽人。

丹陽尹劉恢集二卷　録一卷

本《七録》。新、舊《唐志》五卷。今存嚴輯本。元案《世說·賞譽篇》注引宋明帝《文章志》曰:"劉恢字道生,沛國人,爲車騎司馬。年三十六卒,贈前將軍。"不言官丹陽尹。

丹陽尹劉惔集二卷

見唐新舊《志》。今存嚴輯本。惔有傳,字真長,沛國相人,官至丹陽尹。《唐志》不詳官爵,本《志》補題。

益州刺史袁喬集七卷

本《七録》。唐新舊《志》五卷。今存嚴輯本。

尚書令顧和集五卷　録一卷

見《七録》。今存嚴輯本。和有傳,字君孝,吳郡吳人。

尚書僕射劉遐集五卷

見《七録》。今存嚴輯本。元案《世說·品藻篇》注引《劉瑾集·序》曰:"瑾字仲璋,南陽人。祖遐,父暢,娶王羲之女,生瑾。"本書《褚裒傳》永和中有吏部尚書,即其人。別又一劉遐,有傳,字正長,廣平易陽人,官至北軍中郎將,贈安北將軍。在咸和以前,不官尚書僕射。

徵士江惇集三卷　録一卷

見《七録》。唐新舊《志》五卷。

魏興太守苟述集一卷

見《七録》。

平南將軍賀翹集五卷

見《七録》。

尚書郎李軌集八卷

見《七録》,缺官補題。

中書侍郎李充集十五卷　　録一卷

本《七録》。《隋志》二十二卷，缺官補題。唐新舊《志》十四卷。今存嚴輯本。充傳云："官至中書侍郎。撰詩、賦、表、頌等雜文二百四十首行世。"

司徒蔡謨集四十三卷

本《七録》。《隋志》存十七卷，唐新舊《志》十卷。今存嚴輯本。

揚州刺史殷浩集五卷　　録一卷

本《七録》。《隋志》存四卷，唐新舊《志》復作五卷。浩有傳，字淵源，陳郡長平人。唐諱淵，故浩傳作"深源"。

吳興孝廉鈕滔集五卷　　録一卷

見《七録》。元案《隋志》集部有《鈕滔母孫瓊集》，滔官題"松陽令"。《廣韻》四十三等鈕韻注引《何氏姓苑》云："今吳興人，東晉有鈕滔也。"

宣城内史劉系之集五卷　　録一卷

見《七録》。元案《通典》九十六、又九十八有王冀《答劉系之問》。

尋陽太守庾純集八卷

本《隋志》。唐新舊《志》二卷，均作"庾統"。今存嚴輯《庾純集》，又輯存《庾統集》。元案庾純有傳，字謀甫，峻弟，官終少府，不言爲尋陽太守。純在西晉初，有集，《隋志》不得次在東晉。本書《庾懌傳》："懌子統，字長仁，官終尋陽太守。年二十九卒。"據此，"庾純"當爲"庾統"之譌，《唐志》爲是。

庾赤玉集四卷

見《隋志》，次在《尋陽太守庾純集》上，"玉"誤作"王"。元案《世説・賞譽篇》注："赤玉，庾統小字。"《赤玉集》次在《庾純集》上，則"純"爲"統"之譌無疑。

驃騎司馬王修集二卷　録一卷

見《七録》。《世説・文學篇》注引存修集，今存嚴輯本。修坿《外戚・王濛傳》，字敬仁。

衛將軍謝尚集十卷　録一卷

本《七録》。唐新舊《志》五卷。今存嚴輯本。尚有傳，字仁祖，陳國陽夏人。

青州刺史王俠集二卷

本《七録》。唐新舊《志》卷同，"俠"均作"浹"。元案本書《穆帝紀》："永和五年六月，揚州刺史王浹以壽陽來降。"《唐志》作"浹"，並有其人。

西中郎將王胡之集五卷　録一卷

本《七録》。《隋志》十卷，唐新舊《志》復作五卷。今存嚴輯本。胡之坿《王廙傳》，字修齡。

中書令王洽集五卷　録一卷

本《隋志》。唐新舊《志》三卷。《書鈔》五十七、又一百五十六，《御覽》三十五引存洽集，今存嚴輯本。洽坿《王導傳》，字敬和。

宜春令范保集七卷

見《七録》。

徵士范宣集十卷　録一卷

本《七録》。唐新舊《志》五卷。今存嚴輯本。

建安太守丁纂集四卷　録一卷

本《七録》。唐新舊《志》二卷。纂見《蔡謨傳》，曾官黄門郎。

金紫光禄大夫王羲之集十卷　録一卷

本《七録》。《隋志》存九卷，唐新舊《志》五卷，《通志》復作十卷。《百三家集》存一卷，又存嚴輯本。

散騎常侍謝萬集十卷

本《七録》。《隋志》十六卷,唐新舊《志》復作十卷。《舊唐志》"謝萬"作"謝万",他本寫刻轉譌爲"方"。《世説·文學篇》注引存萬集,今存嚴輯本。

司徒長史張憑集五卷

見《隋志》,注云:"梁有《録》一卷。"今存嚴輯本。

高涼太守楊方集二卷

見《七録》。今存嚴輯本。高涼,方本傳作"高梁"。

徵士許詢集八卷　録一卷

本《七録》。《隋志》存三卷。《世説·賞譽篇》注案語引存詢集,今存嚴輯本。元案《文選·江文通雜體詩》"許徵君"注引《中興書》云:"高陽許詢字玄度。"又《南史·許懋傳》:"高陽新城人,五世祖詢,晉徵士。"

征西將軍張望集十二卷　録一卷

本《七録》。《隋志》存十卷,唐新舊《志》三卷。今存嚴輯本。

餘姚令孫統集九卷　録一卷

本《七録》。《隋志》存二卷,唐新舊《志》五卷。今存嚴輯本。統坿《孫楚傳》,字丞公。

晉陵令戴元集三卷　録一卷

見《七録》。

衛尉卿孫綽集二十五卷

本《七録》。《隋志》存十五卷,唐新舊《志》同,《新志》"綽"誤作"紳"。《百三家集》存一卷,又存嚴輯本。

太常江逌集九卷

本《隋志》。唐新舊《志》五卷。今存嚴輯本。逌有傳,字載道,陳留圉人,云:"著《阮籍序贊》、《逸士箴》及詩、賦、奏、議數十篇。"

祠部郎謝沉集十卷

本《七録》,缺官補題。唐新舊《志》五卷。今存嚴輯本。

江夏太守李録集十卷　録一卷

見《隋志》,缺官補題。今存嚴輯本。

光禄勳曹毗集十五卷　録一卷

本《七録》。《隋志》存十卷,唐新舊《志》復作十五卷。毗傳云:"文筆十卷傳於世。"《書鈔》五十七引存毗顒。今存嚴輯本。

又　集四卷

《隋志》《王茂畧集》後又有《曹毗集》四卷,當是前十五卷外别一本,類次於此。

郡主簿王篾集五卷

見《七録》。元案《隋志》史部雜史類有王篾《史漢集要》二卷,官題"祠部郎"。

臨川王郎中劉彧集十六卷

見《七録》,缺官。《隋志》史部雜傳類有《長沙舊傳讚》二卷,題云"臨川王郎中劉彧撰",今据以補。

張重華酒泉太守謝艾集八卷

本《七録》。《隋志》存七卷,唐新舊《志》復作八卷。今存嚴輯本。元案《宋書·氐胡傳》:"沮渠蒙遜子茂虔,奉表獻方物并書,有《謝艾集》八卷。"艾事坿見《張重華傳》。

撫軍長史蔡系集二卷

見《七録》。系,蔡謨子,坿謨傳。《世説·雅量篇》注引《中興書》云:"系字子叔。"

護軍將軍江彬集五卷　録一卷

見《七録》,"江彬"爲"江彪"之譌。新、舊《唐志》卷同,均誤作"江霖"。《書鈔》六十引江彪《駁議》,誤作"江彪"。今存嚴輯本。彪坿《江統傳》,字思玄,官至護軍將軍,領國子祭酒。

安北將軍范汪集十卷

本《七録》。《隋志》存一卷，缺官補題。唐新舊《志》八卷。今存嚴輯本。[1]

尚書僕射王述集八卷

本《隋志》。唐新舊《志》五卷。今存嚴輯本。述坿《王堪傳》，字懷祖。

北中郎參軍王度集五卷

見《七録》，缺官。元案《隋志》史部霸史有《二石傳》二卷，注云："北中郎參軍王度撰。"據以補題。今存嚴輯本。

中領軍庾龢集二卷　録一卷

見《七録》。龢，庾亮子，坿亮傳。

將作大匠喻希集一卷

見《七録》。今存嚴輯本。

吳興太守孔嚴集十一卷　録一卷

本《七録》。唐新舊《志》五卷。今存嚴輯本。嚴坿《孔愉傳》，字彭祖。

大司馬桓温集四十三卷

本《七録》。《隋志》十一卷，唐新舊《志》二十卷。《世説·賞譽篇》注引存温集，今存嚴輯本。温有傳，字玄子，譙國人。

桓温要集二十卷　録一卷

見《七録》。

豫章太守車灌集五卷　録一卷

見《七録》。元案車灌見本書《桓温傳》，曾官尚書。

尚書僕射王坦之集五卷　録一卷

本《七録》。《隋志》七卷，唐新舊《志》復作五卷。今存嚴輯

---

① 原闕"卷今存嚴輯"五字，據《二十五史補編》本補。

本。坦之坿《王堪傳》,字文度。

左光禄王彪之集二十卷

本《隋志》,注云:"梁有《録》一卷。"《書鈔》一百三十四引存彪
之集,今存嚴輯本。彪之坿《王廙傳》,字叔武。元案"武"即
"虎"字,唐諱虎,故作"武"。《世説·輕詆篇》引《王氏譜》云:
"虎犢,彪之小字也。彪之字叔虎。"又見《淳化閣帖》七。

中書郎郗超集十卷

本《七録》。《隋志》存九卷,唐新舊《志》十五卷。今存嚴輯
本。超坿《郗鑒傳》,字景興,一字嘉賓。

南中郎桓嗣集五卷

見《七録》。嗣,桓沖子,坿沖傳,字恭祖。

平固令邵毅集五卷　　録一卷

見《七録》。

太學博士滕輔集五卷　　録一卷

見《七録》。《書鈔》百二十引存輔《祭牙文》。

苻堅丞相王猛集九卷　　録一卷

見《七録》。今存嚴輯本。本書《苻堅載記》:"猛字景略,北海
劇人。"

揚州刺史顧夷集五卷

見《七録》,缺官補題。

散騎常侍鄭襲集四卷

見《七録》。今存嚴輯本。元案《宋書·鄭鮮之傳》:"鮮之,滎
陽開封人。曾祖襲,官至大司農。"《南史·鄭鮮之傳》云:"祖
襲,大司農。"

撫軍掾劉暢集一卷

見《七録》。暢見《世説·品藻篇》注《劉瑾集·序》,爲瑾
之父。

太常卿韓康伯集十六卷

見《隋志》。今存嚴輯本。

黃門郎范啓集四卷

本《七錄》。唐新舊《志》五卷，均誤作“范起”。啓坿《范汪
傳》，汪叔父堅之子，字榮期，父子並有文筆傳於世。

豫章太守王恪集十卷

見《七錄》。《外戚·王遐傳》：“遐長子恪，領軍將軍。”不言官
豫章太守。

零陵太守陶混集七卷

見《七錄》。

海鹽令祖撫集三卷

見《七錄》。

吳興太守殷康集五卷　　錄一卷

見《七錄》。元案本書《殷顗傳》：“陳郡人，父康，字唐子。”《書
鈔》一百四十四、《御覽》八百五十九引存康集。

太傅謝安集十卷

本《隋志》，注云：“梁十卷，《錄》一卷。”唐新舊《志》五卷。今
存嚴輯本。

中軍參軍孫嗣集三卷　　錄一卷

見《七錄》。孫楚坿傳：“綽子嗣，有綽風，文章相亞。位至中
軍參軍。”

司徒左長史劉袞集三卷

見《七錄》。

御史中丞孔欣時集七卷

本《七錄》。《隋志》八卷。

游擊將軍伏滔集五卷　　錄一卷

本《七錄》。《隋志》十一卷，注云：“并目。”缺官補題。唐新舊

《志》復作五卷。《世説·言語篇》注引存滔集,今存嚴輯本。

滎陽太守習鑿齒集五卷

見《隋志》。《世説·文學篇》注引存鑿齒集,今存嚴輯本。

秘書監孫盛集十卷　録一卷

本《七録》。《隋志》五卷,注云:“殘缺。”唐新舊《志》復作十
卷。今存嚴輯本。

黄門郎顧淳集一卷

見《七録》。元案本書《顧和傳》:“子淳,官黄門侍郎、左衛
將軍。”

東陽太守袁宏集二十卷　録一卷

本《七録》。《隋志》存十五卷,唐新舊《志》復作二十卷。宏傳
云:“詩、賦、誄、表等雜文,凡三百首傳於世。”《世説·文學
篇》注引存宏集。《元和姓纂》卷五一先肩吾姓條、十姥古成
姓條均引作“晋袁弘集”。今存嚴輯本。

尋陽太守熊鳴鵠集十卷

見《七録》。元案《熊遠傳》:“弟緝子鳴鵠,位至武昌太守。”不
言尋陽。

車騎司馬謝韶集三卷

見《七録》。元案《謝萬傳》:“子韶,字穆度,官至車騎司馬。”
《世説·輕詆篇》注引謝歆《金昌亭詩序》,“歆”字疑“韶”
之譌。

車騎將軍謝玄集十卷

見唐新舊《志》。今存嚴輯本。

金紫光禄大夫王獻之集十卷

見《七録》。《百三家集》存一卷,又存嚴輯本。獻之坿《王羲
之傳》,字子敬。

琅邪内史袁質集二卷　録一卷

見《七録》。質坿《袁耽傳》，字道和，陳郡夏陽人。

湘東太守庾肅之集十卷　録一卷

見《七録》。今存嚴輯本。元案《庾闡傳》云："闡子肅之，亦有文藻著稱。"

太宰從事中郎袁邵集五卷　録一卷

見《七録》。唐新舊《志》三卷。

車騎長史謝朗集六卷　録一卷

見《七録》。唐新舊《志》五卷。朗坿《謝安傳》，字長度，官終東陽太守，不言車騎長史。

車騎將軍謝頎集十卷　録一卷

見《七録》。

新安太守郗愔集五卷

本《七録》。《隋志》存四卷，注云："殘缺。"唐新舊《志》復作五卷。今存嚴輯本。愔坿《郗鑒傳》，字方回。

吳郡功曹陸法之集十九卷

見《七録》。

太常卿王珉集十卷

見《隋志》，"珉"誤作"岷"，注云："梁有《録》一卷。"今存嚴輯本。《王珉傳》云："追贈太常。"故知"岷"爲"珉"之譌。

中散大夫羅含集三卷

見《隋志》。

太宰長史庾蒨集二卷

見《七録》。唐新舊《志》同。元案"蒨"當作"倩"。《庾冰傳》："子倩，太宰長史。"《世説·賞譽篇》注："徐廣《晉紀》曰：'倩字少彦。'"

大司馬叅軍庾悠之集三卷

見《七録》。元案"悠"字當是"攸"之譌，《庾冰傳》："冰孫有攸之,庾希子。"

司徒右長史庾凱集二卷

本《七録》。唐新舊《志》作"庾軌"。

國子博士孫放集十卷①

本《七録》。《隋志》一卷,注云:"殘缺。"唐新舊《志》十五卷。
今存嚴輯本。元案《孫盛傳》:"子放,字齊莊,官終長沙相。"

聘士殷叔獻集三卷　録一卷

本《七録》。《隋志》四卷,注云:"並《目録》。"唐新舊《志》復作
三卷。元案本書《殷顗傳》:"顗弟仲文、叔獻。"

北中郎參軍蘇彥集十卷

見《七録》。今存嚴輯本。

太子左率王肅之集三卷　録一卷

見《七録》。元案《世説・排調篇》注引《王氏譜》:"肅之字幼
恭,羲之第四子。歷中書郎、驃騎諮議。"不言官太子左率。

黃門郎王徽之集八卷

見《七録》。今存嚴輯本。王羲之坿傳:"子徽之,字子猷。"

徵士謝敷集五卷　録一卷

見《七録》。今存嚴輯本。敷,《隱逸》有傳,字慶緒,會稽人。

太常卿孔汪集十卷

見《七録》。今存嚴輯本。元案汪坿《孔愉傳》,官終征虜將
軍、平越中郎將、廣州刺史,梁《録》題作"太常卿",汪曾官此,
從其朔也。

徐州從事陳統集七卷

見《七録》,缺官。《隋志》經部有《難孫氏毛詩評》四卷,注云:
"晉徐州從事陳統撰。"據以補題。

---

① "士孫"原互倒,據《二十五史補編》本乙正。

太常王愷集十五卷

見《七録》。愷坿《王湛傳》，字茂仁，坦之子，官丹陽尹，追贈太常。《外戚傳》："王恂弟名愷。"在西晋初，別一人。

右將軍王忱集五卷　録一卷

見《七録》。今存嚴輯本。忱坿《王湛傳》，坦之子，字元達。

太常殷允集十卷

見《七録》。今存嚴輯本。元案《世説·賞譽篇》注引《中興書》曰："允字子思，陳郡人，太常康第六子。歷吏部尚書。"不言官太常。

徵士戴逵集十卷　録一卷

本《七録》。隋志存九卷，唐新舊《志》復作十卷。今存嚴輯本。

尚書左丞徐禪集六卷

見《七録》。今存嚴輯本，《目》云："禪，咸康中爲博士，永和初轉尚書郎，累遷尚書左丞。"

光禄大夫孫廞集十卷

見《七録》。元案《南史·孔琳之傳》："父廞，光禄大夫。"梁《録》作"孫廞"，"孫"即"孔"之譌。廞爲孔愉再從孫，本書愉傳，因避石冰、封雲之亂，改姓孫氏。《七録》作"孫"，不爲無據。廞父沈即坿本書《孔愉傳》："字德度，辟丞相司徒掾、瑯邪王文學，竝不就。子廞，位至吳興太守、廷尉。"又《宋書·孔琳之傳》："祖沈，晋丞相掾。父殷，光禄大夫。""殷"又"廞"之譌。《闕里文獻考》三十一《著述門》録十七代孫晋廷尉廞集十一卷。

太子前率徐邈集二十卷　録一卷

本《七録》。《隋志》存九卷，注云："并《目録》。"唐新舊《志》八卷。今存嚴輯本。

給事中徐乾集二十卷　録一卷

本《七録》。《隋志》二十一卷，注云："并《目録》。"今存嚴
輯本。

冠軍將軍張玄之集五卷　録一卷

見《七録》。元案《世説・言語篇》注引《續晉陽秋》："玄之字
祖希，吳郡太守澄之孫。"又本書《謝玄傳》云："吳興太守晉寧
侯張玄之，亦以才學顯，自吏部尚書與玄同年之郡，而玄之名
亞於玄，時人稱爲'南北二玄'。"又《王忱傳》、《列女・王凝之
妻謝氏傳》均作"張玄"，無"之"字。

員外常侍荀世之集八卷

見《七録》。

秘書監袁崧集十卷

見《七録》，缺官補題。今存嚴輯本。

黄門郎魏遏之集五卷

見《七録》。元案《世説・賞譽篇》注引《魏氏譜》曰："魏隱字
安時，會稽上虞人。歷義興太守、御史中丞。弟遏，黄門郎。"
梁《録》作"遏之"，晉人單名多加"之"字。

驃騎叅軍卞湛集五卷

見《七録》。

金紫光禄大夫褚爽集十六卷　録一卷

見《七録》。今存嚴輯本。爽，《外戚》有傳，字茂弘，河南陽
翟人。

豫章太守范寧集十六卷

本《隋志》。唐新舊《志》十五卷。今存嚴輯本。

餘杭令范弘之集六卷

見《七録》。今存嚴輯本。弘之，《儒林》有傳，字長文，范
汪孫。

司徒王珣集十卷　録一卷

本《七録》、《隋志》，併作十一卷，唐新舊《志》復作十卷。今存嚴輯本。珣坿《王導傳》，字元琳，王洽子。

處士薄蕭之集十卷

本《七録》。《隋志》存九卷，唐新舊《志》復作十卷，"蕭之"均作"肅之"。

安北叅軍薄要集九卷

見《七録》。

薄邕集七卷

見《七録》。薄邕疑字叔玄，見本《志》經部《薄叔玄問穀梁義》四卷注。

延陵令曹邁之集十一卷　録一卷

見《七録》。

孫恩集五卷

見《隋志》。恩有傳，一名靈秀，琅邪人。

殿中將軍傅綽集十五卷

見《七録》。

驍騎將軍弘戎集十六卷

見《七録》。今存嚴輯本，目題"弘君舉"，注云："疑即弘戎字。"元案《庾冰傳》，弘戎爲阿曲人。

御史中丞魏叔齊集十五卷

見《七録》。

司徒右長史劉寧之集五卷

見《七録》。

臨海太守辛德遠集五卷

本《隋志》。《七録》四卷，唐新舊《志》復作四卷，仍題"辛德遠"。嚴輯本云："爵里未詳，據《御覽》三百三十七，存洛戍時與桓郎牋一首。"元案本書《安帝紀》："元興元年，臨海太守辛

景擊孫恩，斬之。"《世説·德行篇》注引《安帝紀》作"臨海太
守辛昞"，唐諱昞，景即昞。《隋》、《唐志》不題昞名，知德遠爲
昞字。

郭愔集五卷

見唐新舊《志》。

車騎叅軍何瑾之集十一卷

見《七録》。元案《通典》五十五云："東晉穆帝升平中，何瑾請
備五岳祠。"當即瑾之。

太保王恭集五卷　録一卷

見《七録》。今存嚴輯本。恭有傳，字孝伯，太原人。

南蠻校尉殷顗集十卷①　録一卷

見《七録》，缺官補題。顗有傳，字伯通，陳郡人。

荆州刺史殷仲堪集十卷　録一卷

本《七録》。《隋志》十二卷，注云："并《目録》。"唐新舊《志》復
作十卷。《御覽》八百三十六引存仲堪集，今存嚴輯本。

驃騎長史謝景重集一卷

見《隋志》。元案《謝朗傳》："子重，字景仲，爲會稽王道子驃
騎長史。"《隋志》題作"景重"，舉其字也。

桓玄集二十卷

見《隋志》。《世説·文學篇》注引存玄集，今存嚴輯本。

丹陽令卞範之集五卷　録一卷

見《七録》。今存嚴輯本。範之有傳："字敬祖，濟陰冤句人。
桓玄將爲篡亂，以範之爲丹陽尹。"又見本書玄傳。《七録》題
"丹陽令"，"令"字誤。

光禄勳卞承之集十卷　録一卷

---

① "顗"原誤作"覬"，據《晉書》本傳改正。

見《七録》。今存嚴輯本,目云:"卞承之字敬宗,安帝時爲光禄勳。"又本書《桓玄傳》有秘書監卞承之。

東陽太守殷仲文集五卷

本《七録》。《隋志》七卷,唐新舊《志》同。今存嚴輯本。

司徒王謐集十卷　録一卷

見《七録》。今存嚴輯本。謐有傳,字雅遠,導之孫。

光禄大夫伏系之集十卷　録一卷

見《七録》。今存嚴輯本。元案《伏滔傳》:"子系之。"又《世説·寵禮篇》注引邱淵之《文章録》作"伏系",無"之"字,字敬魯。

右軍叅軍孔璠集二卷

本《隋志》。唐新舊《志》卷同,作"孔璠之"。

衛將軍諮議湛方生集十卷　録一卷

見《隋志》。今存嚴輯本。据《元和姓纂》二十一侵湛姓條,方生當爲新淦人。

通直常侍顧愷之集二十卷

本《七録》。《隋志》存七卷,今存嚴輯本。"愷之"一作"凱之"。本傳云:"所著文集及《啓曚記》行於世。"

太常卿劉瑾集五卷

本《七録》。《隋志》九卷,《舊唐志》同,《新唐志》八卷。元案《世説·品藻篇》注引存瑾《序》云:"瑾字仲璋,南陽人。"又本書玄傳云:"以平西長史劉瑾爲尚書。"《初學記》二十八引存瑾《甘樹賦》,作宋人。

左僕射謝混集五卷

本《七録》。《隋志》存三卷。混坿《謝安傳》,字叔源。

祕書監滕演集十卷　録一卷

本《隋志》。唐新舊《志》一卷,《舊志》"演"作"衍"。元案《宋書・傅亮傳》云：“演字彥將，南陽西鄂人。官至黃門郎、祕書監。義熙八年卒。”

司徒長史王誕集二卷

見《隋志》。今存嚴輯本。元案《宋書》有誕傳，字茂世，琅邪臨沂人，官長史，義熙九年卒。又本書《桓玄傳》作“驃騎長史王誕”。

光祿大夫祖台之集二十卷

本《七錄》。《隋志》存十六卷，唐新舊《志》十五卷。今存嚴輯本。

太尉諮議劉簡之集十卷

見《七錄》。元案簡之即劉簡，《世說・方正篇》注引《劉氏譜》云：“簡字仲約，南陽人，大司馬叅軍。”又《言語篇》注引劉謙之《晉紀》作“劉簡之”，又《宋書・劉道產傳》，父簡之，作“彭城呂人”。

丹陽太守袁豹集十卷　錄一卷

本《七錄》。《隋志》存八卷，唐新舊《志》復作十卷。今存嚴輯本。元案本書《袁質傳》：“質子豹，字士蔚，爲太尉長史、丹陽尹，卒。”《南史》有豹傳，歷官同，云義熙九年卒。

廬江太守殷遵集五卷　錄一卷

見《七錄》。

興平令荀軌集五卷

見《七錄》。

西中郎長史羊徽集九卷

見《隋志》，注云：“梁十卷，《錄》一卷。”唐新舊《志》一卷。《類聚》八十九存徽《木槿賦》。《宋書・羊欣傳》：“弟徽，字敬猷，後爲太祖西中郎長史。”《南史・羊欣傳》云：“徽位河東太守卒。”

國子博士周祇集二十卷　録一卷

本《七録》。《隋志》存十一卷，唐新舊《志》十卷。今存嚴輯本。

相國主簿殷闡集十卷　録一卷

見《七録》。今存嚴輯本，目云："闡，義熙初，會稽内史何無忌引爲掾屬，後爲相國主簿。"元案《殷闡集》後有《太常傅迪集》十卷，考《南史·傅亮傳》，亮兄迪，宋初終五兵尚書，贈太常。《隋志》注引梁《録》次晋，誤，本《志》不録。

始安太守卞裕之集十五卷

本《七録》。《隋志》存十三卷，唐新舊《志》十四卷。

韋公藝集六卷

見《七録》。

征西將軍毛伯成集一卷

見《隋志》，缺官，總集類有《毛伯成詩》一卷，注云："征西將軍。"據以補題。《世説·言語篇》注引《征西寮屬名》曰："毛玄字伯成，潁川人。仕至征西行軍桼軍。"元案《隋志》《毛伯成集》後，中間五部有《晋宗欽集》二卷。考《魏書·宗欽傳》，始事蒙遜，後仕魏，拜著作郎，坐崔浩誅，在真君十一年，當宋元嘉二十七年，《集》次在晋，誤，本志不録。新、舊《唐志》《宗欽集》均次後魏。

中軍功曹殷曠之集五卷

見《七録》。元案《殷仲堪傳》，子曠之，仕至鄡令。

太學博士魏説集十三卷

本《七録》。《通志》十卷。元案《世説·排調篇》注引《魏氏譜》云："説官至大鴻臚卿。"

征西主簿邱道護集五卷　録一卷

見《七録》。

柴桑令劉遺民集十卷

見《七録》。今存嚴輯本，題云“劉程之”。元案遺民本程之别號，劉裕所旌。

相國從事郭澄之集十卷

見《七録》，缺官補題。元案澄之傳：“位至裕相國從事中郎，封南豐侯，卒於官所。著文集行於世。”

徵士周桓之集一卷

見《七録》。《全晉文》目云：“‘桓之’係‘續之’之譌。”元案《宋書‧隱逸傳》，續之卒於宋景平元年，梁《録》既題徵士，與續之傳合。《隋志》著録宋文，并亦不存。續之集次晉，容或誤入。今存嚴輯《周續之集》。

孔瞻集九卷

見《七録》。

張野集十卷

見《七録》。《隋志》引存，次宋，嚴輯本同，據《世説‧文學篇》注，存《遠法師銘》一首。《御覽》四十一有遠《廬山記》，嚴輯脱。《蓮社高賢‧張野傳》：“字萊民。州舉秀才、南中郎府功曹、州治中，①徵散騎常侍，俱不就。義熙十四年卒。”據傳，《集》當次晉。又《高僧‧惠遠傳》云：“野，南陽人。”

沙門支遁集十三卷

本《七録》。《隋志》存八卷，唐新舊《志》十卷。今存二卷，又存嚴輯本。《高僧》遁有傳，云集十卷。

沙門支曇諦集六卷

見《隋志》。今存嚴輯本。元案《廣弘明集》，諦卒於義熙七年五月，邱道護有誄。《高僧‧曇諦傳》云：“姓康，其先康居人。

---

① “治”上原脱“州”字，據《叢書集成初編》本《蓮社高賢傳》補。

善屬文翰,集有六卷。卒於宋元嘉末。"二説各異,姑仍《隋志》次晋。

沙門釋惠遠集十二卷

本《隋志》。唐新舊《志》十五卷。今存嚴輯本。元案《高僧·惠遠傳》云:"所著論序銘贊詩書集爲十卷,五十餘篇。"《蓮社高賢·遠法師傳》同,云:"號《廬山集》。"《通志》既録《惠遠集》十二卷,又録《廬山集》十卷,複誤。

姚萇沙門釋僧肇集一卷

見《隋志》。今存嚴輯本。肇,《高僧》有傳,京兆人,師事鳩摩羅什。

司徒王渾妻鍾夫人集五卷

本《七録》。唐新舊《志》二卷。今存嚴輯本。《列女》有傳:"字琰,潁川人。魏太傅繇曾孫。父徽,黄門郎。"《世説·賢媛篇》注引《王氏譜》曰:"鍾夫人名琰,魏太傅繇之孫。"又云:"夫人,黄門侍郎鍾琰女。"[1]徽、琰殊名,孫、曾異世,未知孰是。注又引《婦人集》曰:"夫人有文才,其詩賦頌誄行於世。"

武帝左九嬪集四卷

本《七録》。唐新舊《志》一卷。《御覽》目引作"左貴嬪集",又卷一百四十五引存《左貴嬪集》目録。今存嚴輯本。本書《后妃》有傳,名芬,齊國臨淄人。

太宰賈充妻李扶集一卷

見《七録》。

武平都尉陶融妻陳窈集一卷

見《七録》。今存嚴輯本。

都水使者妻陳玢集五卷

---

① 原脱"侍郎鍾"三字,據徐震堮《世説新語校箋》補。

見《七録》。今存嚴輯本。元案《御覽》九百七十引徐藻妻陳氏《石榴賦》,《類聚》二十二引晉徐藻妻陳氏《與妹劉氏書》。据此,知都水使者當爲徐藻,梁《録》存其官而脱佚名氏。

海西令劉驥妻陳珍集七卷

本《七録》。唐新舊《志》五卷,題云"劉臻妻陳氏集"。本書《列女》有《劉臻妻陳氏傳》,据此,《唐志》爲是,梁《録》作"驥"誤。今存嚴輯本。元案《類聚》二十二徐藻妻陳氏《與妹劉氏書》云:"伏見偉方所作先君誄。"又云:"元方、偉方,並年少而有盛才。"《類聚》三十四劉臻妻陳氏《答舅母書》悼傷元方有"斯人斯命"之語,尋繹文意,知珍即徐藻妻,陳玢之妹。《書》稱"與妹劉氏"者,舉夫姓而言。玢與珍皆徐州從事陳統之姊。統字元方,見《釋文·序録》。考字典無珍字,"珍"疑"璪"譌。

劉柔妻王劭之集十卷

見《七録》。今存嚴輯本。

散騎常侍傅伉妻辛蕭集一卷

見《七録》。今存嚴輯本。元案《類聚》八十一引存傅統妻《芍藥花頌》、《菊花頌》,《書鈔》一百五十五引傅統妻《元正詩》。据此,知"伉"字爲"統"之譌。

松陽令鈕滔母孫瓊集二卷

見《七録》。元案《隋志》引梁《録》有《鈕滔集》五卷,題云"吳興孝廉",當即其人,後官松陽令。《初學記》十六引滔母《箜篌賦》,"鈕"作"鈞"。《類聚》三十四引《悼恨賦》,作"晉劉滔母孫氏",《庾信集·傷心賦序》云劉韜之母,即指此《賦》,"鈕"、"劉"互異,而"滔"又作"韜",未知孰是。今存嚴輯本。

成公道賢妻龐馥集一卷

見《七録》。

宣城太守何殷妻徐氏集一卷

見《七録》。

江州刺史王凝之妻謝道韞集二卷

見《隋志》。今存嚴輯本。本書《列女》有傳,安西將軍弈女。凝之有傳,字叔平,爲羲之弟。唐陳子良《辨正論》注云:"道韞字元韞。"

主簿木華集

見《文選・海賦》注,引《七志》曰:"木華字玄虛。《華集》曰爲楊駿府主簿,傅亮《文章志》曰廣川木玄虛。"

長水校尉衛恒集

見《書鈔》六十二"程邈作大篆"條。

冠軍參軍高柔集

見《世説・輕詆篇》注,引孫統爲高柔集序云:"柔字世遠,樂安人。官司空參軍、安固令,後何充取爲冠軍參軍。"又見本書《王浚傳》:"浚將僭號,司馬掾高柔、劉搏切諫,浚怒誅之。"

衛尉文立集

見《華陽國志》立傳,云:"凡章奏集爲十篇,詩賦論頌亦數十篇。"又本書立傳云:"字廣休,巴郡臨江人。著章奏詩賦數十篇行世。"

右別集三百八十一部,凡二千七百七十八卷,無卷數者四家。

別集之名,肇始東漢,至司馬一代尤多。上自天子,降而王公卿士,旁及閨壺女史、沙門釋子,下至逆臣盜賊,各有撰著,都而爲集。《記》曰:"天下無道,則辭有枝葉。"此之謂也。《隋志》於亡書外,録其見存者,得一百五十餘部。今考其書,名存而卷佚者又十之九,吁可慨已!傅迪、宗欽兩集,《隋志》次晉,證之史傳,析出屬宋,本志不録。其餘略依先後,編而次之,冠以官爵,亦遵其例。缺者補題字與里郡,有可考者,詳注卷後,惟已見經、史、子部中者不贅。

文章流別集四十一卷　　摯虞撰。

本《隋志》，注云：“梁六十卷，《志》二卷，《論》二卷。”唐新舊《志》作“三十卷”。元案虞傳云：“撰古文章，①類聚區分爲三十卷，名曰《流別集》，各爲之論。”《全晉文》存十二節。

文章流別志論二卷　　摯虞撰。

本《隋志》。元案是書即四十一卷中之《論》二卷。鍾嶸《詩品》云：“摯虞《文志》，詳而博贍，頗曰知言。”即指是書。《書鈔》、《類聚》、《文選》注、《御覽》均引存。又《書鈔》一百、又一百二，《初學記》二十一，《御覽》五百八十五、又五百八十六，《文選·北征賦》注均引作“文章流別論”，無“志”字。又《御覽》五百九十、又五百九十六引作“文章流別傳”。

文章流別本十二卷　　謝混撰。

見《隋志》。

文章志錄雜文八卷　　謝沉撰。

見《七録》。

名文集四十卷　　謝沉撰。

見唐新舊《志》。

集苑六十卷　　謝沉撰。

本唐新舊《志》。《七録》卷同，《隋志》作“四十五卷”，均脱撰人。

翰林論五十四卷　　李充撰。

本《七録》。《隋志》、唐新舊《志》、《崇目》均作“三卷”。《秘目》作“三卷”，缺撰人。《宋志》三卷，注云：“充一作元，或作克。”元案鍾嶸《詩品》云：“李充《翰林》，疎而不切。”即是書。《文選·海賦》、《百一詩》、《劇秦美新》各注，《御覽》五百八十

---

① 原脱“古”字，據中華書局點校本《晉書》補。

五、又五百八十八、又五百九十五均引存。

明真論一卷　宗岱撰。

見《隋志》。

古今箴銘集十四卷　張湛撰。

見《隋志》,注云:"《録》一卷。"新、舊《唐志》十三卷。

設論集三卷　東晉人撰。

見《七録》,云東晉人撰。

雜論九十五卷　殷仲堪撰。

見唐新舊《志》。

晉歌章八卷

見《隋志》,注云:"梁十卷。"

又　十卷

見《七録》。

晉歌詩十八卷

見《七録》。

晉詩二十卷　索靖撰。

見靖傳,云:"撰《索子》、《晉詩》各二十卷。"

二晉雜詩二十卷

見《七録》。

百一詩二卷　蜀郡太守李彪撰。

見《七録》。唐新舊《志》卷同,作"百一詩集","彪"作"爽"。

百志詩五卷　干寶撰。

本《七録》。《隋志》九卷,唐新舊《志》復作五卷,均云《百志詩集》。《御覽》三百六引存一首。

古游仙詩一卷　應貞注。

見《七録》。

蘭亭詩一卷

見《宋志》，次在《郭璞集》下、《陶淵明集》上。元案《世説・企
羨篇》引王羲之《臨河叙》曰：“故列序時人，録其所述。右將
軍太原孫丞公等二十六人賦詩於左。”《臨河叙》即《蘭亭詩
序》，與帖本詳畧不同，是卷殆總集孫丞公等所賦之詩成書。
丞公，孫統字，《詩》存宋桑世昌《蘭亭考》一。

毛伯成詩一卷

見《隋志》。

織錦迴文詩一卷　秦苻堅秦州刺史竇滔妻始平蘇蕙若蘭撰。

見《七録》。今存。蕙，本書《列女》有傳。唐則天皇后《璇璣
圖詩序》云：“蘇氏，陳留令武功蘇道賢第三女。”

古今九代歌詩七卷　張湛撰。

見《七録》。

古今五言詩美文五卷　荀綽撰。

見《七録》。

晉元正宴會詩集四卷　伏滔、袁豹、謝靈運等撰。

見唐新舊《志》。《新志》無“詩”字。靈運，宋人，在晉官至黄
門侍郎。此卷當成於元熙以前，故《唐志》題云《晉元正宴會
詩集》。

相風賦七卷　傅玄等撰。

見《七録》。元案《書鈔》一百三十存傅玄、張華、潘岳《相風
賦》，《御覽》九存傅咸《相風賦》，又八百九存杜萬年《相風
賦》，《類聚》六十八存陶侃《相風賦》，《文選・月賦》注存牽秀
《相風賦》。

迦維國賦二卷　右軍行參軍虞千紀撰。

見《七録》。

班固幽通賦一卷　項岱注。

見唐新舊《志》，《舊志》誤作岱撰。《隋志》注引《七録》作“項

氏注《幽通賦》、蕭廣濟注木玄虛《海賦》一卷”，“一”字上當脱一“各”字，各爲一卷，並不合併。《文選·幽通賦》注凡十引“項岱曰”，即此注。

海賦一卷　木華撰，蕭廣濟注。

見《七録》。本《志》分析録之，説見上。《賦》存《文選》蕭注。《太平寰宇記》卷七十二引存。

三都賦三卷　左思撰。

本《通志》。《隋志》有《五都賦》六卷，注云：“并《録》。張衡及左思撰。”本《志》據《通志》分析出之。思《賦》今存《文選》卷四五六。

齊都賦一卷　左思撰。

本《舊唐志》。《新唐志》作“二卷”，《七録》作“《齊都賦》二卷并《音》，左思撰”。元案《音》本李軌撰，唐新舊《志》有李軌《齊都賦音》可証，梁《録》誤合。

齊都賦音一卷　李軌撰。

見唐新舊《志》。

三都賦三卷　張載及侍中劉逵、懷令衛瓘注。

見《七録》。元案《左思傳》云：“《三都賦》既成，張載爲注《魏都》，劉逵注《吳》、《蜀》，陳留衛瓘又爲思《賦》作《略解》。”又案《魏志·衛臻傳》：“臻，陳留襄邑人。”注云：“臻孫權，字伯輿。爲尚書郎，作左思《吳都賦序》及《注》。”據此，知梁《録》作“懷令衛瓘”，思傳作“陳留衛瓘”，“瓘”皆“權”之譌，權爲陳留人，思傳誤以衛瓘當之。瓘，衛顗子，字伯玉，河東安邑人，有傳可證。劉逵注今存《文選》，題云劉淵林，即逵字。又《世説·文學》注引《左思別傳》曰：“思造張載，問岷、蜀事。交接亦疏。劉淵林、衛伯輿立早終，皆不爲思《賦》序注。凡諸注解，皆思自爲，欲重其文，故假時人名姓也。”

又　三卷　綦毋邃撰。

見《七録》。元案《御覽》九百二十八、左思《蜀都賦》引存邃注。

三京賦音一卷　綦毋邃撰。

見唐新舊《志》。

二京賦二卷　李軌、綦毋邃撰。

見《七録》。《通志》作“《三京賦》一卷”，云李軌撰，不言邃。

二都賦音一卷　李軌撰。

見《隋志》。

子虛上林賦一卷　郭璞注。

見《七録》。元案《漢書·序例》云：“璞注《漢書》。”即此二賦注。今存。

靖恭堂頌一卷　涼王隴西李暠玄盛撰。

見《隋志》。元案《十六國春秋·西涼録》：“李暠起靖恭堂以議朝政，圖贊自古聖帝明王、忠臣孝子、烈士貞女，親爲序頌，以作鑒戒。”即是書。又云：“暠撰賦數十篇。”暠，本書有傳。

木連理頌二卷　太元十九年羣臣上。

見《七録》。《隋志》又複録，在《吳聲歌辭曲》一卷下注内。新、舊《唐志》卷同，不言太元十九年羣臣上。元案太元，孝武帝年號。

雜碑二十二卷　將作大匠陳勰撰。

見《七録》。

碑文十五卷　陳勰撰。

見《七録》。

又　十卷　車灌撰。

見《七録》。

羊祜墮淚碑一卷

　　見《七錄》。元案《書鈔》一百二引《荆州圖記》："羊叔子與鄒
潤甫嘗登峴山遠望，糸佐爲立碑，著故處。百姓每行，望碑莫
不悲感，名爲《墮淚碑》。"《續古文苑》据《湖北通志》存《晋李
興羊祜碑》，當即是書中之一也。

桓宣武碑十卷

　　見《七錄》。元案《世説》各篇，桓温稱宣武。本書《桓玄傳》：
"玄篡，追尊其父爲宣武皇帝。"《類聚》四十五有袁宏《丞相桓
温碑銘》，當入此書。

碑論十二篇　郭象撰。

　　見象傳。

誡林三卷　綦毋邃撰。

　　《隋志》引《七錄》列總集，唐新舊《志》入子部儒家。

四帝誡三卷　王誕撰。

　　見《七錄》。

連珠一卷　陸機撰，宋何承天注。

　　見《七錄》。今存。

晋代名臣集十五卷

　　見《宋志》總集類，次《三國志文類》六十卷下。《祕目》作"十
六卷"，無"代"字。

晋諸公奏十一卷

　　見《七錄》。

劉隗奏五卷

　　見《七錄》。元案隗奏畧存本傳。

孔羣奏二十二卷

　　見《七錄》。群坿《孔愉傳》，字敬林，仕歷中丞。

金紫光禄大夫周閔奏事四卷

　　見《七錄》。閔坿《周顗傳》，字子騫。

中丞劉卲奏事六卷

見《七録》。元案"卲"當作"劭"。《劉隗傳》云："從兄疇之子劭,官終豫章太守。咸、康世,曾歷御史中丞。"《世説·言語篇》注引《文字志》："劭字彦祖。"

中丞司馬無忌奏事十三卷

見《七録》。元案《譙烈王無忌傳》："建元初,遷散騎常侍,轉御史中丞。"故梁《録》題作"中丞"。

中丞虞谷奏事六卷

見《七録》。元案《蘭亭考》卷一有山陰令虞谷。

中丞高崧奏事五卷

見《七録》。崧有傳,字茂琰,廣陵人。

移檄章表三十卷　葛洪撰。

見洪傳。

典林二十三篇　石季龍太傅京兆韋謏憲道撰。

見謏傳,云："好直諫,陳軍國之議,多見允納。著《伏林》三千餘言,遂演爲《典林》二十三篇。"

抱朴君書一卷　葛洪撰。

見《七録》。

司徒書三卷　蔡謨撰。

見《七録》。元案謨傳,官司徒,故書以官題名。

山公啓事三卷　山濤撰。

見《隋志》。《全晉文》輯存五十餘事。元案濤傳云："濤所奏甄拔人物,各爲題目,時稱《山公啓事》。"

范寧啓事十卷

本《七録》。《隋志》存三卷,《新唐志》復作十卷。元案寧傳："出補豫章太守,上疏云:'請出臣《啓事》,付外詳擇。'"知《啓事》即奏疏。

晋左將軍王鎮惡與劉丹陽書一卷

見《七録》。元案《宋書·王鎮惡傳》:"北海劇人。義熙十四年,爲沈田子所殺,追贈左將軍。"《劉穆之傳》:"字道和,東莞莒人,中軍太尉司馬。義熙八年,加丹陽尹。"劉丹陽當即穆之。

書集八十八卷　散騎常侍王履撰。

見《隋志》,注云:"梁八十卷,亡。"

善文五十卷　杜預撰。

本《隋志》。《新唐志》四十九卷。《史記·高祖本紀》索隱、《後漢書·皇后紀》、《群輔録》五處士均引存。晁《志》云:"晋摯虞始作《文章流別》,後世祖之而爲總集,如蕭統所選是也。據杜預撰《善文》五十卷,則薈萃文章自預始。"

雜集一卷　殷仲堪撰。

見《隋志》。

策集一卷　殷仲堪撰。

見《隋志》。

碑誄詩賦百卷　葛洪撰。

見洪傳。

方伎雜事三百一十卷　葛洪撰。

見洪傳。

子虛上林賦注　司馬彪撰。

《文選·登徒子好色賦》注引稱彪《漢書·子虛賦》注,又《甘泉賦》注引稱《上林賦》注,又《北征賦》注引同。又《舞賦》注引《上林》、《子虛賦》注,稱"司馬彪曰"。又《子虛》、《上林》二賦,郭璞注外,《子虛賦》彪注十二事,《上林賦》彪注二十五事。

魯靈光殿賦注　張載撰。

見《文選》十一。

七林　傅玄撰。

見《類聚》五十七。又《御覽》五百九十引摯虞《文章流別論》
曰：“傅子集古今七論評之，名曰《七林》。”

山公表注　賈弼之撰。

見《文選》注十六，又四十二，又五十六。

小道　侍中范陽盧欽子若撰。

見欽傳，云：“著詩賦論難數十篇，名曰《小道》。”

杜預奏事

見《書鈔》四十五，又五十五，或引作“奏記”。《類聚》五十四，
預本傳及《禮志》，《通典》八十、又八十二引存。《御覽》屢引，
或作“杜預集要”。

苟勖奏

見《書鈔》一百十一，又一百十二。

盧志奏

見《書鈔》一百四十。

李重雜奏議

見《書鈔》四十九、《類聚》四十五。

裴秀奏事

見《書鈔》六十。

傅咸集奏

見《御覽》目。又卷三百四十五引作“傅咸奏事”，《初學記》二
十二引同。又《初學記》十三、《書鈔》九十均引作“傅咸奏”。
又《御覽》七百六十六引作“傅咸劾事”。

孫楚集奏

見《御覽》目。

孫盛奏事

見《書鈔》一百二十四、《御覽》三百五十二。

徐邈奏議

見《御覽》六百八十三。

郭璞奏

見《御覽》八百二。

右總集七十一部，凡一千二百四十八卷，無卷數者一十五家。

采百家撰著，删其繁蕪，拮其精華，分而合之，條而貫之，斯爲總集。昭明選體、徐陵《玉臺》，皆是類也。導其先河，實源於杜預《善文》、摯虞《流別》。今編此門，凡詩、賦、箴、銘、策、論、書、啓之作，統歸於此。詔令奏議，《隋志》并錄，兹据唐新舊《志》例，分析出之，詔令次入史部起居注後，惟奏議仍舊。

補晉書藝文志卷四終

弟子東安席闓運校字

　　旃蒙赤奮若之歲冬十月庚申,潛廬先生卒。卒之前二日,闓運知不起,以刊行《補晋書藝文志》請先生,徐曰:“姑俟之。”闓運又以請,時先生已不能言,殆亦不聞人言,乃書以進,先生強視頷之。嗚呼!先生草是書幾四十年,自桂林歸,杜門絕人事,覃思博涉,又復強記,心有所憶,輒筆於書,所損益既多,則棄而更寫,凡成帙者數十,迨卒之歲猶第録一通,即今以爲定本是也。始先生之東歸也,人人以謂燭於幾先,先生顧鬱鬱不自得,有疾每不欲療治,終莫敢測其旨。及疾革,神志無擾,語不及他事,惟長號二親而已。嘗預爲終制,慮家人不從,顧謂從子智周曰:“我死,棺不得過三十金。”蓋少貧居親喪,不得盡禮,示不敢踰也。居恒,雖鬻文,然不苟作,必於其人,以此屢不自給。及爲故人刊遺書,賙匱乏,又若自忘其困。然闓運生拙且惰,於先生學誼末由窺見萬一,顧平生事行大要,已詳黃麓森、宇達兩先生所爲《志銘》及《傳》中。即是書之成,亦第以爲補舊聞、羅放佚而已,詎足以盡先生哉!明年,闓運將剞劂是書,慮日久或不能畢,乃編活字印之,逾年而成,凡四卷。又先生手校《碧山樂府》一卷,所爲《聯語》二卷,皆待續印。其已行世者,爲《文集》六卷云。疆圉單閼之歲冬十二月,弟子席闓運謹識。

補晉書經籍志

吳士鑑　撰

朱新林　整理

底本：清光緒二十九年（1903）刻《含嘉室
舊著》本
　　校本：1955 年中華書局影印《二十五史補
編》本

補晋書經籍志序

　　自倪闇公纂修《明史》，創補南宋、遼、金、元四代史志之説，屬太鴻、錢曉徵因之，成《遼經籍》、《元藝文》二志。踵其事者，遞相甄益，於是東漢有錢晦之、洪孟慈、侯君謨三家之書，魏、蜀、三國有君謨書，梁、陳二代有湯誼卿書，後梁、五代有顧秋碧書，既各鳴一家矣。家絅齋編修病《晋書》之闕而未具也，復賡續爲之。一日，出其稿示余於都門。余讀之，事覈而文備，擇而能精，裁而有要，與曉徵書並傳無疑。惟余抑有説者，班書是篇緣掌故而作，楚元王之《詩》，賈子之《春秋左氏傳訓故》，劉子駿之《尚書五行傳説》、《左傳注》、《三統曆譜》，俱別具本傳，或《儒林傳》及《五行》、《律曆》諸志，以私家撰著，非官書也。費、高、京氏之《易》，慶氏之《禮》，皆立學校，置博士矣，而秘府無其藏，亦從闕録附之類例。其餘出入，大率可知。闇公所爲志稿，乃雜用王元翰《續文獻通考·經籍考》之例。晦之、孟慈諸書自完一代，其名本之劉子玄《史通》，其實出自宋生《關東風俗傳·墳籍志》。《風俗傳》郡書，《通考》類書，焉得云史學哉。晋世晚出書籍，前有汲郡古文，後有豫章所上之《尚書》經傳，皆舊目所無，條而次焉，舍班法無可附麗。竊謂宜倣歐陽公《司天》、《職方考》例，於今所輯當代諸儒著述之外，別采《晋中經簿》、《義熙録》佚文，參合《隋志》所載漢、魏舊籍，爲《晋書藝文考》，與是編相輔而行，庶幾掌故與考據兩家之郵通達爲一。而全紹衣所云“根稽存佚，推究異同”者，亦於此微存厓略。編修力追古作，能不河漢斯言乎。常熟丁君秉衡曾事纂輯，與編修此著互有詳略異同,齊軫並驅,均堪不朽。編修家世治學,近復與名父同官藏山之業,固當上方彪固,豈獨肩隨曉徵已也。南歸,輒書所見,用寄遠懷。光緒二十一年夏六月,吳承志序於平陽學舍。

補晋書經籍志卷一

錢塘吳士鑑纂

甲部經録，其類十。一曰易類，二曰書類，三曰詩類，四曰禮類，五曰樂類，六曰春秋類，七曰孝經類，八曰論語類，九曰經解類，十曰小學類。

薛貞　歸藏注十三卷　見《隋志》。《通考》引《崇文總目》云："晋太尉參軍薛正注。《隋書》有十三篇，今但存《初經》、《齊母》、《本著》三篇。"貞，宋人避嫌名作"正"。《直齋書録解題》、《宋志》均作"三卷"，《通志略》作"十卷"。

王廙　周易注十卷　《經典釋文·序録》引《七志》、《七録》云十卷，兩《唐志》同。《隋志》云："三卷，殘闕。梁有十卷"。凡云梁有者，即據阮氏《七録》。《釋文·序録》又作"十二卷"，蓋有《録》二卷也。

干寶　周易注十卷　《隋志》、兩《唐志》均同，《宋志》作《易傳》十卷，本書列傳無卷數。**周易宗塗四卷**　《隋志》云："梁有，亡。"**周易爻義一卷　周易問難二卷　周易玄品二卷**　《隋志》《問難》作"王氏撰"，《玄品》不著撰人。案《册府元龜》言："干寶撰《問難》二卷，《玄品》二卷，《爻義》一卷。"則"王"乃"干"字之譌。《舊唐志》"爻義"誤"文義"。《隋志》五行類又有《周易玄品》二卷，不著撰人，當是複出。**易音**　《經典釋文》引。

黃穎　周易注十卷　《隋志》四卷，注云："梁有十卷，今殘闕。"兩《唐志》仍作十卷。《釋文·序録》云："南海人，晋廣州儒林從事。"

范長生　周易注十卷　《隋》、《唐志》均作"蜀才"。《釋文·序録》引《七録》云："不詳何人。"《七志》云是王弼後人。案《顏氏家訓·書證篇》云："《易》有蜀才注，江南學士遂不知是何人。王儉《四部目録》不言姓名，題云'王弼後人'。謝炅、夏侯該皆疑是譙周。而《李蜀書》一名《漢之書》云'姓范名長生，自稱蜀才'。南方以晋渡江後，北間傳記，皆名爲僞書，不貴省讀，故不見也。"《華陽國志》："李雄克成都，迎范賢爲丞相，封西山侯。賢名長生，涪陵丹興人。"

郭琦　注京氏易　見本傳。《穀梁》注云百卷,《崇文總目》作"三卷"。

張璠　周易注十卷　《隋志》:"八卷。"注云:"殘缺。梁有十卷。"《唐志》作"《集解》十卷"。《釋文・序錄》云:"璠,安定人,東晉秘書郎,參著作。《集解》十二卷,集鍾會、向秀、庾運、應貞、荀煇、張煇、王宏、阮咸、阮渾、楊乂、王濟、衞瓘、欒肇、鄒湛、杜育、楊瓚、張軌、宣舒、邢融、裴藻、許適、楊藻,凡二十二家。《七錄》云'集二十八家'。《七志》云:'十卷。'"案《釋文》作"十二卷",疑亦有《錄》二卷。　**又　略論一卷**　見《舊唐志》。

劉兆　周易訓注　本傳。

桓玄　繫辭注二卷　《隋志》。

謝萬　繫辭注二卷　《隋志》。胡氏《易啓蒙翼傳》誤引作"謝平"。

韓康伯　繫辭注二卷　兩《唐志》作"王弼、韓康伯,《周易注》十卷",今從《隋志》、《宋志》作"繫辭"。《說卦》、《序卦》、《雜卦》三卷,陳氏《書錄解題》、晁氏《郡齋讀書志》均作"《易注》三卷"。趙汝楳《周易輯聞》引康伯《易音》。康伯,東晉時官太常,《繫辭》正義以爲王弼門人者,誤也。

袁悅之　繫辭注　《釋文・序錄》:"字元禮,陳郡人,東晉驃騎諮議參軍。"案《王恭傳》及《天文志》、《世說新語》、《袁氏譜》作"袁悅"。　**周易音**　見《册府元龜》。

徐邈　周易音一卷　《隋志》於諸經類分載邈音,復於後列《五經音》十卷,當是重出,今不從。

李軌　周易音一卷　見《隋志》、《釋文・叙錄》。

欒肇　周易象論三卷　見《隋志》。兩《唐志》作"《通易象論》一卷"。《釋文・序錄》引張璠《集解・序》云:"肇字太初,泰山人,晉太保掾尚書郎,爲《易論》。"《史記・仲尼弟子列傳》正義云:"肇字永初,高平人。"《舊唐志》亦作"永初"。

阮籍　通易論一卷　見《宋志》。元胡一桂曰:"嗣宗《通易論》一卷,凡五篇。"

嵇康　周易言不盡意論一篇　《玉海》。

裴秀　易論　《魏志・裴潛傳》注引《文章序錄》:"秀字季彦,晉室受禪,進左光禄大夫,封鉅鹿公,遷司空也。"

楊乂　周易卦序論一卷　見《隋志》。《釋文・序錄》引張璠《集解・序》云:"乂字元舒,汝南人,晉司徒左長史。"

應貞　明易論一卷　見《唐志》及《釋文・序錄》。《舊唐志》作"周易論"。

阮渾　周易論二卷　見《隋志》。《唐志》作“《周易答難論》二卷”，《舊唐志》作
“《周易論》，阮長成難，阮仲容答。”《釋文‧序錄》張璠《集解》：咸與渾俱爲《易義》。
案渾字長成，咸字仲容，即指是書也。《通志略》作“二阮答難論”。

孫盛　易象妙于見形論一篇　見本傳及《劉惔傳》。

宣舒　通知來藏往論　《釋文‧序錄》引張璠《集解‧序》云：“舒字幼驥，陳郡
人，晉宜城令。”《唐志》有宣聘《通易象論》一卷，《隋志》不載，惟《隋志》別集類注云：“梁
有《宣舒集》五卷。”兩《唐志》正作“《宣聘集》三卷”，其後繼以《曹志集》、《鄒湛集》，與
《隋志》序次相合，可知“宣聘”即“宣舒”之誤 。《釋文》與《唐志》所録，殆非二書。《舊
唐志》誤作“宣馳”。

殷融　象不盡意論一篇　《世説新語‧文學篇》注引《晉中興書》。《南史‧殷
景仁傳》：“陳郡長平人，曾祖融，晉太常。”

宋岱　周易論一卷　《隋志》：“晉荆州刺史。”《舊唐志》作“宋睿宗《易論》”，《唐
志》作“宋處宗《通易論》”，卷並同。處宗蓋岱字，“睿”又“處”之誤。《通志略》亦作“通
易論”。

鄒湛　周易統略一卷　兩《唐志》均作“《統略論》三卷”，《釋文‧序錄》引張璠
《集解‧序》作“易統略”。《通志略》有“論”字，今從《隋志》。

袁宏　周易略譜一卷　見《唐志》。《隋志》無撰人名，作“周易譜”。

皇甫謐　易解　《易正義》引。

袁準　易傳　《魏志‧袁渙傳》注引《袁氏世紀》：“準字孝尼，著書十餘萬言，爲
《易》、《周官》、《詩》傳，及論五經滯義。”又引荀綽《九州記》稱：“準，泰始中爲給事
中。”又見《魏志‧裴潛傳》注引《世紀》。

李充　周易旨六篇　見本傳。

李顒　周易卦象數旨六卷　《隋志》云：“梁有，亡。”顒，東晉樂安亭侯。《釋
文‧序錄》云：“字長林，江夏人，東晉本郡太守。”《通志略》作“一卷”。

王濟　易義　《釋文‧序錄》引張璠《集解‧序》。

荀煇　周易注十卷　《隋志》據《七録》云：“魏散騎常侍荀煇。”《釋文‧序錄》引
張璠《集解‧序》云：“字景文，潁川潁陰人，晉太子中庶子，爲《易義》。《七志》云：‘注
《易》十卷。’”《魏志‧荀彧傳》注引《荀氏家傳》亦作“太子中庶子”，蓋入晉以後終于
此官。惟“煇”誤作“惲”，致朱氏《經義考》誤以荀氏倩當之，蓋實爲兩人也。

庾運　易義　《釋文‧序錄》引張璠《集解‧序》云：“字玄度，新野人，官至尚書，爲

《易義》。"一云《易注》。

衞瓘　易義　《釋文·序録》引張璠《集解·序》。

王宏　易義　《釋文·序録》引張璠《集解·序》。

向秀　易義　《釋文·序録》引張璠《集解·序》。

張輝　易義　《釋文·序録》引張璠《集解·序》云:"字義元,梁國人,晋侍中,平陵亭侯。"

杜育　易義　《釋文·序録》引張璠《集解·序》云:"字方叔,襄城人,國子祭酒。"

楊瓚　易義　《釋文·序録》引張璠《集解·序》云:"瓚,不知何許人,晋司徒左長史。"

張軌　易義　《釋文·序録》引張璠《集解·序》。《十六國春秋》作"《易義》十卷"。

邢融　易義　《釋文·序録》引張璠《集解·序》。

裴藻　易義　《釋文·序録》引張璠《集解·序》。

許適　易義　《釋文·序録》引張璠《集解·序》。

楊藻　易義　《釋文·序録》引張璠《集解·序》。

范宣　易論難　見本傳。《隋志》有《周易論》四卷,范氏撰,蓋即范宣之書。又有《周易説》八卷,范氏撰,疑亦宣所作。又有《周易音》一卷,亦題范氏撰。

顧夷等　周易難王輔嗣義一卷　《隋志》:"晋揚州刺史。梁有,亡。"《宋書·閔康之傳》:"晋陵顧悦之難王弼易義四十餘條,閔康之申王難顧。"悦之疑即夷字。惟《世説·文學篇》注:"顧夷字君齊,吳郡人,辟本州主簿,不就。"未知是否一人。

沈熊　周易譜一卷　雜音三卷　見《唐志》。《舊唐志》作"略譜一卷"。

郭璞　周易髓十卷　見《通志·藝文略》。《宋志》作"《晋易髓》八卷",不著撰人,疑即一書。

右易類,四十八家。

謝沈　尚書注十五卷　兩《唐志》均十三卷,今從《隋志》。《釋文·序録》云:"《録》一卷。"

李充　尚書注　見本傳。

范寧　尚書注十卷　古文尚書舜典注一卷　見《隋志》。《釋文·序録》作"《集解》十卷"。

李顒　集解尚書十一卷　兩《唐志》作“《集注》十卷”，《釋文·序錄》同，今從《隋志》。新釋二卷　見《隋志》、兩《唐志》。要略二卷　兩《唐志》。

徐邈注　逸篇二卷　《唐志》作三卷，今從《隋志》。古文尚書音一卷　《隋志》。

李軌　古文尚書音　見《隋志》。

伊說　尚書義疏四卷　《隋志》：“説，晉樂安王友。”兩《唐志》作“釋義”。

孔晁　尚書義問三卷　《隋志》云：“鄭玄、王肅及晉五經博士孔晁撰。”

裴秀　禹貢地域圖十八篇　見本傳。

孔安國　太誓注　梁玉繩《瞥記》云：“《尚書·泰誓》疏謂，晉李長林《尚書集注》於僞《太誓篇》每引孔安國説，宋裴駰《史記集解》於《五帝本紀》引孔安國注，《夏本紀》引孔注，今孔傳皆無此文。何晏《論語》引孔注，與今孔傳異，豈諸人並見真孔傳歟？”陳壽祺《左海文集》云：“《史記》、《漢書》、《漢紀》皆不言孔安國作《尚書傳》，前人辨之審矣。李長林，東晉江夏太守，其時枚賾之《古文尚書》已行，豈得有兩孔傳並出，而諸儒無一言及之乎？孔穎達以枚賾本爲真古文，故指馬、鄭本爲僞。然安國無作傳事，安得專爲《太誓》三篇作注？長林所引之孔安國，疑晉安帝時之《尚書》。見《晉書·禮志》及《通典》。”

右書類，十家。

謝沈　毛詩注二十卷　毛詩釋義十卷　毛詩義疏十卷　見《隋志》。毛詩譜鈔一卷　《隋志》稱謝氏，蓋亦沈書。毛詩外傳　見本傳。

袁喬　詩注　見本傳。

江熙　毛詩注二十卷　《釋文·序錄》云：“熙字太和，濟陽人，東晉兗州別駕。”

孫毓　毛詩異同評十卷　《隋志》云：“晉長沙太守。”別集類作“晉汝南太守孫毓”。《釋文·序錄》云：“晉豫州刺史孫毓爲《詩評》，評毛、鄭、王肅三家同異，朋于王。”案《隋志》與《釋文》所載，官閥互異。陸氏謂毓字休朗，北海平昌人。《意林》則云毓字仲□，①亦有誤文。

陳統　難孫氏毛詩評四卷　《釋文·序錄》云：“徐州從事陳統字元方，難孫申

①　明正統《道藏》本《意林》無“□”。孫毓，孫觀子，仕至青州刺史。傳附《三國志·魏志·臧霸傳》。

鄭。"**毛詩表隱二卷** 見《隋志》及兩《唐志》。

楊乂 毛詩辯異三卷 《隋志》："乂,晉給事中。"兩《唐志》無"異"字。**毛詩異義二卷 毛詩雜義五卷** 見《隋志》。

郭璞 毛詩拾遺一卷 見《隋志》。

蔡謨 毛詩疑字議 《初學記》。

虞喜 釋毛詩略 見本傳。《册府元龜》作"説毛詩略"。《隋志》於《毛詩拾遺》下注云："梁有《毛詩略》四卷。"疑即此書。

殷仲堪 毛詩雜義四卷 見《隋志》。

干寶 毛詩音隱一卷 見《釋文·序録》。《隋志》題干氏。

徐邈等 毛詩音十六卷 又二卷 見《隋》、《唐志》。蓋諸家《詩音》共十六卷,邈所作音祇二卷,今仍《隋志》分列。

舒援 毛詩義疏二十卷 見《隋志》。近人馬國翰《輯佚書》列入晉末人。

李軌 毛詩音 《釋文·序録》。

阮侃 毛詩音 《釋文·序録》云："侃字德恕,陳留人,河内太守。"

江惇 毛詩音 《釋文·序録》云："惇字思俊,河内人,東晉徵士。"

袁準 詩傳 《魏志·袁涣傳》注引《袁氏世紀》。

徐廣 毛詩背隱義二卷 見《隋志》。

右詩類,十八家。

瑯邪王伷 周官寧朔新書八卷 禮記寧朔新書二十卷 《唐志》云："並王懋約注。"《隋志》《周官寧朔新書》則云："晉燕王師王懋約撰《禮記寧朔新書》,梁有二十卷。"《隋志》八卷,兩《唐志》仍《七録》之舊,並二十卷。按伷爲寧朔將軍,故以之命名。《舊唐志》稱"司馬伷序",與《隋》、《唐志》異。

伊説 周官禮注十二卷 《唐志》十卷,此從《隋志》。**喪服雜記二十卷** 《隋志》稱伊氏,蓋亦説所作。

干寶 周官禮注十二卷 《釋文·序録》作"十三卷",此從《隋》、《唐志》。**答周官駁難五卷** 見《唐志》。注云："孫略問。"《隋志》作"四卷,孫略撰"。**又周官駁難三卷** 《隋志》云："孫琦問,干寶駁,虞喜撰。"按孫略、孫琦恐係一書,今仍《隋志》兩列之。**周官音** 見本傳。《羣經音辨》引干寶《周禮音》。後

養議五卷　見《隋志》。

傅玄　周官禮異同評十二卷　《舊唐志》云：“傅玄評，陳邵駁。”《唐志》同。《隋志》作“陳邵撰”，《釋文》作“周禮論”，《通志》六十四作“官禮異同評”，本傳作“周禮評”。

徐邈　周禮音一卷　見《釋文・序録》。**禮記音三卷**　見《隋》、《唐志》、《釋文・序録》。

李軌　周禮音一卷　《釋文・序録》。**儀禮音一卷**　《隋志》、《釋文・序録》同。《通志略》作“二卷”。**小戴禮記音二卷**　《隋》、《唐志》同。《釋文・序録》作“三卷”。

聶熊　周禮音一卷　《釋文・序録》稱聶氏，不著其名。馬國翰輯爲一卷，謂即《晉書》之聶熊。

劉昌宗　禮音三卷　見《隋志》。《釋文・序録》作“《周禮音》一卷，《儀禮音》一卷”。《隋志》引《七録》又有《禮記音》五卷。

袁準　周官傳　《魏志・袁涣傳》注引《袁氏世紀》。①**儀禮音一卷**　見《舊唐志》。**喪服經傳注一卷**　見《隋志》。本傳云：“注《喪服經》。”《舊唐志》作“喪服紀注”，《唐志》作“儀禮注”，似誤分爲二。《通志略》引作“喪服傳”，又誤從《唐志》複列儀禮注。

劉兆　儀禮注　《華嚴經音義》上。

孔倫　集注喪服經傳一卷　見《隋志》。《釋文・序録》云：“倫字敬序，會稽人，東晉廬陵太守，集衆家注。”《舊唐志》作“喪服紀注”，《唐志》誤作“儀禮注”。《通志略》仍兩《唐志》之文，復複列之。

杜預　喪服要集議三卷　見兩《唐志》。《隋志》作“《喪服要集》二卷”，《北堂書鈔》九十二作“要記”。據本書《禮志》，蓋預命博士段暢所撰集者。**答問雜儀二卷**　《通志略》。

吳商　禮難十二卷　雜議十二卷　兩《唐志》作“《雜禮義》十一卷”，今從《隋志》。

賀循　喪服要記十卷　《隋志》、《舊唐志》並云：“賀循撰，庾蔚之注。”又五卷，

---

①　“魏”原誤作“蜀”，據 1959 年中華書局點校本《三國志》改正。

賀循撰，謝微注。《唐志》謝微注，同。 **喪服要集六卷** 見《隋志》。 **喪服譜一卷** 見《隋志》。《通志略》"譜"作"圖"。 **葬禮** 《北堂書鈔》、《御覽》、《通典》均引。

蔡謨 **喪服譜一卷** **禮記音二卷** 見《隋志》。《釋文·序録》有《禮記音》。

衛瓘 **喪服儀一卷** 見《隋志》。

劉逵 **喪服要記二卷** 《隋志》："逵，晋侍中。"

崔游 **喪服圖一卷** 見兩《唐志》，亦見本傳。《隋志》誤作"崔逸"。

葛洪 **喪服變除一卷** 見《隋志》。

杜襲 **喪紀禮式** 見《華陽國志》襲本傳。

劉智 **喪服釋疑論** 見本傳。《隋志》稱："梁有《喪服釋疑》二十卷，孔智撰。"案《禮記·喪服小記》正義引劉智説，《通典》亦屢引劉智《釋疑》，並無孔智。又《通典》八十八引譙周《五經然否》曰："劉智《釋疑》亦同此議。"則《隋志》"孔智"乃"劉智"之誤。

環濟 **喪服要略一卷** 《隋志》云："晋太學博士。"案此爲濟《帝王要略》之一。

陳銓 **喪服經傳注一卷** 《釋文·序録》云："陳銓，不詳何人。"《隋志》序在晋孔倫《集注》下，宋裴松之《集注》上，當爲晋末時人。《舊唐志》作"喪服注"，《唐志》誤爲"儀禮注"。《通志略》仍兩《唐志》複列之。

董勛 **問禮俗** 見《隋志》。勛，魏人，入晋爲議郎。

庾亮 **雜鄉射等議三卷** 見《隋志》。案《通典》，咸康五年，庾亮行鄉射之禮。此書當成於其時。

司馬彪 **禮記注** 《太平寰宇記》引。

孔衍 **凶禮一卷** 《隋志》云："晋廣陵相。"《通志略》誤作"孔傳"。

王堪 **冠禮儀一卷** 《通典》云："晋惠帝時人。"

范隆 **三禮吉凶宗紀** 本傳。

孫毓 **五經駁** 《通典》五十八引。 **禮記音一卷** 見《隋志》、《釋文·序録》。

繆炳 **禮記音一卷** 見《隋志》、《釋文·序録》。

曹耽 **禮記音二卷** 《隋》、《唐志》同。《通志略》誤爲三卷。《釋文·序録》云：

"訧字愛道,譙國人,東晉安北諮議將軍。"《通典》云:"曾爲博士,又爲尚書郎。"

謝楨　禮記音一卷　見《釋文·序録》。《隋志》引《七録》誤作"射貞。"又有謝氏
《禮記音義隱》一卷,疑即謝楨。

尹毅　禮記音二卷　《隋》、《唐志》同。《釋文·序録》云:"天水人,東晉國子
助教。"

范甯　禮問九卷　禮論答問九卷　見兩《唐志》。《隋志》作"《禮雜問》十
卷"。

范宣　禮論難　見本傳。**儀禮音**　《釋文》引范《音》六條,稱范散騎。案宣本
傳云:"博綜衆書,尤善三《禮》。"又云:"徵太學博士,散騎郎,不就。"則范散騎必是
范宣。元朗既采宣《音》,而《序録》不載,蓋偶有闕遺耳。**禮記音二卷**　見《隋
志》、《釋文·序録》。

徐廣　禮論答問八卷　兩《唐志》作"《禮論問答》九卷",今從《隋志》。**又
禮論答問十三卷**　見《隋志》。**禮答問十一卷**　本傳作"答禮問"。《隋
志》云:"二卷,殘缺。梁十一卷。"又云:"梁有《答問》四卷,徐廣撰,亡。"朱氏《經義
考》引阮孝緒言,廣撰《禮答問》五十卷,蓋隋以前所存尚多也。

董景道　禮通論　見本傳。

盧諶　雜祭法六卷　見《隋志》。《唐志》儀注類作"雜祭注",《通志略》作"雜制
注"。《北堂書鈔》、《太平御覽》均引,無"雜"字。

范汪　祭典三卷　《唐志》入儀注類,今從《隋志》。《北堂書鈔》引汪《祠制》,《太
平御覽》引汪《祠法》,皆此書之篇目。

王長文　約禮記十篇　見《華陽國志》長文傳。

郭璞　夏小正注　見葛洪《神仙傳》。

韋逞母宋氏　周官音義　見本傳。

右禮類,四十三家。

阮籍　樂論　《漢書·五行志》注、《御覽》引書綱目。

裴秀　樂論　《魏志·裴潛傳》注引《文章序録》。

孔衍　琴操三卷　《隋志》、《舊唐志》同。《唐志》作"一卷"。

阮咸譜一卷　《通志略》云:"蔡逸撰。"**阮咸調弄二卷　阮咸金羽調一
卷　阮咸譜二十卷**　並《通志略》。

右樂類,四家。

杜預 春秋左氏經傳集解三十卷 春秋釋例十五卷 均見《隋志》。本傳於《釋例》外,復有《會盟圖》、《春秋長曆》。《隋志》引《七錄》作"《春秋古今盟會地圖》一卷。"《通志略》復有《地名譜》一卷,《小公子譜》六卷。《宋志》復有《春秋世譜》七卷,要皆分晰《釋例》,別自爲書也。《舊唐志》作"春秋左氏傳例"。**春秋左氏傳音三卷 春秋左氏傳評二卷** 見《隋志》。

孫毓 春秋左氏傳義注十八卷 見《隋志》。兩《唐志》並作三十卷,《釋文·序錄》作"二十八卷"。**春秋左氏傳賈服异同略五卷** 見《隋志》。

干寶 春秋左氏函傳義十五卷 見《隋志》。兩《唐志》作"《春秋義函傳》十六卷",本傳作"春秋義外傳"。《册府元龜》六百五誤作"左氏承傳義"。**春秋序論二卷** 見《隋志》。兩《唐志》並一卷,《册府元龜》作三卷。

劉寔 春秋左氏條例二十卷 見本書寔傳。《隋志》作"十一卷",《唐志》作"《牒例》二十卷",又複出《條例》十卷。《舊唐志》又兩列《條例》,一作"二十卷",一作"十卷",更誤。**集解春秋序一卷 春秋公羊達義三卷** 均見《隋志》。兩《唐志》作"達義",云:"劉寔撰,劉晏注。"《舊唐志》又複出。

劉兆 春秋左氏全綜 春秋調人 見本傳,云:"著《春秋調人》七萬餘言,又爲《春秋左氏解》,名曰《全綜》。"**春秋公羊穀梁傳十二卷** 見《隋志》。《舊唐志》作"《春秋公羊穀梁左氏集解》十一卷",《唐志》作"《三家集解》十一卷",本傳又作"解詁"。《文選》注引兆《公羊穀梁注》。

李軌 春秋左氏傳音三卷 見《隋志》。兩《唐志》稱李洪範,軌之字也。**春秋公羊傳音一卷** 見《隋志》及《釋文·序錄》。**穀梁音** 《釋文》一。

嵇康 春秋左氏傳音三卷 見《隋志》。

曹躭 荀訥 春秋左氏音四卷 見《釋文·序錄》。①

徐邈 春秋左氏傳音三卷 見《隋志》。兩《唐志》均誤作"孫邈"。**春秋穀梁傳注十二卷** 見《隋》、《唐志》。**春秋穀梁傳義十卷** 見《隋志》。《舊唐志》作"十二卷"。**答春秋穀梁義三卷** 見《隋志》。**春秋穀梁音**

---

① 《釋文·叙錄》無"曹躭《春秋左氏音》",《釋文·叙錄》當是《隋志》之誤。

　一卷　<small>見兩《唐志》。《隋志》引《七錄》，失撰人名。</small>

氾毓　春秋釋疑三傳集解　<small>見本傳。</small>

王接　公羊春秋注　<small>見本傳。</small>

王愆期　春秋公羊經傳注十三卷　<small>見《隋志》。兩《唐志》、《釋文·序錄》</small>

　<small>均作"十二卷"。</small>春秋公羊論二卷　<small>《隋志》、《舊唐志》並云："庾翼問，王愆期答。"《唐志》作"《答難論》一卷"。</small>

孔衍　春秋公羊傳集解十四卷　春秋穀梁傳集解十四卷　<small>均見</small>

　<small>《釋文·序錄》。《隋志》無"集解"二字。兩《唐志》均作"孔衍《訓注》十三卷"。《隋志》又有孔君《穀梁傳指訓》五卷，梁十四卷，疑亦孔衍所作。</small>

高龍　春秋公羊傳注十二卷　<small>見《隋志》。兩《唐志》均誤作"高襲《公羊傳記》"。《釋文·序錄》云："龍字文□，范陽人，東晉河南太守。"</small>

盧欽　公羊序　<small>《春秋》疏引。</small>

江惇　春秋公羊傳音一卷　<small>見《隋志》及《釋文·序錄》。</small>

江熙　春秋公羊穀梁二傳評三卷　<small>見兩《唐志》。《隋志》不著撰人。</small>

范甯　春秋穀梁傳集解十二卷　<small>《唐志》、《釋文·序錄》作"集注"，今從《隋志》。</small>春秋穀梁傳例一卷　<small>見《隋志》。</small>穀梁音一卷　<small>《群經音辨》引。</small>

郭琦　穀梁傳注　<small>見本傳。</small>

張靖　穀梁傳注十卷　<small>《隋志》："晉堂邑太守。"兩《唐志》作"《集解》十一卷"。</small>春秋穀梁廢疾箋三卷　<small>見《隋志》。《舊唐志》誤作"張靖成箋"，《唐志》亦誤作"張靖成"。</small>

徐乾　春秋穀梁傳注十三卷　<small>見《隋》、《唐志》。《通志略》作"十二卷"。《釋文·序錄》云："乾字文祚，東莞人，東晉給事中。"</small>

程闡　春秋穀梁傳注十六卷　<small>見《隋志》。兩《唐志》作"經傳集註"。</small>

胡訥　春秋穀梁傳集解十卷　<small>見《隋志》。《冊府元龜》誤以"胡訥"爲"荀訥"。</small>春秋集三師難三卷　春秋三傳評十卷　<small>見《隋志》。</small>春秋集三傳經解十卷　<small>《舊唐志》十二卷，《唐志》十一卷，今從《隋志》及《釋文·序錄》。</small>春秋左氏音四卷　<small>《隋志》云："梁有。"兩《唐志》均誤作"荀訥"，《釋文·序錄》同，皆無"等"字。</small>

聶熊注　穀梁春秋　《晋書·石虎載記》:"國子監祭酒聶熊注《穀梁春秋》,列於學官。"

薄叔玄　問穀梁義四卷　《隋志》二卷,注云:"梁四卷。"范甯作《集解》,叔玄有所問駁,甯隨問答之。楊疏引十二節,全載問答者四,其八惟載范氏答語。

孔晁　穀梁傳指訓五卷　見《隋志》。梁有十四卷。案《隋志》、《通志》俱作"孔君"而不言名,惟程端學《春秋本義》十四卷引作"孔晁",故余蕭客《古經解鉤沈》仍之。春秋外傳國語注二十卷　見《隋志》。

劉瑶　穀梁傳注　楊士勛《穀梁傳·序》疏。

張程孫劉四家穀梁傳集解四卷　《隋志》云:"殘缺。"《經義考》云:"四家當是張靖、程闡、孫毓、劉瑶。"

鄭嗣　春秋穀梁傳説　范甯《集解》引嗣説二十一節,以《序》考之,當亦爲甯父汪門生故吏也。

京相璠等　春秋土地名三卷　見《隋志》。又載地理類。《水經注》云:"京相璠與裴司空彦季修《晋輿地圖》,作《春秋地名》。"故《隋志》稱璠等撰,《唐志》無"等"字,殊非。《元和姓纂》誤作"樗里璠《春秋土地記》三卷"。

范隆　春秋三傳　見本傳。

王長文　春秋三傳十二篇　見《華陽國志》長文傳。

王述之　春秋旨通十卷　春秋左氏經傳通解四卷　見《隋志》。兩《唐志》作"王延之"。

方範　春秋左氏經例十二卷　見《隋志》。《舊唐志》十卷,《唐志》六卷,《通志略》十一卷。

殷興　春秋釋滯十卷　《隋志》云:"晋尚書左丞。"又見兩《唐志》。《通志略》作"左氏釋滯"。

范堅　春秋釋難三卷　見《隋志》。

虞溥　春秋經傳注　見本書溥傳。《册府元龜》"注"誤作"序"。

郭瑀　春秋墨説　見本書瑀傳。

黃容　左傳鈔　《華陽國志》云:"蜀郡太守巴西黃容好述作,著《左傳鈔》數十年。"

右春秋類,四十一家。

元帝孝經傳　《經義考》著録,載帝序文四十餘字。

穆帝時晉孝經一卷　《隋志》云:"梁有,亡。"《釋文·序録》引《晉穆帝集講孝經》云:"以鄭玄爲主。"

孝武帝總明館孝經講義一卷　見《隋志》。

謝萬　集解孝經一卷　兩《唐志》作"孝經注",今從《隋志》。

荀勗　集議孝經一卷　兩《唐志》作"講孝經集解",今從《隋志》。**又　注孝經一卷**　《隋志》云:"梁有,亡。"

殷仲文　孝經注一卷　見《隋志》、《舊唐志》。《釋文·序録》云:"陳郡人,東晉東陽太守。"

虞喜　孝經注　見本傳。

楊泓　孝經注一卷　見《隋志》。《釋文·序録》云:"天水人,東晉給事中。"

孫氏　孝經注　見《孝經·序》正義,云東晉人。《隋志》:"梁有孫氏《孝經注》一卷,亡。"《經義考》誤以魏人孫熙當之。

庾氏　孝經注　見《孝經·序》正義,云東晉人。《釋文·序録》注《孝經》者有庾氏,云"不詳何人"。

袁宏　孝經注一卷　見《釋文·序録》。《隋志》作"《集議孝經》一卷,袁敬仲撰"。案兩《唐志》雜傳類袁宏《名士傳》,《隋志》作"袁敬仲《正始名士傳》",蓋即一書。惟宏字彥伯,非敬仲。章宗源謂以袁宏爲衞宏,故誤作敬仲是也。邢昺《孝經·序》疏引袁宏《孝經》説。

荀昶　孝經注　《釋文·序録》云:"字茂祖,潁川人,宋中書令。"案《孝經·序》正義云:"晉穆帝永和十一年及孝武太元元年,再聚群臣,共論經義,有荀昶者撰集《孝經》諸説,始以鄭氏爲宗,晉末以來多有异論。"據此,則昶是晉人。《崇文總目》誤引作"孫昶《孝經集解》"。

王獻之　孝經注　見《孝經正義》。

謝安　孝經注　見《孝經正義》。

虞槃佐　孝經注一卷　見《隋志》、《舊唐志》。《釋文·序録》云:"字弘猷,高平人,東晉處士。"邢氏《孝經疏·序》述注家,誤列于西晉時,疏又誤作"槃佑"。

車胤　孝經注一卷　見《隋志》。**孝經講義四卷**　見《舊唐志》,云:"車胤等撰。"《唐志》無"等"字。以本傳證之,似非胤一手所成,當以《舊志》爲是。

孔光　孝經注一卷　《釋文·序錄》云:"光字文泰,東莞人。"

郭瑀　孝經錯緯　見本傳。

殷叔道　孝經注一卷　《隋志》:"晋陵太守。"《册府元龜》作"東陽太守"。

祈嘉　二九神經　本傳云:"依《孝經》作《二九神經》。"

謝稚　孝經圖　《貞觀公私畫史》引張彦遠曰:"謝稚,陳郡陽夏人,晋司徒主簿。"

右孝經類,二十一家。　失名二家。

張憑　論語注十卷　見《隋志》。《唐志》作"張氏注"。**論語釋一卷**　見《隋志》。

袁喬　論語注十卷　見《隋》、《唐志》。皇侃《義疏·序》言江熙集《論語》十三家,有晋江夏太守陳國袁宏字叔度。馬國翰謂宏不字叔度,必是袁喬之誤。然喬字彦叔,或又誤爲叔度歟?

范甯　論語注　皇侃《義疏·序》言江氏《集解》引。《釋文》亦作"范氏注"。《隋志》作"范廙《論語别義》十卷",晁公武謂即范甯之誤。

孟整　論語注十卷　見《釋文·序錄》,云:"一云孟陋,陋字少孤,江夏人,東晋撫軍參軍,不就。"案《晋書》陋本傳云:"注《論語》行於世。"與《序錄》合。《隋志》作"孟釐",兩《唐志》作"孟釐《注》九卷"。

梁覬　論語注十卷　見《隋》、唐志。《釋文·序錄》云:"天水人,東晋國子博士。"

尹毅　論語注十卷　見《隋》、《唐志》。

宋纖　論語注　見本傳。《册府元龜》:"纖注《論語》及爲《詩》頌數萬言。"

蔡謨　論語注　皇侃《義疏》言江氏《集解》引。《釋文》亦引謨注。

虞喜讚　鄭玄注　九卷　見《隋志》。兩《唐志》作"十卷",《册府元龜》作"《注論語》九卷"。**新書對張論語十卷**　見《隋志》。《册府元龜》引作"對張論語。"

衞瓘　論語集注八卷　《隋志》六卷,注云:"晋八卷,梁有宋明帝《補闕》二卷。"故兩《唐志》均作"十卷"。

李充　論語集注十卷　論語釋一卷　均見《隋志》。《史記集解》引充《論語解》。**論語音**　《釋文》引。

鄭沖等　論語集解　本傳云:"與孫邕、曹羲、荀顗、何晏共集《論語》諸家訓注之善者。"蓋即今本何氏《集解》也。

孫綽　論語集解十卷　見《隋志》。《釋文・序錄》作"集注"。

崔豹　論語集義十卷　《隋志》八卷，注云："梁十卷。"《釋文・序錄》作"崔豹《注》十卷"。豹字正熊，燕國人。兩《唐志》作"《大義解》十卷"。《通志略》誤合《隋》、《唐志》所載列爲兩書。

應琛　論語藏集解一卷　見《隋志》。

江熙　論語集解十卷　《隋》、《唐志》並同。《釋文・序錄》作"十二卷"。《中興書目》云："皇侃列晉衞瓘、繆播、欒肇、郭象、蔡謨、袁宏、江惇、蔡系、李充、孫綽、周懷、范寧、王珉十三家，是江熙所集。"

楊惠明　論語注十卷　見《隋志》。兩《唐志》均作"義注"。"楊"作"暢"，又作"陽"。

欒肇　論語釋疑十卷　兩《唐志》無"疑"字，今從《隋志》及《釋文・序錄》。《史記正義》引作"論語疑釋"。**論語駁序二卷**　兩《唐志》無"序"字，今從《隋志》。《通志略》作"三卷"。《史記索隱》云："肇作《論語義》。"

曹毗　論語釋一卷　見《隋志》。

王珉　論語注　皇侃《義疏・序》言江氏《集解》引。

庾翼　論語釋一卷　見《隋志》。

蔡系　論語釋一卷　見《隋志》。

張隱　論語釋一卷　見《隋志》。

江惇　論語注　皇侃《義疏・序》言江氏《集解》引。《中興書目》作"江厚"。

姜處道　論語論釋一卷　見《隋志》。

庾亮　論語君子無所爭一卷　見《隋志》。

周懷　論語注　皇侃《義疏・序》言江氏《集解》引。

郭象　論語體略二卷　論語隱一卷　見《隋志》。

繆播　論語旨序三卷　兩《唐志》作"二卷"，今從《隋志》。**論語音**　《釋文》引。

徐邈　論語音二卷　《隋》、《唐志》並同。《釋文・序錄》作"一卷"。

徐氏　古論語義注譜一卷　見《隋志》，無撰人名。《舊唐志》次于徐邈下，《唐志》次於晉代諸人中，或即徐邈所撰。

王濛　論語義一卷　見《隋志》。

郗原　論語通鄭一卷　見《隋志》。

王氏　修鄭錯一卷　見《隋志》，列於晉人之內，故著録之。

盈氏　論語注十卷　見《隋志》。兩《唐志》均作“論語集義”。盈氏名字不可考，然皆列於晉人之次，故著於此。

繆協　論語説　皇侃《義疏》引。

殷仲堪　論語解　皇侃《義疏》引。

謝道韞　論語贊　《藝文類聚》引。

右論語類，三十八家。　失名三家。

楊方　五經鈎沈十卷　見《隋志》。《崇文總目》作“楊芳撰”，答難申暢，自謂鈎取五經之沈義，篇第亡缺，今缺五篇。《中興書目》云：“方《自序》云，晉太寧元年撰，鈎經傳之沈義，著論難以起滯。”《舊唐書》及《白帖》作“鈎深”，《初學記》引作“鈎淵”。

戴逵　五經大義三卷　見《隋志》。《北堂書鈔》引述《雜義》。

束晳　五經通論　本傳。《册府元龜》六百五引。

袁準　論五經滯義　《魏志・袁涣傳》注引《袁氏世紀》。

徐苗　五經同異評　見本傳。

徐邈　五經音十卷　見《隋志》。本傳作“五經音訓”。案邈作諸經音，均分列諸經類。而《隋志》又有《五經音》，疑合諸經音爲一書也，今仍之。

荀顗　謚法三卷　見兩《唐志》，“荀顗演，劉熙注”。本書《禮志》載太尉荀顗上《謚法》。《隋志》作“劉熙撰”，誤。

張靖　謚法二卷　見《唐六典》注。

右經解類，八家。

郭璞　爾雅注五卷　見《隋志》。《舊唐志》、《釋文・序録》、《宋志》作“三卷”，《唐志》作“一卷”。**爾雅圖十卷**　見《隋志》。兩《唐志》作《圖》一卷”。《册府元龜》六百五引《爾雅圖譜》。**爾雅圖讚二卷**　《隋志》、《釋文・序録》並同。**爾雅音二卷**　見《隋志》。兩《唐志》作“《音義》一卷”，《釋文》亦作“音義”，《序録》作“一卷”，《通志略》作“《音略》三卷”。**方言注十三卷**　見《隋志》。三

蒼注三卷　《隋志》、《唐志》並同。《禮記》、《莊子》、《左傳》、釋文、《史記索隱》、《漢書》、《文選》注、《一切經音義》並引作"三蒼解詁"。

李軌　小爾雅略解一卷　見《隋志》。《舊唐志》誤作"李軌撰"。

呂忱　字林七卷　《隋志》、《唐志》並同。《舊唐志》誤"七"爲"十"。《魏書·江式傳》式上表云："晉世義陽王典祠令任城呂忱表上《字林》六卷。"張參《五經文字》云："復有呂忱又集《説文》之所漏，著《字林》五篇以補之。"張懷瓘《書斷》云："晉呂忱字伯雍，撰《字林》五篇，一萬二千五百餘字。"封演《聞見記》云："《字林》七卷，亦五百四十部，凡一萬二千八百二十四字。諸部皆依《説文》。"《直齋書録解題》云："《字林》五卷，晉弦令呂忱撰，太乙山僧雲勝注。《隋》、《唐志》皆七卷，《三朝國史志》惟一卷，董氏《藏書志》三卷。其書集《説文》之漏略者凡五篇。"案諸書所稱卷數互異，蓋元書分篇爲五，分卷爲六。江式表上時，殆其舊本，迨後人析爲七卷。封演，唐人，故與《隋》、《唐志》相合。宋時書已殘缺，或五卷，或三卷，或一卷，皆非忱書之舊也。

呂靜　韻集六卷　《隋志》："晉復安令。"兩《唐志》作"五卷"。《魏書·江式傳》式上表云："忱弟靜別放左校令李登《聲類》之法，作《韻集》五篇。宮、商、角、徵、羽各爲一篇。"陳鱣《序録》云："既以五音命篇，當以五卷爲是，或並《目録》爲一篇歟。"

葛洪　要用字苑一卷　見兩《唐志》。《顏氏家訓》亦引之。

張諒　四聲韻林二十八卷　見《隋志》。兩《唐志》作"《四聲部》三十卷"。

楊方　少學九卷　見《隋志》。《舊唐志》作"《小學集》十卷"，《唐志》作"《少學集》十卷"，《通志略》作"小學篇"。

殷仲堪　常用字訓一卷　見《隋志》。

陸機　吳章二卷　見《隋志》。兩《唐志》均作"《吳章篇》一卷"，不著撰人。

李彤　字指二卷　單行字四卷　字偶五卷　均見《隋志》。晉朝議大夫。《汗簡》引作李彤"《集字》"。

徐邈　集古文　《汗簡》引。

王羲　小學篇一卷　《隋志》："晉下邳内史王羲撰。"《顏氏家訓·書證篇》亦稱"王羲《小學章》"。兩《唐志》作"王羲之《小學篇》"。案《晉書》本傳載羲之爲右軍將軍，會稽内史，此云下邳内史，決非一人。蓋字形相涉，誤"羲"爲"羲"，遂作羲之耳。《通志略》合《隋》、《唐志》録之，故王羲、王羲之二書並列，誤也。**文字要記三卷**　見《隋志》。兩《唐志》作"王氏《文字要説》一卷"，疑即是書。《通志略》並列《要記》、《要説》，蓋誤。

李虔　續通俗文二卷　見兩《唐志》。《隋志》一卷，誤作服虔。臧鏞堂、馬國翰
謂當是服虔作一卷，李虔續爲二卷。案本書《孝友傳》，李密，一名虔，蓋即此李虔也。

束皙　發蒙記一卷　見《隋志》。《玉燭寶典》引《發蒙記》注。

顧愷之　啓蒙記三卷　見《隋志》。《文選》注引作“啓蒙記注”，《魏志·明紀》
注引作“啓蒙注”。**啓疑記三卷**　見《隋志》。兩《唐志》無“記”字。

王延　文字音七卷　翻真語一卷　見《隋志》。晉蕩昌長。兩《唐志》作
“雜文字音”。

虞溥　厲學篇　《太平御覽·經史圖書綱目》有虞溥《厲學》，與蔡邕《勸學》相次。
又卷六百七、六百十三兩引《厲學篇》。

衞恒　四體書勢一卷　見《隋》、《唐志》。

成公綏　隸勢　《太平御覽》。

索靖　草書狀　見本傳。《太平御覽》引。**月儀書**　《太平御覽》引。

王羲之　筆經月儀書　均《太平御覽》引。

慕容皝　太上章　見本書載記。

右小學類，二十二家。

補晉書經籍志卷二

錢塘吳士鑑纂

　　乙部史録,其類十三。一曰正史,二曰編年,三曰雜史,四曰霸史,五曰起居注,六曰舊事,七曰職官,八曰儀注,九曰刑法,十曰雜傳,十一曰地理,十二曰譜系,十三曰簿録。

徐廣　史記音義十三卷　兩《唐志》及司馬貞《索隱序》、張守節《集解序》正義並同。《隋志》作"十二卷",《索隱·後序》又作"一十卷"。**漢書音義**　《水經注》、《文選》注引。

晉灼　漢書集注十四卷　顔氏《漢書·叙例》。兩《唐志》並同。《隋志》作"十三卷"。**音義十七卷**　見《唐志》。

傅瓚　漢書集解音義二十四卷　見顔氏《漢書·叙例》,稱臣瓚。劉昭《續漢志補注》、劉孝標《類苑》俱以臣瓚爲于瓚。酈元《水經注》以爲薛瓚。《史記集解序》索隱:"據何法盛《晉書》,于瓚以穆帝時爲大將軍,誅死。其注《漢書》有引《禄秩令》及《茂陵書》二書,亡於西晉,非于所見,知是傅瓚。《穆天子傳·目録》:'傅瓚爲校書郎,與荀勗同校定《穆天子傳》。'即當西晉之朝,在于之前,尚見茂陵等書。又稱臣者,以其職典秘書故也。"又《文選·洛神賦》注引《漢書音義》:"傅瓚曰:'瀨,湍也。'"此獨引作"傅瓚",可爲碻證,師古謂無明文,考之未審。

劉寶　漢書駁義二卷　兩《唐志》並同。《隋志》"義"作"議"。顔注《漢書·叙例》云:"劉寶字道真,高平人,晉安北將軍,侍皇太子講《漢書》,别有《駁義》。"是《隋志》作"議"者誤也。

蔡謨　漢書集解　見《本傳》。

齊恭　漢書注　見《元和姓纂》。

吕忱　漢書音義　《水經注》、《文選》注引。

劉兆　漢書音義　《文選》注引。

郭璞　漢書注　見顔氏《漢書·叙例》。**漢書音義**　《文選》注引。

薛瑩　後漢記一百卷　《隋志》六十五卷，注云："本一百卷。梁有，今殘闕。"兩《唐志》亦作百卷。

司馬彪　續漢書八十三卷　見《隋志》。《唐志》多《錄》一卷。《舊唐志》作"後漢書"。《崇文總目》作"《後漢志》三十卷"。本傳作"八十篇"。**漢書音義**　《文選》注引。

華嶠　後漢書九十七卷　《隋志》十七卷，注云："本九十七卷，今殘缺。"兩《唐志》俱三十一卷。嶠本傳云："爲帝紀十二卷，皇后紀二卷，十譜十卷，傳七十卷及《三譜序傳目錄》，凡九十七卷。易外戚傳爲皇后紀，改志爲典，所撰書十典未成而終。何劭奏嶠中子徹使踵成之，未竟而卒。又奏少子暢克成十典，並草魏晉紀傳。永嘉傷亂，經籍遺没，嶠書存者五十餘卷。"注云："一作三十。"案本傳所稱卷數與《隋志》注同。《唐志》三十一卷，與"一作三十卷"者合。

謝沈　後漢書一百二十卷　《隋志》八十五卷，注："本一百二十二卷。"兩《唐志》俱一百二卷。本傳作"《後漢書》百卷"。**後漢書外傳十卷**　見《舊唐志》。本傳及《唐志》無"後"字。**晉書三十餘卷**　見本傳。

袁山松　後漢書一百卷　《隋志》九十九卷，注："本一百卷。"《舊唐志》一百二卷，《唐志》作"袁山松一百一卷，又《錄》一卷"。

張瑩　後漢南記五十五卷　《隋志》四十五卷，注："本五十五卷，今殘缺。瑩，晉江州從事。"兩《唐志》作"五十八卷"，無"後"字。

王沈　魏書四十八卷　《舊唐志》四十四卷，《唐志》四十七卷，《史通·外篇》四十卷。今從《隋志》。

陳壽　三國志六十五卷　叙錄一卷　見《隋志》。《舊唐志》《魏國志》三十卷入正史，《蜀國志》十五卷、《吳國志》二十一卷入編年類雜僞國史。

傅玄　魏書　見本傳。

夏侯湛　魏書　見本書《陳壽傳》。

周處　吳書　見本傳。

環濟　吳紀九卷　兩《唐志》作"十卷"，入編年類。今從《隋志》。

張勃　吳錄三十卷　兩《唐志》入雜史，《通志略》入編年。今從《隋志》。

王濤　三國志序評三卷　《唐志》入雜史，今從《隋志》。

何琦　論三國志九卷　見《隋志》，作"何常侍撰"。本傳："公車再徵琦散騎常侍,不行,著《三國評論》。"

王隱　晉書九十三卷　《隋志》八十六卷,注:"本九十三卷,今殘缺。"兩《唐志》作"八十九卷"。

虞預　晉書四十四卷　《隋志》二十六卷,注云:"本四十四卷,訖明帝,今殘缺。"本傳亦云:"著書四十餘卷",卷數適合。兩《唐志》作"五十八卷"。《文選》注引作"晉録"。

束晳　晉書帝紀十卷　見本傳。

朱鳳　晉書十四卷　《隋志》十卷,注云:"未成。本十四卷,今殘缺。晉中書郎朱鳳撰,訖元帝。"兩《唐志》亦十四卷。

右正史類,二十八家。

袁宏　後漢紀三十卷　見《隋》、《唐志》。

張璠　後漢紀三十卷　見《隋》、《唐志》。

袁曄　漢獻帝春秋十卷　見《隋》、《唐志》。

孫盛　魏氏春秋二十卷　兩《唐志》誤作"魏武春秋"。今從《隋志》。**晉陽秋三十二卷**　《唐志》作"二十二卷",今從《隋志》。《中興書目》稱盛著《三國陽秋》,"三國"二字未詳。《宋志》作"《晉陽春秋》三十卷"。

陰澹　魏紀十二卷　《隋志》云:"左將軍。"《北堂書鈔》引王隱《晉書》曰:"陰澹弱冠,州請爲治中從事。"《晉書·張軌傳》云:"以陰澹爲股肱謀主。"又《隱逸傳》有太守陰澹,是澹爲晉時人。兩《唐志》訛作"魏澹"。

孔衍　漢魏春秋九卷　《隋志》作"孔舒元撰"。本傳:"衍字舒元。"兩《唐志》雜史類有《漢春秋》十卷、《後漢春秋》六卷、《後魏春秋》九卷。"孔衍"或作"孔演"。

陸機　晉紀四卷　見《隋志》。兩《唐志》作"晉帝紀"。

干寶　晉紀二十三卷　《隋志》云:"訖愍帝。"《舊唐志》作"二十二卷",《唐志》同。又重見正史類,作《晉書》二十二卷,本傳作"二十卷",《史通·內篇》作"三十卷"。兩《唐志》又有劉協注干寶《晉紀》六十卷。

曹嘉之　晉紀十卷　見《隋志》,官前將軍諮議。《北堂書鈔》引王隱《晉書》,嘉之曾官東莞太守、員外散騎常侍。

習鑿齒　漢晉陽秋五十四卷　《隋志》作"四十七卷"。兩《唐志》均作"五十四卷",與本傳同。

鄧粲　晉紀十一卷　見《隋志》。本傳作"《元明紀》十篇"。舊注："訖明帝。"案《世說》注引此書有咸和年號，係明帝後事，或爲後人所增益耳。晉陽秋三十二卷　《舊唐志》作"二十二卷"，今從《唐志》。

徐廣　晉紀四十五卷　《隋》、《唐志》並同。本傳四十六卷，《宋書》本傳四十二卷。

中興記　《徐廣傳》引，不著撰人名。

右編年類，十三家。　失姓名一家。

孔晁注　周書八卷　兩《唐志》並同。《文選》注引作"孔晁《古文周書注》"。《直齋書錄解題》作"注《汲冢周書》十卷"。

續咸　汲冢周書古文釋十卷　見本傳。

束晳　汲冢書釋　見本傳。《初學記》引作"書鈔"。七代通記　本傳。

王庭堅　難束晳汲冢書釋　見《王接傳》。

王接　詳正王束二家汲冢書釋難　見本傳。

荀勗　和嶠撰次　竹書十五部八十七卷　《隋志》古史序錄、《史記·魏世家》集解引荀勗、和嶠說。

樂資　春秋後傳三十一卷　見《隋志》。兩《唐志》、《史通·內篇》均作"三十卷"。《太平御覽》引樂資《春秋傳》、《春秋後傳》，分爲二書。

山陽公載記十卷　兩《唐志》入編年。《舊唐志》作"山陽義紀"。今從《隋志》。

楊方　吳越春秋削繁五卷　兩《唐志》"繁"作"煩"，今從《隋志》。

徐衆　三國評三卷　見兩《唐志》。

陳壽　古國志五十篇　見本傳。

司馬彪　九州春秋十卷　兩《唐志》作"九卷"，今從《隋志》。《宋志》霸史類九卷，別史類十卷，重出。十卷之本與《隋志》合。《白帖》卷二十九引作"魏九州春秋"，"魏"字衍。

習鑿齒　魏武本紀四卷　《唐志》入編年類，今從《隋志》。惟《隋志》不著撰人，注云："梁並《曆》五卷。"當即是書。《舊唐志》作"三卷"。

孔衍　春秋時國語十卷　春秋後國語十卷　《唐志》、《史通·內篇》並同。《舊唐志》祇《春秋國語》。《崇文總目》作"春秋後語"。《宋志》《後國語》入別史

類。**漢尚書十卷　後漢尚書六卷**　見兩《唐志》。**魏尚書十卷**
《唐志》："《後魏尚書》十四卷。"《隋志》八卷,注:"梁十卷。"案《史通·內篇》:"《漢尚
書》、《後漢尚書》、《魏尚書》二十六卷。"《隋志》云:"梁十卷。"合兩漢十六卷,與《史
通》正符。《唐志》誤增"後"字及"四"字。**漢春秋十卷　後漢春秋六卷**

後魏春秋九卷　國志曆五卷　見兩《唐志》。

杜襲　蜀後記　見《華陽國志》襲傳。

常寬　蜀志一卷　見《隋志》,云"東京武平太守"。《華陽國志》寬傳作"蜀後志"。

華暢　魏晉傳記　見本傳。

王崇　蜀書　見《華陽國志》崇傳。

阮籍　晉紀　《太平御覽》引。

郭頒　魏晉世語十卷　《隋志》:"晉襄陽令。"《舊唐志》作"代語",《唐志》作"代
說",皆避唐諱。"說"乃"語"之誤。

孫盛　魏陽秋異同八卷　《唐志》訛作"孫壽"。按《魏志·武紀》注、《北堂書
鈔》武功部均引孫盛《異同雜語》。又《魏志·夏侯玄傳》、《呂虔傳》、《蜀志·姜維傳》
注、《世說·識鑒篇》、《假譎篇》、《太平寰宇記》並引孫盛《雜語》。《魏志·武紀》注又
引作"雜記",引作"孫盛《異同評》"。《太平御覽》引作"三國異同傳",皆是一書。《通
志略》入編年。

胡沖　吳曆六卷　吳朝士人品秩狀八卷　見兩《唐志》。

王隱　刪補蜀記七卷　見兩《唐志》。裴注《蜀志》屢引之。

虞禹　吳士人行狀名品二卷　見兩《唐志》。

傅暢　晉諸公讚二十一卷　見《隋志》。兩《唐志》、《冊府元龜》作"二十二
卷"。《水經·穀水》注引作"傅暢《晉書》"。《左傳·莊公》正義作"晉語諸公讚",
"語"字誤增。本傳作"晉諸公叙讚"。

荀綽　晉後略記五卷　《隋志》:"晉下邳太守。"《唐志》無"記"字。本傳作"《晉
後書》十五篇",《宋志》作"《晉略》九卷"。《羣書治要》引《略記》。

王蔑　史漢要集二卷　《隋志》。一作"史記"。

張瑩　史記正傳九卷　見《隋志》。

皇甫謐　帝王世紀十卷　本傳、《隋志》並同。兩《唐志》作"代紀",避唐諱。
《宋志》《世紀》九卷,入編年類。**年曆六卷**　見兩《唐志》。

晋曆 見兩《唐志》，不著撰人。

環濟 帝王要略十二卷 《隋志》云："紀帝王及天官、地理、喪服。"兩《唐志》作"略要"。

孟儀 周載三十卷 《隋志》云："東晉臨賀太守孟儀撰。記前代下至秦。本三十卷，今止存八卷。"兩《唐志》作"孟儀《注周載》三十卷"。

周祗 隆安記二卷 《舊唐志》入編年類，避唐諱改作"崇安"，今從《唐志》。《世說》注引七事，均作"隆安記"。

葛洪 史記鈔十四卷 見《唐志》。**漢書鈔三十卷** 見《隋》、《唐志》。

後漢書鈔三十卷 見兩《唐志》。

劉昺 三史略記八十四卷 見《魏書》本傳。

僞秦姚萇方士王子年 拾遺録二卷 見《隋志》。兩《唐志》作"三卷"。《隋志》又有王嘉《拾遺記》十卷，題蕭綺撰。綺《序》云："本十九卷，書後殘缺，因刪集爲十卷。"《唐志》作"蕭綺録"。案此書本王子年所撰，蕭綺刪集爲十卷，故云録也。《隋志》二卷，《唐志》三卷，皆當時所見本。

右雜史類，三十五家。 失姓名一家。

前趙公師彧 高祖本紀功臣傳 《史通·外篇》："彧，劉聰時領左國史。"本書載記有大中大夫公師彧。

前趙和苞 漢趙記十卷 見《隋志》。《史通·外篇》："劉曜時，平輿子和苞撰《漢趙記》十篇。"《唐志》作"十四卷"，《宋志》作"一卷"。

後趙徐光 宗歷 傅暢 鄭愔等 上黨國記 趙書 見《史通·外篇》。皆石勒臣。又云："命王蘭、陳宴、程陰、徐機等相次撰述。"本書《石勒載記》作"記室佐明楷、程機撰《上黨國記》"。

後趙石泰 石同 石謙 孔隆 大單于志 見《石勒載記》。

後燕田融 趙書十卷 見《隋志》。云："一曰《二石集》，記二石事。融，僞燕大傅長史。"兩《唐志》作"《趙石記》二十卷，《二石記》二十卷"。《通志》霸史類仍兩《唐志》，亦作二書。《史通·雜說》注云："田融《趙史》謂勒爲前石，虎爲後石。"《高僧傳》十引作"田融《趙記》"。《册府元龜》誤作"周融《趙義》"。**鄴都記** 《史通·外篇》。**苻朝雜記一卷** 見《唐志》。

王度 二石傳二卷 《隋志》云："晉北中郎參軍。"《唐志》作"王度、隋翻《二石

書》十卷”，蓋度、翩兩人合撰。**二石僞治時事二卷**　見《隋志》。兩《唐志》作
“王度、隋翩《二石僞事》六卷”。《北堂書鈔》引《二石遺事》。《太平御覽》作“僞事”。

前燕范亨　燕書二十卷　《隋志》云：“記慕容雋事。亨，僞燕尚書。”《舊唐志》
誤入編年類。

申秀　燕書　《史通·外篇》云：“申秀、范亨各取前後二燕，合成一史。”

前燕杜輔　燕紀　《史通·外篇》云：“前燕有起居注，杜輔全錄以爲《燕紀》。”

前秦車頻　秦書三卷　見《隋志》。《史通·外篇》云：“秦秘書趙整參撰國史，
值秦滅隱于商洛山，著書不輟，有馮翊車頻助其經費。整卒，頻纂成其書，以元嘉九
年起，至二十八年方罷，定爲三卷。”

何仲熙　秦書八卷　《隋志》云：“記苻健事。”

後秦馬僧虔　衛隆景　秦史　僧虔，扶風人。隆景，河東人。見《史通·外
篇》。

後秦姚和都　秦紀十卷　《隋志》云：“記姚萇事。”《史通·外篇》云：“和都，泓
從弟。”

常璩　華陽國志十二卷　見《隋志》。《舊唐志》三卷，《唐志》十三卷。《宋志》
別史十卷，霸史十二卷，凡兩見。《直齋書錄解題》作“十五卷”。**漢之書十卷**
見《隋志》。《顔氏家訓·書證篇》云：“《蜀李書》一名《漢之書》。”《史通·外篇》云：
“常璩撰《漢書》十卷，後入晉秘閣改爲《蜀李書》。”《唐志》《漢之書》十卷，《蜀李書》九
卷，重出。

蜀平記十卷　《隋志》云：“梁有，亡。”

蜀漢僞宮故事　《隋志》云：“梁有，亡。”

前涼張諮　涼記八卷　《隋志》：“諮，僞涼右僕射。記張軌事。”兩《唐志》作“十
卷”。“諮”，《舊志》作“證”。《世說·言語篇》注引作“張資《涼州記》”。

前梁劉昞　涼書十卷　《隋志》：“昞，僞涼大將軍從事中。記張軌事。”“昞”作
“景”，避唐嫌名。**燉煌實錄十卷**　見《隋志》。《宋書·大且渠傳》云：“元嘉十
四年，茂虔表獻《燉煌實錄》十卷。”《後魏書》昞本傳、兩《唐志》均二十卷，見雜傳、僞
史二類。

前涼索綏　涼國春秋五十卷　《史通·外篇》云：“前涼張駿十五年，命其西
曹邊瀏集内外事以付秀才索綏，作《涼國春秋》。”《太平御覽》引《前涼録》作“《涼春

秋》五十卷"，又引緯《符命傳》。案疑即《涼國春秋》之一篇。

前涼劉慶　涼記十二卷　《史通·外篇》云："張重華護軍參軍劉慶在東莞專
修國史二十餘年，著《涼記》。"

前涼索暉　涼書　見《史通·外篇》。

喻歸　西河記二卷　見《隋志》，記張重華事。歸，晋侍御史。本書《張重華傳》
作"御史俞歸"。《元和姓纂》云："東晋喻歸撰《西河記》三卷。"《廣韻》"喻"作"諭"，亦
作"二卷"。《唐志》二卷，無撰人。《姓苑》云："豫章人。"

後涼段龜龍　涼記十卷　《隋志》云："記呂光事。龜龍，僞涼著作佐郎。"《藝
文類聚》、《初學記》、《太平御覽》諸書或作"西涼記"，或作"涼州記"。兩《唐志》誤作
"西河記"。

後燕董統　後燕書三十卷　《史通·外篇》云："後燕建興元年，董統受詔草創
《後書》，著本紀，并佐命功臣、王公列傳，合三十卷。

崔逞　燕紀　見《魏書》逞傳。

韓顯宗　馮氏記　《史通·外篇》。

禿髮氏記　《史通·外篇》。失名氏。

拓跋涼録十卷　《隋》、《唐志》。

南燕張詮　南燕録五卷　《隋志》云："記慕容德事。詮，僞燕尚書郎。"《唐志》
作"張銓《南燕書》十卷"，《舊唐志》作"《南燕書》五卷"。《初學記》、《太平御覽》亦引
銓《南燕書》。

封懿　燕書　見《魏書》懿傳。

鄧淵　魏國記十卷　見《史通·正史篇》。淵，魏太祖時著作郎。《魏書》本傳
云："詔撰《國記》，淵撰十餘卷。"

南燕王景暉　南燕録六卷　《隋志》云："記慕容德事。景暉，僞燕中書郎。"
《史通·外篇》云："趙郡王景暉嘗事德超，撰《二燕起居注》。超亡，仕于馮氏，官至中
書令，乃撰《南燕録》六卷。"《舊唐志》作"王景暄"。

段業傳一卷　《隋志》云："梁有，亡。"

涼書十卷　《隋志》云："且渠國史。"《宋書·大且渠傳》："元嘉十四年，茂虔表獻《涼
書》十卷。"

宗欽　沮渠氏記　《史通·外篇》。

夏趙思羣　張淵　國書　《史通·外篇》：“思羣，天水人。淵，北地人。”

瞿遼書二卷　《隋志》云：“梁有，亡。”

諸國略記二卷　《隋志》云：“梁有，亡。”

永嘉後纂年紀二卷　《隋志》云：“梁有，亡。”

右霸史類，三十九家。　失姓名十二家。

郭璞注　穆天子傳六卷　見《隋志》。《舊唐志》“注”誤作“撰”。

李軌　晉泰始起居注二十卷　見《隋志》。《北堂書鈔》、《太平御覽》引《武帝
起居注》。

晉咸寧起居注十卷　《唐志》作“二十二卷”，今從《隋志》。

晉太康起居注二十一卷　兩《唐志》二十二卷，今從《隋志》。

晉永平起居注八卷　兩《唐志》並同。《隋志》：“梁有六卷，亡。”

晉愍帝起居注三十卷　見《舊唐志》。

晉咸和起居注十六卷　兩《唐志》十八卷，今從《隋志》。

晉咸康起居注二十二卷　見《舊唐志》。

陸機　晉惠帝起居注　見《三國志》注。《隋志》：“梁有《惠帝起居注》二卷。”不
著撰人。

晉永平元康永寧起居注六卷　見《隋志》。

晉元康起居注一卷　見《隋志》。凡兩列之。

晉永安起居注　《初學記》。

晉建武大興永昌起居注二十卷　《隋志》九卷，注云：“梁有二十卷。”兩《唐
志》均二十二卷。

晉永嘉建興起居注十三卷　見《隋志》。

晉建元起居注四卷　見《隋志》。《北堂書鈔》、《太平御覽》引《康帝起居注》。

晉永和起居注二十四卷　《隋志》十七卷，注云：“梁二十四卷。”兩《唐志》同。

晉升平起居注十卷　見《隋志》。《舊唐志》作“永平”，誤。

晉隆和興寧起居注五卷　見《隋志》。

晉太和起居注十卷　《隋志》六卷，注云：“梁十卷。”兩《唐志》並六卷。

晋咸安起居注三卷 見《隋志》。

晋寧康起居注六卷 見《隋志》。《藝文類聚》、《太平御覽》引《孝武起居注》。

晋太元起居注五十四卷 《隋志》二十五卷，注云："梁五十四卷。"兩《唐志》並五十二卷。

晋隆安起居注十卷 見《隋志》。

晋元興起居注九卷 見《隋志》。

晋義熙起居注三十四卷 《隋志》十七卷，注云："梁三十四卷。"兩《唐志》並同。

晋元熙起居注二卷 見《隋志》。

晋崇寧起居注十卷 兩《唐志》並同。晋無崇寧年號，武帝咸寧，惠帝永寧，哀帝興寧，皆已有起居注，惟明帝太寧起居注未載，《通志略》正作"《太寧起居注》十卷"。意其所見《唐志》尚未誤作"崇寧"也。梁著《庭立紀聞》述梁玉繩語，謂此晋哀帝起居注，合隆和、興寧二號稱之。唐人避諱，改"隆和"爲"崇和"，故云崇寧。案《隆和興寧起居注》五卷，已見兩《唐志》，且歷代起居注未有合兩元而錯舉一字者，梁説恐未必然。錢大昕又謂"崇寧"乃"崇安"之誤。

後趙徐光　宗歷　傅暢　鄭愔等　起居注 《史通·外篇》。

南燕王景暉　二主起居注 見《史通·外篇》。二主，慕容德及超。《隋志》："《南燕起居注》一卷。"《通志略》六卷。

大將軍起居注 見本書《石勒載記》。勒中大夫傅彪等撰。《史通》作"傅暢"。

前燕起居注 見《史通·外篇》。

桓玄起居注 見本傳。

晋雜詔書一百卷　録一卷 見《隋志》。《舊唐志》作"晋書雜詔書"，上"書"字衍。《唐志》有《晋雜詔書》六十六卷。

晋雜詔書二十八卷　録一卷 見《隋志》。

晋詔六十卷 見《隋志》。

晋朝雜詔九卷 見《隋志》。

録晋詔十四卷 見《隋志》。

晋詔書黄素制五卷 見《舊唐志》。

晋定品雜制八卷 見《唐志》。《舊唐志》無"雜"字，作"一卷"。

晉文王武帝雜詔十二卷　　見《隋志》。

晉元帝詔十二卷　　見《隋志》。

成帝詔草十七卷　　見《隋志》。

晉咸康詔四卷　　見《隋志》。

建元直詔三卷　　見《隋志》。

康帝詔草十卷　　見《隋志》。

永和副詔九卷　　見《隋志》。

升平隆和興寧副詔十卷　　見《隋志》。

泰元咸寧寧康副詔二十二卷　　見《隋志》。疑當作"太和咸安"。

晉太元副詔二十一卷　　《唐志》。

隆安直詔五卷　　見《隋志》。

元興大亨副詔三卷　　見《隋志》。兩《唐志》作"《崇安元興大亨副詔》八卷"。

晉義熙詔十卷　　見《隋志》。兩《唐志》作"二十二卷"。

義熙副詔十卷　　見《隋志》。

右起居注類，四十七家。　　失姓名四十二家。〇《唐志》詔令附入起居注類，今仍其例。

葛洪　西京雜記二卷　　《隋志》不著撰人。兩《唐志》均重見地理類。《舊志》作"一卷"，《宋志》作"六卷"。《玉海》引《崇文總目》："《西京雜記》二卷。"《郡齋讀書志》亦作"六卷"，云："江左人以爲吳均依託爲之。"陳詩庭云："今本六卷。或題劉歆撰，或題葛洪撰。"

晉故事四十三卷　　見《隋》、《唐志》。本書《刑法志》作"三十卷"。

晉諸雜故事二十二卷　　見兩《唐志》。

晉要事三卷　　《隋志》、《唐志》並同。《舊唐志》作"晉故事"。《太平御覽》引作"晉氏要事"。《通志略》作"晉朝要事"。

晉雜議十卷　　見《唐志》。

晉朝雜事二卷　　見《隋》、《唐志》。不著撰人。

晉氏故事三卷　　見《唐志》。

晉太始太康故事八卷　　《舊唐志》作"五卷"，今從《唐志》。

咸寧三年武皇帝故事　見本書《禮志》。

隆安故事　見沈約《宋書·序》。

永平故事三卷　見《隋志》。

晉建武故事一卷　見《隋志》。

晉建武以來故事三卷　見《隋》、《唐志》。

孔愉　晉咸和咸康故事四卷　見《隋志》。兩《唐志》“咸和”上有“建武”二字。《册府元龜》作“孔預”。

車灌　晉修復山林故事五卷　見《隋志》。

張敞　晉東宮舊事十卷　《隋志》。不著撰人。《舊唐志》作“十一卷”，今從《唐志》。《後漢書·劉盆子傳》注作“東宮故事”。敞，晉東宮侍中尚書，吳國內史，見《宋書·張茂度傳》。

范汪　尚書大事二十卷　見《隋志》。《舊唐志》誤作“《尚書大義》二十一卷”，不著撰人。《唐志》亦二十一卷。

華林故事名一卷　見《唐志》。

交州雜事九卷　《隋志》云：“記士燮及陶璜事。”兩《唐志》均作“雜故事”。

盧綝　晉八王故事十卷　見《隋志》。兩《唐志》作“十二卷”。

晉四王起事四卷　見《隋》、《唐志》。《舊唐志》誤作“起居”。

應詹　沔南故事三卷　見《隋志》，題應思遠，即詹之字。《唐志》作“江南”。《舊唐志》不著撰人。《通志略》作“征南”。《册府元龜》又引作“東宮舊事”。

大司馬陶公故事三卷　《隋》、《唐志》並同。《北堂書鈔》、《藝文類聚》引作“陶侃故事”。《通志略》作“二卷”。

郄太尉爲尚書令故事三卷　《隋志》、《唐志》並同。《舊唐志》二卷。

王愆期　救襄陽上都督府事一卷　見《隋志》。《舊唐志》“愆”誤作“衍”。《唐志》無“督”字。

桓玄僞事三卷　見《隋志》。《唐志》作“二卷”，入僞史類。《舊唐志》有《桓公僞事》二卷，應德詹撰。

徐江州本事　《世說·賞譽篇》注。本書《徐寧傳》：“遷左將軍，江州刺史。”

石崇本事　《藝文類聚》服飾部。

東關故事　見本書《禮志》。

右舊事類,二十八家。　失姓名十九家。

傅暢　晉公卿禮秩故事九卷　《隋》、《唐志》並同。《舊唐志》無“故事”二字。
《魏志·傅楸傳》稱,暢著《晉公卿禮秩故事》。《宋書·禮志》引作“傅暢故事”。《續漢書·輿服志》、《文選·褚淵碑文》注、《竟陵王行狀》注作“晉公卿禮秩”,與《舊志》同。

晉新定儀注十四卷　見《隋志》。

干寶　司徒儀一卷　見《隋志》。《舊唐志》作“《司徒儀注》五卷”,入儀注類。
《唐志》亦五卷。《南齊書·百官志》引作“司徒儀”,與《隋志》同。

魏晉百官名五卷　見《隋志》。

魏晉官品令　見本書《職官志》、《禮志》。

晉官屬名四卷　見《隋》、《唐志》。

荀綽　晉百官表注十六卷　見《隋志》。《魏志》裴注、《北堂書鈔》引《晉百官表》。

徐宣瑜　晉官品一卷　見《隋志》。《通典》八十四兩引瑜宣所議,當即此書。

晉功臣表　《水經·溫水》注。

晉百官名三十卷　見《隋志》。《舊唐志》四十卷,《唐志》十四卷,俱無“晉”字。

晉百官儀服錄五卷　見《隋志》。

王朝目錄　《世說·品藻篇》注。

晉官品令　《魏書·禮志》、《初學記》、《北堂書鈔》並引之,①或作“晉品令”。

晉百官名志　《魏志·司馬朗傳》注。

晉百官公卿表　見《唐六典》。

晉武帝百官名　《魏志·臧霸傳》注。

晉武帝太始官名　《太平御覽》。

陸機　晉惠帝百官名三卷　兩《唐志》。

元康百官名　《唐六典》、《通典》。

晉懷帝永嘉官名　《太平御覽》。

---

① “北堂”下原脫“書”字,今補。

衞禹　晉永嘉流士十三卷　　見《舊唐志》。《唐志》作“二卷”。

晉中興士人書　《世說·言語篇》注。

晉過江人士目一卷　見兩《唐志》。

大興二年定百官事五卷　見《隋志》。

陳壽　官師論七篇　見《華陽國志》壽傳。

明帝東宮寮屬名　《世說·雅量篇》注。

晉東宮官名　《世說·任誕篇》、《排調篇》注引，又作“東宮百官名”。

齊王官屬名　《世說·方正篇》注。

征西寮屬名　《世說·言語篇》、《排調篇》注。

齊王功臣格　見《顧榮傳》。

伏滔　大司馬寮屬名　《世說·賞譽篇》、《品藻篇》注：“大司馬謂桓溫。”

庾亮　寮屬名　《世說·文學篇》注。

參佐名　《世說·雅量篇》注。

己亥格　見《陳頵傳》。

甲午制　見《王戎傳》。

右職官類，三十四家。　　失姓名二十五家。

傅瑗　晉新定儀注四十卷　見《隋》、《唐志》。《册府元龜》誤作“某璪撰”。

徐廣　晉尚書儀曹新定儀注四十一卷　車服雜注一卷　《隋》、《唐志》並同。本傳作“車服儀注”。《左傳》桓公正義、《北堂書鈔》、《初學記》、《太平御覽》引作“車服儀制”。《後漢·明帝紀》注、《宋書·禮志》引作“車服注”。《後漢·儒林傳序》注引作“輿服雜注”。《文選·東京賦》注、《宋書·禮志》引作“車服志”。

晉雜儀注十一卷　見《隋志》。兩《唐志》並作“二十一卷”。

晉儀注三十九卷　見兩《唐志》。

晉尚書儀十卷　見《隋志》。

干寶　雜議五卷　見兩《唐志》。

晉尚書儀曹吉禮儀注三卷　見兩《唐志》。

晉尚書儀曹事九卷　見《唐志》。

荀顗等　晉新禮百六十卷　見本書《禮志》。

晉雜議十卷　見《唐志》。《隋志》刑法類有《晉雜議》十卷，無撰人。又《唐志》故事類有《晉雜議》十卷，亦不著撰人，疑重出。

晉謚議八卷　見兩《唐志》。

晉簡文謚議四卷　見兩《唐志》。

諸王國雜儀注十卷　《舊唐志》此書次于晉代，當是晉人所作。

蔡謨　晉七廟議三卷　見兩《唐志》。《冊府元龜》訛作"《七廟錄》十卷"。

甲辰儀五卷　《隋志》云："江左撰。"本書《禮志》謂："江左時，刁協、荀崧、荀謨所踵修。"

辛未令書　見本書《禮志》。辛未，元帝建武年也。①

謝玄　內外書儀四卷　見《隋志》。

徐乾　古履儀　《太平御覽》。

裴頠　冠禮　見《魏書·禮志》。

王愆期　降幕祠儀　《太平御覽》。

晉安昌公荀氏祠制　《通志》引。

孔晁等　晉明堂郊社議三卷　見兩《唐志》。

晉元康儀　見《藝文類聚》、《初學記》。

咸寧注　見本書《禮志》。

晉服制令　見《南齊書·輿服志》、《太平御覽》。

晉先蠶儀注　見《宋書》、《魏書·禮志》、《初學記》、《通典》、《太平御覽》引。

賀循　藉田儀　見《後漢書·禮儀志》注。

傅玄　五祀議　《太平御覽》。

范汪　雜府州郡儀十卷　見兩《唐志》。

摯虞　新禮雜禮議　《太平御覽》。決疑要注一卷　見《隋志》。《通典》九十五引虞理，疑當即是書。

---

① "年"下原衍"年"字，今刪。

晋鹵簿圖一卷　見《隋志》。

鹵簿儀二卷　《隋志》列于《晋鹵簿圖》下，當是晋時所作。

晋中朝大駕鹵簿　《隋書·禮儀志》、《太平御覽》。

北涼姚艾　房晷　明堂制　《北涼載記》。皆沮渠蒙遜臣。

裴憲　三正東耕儀　見《北堂書鈔》引《趙書》。《太平御覽》亦載《趙書》《東耕儀》。

劉臻妻陳氏　元日冬至進見儀　見本書《列女傳》。

右儀注類，三十五家。　失姓名十八家。

賈充　杜預　刑法律本二十一卷　《隋志》作“杜預撰”，無“刑法”二字，似嫌未覈。《舊唐志》作“賈充等撰”，今從《唐志》。蓋本書固云：“晋文帝令賈充定法律，而令杜預等典其事也。”本書《刑法志》云二十篇，《魏書·刑法志》所引同。疑有《錄》一卷，故《隋》、《唐志》並計之。**晋令四十卷**　《晋·刑法志》云：“凡律令合二千九百二十六條，十二萬六千三百言，六十卷。”《隋志》律二十一卷，令四十卷，合之六十一卷。《通典》引《晋喪葬令》，《唐六典》封爵類引《晋令式》，當即在此書中。

雜律七卷　《隋志》：“梁有杜預《雜律》七卷，亡。”**又　晋故事三十卷**　《唐六典》云：“晋賈充等撰律令，兼刪定當時制詔之條，爲《故事》三十卷，與律令並行。”《通典》同。

張斐　漢晋律序注一卷　《隋志》云：“晋僮長。”《史記·平準書》索隱、《北堂書鈔》、《藝文類聚》、《太平御覽》引作“張斐《律序》”。《晋·刑法志》作“明法掾張裴”，“裴”蓋“斐”字之訛。**雜律解二十一卷**　見《隋志》。兩《唐志》無“雜”字。《新志》作“二十卷”。《一切經音義》“小曰蝇，大曰蝗”二語引張斐《解晋律》。

陳壽　漢名臣奏事三十卷　《隋志》不著撰人。《舊唐志》無“事”字。今從《唐志》。《通志略》作“四十卷”。**魏名臣奏事四十卷　目一卷**　見《隋志》。

晋駁事四卷　見《隋》、《唐志》。

晋彈事十卷　兩《唐志》作“九卷”，今從《隋志》。

晋雜制六十卷　見《隋志》。

晋刺史六條制一卷　見《隋志》。

晋雜議十卷　見《隋志》。

庚戌制　本書《哀帝紀》：“興寧二年三月庚戌朔，大閱户人，令所在土斷，嚴其法禁，稱《庚戌制》。”又見彭城王子絋傳。《玉海》亦載其目。

辛亥制度　本書《石勒載記》：“命法曹令史貫志造《辛亥制度》五千文，施用十餘年，乃用律令。”

韋謏　典林二十三篇　本傳。

右刑法類，十一家。　失姓名七家。

摯虞　三輔決錄注七卷　《隋志》、《舊唐志》並同。《新唐志》作“十卷”。

張方　楚國先賢傳贊十二卷　見《隋志》。《唐志》亦作“張方”，無“贊”字。《舊唐志》作“楊方”。案《藝文類聚》、《太平御覽》並引張方《楚國先賢傳》，無作“楊方”者。《文選》應璩《百一詩》注作“張方賢”，“賢”字誤衍。

零陵先賢傳　《隋》、《唐志》不著撰人。陶氏《説郛》題“司馬彪撰”。

白褒　魯國先賢傳二卷　《隋志》云：“晋大司馬。”兩《唐志》均十四卷。《舊唐志》“傳”作“志”。《太平寰宇記》引作“白褒《魯記》”。

范瑗　交州先賢傳三卷　見《隋志》。兩《唐志》四卷。

仲長穀　山陽先賢傳　見《元和姓纂》，云：“晋太宰參軍。”《舊唐志》“兗州山陽先賢讚”一卷”，《唐志》“《山陽先賢傳》一卷”，俱作“仲長統撰”，蓋誤。

陳壽　益部耆舊傳十四卷　《隋志》誤作“陳長壽”。本傳作“《益都耆舊》十篇”。

太始先賢狀　見《元和姓纂》一。

江左名士表　《世説·賞譽篇》注。

永嘉流人名　《世説·德行》、《文學》、《方正》諸篇注均引之。

常寬　梁益篇　《華陽國志》稱，常寬續陳壽作《梁益篇》。按《隋志》有《續益部耆舊傳》二卷，《唐志》有《益州耆舊雜傳記》二卷，不著撰人，蓋即常寬之書。**蜀後賢傳**　見《華陽國志》。

習鑿齒　襄陽耆舊記五卷　兩《唐志》“記”誤作“傳”，今從《隋志》。《水經注》、《文選注》、《太平御覽》引作“襄陽記”。**逸人高士傳八卷**　見兩《唐志》。

虞預　會稽典錄二十四卷　見《隋志》。本傳作“二十篇”。**諸虞傳十二篇**　本傳。

皇甫謐　高士傳六卷　見《隋志》。《舊唐志》作"七卷",《唐志》作"十卷",《崇文總目》、《通志》因之。**列女傳六卷**　《隋》、《唐志》並同。《藝文類聚》、《太平御覽》並引謐《列女後傳》。《魏志·龐淯傳》注作"烈女傳"。**逸士傳一卷**　見《隋志》。**元晏春秋三卷**　兩《唐志》作"二卷",今從《隋志》。**韋氏家傳三卷**　《舊唐志》入譜牒類,今從《唐志》。

嵇康　聖賢高士傳贊三卷　見《隋志》。《舊唐志》作《高士傳》三卷",《唐志》作"《聖賢高士傳》八卷"。

孫綽　至人高士傳讚二卷　見《隋志》。**列仙傳讚三卷**　見《隋志》,云:"毆繽,孫綽讚。"**嵇中散傳**　《文選》注。

虞槃佐　高士傳二卷　見《隋志》。《唐志》作"一卷"。**孝子傳一卷**　見兩《唐志》。

袁宏　正始名士傳三卷　見《隋志》。兩《唐志》、《宋志》作"二卷"。《玉海》引《中興書目》云:"其中卷竹林名士三逸,上卷增荀粲,下卷增阮修。"《水經·清水》注引袁彥伯《竹林七賢傳》。《文選》顏延年《五君詠》注引袁彥伯《竹林名士傳》。《世說·文學篇》注云:"宏以夏侯太初等爲正始名士,阮嗣宗等爲竹林名士,裴叔則等爲中朝名士。"是三卷各有子目,凡稱《正始名士傳》及《竹林名士傳》者,皆爲偏舉。案宏字彥伯,《隋志》作"敬仲",蓋誤以袁宏爲衞宏。與孝經類同。**山濤別傳**　見《初學記》、《太平御覽》。

戴逵　竹林七賢論二卷　見《隋志》。《太平御覽》誤作"戴勝"。

葛洪　神仙良吏隱逸集異傳各十卷　見本傳。《隋志》有《列仙傳》十卷。

張顯　逸民傳七卷　見《隋志》。兩《唐志》作"《逸人傳》三卷"。

孫盛　逸民傳　見《初學記》。《太平御覽》"民"作"人"。

張隱　文士傳五十卷　見《隋志》。張隱,見本書《陶侃傳》,張孌之子。《太平御覽》誤作"張鄢"及"張驚"。兩《唐志》亦作"驚"。

束皙　三魏人士傳　本傳。

蕭廣濟　孝子傳十五卷　《隋志》云:"晉輔國將軍。"

徐廣　孝子傳三卷　見兩《唐志》。

傅奕　高識傳十卷　《通志略》。

江敞　陳留志十五卷　《隋志》、《舊唐志》同。《唐志》作"陳留人物志"。《文選》注引作"江徵"，《初學記》人部引作"江微"。

虞溥　江表傳三卷　見《唐志》。又雜史類重出五卷。

留叔先　東陽朝堂像贊一卷　《隋志》云："晋南平太守。"《唐志》作"畫讚"。

劉彧　長沙舊傳讚三卷　《隋志》："晋臨川王郎中。"兩《唐志》作"長沙舊邦傳讚"。《新志》作"四卷"。《水經·洛水》注、《初學記》、《北堂書鈔》、《藝文類聚》、《太平御覽》並作"長沙耆舊傳"。

熊默　豫章舊志三卷　《隋志》："晋會稽太守。"《輿地碑記目》作"一卷"。

熊欣　豫章舊志後撰一卷　見《隋志》。

杜預　女記十卷　見《隋志》。《舊唐志》、《太平御覽》亦無"列"字。《唐志》則作"列女記"，本傳作"女記讚"。《文選》注引杜預《女史》。

顧愷之　列女圖　《通志略》。家傳一卷　《世說·夙悟篇》注、《藝文類聚》引。竺法曠讚傳　《高僧傳》五。顧悦傳　《世說·言語篇》注。

綦毋邃　列女傳七卷　見《隋志》。

戴祚　甄異傳三卷　《隋志》："西戎主簿。"《唐志》入小説類。《藝文類聚》、《太平御覽》引作"甄异記"。

王浮　神異記　《太平御覽》。

張華　列異傳三卷　《唐志》作"一卷"，入小説類，今從《舊唐志》。

王接　列女後傳　本傳云七十二人。"列"一作"烈"。

王愆期　列女後傳　見本書《王接傳》。

祖台之　志怪二卷　見《隋志》。兩《唐志》均四卷。《新志》入小説。《太平御覽》引作"志怪集"。

干寶　搜神記三十卷　《隋志》、《舊唐志》並同。《新志》入小説類。

荀氏　靈鬼志三卷　見《隋志》。

郭元祖　列仙傳讚三卷　列仙讚序一卷　見《隋志》。

太極左仙公葛君內傳一卷　《舊唐志》題"呂先生注"。《唐志》入小説類。靈佑宮《道藏目録》有《太極葛仙公傳》一卷。《藝文類聚》亦引《葛仙公別傳》。

南嶽夫人內傳一卷　見《隋志》。《舊唐志》作"《紫虚元君南嶽夫人內傳》"，范邈撰",傳言夫人爲魏舒之女。

存華清虚真人王君内傳一卷　　見《隋志》。存華即南嶽魏夫人名。

張敏　神女傳　　《北堂書鈔》一百二十八。

陶潛　搜神後記十卷　　見《隋志》。僧慧《高僧傳·序》作"搜神録"。

華嶠　紫陽真人周君傳一卷　　《新唐志》入道家類，今從《舊唐志》。

王羲之　許先生傳一卷　　見《舊唐志》。《隋志》作"《仙人許遠遊傳》一卷"，不
著撰人，當即是書。《新志》入小説類。本書《許邁傳》言王羲之爲邁述靈異之跡甚
多，《太平御覽》亦引之。

曹毗　志怪　　《初學記》、《太平御覽》。**曹氏家傳一卷**　　見《隋志》。**杜蘭
香傳**　　《太平御覽》。**曹肇傳**　　《北堂書鈔》、《藝文類聚》。

桓氏家傳一卷　　《隋志》。不著撰人。

太原王氏家傳二十三卷　　見《隋志》。《唐志》作"《王氏家傳》二十一卷"。《世
説·品藻篇》注引作"王氏世家"。

王褒　王氏江左世家傳二十卷　　《隋志》。

裴氏家傳　　《世説·文學篇》注。

褚氏家傳一卷　　《隋志》作"褚覬等撰"，兩《唐志》作"褚結撰，褚陶注"。《舊
志》入譜牒類。《世説·賞譽篇》注引《褚氏家傳》："陶字季雅，吳郡錢唐人，仕至
中尉。"

袁氏世範　　《魏志·袁涣傳》注。

江祚等　江氏家傳七卷　　見《隋志》。《舊唐志》作"江統"，入譜牒類。《唐志》
作"江饒"。

傅暢　裴氏家記　　《蜀志·孟光傳》注。

紀友　紀氏家紀一卷　　見《隋志》。友，紀瞻之孫。

范汪　范氏世傳一卷　　見《隋志》。

僞燕明岌　明氏家訓一卷　　《隋志》："岌，僞燕衞尉。"

管辰　管輅傳三卷　　見《隋志》。兩《唐志》作"二卷"。辰，輅弟，卒于太康初，見
《魏志》輅傳注。

江逌　阮籍序贊　　見本傳。

謝車騎家傳　《世說·言語篇》注。本書《謝玄傳》：“贈車騎將軍。”①

何劭爲　荀粲王弼傳　見本傳及《三國志》注引。《文選》注引《荀粲傳》。

荀勖別傳　見《太平御覽》。

嵇喜爲　嵇康傳　《三國志》注及《文選》注引。又《文選》注引《嵇康別傳》。

潘尼別傳　《三國志》注。

潘岳別傳　《魏志》注、《世說·容止篇》注。

盧諶別傳　《魏志·盧毓傳》注。

謝鯤爲　樂康傳　《三國志》注。

陸機爲　陸雲傳　顧譚傳　並《三國志》注引。

郗鑒別傳　《世說·德行篇》注。

王乂別傳　《世說》注。

桓彝別傳　《太平御覽》、《世說》注。

郭沖　諸葛亮隱没五事一卷　見兩《唐志》。沖，金城人，官至代郡太守。王
駿鎮關中時所上。

王丞相德音記　《世說·汰侈篇》注。

趙吳郡行狀　《世說·賞譽篇》注。趙吳郡謂趙穆。

王祥世家　《世說·言語篇》注。

陶氏序　《世說·言語篇》注。

夏侯湛爲　夏侯稱夏侯榮序　《魏志·夏侯淵傳》注。

辛憲英傳　《魏志·辛毗傳》注。

會稽孝文王傳　《世說·言語篇》注。

桓玄別傳　《世說·德行》、《任誕篇》注。

王丞相別傳　《世說·德行篇》注。本書《王導傳》：“成帝时拜丞相。”

王汝南別傳　《世說·賢媛篇》注。本書《王湛傳》：“爲汝南內史。”

阮光禄別傳　《世說·德行篇》注。阮裕本傳：“官金紫光禄大夫。”《棲逸篇》注又

———————
①　“玄”字下原脱“傳”字，依本書體例補。下同。

引作"阮裕別傳"。

劉尹別傳　《世說‧德行篇》注。

范宣別傳　《世說‧德行篇》注。

王獻之別傳　《世說》注。

王恭別傳　《世說‧德行篇》注。

司馬徽別傳　《世說》注。

向秀別傳　《世說‧言語篇》注。

衞玠別傳　《世說》注、《太平御覽》。

謝朗　王堪傳　《世說‧賞譽篇》注引。原作"謝胡兒撰"。

顧和別傳　《世說‧言語篇》注。

王含別傳　《世說‧言語篇》注。

孫放別傳　《世說》注、《太平御覽》。

庾翼別傳　《世說‧言語篇》注。

桓溫別傳　《世說‧政事》、《文學篇》注。

王中郎別傳　《世說‧言語篇》注。本書《王坦之傳》："累遷參軍從事中郎"。

郗超別傳　《世說‧言语篇》注。

王胡之別傳　《世說‧言语篇》注。

顧愷之別傳　《世說‧方正篇》注。

王司徒別傳　《世說‧言語篇》注。

鍾雅別傳　《世說‧政事篇》注。

陸玩別傳　《世說‧政事》、《箴規篇》注。

江惇別傳　《世說》注。

殷浩別傳　《世說‧政事》、《文學篇》注。

王珉別傳　《世說‧政事篇》注。

王敦別傳　《世說》注、《太平御覽》。

謝鯤別傳　《世說‧文學》、《箴規篇》注。

王述別傳　《世說‧文學》、《任誕篇》注。

謝玄別傳　《世説》注。

樊英別傳　《世説》注。

左思別傳　《世説・文學篇》注。

郭璞別傳　《世説・術解篇》注。

諸葛恢別傳　《世説・方正篇》注。

周顗別傳　《世説・方正》、《棲逸篇》注。

孔愉別傳　《世説・方正篇》注。

蔡司徒別傳　《世説・方正篇》注。本書《蔡謨傳》："領司徒"。

王彪之別傳　《世説・方正篇》注。

羅府君別傳　見《世説・方正篇》注。《太平御覽》引作《羅含別傳》。《藝文類聚》同。

祖約別傳　《世説・雅量篇》注。

虞光禄傳　《世説・品藻篇》注。本書《虞騑傳》："吳興太守,金紫光禄大夫。"

王薈別傳　《世説・雅量篇》注。

石勒別傳　見《北堂書鈔》石類。《藝文類聚》、《世説》注無"別"字。

阮孚別傳　《世説・雅量》、《任誕篇》注。

羊曼別傳　《世説・雅量篇》注。

王劭別傳　《世説・雅量篇》注。

郭文舉別傳　《北堂書鈔》。

王彬別傳　《世説・鑒識篇》注。

王舒傳　《世説・鑒識篇》注。

王澄別傳　《世説・賞譽篇》注。

王遂別傳　《世説・賞譽篇》注。

卞壼別傳　《世説・賞譽》、《任誕篇》注。

康泓道人善道開傳一卷　見《隋志》。《御覽》引袁彦伯《羅山疏》亦作"善道開"。本書《藝術傳》"善"作"單"。《高僧傳》作"單道開傳讚"。

郄愔別傳　《世説・品藻篇》注。

陳逵別傳 《世説·品藻篇》注。

賀循別傳 《世説·箴規篇》注。

桓沖別傳 《世説·箴規篇》注。

桓豁別傳 《世説·豪爽篇》注。

周處別傳 《太平御覽》、《世説》注。

賈充別傳 《世説·溺惑篇》注。

郗曇別傳 《世説·賢媛篇》注。

范汪別傳 《世説·排調篇》注。

蔡充別傳 《世説》注。

司馬晞傳 《世説·黜免篇》注。

王雅別傳 《世説·讒險篇》注。

荀粲別傳 《世説》注。

司馬無忌別傳 《世説·仇隙篇》注。

浮圖澄傳 見《世説·言語篇》注。《藝文類聚》及《太平御覽》"浮"作"佛"。

支遁別傳 《世説·賞譽》、《品藻》諸篇並引。《太平御覽》無"別"字。《世説·文學篇》注作"支法師傳"。《高僧傳》言郗超爲之序傳。

桓靈寶傳 《文選》注引。

蔡洪　張錡狀 《文選》注引。

孟嘉別傳 《世説》注、《北堂書鈔》、《太平御覽》。

王廣別傳 《世説》注、《太平御覽》並引。

郭翻別傳 《藝文類聚》、《太平御覽》。

王濛別傳 見《世説》注。《藝文類聚》、《太平御覽》、《世説》注又引《王長史別傳》，長史即濛也。

王蘊別傳 《北堂書鈔》、《太平御覽》。

許遜別傳 《藝文類聚》、《太平御覽》。

張載別傳 《藝文類聚》。

張華別傳 《藝文類聚》。

裴楷別傳　《藝文類聚》、《太平御覽》。

陶侃別傳　《世説》注、《藝文類聚》、《元和姓纂》並引。

王嘏別傳　見《初學記》。《太平御覽》作"王瑕"。

庾袞別傳　見《初學記》。《太平御覽》作《庾異行別傳》，本書《庾袞傳》："號異行。"

曹志別傳　《魏志・陳思王植傳》注。

孫惠別傳　《吳志・孫賁傳》注。

夏統別傳　見《太平御覽》。又引作《夏仲御別傳》，仲御，統之字，故又誤引作"夏
仲舒"。

安法師傳　《世説・文學篇》注。安法師即道安。又作"安和尚傳"。《太平御覽》引
作"釋道安傳"。

孫施別傳　《太平御覽》。

曹攄別傳　《太平御覽》。

謝安別傳　《太平御覽》。

江蕤別傳　《太平御覽》。

許蕭別傳　《太平御覽》。

潘京別傳　《太平御覽》。

陸機別傳　《世説》注、《太平御覽》。

傅宣別傳　《太平御覽》。

庾珉別傳　《太平御覽》。

江偉別傳　《太平御覽》。

趙至別傳　見《太平御覽》。《世説・言語篇》注引嵇紹《叙趙至》，即此書。

庾亮別傳　《北堂書鈔》。

傅咸別傳　《北堂書鈔》。

葛洪別傳　《北堂書鈔》。

孫略別傳　《北堂書鈔》、《太平御覽》。

顔含別傳　《太平御覽》。

王湛別傳　《北堂書鈔》。

吳猛別傳　《北堂書鈔》。

石虎別傳　《太平御覽》。

徐邈別傳　《太平御覽》。

雷煥別傳　《北堂書鈔》、《太平御覽》。

羊祜別傳　《北堂書鈔》、《太平御覽》。

桓石秀別傳　《太平御覽》。

江祚別傳　《太平御覽》。

祖逖別傳　《太平御覽》。

孫登別傳　《水經·溫水篇》注、《太平御覽》、《藝文類聚》。

王祥別傳　《太平御覽》。

趙畋傳　《宋書·氏胡傳》。

姚秦鳩摩羅什譯　龍樹菩薩傳一卷　馬鳴菩薩傳一卷　提婆菩薩傳一卷　見《法苑珠林·傳記篇》。僧智旭《閱藏知津》云："三傳同卷,共九紙半。"

高坐道人別傳　見《世說·賞譽篇》注。《文選》注引無"道人"二字。高坐道人即僧帛尸密黎多,見《高僧傳》。

郄超　東山僧傳　慧皎《高僧傳·序》。

法安　志節沙門傳　慧皎《高僧傳·序》。

于法蘭別傳　《高僧傳》四。

竺法濟　高逸沙門傳　見《大唐内典目録》、《高僧傳》。

右雜傳類,二百九家。　失姓名一百四十一家。[1]

郭璞　山海經注二十三卷　《隋志》、《唐志》並同。《舊唐志》作"十八卷"。

　水經注三卷　《隋志》、《唐志》並同。《舊唐志》作"二卷"。山海經圖讚二卷　山海經音二卷　並《隋志》。

三輔故事二卷　《隋志》云："晉世撰。"《唐志》有《三輔舊事》三卷。

---

① "一百四十一家",原誤作"二百四十一家",據實際數目改。

張駿　山海經讚　《太平御覽》鱗介部引張駿《山海經飛魚讚》。

晉宮閣名　《水經·穀水》注、《詩·豳風》正義、《文選》謝玄暉《直中書省詩》注、《初學記》、《太平御覽》、《藝文類聚》引並同。《北堂書鈔》、《藝文類聚》或作"晉宮閣記"。《太平寰宇記》稱"晉宮闕簿"。《文選》注"名"或作"銘"。

元康三年地記六卷　見《隋志》。《續漢·郡國志》注引《晉元康地道記》。《文選》謝靈運《斤竹澗詩》注、《藝文類聚》並稱《元康地記》。

晉中州記　《水經·穀水》注。

晉太康土地記十卷　見《唐志》。《舊唐志》作"《地記》五卷，太康三年撰"。《史記正義》、《續漢志》注、《水經》注亦引作"太康地記"。《史記索隱》引作"太康地理志"。《宋·州郡志》亦稱"太康永寧地志"。

太康州郡縣名五卷　《舊唐志》云："太康三年撰。"

晉地記　見《宋·州郡志》。

元康六年戶口簿記三卷　《隋志》。

摯虞　畿服經一百七十卷　《隋志》地理類序錄。

陸機　洛陽記一卷　《隋志》。

洛陽宮殿簿一卷　《隋志》不著撰人，次于陸機、楊佺期之間，當是晉人所作。

洛陽故宮名　《太平御覽》。

楊佺期　洛陽圖一卷　《隋志》："佺期，晉懷州刺史"。錢大昕曰："晉無懷州，當是雍州之訛。"《唐志》作"洛城圖"。張彥遠《歷代名畫記》云："楊佺期撰《洛陽圖》，一名《楊宮圖狀》。"《文選·閒居賦》注、《續漢·郡國志》注、《太平寰宇記》並引佺期《洛陽記》。《太平御覽》引又作"楊龍驤《洛城記》"。

戴祚　西征記二卷　見《唐志》。《舊唐志》作"一卷"。《隋志》有戴延之《西征記》二卷，延之爲祚字。《水經·洛水》注引作"戴延之《從劉武王西征記》"，又作"從征記"。

洛陽記一卷　見兩《唐志》。

郭象　述征記二卷　《舊唐志》。

周處　風土記三卷　見《隋志》。兩《唐志》並十卷。《史通·補注篇》作"陽羨風土"。

張元之　吳興山墟名　《太平寰宇記》、《輿地碑記目》並同。《寰宇記》又引作

"張充之"。《輿地碑記目》又云："晋吴興太守王韶之撰。"案元之見《隋志》別集類，官冠軍將軍。

張勃　吴地記一卷　見兩《唐志》。《史記·吴王傳》集解引之。《通志》又有勃《吴都記》一卷。

顧夷　吴郡記一卷　《隋志》兩見，一作二卷，蓋重出。夷，晋本州主簿。《後漢書·楚王英傳》注引作"顧夷《吴地記》"。

裴秀　冀州記　《史記·封禪書》索隱、《北堂書鈔》。

賀循　會稽記一卷　《隋志》。

范汪　荆州記　《史記·五帝紀》正義、《藝文類聚》、《太平御覽》、《北堂書鈔》並引。

沈瑩　臨海水土物志一卷　《隋志》。

黄容　梁州巴記　《華陽國志》。

薛瑩　荆揚以南异物志　《文選·吴都賦》注、《太平御覽》。

顧愷之　夏禹治水圖　《宣和畫譜》。畫雲龍山記　《歷代名畫記》。

潘岳　關中記一卷　《隋》、《唐志》並同。《史記·司馬相如傳》索隱、《文選·西都賦》注、《北堂書鈔》、《太平御覽》並引潘岳《關中記》，惟《書録解題》及《通考》、《宋志》誤作"葛洪撰"。

嵇含　南方草木狀二卷　見《書録解題》。《宋志》作"三卷"，《文獻通考》作"一卷"。

羅含　湘中記　《水經·湘水》注、《續漢·郡國志》注、《藝文類聚》、《初學記》引並同。《文選》注引作"羅含《湘州記》"。《崇文總目》、《書録解題》作"《湘中山水記》三卷，范陽盧拯注"，《通志略》誤作"盧拯撰"，蓋非含原書也。

阮籍　宜陽記秦記　《太平御覽》。

伏滔　北征記　《續漢書·郡國志》注、《文選》注、《太平御覽》並引。《水經注》引作"伏韜"。又《藝文類聚》、《北堂書鈔》引伏滔《地記》。

葛洪　幞阜山記一卷　《書録解題》。

袁宏　羅浮山疏　見《元和郡縣志》。《太平御覽》引袁彦伯《羅山疏》。

袁山松　宜都山水記　《北堂書鈔》、《初學記》、《太平御覽》並同。《水經注》、《藝文類聚》或稱"宜都記"。勾將山記　《太平寰宇記》、《太平御覽》。

陸翽　鄴中記二卷　見《隋志》。

石虎　鄴中記　《太平御覽》。

伏琛　齊記　《水經注》、《太平御覽》。

樂資　九州記　《水經·沔水》、《江水》注。

荀綽　九州記　見《魏志·袁渙傳》注。又《世説·文學篇》注、《北堂書鈔》、《藝
文類聚》、《太平御覽》均引《兖州記》。《世説·言語》、《賞譽》、《品藻篇》注引《冀州
記》，當即《九州記》中之二篇。

杜預　汝南記　《初學記》、《藝文類聚》。益州記　《史記·河渠書》正義、《北
堂書鈔》並引作"杜預"。《續漢·郡國志》注、《文選·蜀都賦》注、《藝文類聚》、《初學
記》、《太平御覽》並作"任豫"，今仍附著杜預之下。

續咸　遠游志十卷　異物志十卷　本傳。

王劭　鄉邑記注　見《顏氏家訓·勉學篇》。劭，太原人。

王隱　交廣記　《吳志·呂岱傳》注。

王範　交廣二州記一卷　見《唐志》。《吳志·孫策傳》注，松之云："太康八年，
廣州大中正上《交廣二州春秋》。"《續漢·郡國志》注、《水經·溫水》注並引王範《交廣
春秋》。

劉欣期　交州記　《廣韻》、《水經·葉榆河》注、《文選·吳都賦》注、《太平御覽》。

晏謨　齊地記二卷　見《唐志》。謨爲慕容德尚書郎，見本書載記。《太平御覽》
引作"晏謀"，《水經注》引作"齊記"。

皇甫謐　地書　見《隋書·崔頤傳》。

束皙　發蒙記一卷　《隋志》小學類有束皙《發蒙記》一卷，又見於地理類，疑是
重出。然地理類云："載物産之異。"與小學類似非一書。案《史記·匈奴傳》索隱、
《初學記》、《太平御覽》所引此書，多與《異物志》相類，故據《隋志》仍兩列之。

支遁　天台山圖　《文選·天台山賦》注。

外國圖　《水經·河水篇》注有"大晉國正西七萬里"語，當是晉時所作。

吳蜀地圖　《裴秀傳》云："文皇帝乃命有司撰《訪吳蜀地圖》。"蓋謂司馬昭也。

李彤　聖賢冢墓記一卷　見《隋志》。

張華注　神異經一卷　《唐志》作"二卷"，入道家，今從《隋志》。

燕蓋泓　珠崖傳一卷　《隋志》："泓，僞燕聘晉使。"

釋道安　四海百川水源記一卷　　見《隋志》。**江圖**　　見《通志》圖譜類。
　　西域志　　見《大唐内典目録》。《藝文類聚》、《太平御覽》並引。

釋法顯　佛國記一卷　《隋志》。**遊天竺記**　《水經・河水》注引法顯《遊
　　天竺記》。《法苑珠林》作"《游歷天竺記》一卷"。《閱藏知津》四十三云："《法顯傳》一
　　卷,東晉沙門法顯自記游天竺事。"即此書也。

竺法真　登羅山疏　《太平御覽》。

釋慧遠　廬山記　《文選》注、《北堂書鈔》、《白帖》。

竺法護　耆闍崛山解　《法苑珠林・傳記篇》。

釋曇景　京師寺塔記二卷　外國傳五卷　《隋志》。

釋法盛　歷國傳二卷　見《隋》、《唐志》。《高僧傳》二云："高昌沙門法盛亦經
　　往外國,立傳凡有四卷。"蓋即是書。

釋智猛　游行外國傳一卷　《隋》、《唐志》。

支僧載　外國事　見《水經・河水篇》注。有云"晉言十里"、"晉言白"、"晉言山"
　　之語,當爲晉時人。

右地理類,六十四家。　失姓名十二家。

摯虞　族姓昭穆記十卷　見《隋志》序録。本傳無"記"字。《史通》作"族姓
　　記"。

賈弼　姓氏簿狀七百十二卷　《唐書・柳沖傳》："晉太元中,河東賈弼撰《姓
　　氏簿狀》,十八州,百十六郡,合七百一十二卷。"

傅餘頠　複姓録　《元和姓纂》："晉有傅餘頠著《複姓録》,有尚方氏。"《隋志》：
　　"《複姓苑》一卷。"不著撰人。

司馬無忌　司馬系本　《史記・序傳》索隱、正義並引。晉譙國司馬無忌作《系
　　本》。《正義》又作"譙王"。

摯氏世本　《世説・言語篇》注。

孫盛　魏世譜　蜀世譜　見《三國志》裴注。又《文選》注、《太平御覽》亦引《魏
　　世譜》。

華嶠　譜序　見《三國志》裴注。

庾氏譜　見《三國志・管寧傳》注。

晉世譜　《世説・言語篇》、《政事篇》注。

潘岳　潘氏家譜　《元和姓纂》。

稅氏譜　《水經·淮水》注。

右譜系類，十一家。　失姓名四家。

鄭默　魏中經　《太平御覽》引。王隱《晉書》。

荀勗　晉中經十四卷　《舊唐志》作"中書簿"，《唐志》作"中經簿"，今從《隋

　　志》。《廣韻》九魚引作"中經簿"。《魏志·王肅傳》注稱《晉武帝中書簿》。**新撰**

　　文章家集叙十卷　見《隋志》。兩《唐志》"新"作"雜"，"十卷"作"五卷"。《三

　　國志》注引作"文章叙錄"。

摯虞　文章志四卷　見《隋志》。

傅亮　續文章志二卷　見《隋志》。

顧愷之　晉文章紀　《世説·文學篇》注。**畫讚**　見《世説·巧藝篇》注。

　　《歷代名畫記》又作"論畫篇"。

傅玄　古今畫讚　《北堂書鈔》將帥部。

晉義熙已來新集目錄三卷　見《隋志》。

王朝目錄　《世説·品藻篇》注。

晉元帝書目　《弘明集》引《七錄》。

義熙四年祕閣四部目録　《弘明集》引《七錄》。

右簿錄類，十家。　失姓名四家。

補晋書經籍志卷三

錢塘吴士鑑纂

丙部子録,其類十六。一曰儒家類,二曰道家類,三曰釋家類,四曰法家類,五曰名家類,六曰墨家類,七曰縱横家類,八曰雜家類,九曰小説類,十曰兵家類,十一曰天文類,十二曰曆數類,十三曰五行類,十四曰雜藝術類,十五曰醫方類。

綦毋邃　孟子注九卷　《隋志》:"梁有,亡。"兩《唐志》作"七卷"。

李軌　楊子法言注十三卷　解一卷　見《舊唐志》。《隋志》作"十五卷","五"乃"三"字之訛。《唐志》三卷,脱去"十"字。《解》一卷,蓋亦軌所作。《書録解題》作"《音義》一卷"。

范望　太玄經注十二卷　兩《唐志》並同。《書録解題》云:"晋尚書郎范望叔明解贊,折中長短,或加新意,既成此注,乃以《玄首》一篇,加經贊之上。《玄測》一篇,坿贊之下,爲九篇,列爲四卷。《首》、《測》一序,仍載之第一卷之首。蓋猶王弼離合古《易》之類也。"

殷興　通語十卷　見《隋志》。興,晋尚書左丞。《舊唐志》作"《通語》十卷,文禮撰,殷興續"。《新志》同,"禮"誤作"體"。《意林》引作"八卷"。《吴志·顧邵傳》注云:"殷禮子基作《通語》,禮字德嗣。"又引《文士傳》云:"禮子基著《通語》數十篇。"與《隋》、《唐志》稱殷興者不合,疑此書本基撰,後人誤傳爲其父作,故題"殷禮",而轉寫致誤,乃作"文禮"。《唐志》稱"殷興續"者,或興取基書補之,遂又屬之興耳。

袁準　袁子正論二十卷　兩《唐志》並同。《隋志》十九卷。《北堂書鈔》、《藝文類聚》、《初學記》、《太平御覽》俱引準《才性論》,蓋爲《正論》之一篇。**袁子正書二十五卷**《隋志》云:"梁有,亡。"

孫毓　孫氏成敗志三卷　見《隋》、《唐志》。

王嬰　古今通論二卷　《隋志》:"梁有二卷,亡。嬰,松滋令。"兩《唐志》作"三卷",《通志略》誤作"二十卷"。

鄒湛　**鄒子一卷**　見《意林》。馬國翰《玉函山房輯佚書》定爲晉人。

蔡洪　**蔡氏化清經十卷**　見《隋志》。《意林》、《廣韵》三十九過注引並同。

《初學記》引作"蔡氏清論"。《太平御覽》引作"化清論",兩《唐志》作"清化經",《北堂書鈔》亦作"清化論"。

夏侯湛　**新論十卷**　《隋》、《唐志》並同。《太平御覽》引夏侯子《新論》。本傳載有《抵疑》一篇,當是《新論》佚文。本傳又言:"著《論》三十餘篇,別爲一家之言。"蓋即是書。

楊泉　**楊子物理論十六卷**　兩《唐志》無"楊子"二字,今從《隋志》。

楊子太玄經十四卷　兩《唐志》無"楊子"二字,《通志略》無"經"字,今從《隋志》。

《意林》所引僅百餘言,注云:"望國楊泉字德淵。"

華譚　**新論十卷**　見《隋》、《唐志》。本傳作"三十卷",名曰《辨道》。

虞喜　**志林新書三十卷**　見《隋志》。兩《唐志》作"二十卷"。《史記索隱》、《正義》、《三國志注》、《文選注》並引《志林》。**後林新書十卷**兩《唐志》並同。《隋志》無"新書"二字。**廣林二十四卷**《隋志》云:"梁有,亡。"案《通典》引虞喜《釋滯》三條、《通疑》五條,當爲《志林》、《後林》、《廣林》之二篇。

顧夷　**顧子義訓十卷**　兩《唐志》並同。《太平御覽》亦引作"義訓"。《隋志》無"義訓"二字,《北堂書鈔》誤作"儀訓"。

干寶　**正言十卷**　**立言十卷**　兩《唐志》並同。《隋志》:"梁有《干子》十八卷,干寶撰,亡。"案《通典》載寶《駁招魂議》,《荆楚歲時記》、《太平御覽》引干寶《變化論》,《埤雅·釋魚》引《陰陽自然變化論》,又作"自然論",蓋皆二書之一篇。

王長文　**通玄經四卷**　見本傳。《隋志》:"梁有《通經》二卷,晉丞相從事中郎王長元撰,亡。""長元"爲"長文"之訛。本傳稱梁王肜爲丞相引爲從事中郎,與《隋志》正合。《通志略》作"《通玄》十卷"。

常寬　**典言五篇**　本書寬傳。

趙瑩　**前朝君臣正論二十五卷**　《通志略》。

袁宏　**去伐論**　見《藝文類聚》二十三。案《隋志》云:"梁有《去伐論集》三卷,王粲撰,亡。"兩《唐志》亦載之。今觀《類聚》所引乃題宏撰,蓋與仲宣書適同名耳。

殷羨　**言行**　《世説·品藻篇》注。

華廙　**善文**　本傳云:"集經史要事名曰《善文》。"

陸喜　言道　本傳。

皇甫謐　禮樂聖真論　本傳。

索靖　索子二十卷　本傳。

黃容　黃氏家訓　《華陽國志》容傳。

梅子新論一卷　《隋志》云:"梁有,亡。"《意林》、《太平御覽》引之。《御覽》引有
《梅陶書》,又引梅陶《自叙》,疑《梅子》即梅陶撰。

陸機　正訓十卷　《通志略》、《宋志》並同。

蔡韶　閔論二卷　見《隋志》、《唐志》。

李密　述理篇十篇　《華陽國志》密傳。

慕容皝　典誡十五篇　本書載記。

慕容廆　家令　本書載記。

祖台之　道論　《初學記》。

呂竦　要覽十卷　見《隋志》。兩《唐志》並五卷。

周處　默語三十篇　本傳。

賈充妻李氏　女訓　見本書充傳。《世説·賢媛篇》注引《婦人集》,作"李婉
《典式》八篇"。《太平御覽》作"典誡"。《婦人集》云:"李氏至樂浪,遺二女《典式》
二篇。"

右儒家類,三十五家。　失姓名一家。

羊祜　老子道德經注二卷　又　解釋四卷　均見兩《唐志》。《隋志》
作"《解釋老子經》二卷"。《釋文·序録》亦作"四卷"。本書祜傳作"老子傳"。

孫登　老子道德經注二卷　音一卷　《隋》、《唐志》同。《釋文·序録》作
"集注"。

張憑　老子道德經注二卷　見《隋》、《唐志》。

李軌　老子音一卷　見《隋》、《唐志》。**莊子音一卷**見《隋志》。

傅奕　老子注二卷　見兩《唐志》。**音義二卷**見《宋志》。《唐志》不載《音
義》卷數。

鄧粲　老子注　本傳。

戴逵　老子音一卷　見《隋志》。

劉黃老　老子注　本書《劉波傳》。

蜀才　老子道德經注二卷　見《隋》、《唐志》。

王尚述　老子注二卷　見《隋志》。《釋文·序錄》云：“字君曾，瑯琊人，東晉江州刺史，封杜忠侯。”《通志略》作“尚楚”，兩《唐志》作“王尚”。

袁真　老子注二卷　見《隋》、《唐志》。《釋文·序錄》云：“字彥仁，陳郡人，東晉西中郎將、豫州刺史。”

程韶　老子集解二卷　見《隋志》。兩《唐志》作“集注”。《釋文·序錄》云：“鉅鹿人，東晉郎中、關內侯。”

劉遺民　老子玄譜一卷　見《隋志》。《釋文·序錄》云：“彭城人，東晉柴桑令。”《舊唐志》作“劉道人”。

孟氏　老子注二卷　《隋志》云：“梁有，亡。”《釋文·序錄》曰：“或云孟康。”

郭璞　老子經注　《文選》注引。玉照定真經一卷《永樂大典》目錄。老子道德簡要義五卷　《舊唐志》作“玄景先生注”，“玄景”當爲“玄晏”之訛，皇甫謐所作也。

王浮　老子化胡經　《高僧傳》。

嵇康　莊子注　《釋文》上引“嵇康云”一條。養生論三卷見《隋志》。

潘尼　莊子注　《釋文》上引“潘尼云”一條。

支遁　莊子注　《釋文》上引“支遁云”七條。

王玄古　莊子集解二十卷　見兩《唐志》。

向秀　莊子注二十卷　見《隋》、《唐志》。《釋文·序錄》、本書秀傳言，爲《莊子隱解》。音三卷見《釋文·序錄》。《隋志》：“梁有一卷，亡。”列子注　難嵇康養生論《文選》注引。

郭象　莊子注三十三卷　見《隋志》引《七錄》。《隋志》存三十卷，《目》一卷。《釋文·序錄》、兩《唐志》並十卷。音三卷見《隋志》。

司馬彪　莊子注二十一卷　兩《唐志》及《釋文·序錄》並同。《隋志》十六卷，注云：“二十一卷，今缺。”音三卷見《釋文·序錄》。《隋》、《唐志》作“《注音》一卷”。

李充　釋莊子論二卷　見兩《唐志》。

盧諶　莊子注　本傳。

李頤　**莊子注三十卷**　《隋志》、《釋文·序録》並同。《釋文》作"集解"。兩《唐志》作"《集解》二十卷"。**音一卷**《釋文·序録》。

崔譔　**莊子注十卷**　見《隋》、《唐志》。

徐邈　**莊子音三卷**　**莊子集音三卷**見《隋志》。

張湛　**列子注八卷**　見《隋》、《唐志》。**列子音義一卷**見《宋志》。

宣聘　**宣子二卷**　見《隋》、《唐志》。

陸雲　**陸子十卷**　見《隋》、《唐志》。本傳云："撰《新書》十篇。"

孫綽　**孫子十二卷**　《隋》、《唐志》並同。《宋志》、《通考》、《崇文總目》、《書録解題》並作"十卷"。《高僧傳》引綽《道賢論》、《正像論》、《喻道論》、《名德沙門論》，皆此書之一篇。《文選》謝靈運《晚出西射堂詩》注引作"孫綽子"。

唐滂　**唐子十卷**　《隋志》題吴人。《意林》載是書，有"大晋應期"一語，據此，當入晋以後作。

蘇彦　**蘇子七卷**　見《隋》、《唐志》。

杜夷　**幽求新書二十卷**　見《隋志》。《舊唐志》作"《幽求子》三十卷"，本傳同。《文選·廣絶交論》注亦引作"幽求子"。《魏志·杜畿傳》注引作"杜氏新書"。《太平御覽》六百八引作"杜子新語"。

苻朗　**苻子二十卷**　見《隋志》。兩《唐志》作"三十卷"。本傳稱其著《苻子》數十篇。

晋簡文帝談疏六卷　見《隋志》。

徐苗　**玄微論**　本傳。

陶淵明　**道戒**　《太平御覽》。

阮籍　**通老論**　《太平御覽》。

阮侃　**攝生論二卷**　《隋志》："晋河内太守。"

葛洪　**老子道德經序訣二卷**　見兩《唐志》。《隋志》云："梁有《老子序訣》一卷，葛仙公撰，亡。"**莊子十七卷**見法琳《辨正論》引此書云葛洪修撰。**抱朴子内篇二十一卷**　**音一卷**見《隋志》。洪《自序》與《舊唐志》作"二十卷"，《唐志》作"十卷"。**老子道德經節解一卷**　**抱朴子養生論一卷**　**譯太乙真君固命歌一卷**　**元始上真衆仙記一卷**　**枕中記一卷**

太清玉碑子一卷並《宋志》。《太清玉碑子》，葛洪與鄭惠遠問答。葛仙翁胎息術一卷見《郡齋讀書志》。《通志畧》作"胎息要訣"。陰符十德經十卷　神仙傳畧一卷　老子戒經一卷　葛仙翁叙一卷《崇文總目》入五行。運元真氣圖一卷　五金龍虎歌一卷《崇文總目》入五行。爐鼎要妙圖經一卷　金木萬靈訣一卷　抱朴子別旨一卷　枕中書一卷並《通志畧》。案道家、兵家、天文、五行、醫方諸類，其散見於《隋》、《唐志》者，皆可徵信。若《宋志》、《通志》、《崇文總目》、《郡齋讀書志》、《直齋書錄解題》始著錄者，大都後人偽託，概從刪削，若無左驗，今仍分著各類，不敢逕臆棄取也。

王長生　王真人陰丹訣一卷　《通志畧》。

蘇元明　太清石壁記一卷　龍虎還丹通元要訣二卷　青霞子寶藏論三卷　青霞子授芳君歌一卷　龍虎金液還丹通元論一卷　青霞子龍虎訣妙簡一卷　太清石壁靈草記一卷　並《通志畧》，云："蘇元明，號青霞子，晉太康時人。"

顧谷　顧道士新書論經三卷　《隋志》云："晉方士。"《舊唐志》作"《顧道士論》二卷"。

許遜　太上靈寶淨明飛仙度人經法五卷　太上靈寶淨明飛仙度人經法釋例一卷　太上淨明院補奏職局奏元都省須知一卷　靈劍子一卷　靈劍子引導子午記一卷　並《通志畧》。

姚秦鳩摩羅什　老子注二卷　見兩《唐志》。

右道家類，四十五家。　失名一家。

釋支曇　篇六言梵唄　《高僧傳》十五。

馬允孫　法喜集二卷　省經贊一卷　《通志畧》。允孫，晉太子賓客致仕。

釋法顯譯　大般泥洹經六卷　《閱藏知津》二十五："共覺賢譯。"大般涅槃經三卷　雜藏經　八紙餘。比邱尼僧祇律　波羅提木叉戒經一卷　《閱藏知津》亦云："共覺賢譯。"摩訶僧祇律四十六卷　《高僧傳》二《覺賢傳》云："沙門法顯於西域所得《僧祇律》梵本，復請賢譯爲晉文。"僧祇戒本一卷　見《隋志》道、佛經序錄。《高僧傳》三："法顯於道場寺譯出《摩訶僧祇律》、《方等泥洹經》、《雜阿毗曇心論》，百餘萬言。"

智猛譯　泥洹經二十卷　見《隋志》道、佛經序録。《高僧傳》三列於宋代，惟《隋志》云"晋元熙中新豐沙門智猛得《泥洹經》及《僧祇律》"，則實晋時人也。

天竺沙門曇摩羅懺譯　泥洹經三十卷　譯金光明等經　《隋志》道、佛經序録。

法立譯　曇鉢經五卷　《高僧傳》一云："立又別出小經近百許首，值永嘉末亂，多不復存。"

竺曇摩羅刹譯　賢劫　正法華　光贊等一百六十五部　《高僧傳》一："竺曇摩羅刹本姓支氏，其先月支人，即法護也。"按《法苑珠林·傳記篇》："竺法護有《耆闍崛山解》。"蓋即一人。

聶承遠譯　超日明三昧經二卷　佛説越難經　一紙半。見《閲藏知津》。《高僧傳》一云："《超日明經》初譯，頗多煩重，承遠删正文偈，今行二卷。"

帛遠譯　惟逮　弟子本起　五部僧等三部經　首楞嚴經注　《高僧傳》一："帛遠字法祖，本姓萬氏，河内人。"又言："別譯數部小經，不知其名。"**菩薩修行經半卷**　《閲藏知津》三亦作"白法祖"，"帛"與"白"同音，譯文無定字也。**佛説菩薩逝經**　三紙餘。**佛説大愛道般涅槃經**　六紙餘。**佛般泥洹經二卷　佛説賢者五福經**　一紙欠。以上均見《閲藏知津》。

帛法祚　放光般若經注　顯宗論　《高僧傳》一："法祚，帛遠弟。"

優婆塞衛士度譯　道行般若經二卷　《高僧傳》一："士度，司州汲郡人。"

卑摩羅叉續譯　十誦毗尼序二卷[①]　《閲藏知津》三十三。

帛尸梨蜜多羅　《高僧傳》一云："晋建康建初寺僧。"**譯　佛説大灌頂神呪經十二卷**　《閲藏知津》十二云："北作六卷。"**佛説大孔雀王神呪經**　《閲藏知津》十三云："四紙欠。"《高僧傳》一作《孔雀王經》。**佛説大孔雀王雜神呪經**　《閲藏知津》十三云："十二紙半。"《高僧傳》一作《明諸神呪》。

罽賓僧伽跋澄譯　阿毗曇毗婆沙經　《高僧傳》一云："與釋道安等同譯。"《閲藏知津》四十作"《鞞婆沙論》四十卷"。**婆須蜜經**　與曇摩難提、僧伽提、沙

---

① "二卷"，《續修四庫全書》影印康熙三年夏之鼎刻四十八年朱岸登補修本《閲藏知津》作"三卷"。

門竺佛念等同譯。**尊婆須蜜菩薩所集論十卷**　見《閱藏知津》，北作"十五卷"。

僧伽羅刹所集　佛行經五卷　《閱藏知津》四十一。

苻秦僧曇摩難提譯　阿育王子法益壞目因緣經一卷　《閱藏知津》四十一。**增壹阿含經**　見《閱藏知津》二十六及《高僧傳》、《隋志》序錄。

又　毗曇心　三法度等一百六卷　《高僧傳》一："亦名法喜。"《僧伽提婆傳》又稱《二阿含》、《毗曇廣説》、《三法度》等，凡百餘萬言。

瞿曇僧伽提婆譯　中阿含經六十卷　見《閱藏知津》、《高僧傳》及《隋志》，無卷數。**阿毗曇心及三法度等經**　《高僧傳》一。《隋志》道、佛經序錄云："僧伽提譯《增一阿含經》。"**阿毗曇八犍度論三十卷**　《閱藏知津》。**阿毗曇心論四卷　三法度論三卷**　《閱藏知津》："二書均共慧遠譯。"

罽賓僧曇摩耶舍譯　差摩經一卷　舍利弗阿毗曇經二十二卷　《高僧傳》一。《隋志》道、佛經序錄"耶舍"作"耶含"，云："譯《阿毗曇論》。"**佛説樂瓔珞莊嚴方便經一卷**　《閱藏知津》八。

後秦姚興　通三世論　《高僧傳》二。

姚秦鳩摩羅什譯　十住經六卷　共佛陀耶舍譯。**自在王菩薩經二卷　佛説彌勒成佛經一卷　佛説彌勒下生經**　六紙餘。**維摩詰所説經三卷**　《書錄解題》作"一卷"。**思益梵天所問經四卷　諸法無行經二卷　持世經四卷　富樓那會第十七三卷　善臂菩薩會第二十六二卷　佛説須摩提菩薩經佛説阿彌陀經**　四紙欠。**千佛因緣經一卷　佛説首楞嚴三昧經三卷　莊嚴菩提心經**　六紙欠。**不思議光菩薩所説經一卷　大樹緊那羅王所問經四卷　文殊師利問菩提經**　六紙餘。**大金色孔雀王呪經一卷　摩訶般若波羅密經三十卷**　共僧叡譯。**小品般若波羅密經十卷　金剛般若波羅密經一卷　仁王護國般若波羅密經二卷　摩訶般若波羅密大明呪經**　一紙欠。**妙法蓮華經七卷　觀世音菩薩普門品一卷**　什譯文，闍那笈多譯頌。**集一切福德三昧**

經三卷　佛説放牛經　三紙餘。佛垂般涅槃畧説教誡經　五紙餘。禪祕要法經三卷　佛説海八德經　二紙餘。佛説燈指因緣經　八紙欠。佛説梵網經二卷　佛藏經四卷　清淨毗尼方廣經一卷　十誦律五十八卷　《閲藏知津》三十三云："沙門弗若多羅共鳩摩羅什譯。"《高僧傳·卑摩羅叉傳》云："羅什所譯《十誦》，本五十八卷，最後一誦，謂明受戒法，及諸成美法事，逐其義要，改名《善誦》。又後齎往石澗，①開爲六十一卷，最後一誦，改爲《毗尼誦》，故猶二名存焉。"　又　十誦比尼戒本一卷　十住毗婆沙論十五卷　大智度論一百卷　維摩詰所説經注六卷　北作"十卷"。羅什並僧肇等注。《隋衆經目録》有《維摩經注解》三卷，亦見《高僧傳》，無卷數。十二門論一卷　發菩提心論二卷　中論四卷　《高僧傳》六《釋道融傳》："什出《菩薩戒本》，今行於世。後譯《中論》得二卷"。②本傳及《高僧傳》二有《實相論》二卷。《隋衆經目録》作"一卷"，又有《答問論》二卷。百論二卷　大藏嚴經論十五卷　坐禪三昧法門經二卷　禪法要解經二卷　思惟要畧法　八紙半。菩薩訶色欲法　一紙欠。衆經撰雜譬喻二卷　成實論二十卷　以上均見《閲藏知津》。《高僧傳》二云："鳩摩羅什譯《小品》、《金剛般若》、《十住》、《法華》、《維摩》、《思益》、《首楞嚴》、《持世》、《佛藏》、《菩薩》、《遺教》、《菩提無行》、《呵欲》、《自在王》、《因緣觀》、《小無量壽》、《新賢劫》、《禪經》、《禪法要》、《禪要解》、《彌勒成佛》、《彌勒下生》、《十誦律》、《十誦戒本》、《菩薩戒本》、《釋成實》、《十住》、《中》、《百》、《十二門》，諸論三百餘卷。"《隋志》道、佛經序録有《維摩》、《法華》、《成實論》等諸經，又《十誦律》。

慧觀記　内禁輕重二卷　《高僧傳》二，記卑摩羅叉語。

長安僧佛陀耶舍譯　四分律四十四卷　見《高僧傳》及《隋志》序録。《閲藏知津》作"六十卷"，共竺法念譯。《隋志》"耶舍"作"耶舍"。佛説長阿含經

二十二卷　《閱藏知津》二十九云：“共竺佛念譯。”《高僧傳》二無卷數。四分

戒本一卷　《閱藏知津》。虛空藏菩薩經一卷　《閱藏知津》五。

佛馱跋陀羅　《閱藏知津》一作“佛陀跋陀羅”。譯　觀佛三昧海經六卷

泥洹及修行方便論等一十五部一百十有七卷　見《高僧傳》二，

亦名覺賢。《閱藏知津》五：“《觀佛三昧海經》十卷。”大方廣佛華嚴經六十

卷　文殊師利發願經　二紙餘。大方等如來藏經　九紙半。佛

說出生無量門持經半卷　摩訶僧祇律四十卷　北作“四十六卷”，

共法顯譯。波羅提木叉　僧祇戒本一卷　達磨多羅禪經二卷

均見《閱藏知津》。

北涼沙門曇無讖譯　寫涅槃初分十卷　譯涅槃中分　譯涅槃

後分三十三卷　譯大集　大雲　悲華　地持　優婆塞戒

金光明　海龍王　菩薩戒本等六十餘萬言　見《高僧傳》二。《隋

志》道、佛經序録云：“曇無讖所譯《金光明經》。”《閱藏知津》六：“《金光明經》四卷。”

又卷九：“《悲華經》十卷。”大方廣三戒經三卷　大方等大集經三十

卷　佛說腹中女聽經　二紙半。大般涅槃經四十卷　又有南本

《大般涅槃經》三十六卷。大方等大雲經四卷　佛說文竭陀王經　三

紙欠。優婆塞戒經七卷　菩薩地持經八卷　佛所行讚經八卷

均見《閱藏知津》卷三、卷四、卷八。

北涼安陽侯沮渠京聲譯　觀世音　彌勒　二觀經各一卷　譯

佛母般泥洹經一卷　《高僧傳》二。沮渠蒙遜從弟。治禪病祕要經二

卷　《閱藏知津》三十。

浮陀跋摩譯　毗婆沙論一百卷　《高僧傳》三，亦名覺鎧，沮渠牧犍時僧。

《閱藏知津》四十作“《阿毗曇毗婆沙論》八十二卷”。北作“八十卷”，共道泰譯。

朱仕行譯　放光般若經　見《隋志》佛經序録。《高僧傳》四作《朱士行傳》云：

“士行得梵書正本，凡九十章。投經火中，火即爲滅。河南居士竺叔蘭譯爲晉文，稱

爲《放光般若》。太安二年，支孝龍就叔蘭一時寫五部，校爲定本。時未有品目，舊本

十四匹縑，今寫爲二十卷。”

康法暢　人物始義論　見《高僧傳》四。《大唐内典目録》作“一卷”。

支敏度傳譯　經録　見《高僧傳》四。《大唐内典目録》作"《經論都録》一卷"。

康法邃　譬喻經十卷　見《大唐内典目録》。

竺法雅　格義　《高僧傳》四。

剡葛峴山僧竺法崇　法華義疏四卷　《高僧傳》四。

東莞竺僧度　毗曇旨歸　見《高僧傳》四。《大唐内典目録》、《法苑珠林·傳記篇》皆作"一卷"。

河内竺慧超　勝鬘經注　《高僧傳》四。

釋道安　般若道行密迹安般諸經注二十二卷　見《高僧傳》五。《隋衆經目録》有《般若經注解》一卷，《光讚般若畧解》二卷，《金剛密迹經畧解》一卷。《大唐内典目録》有《般若析疑畧》二卷，《般若析疑準》一卷，《道行集異注》一卷，《密亦持心二經甄解》一卷，《安般守意解》一卷。經録　《高僧傳》五。又卷十引《經録》。僧尼軌範　佛法憲章　《高僧傳》五。綜理衆經目録一卷　《大唐内典目録》。答法汰難二卷　光讚析中解一卷　均見《大唐内典目録》。光讚鈔解一卷　起盡解一卷　賢劫諸度無極解一卷　均見《大唐衆經目録》。人本欲生注撮解一卷　衆經十法連雜解一卷　義指注解一卷　九十八結連劫通解一卷　三十二相解一卷　三界混然諸偽雜録一卷　答法將難一卷　均見《大唐内典目録》。大品經序一卷　了本生死經注序一卷　增一阿含經序一卷　中阿含經序一卷　十四卷鞞婆序一卷　十法句義序一卷　賢劫經畧解一卷　持心梵天經畧解一卷　人欲生經注解一卷　了本生死經注解一卷　十二門經注解一卷　十二門禪經注解一卷　陰持入經注解一卷　大道地經注解二卷　均見《隋衆經目録》。《大唐内典目録》作"《大十二門注解》二卷，《小十二門注解》一卷，《大道地解》一卷，《陰持入注解》二卷"。泥洹經注　見《文選》注。

瓦官寺僧支遁　釋矇論　切悟章　安般四禪諸經注　莊子逍遥篇注　見《高僧傳》四。《大唐内典目録》："《釋矇論》一卷。"即色游玄論一卷　見《大唐内典目録》。《世説》注引遁《即色論》。辨三乘論一卷　聖

不辨智論一卷　本業經序一卷　四本起禪序一卷　道行指
歸一卷　<small>均見《大唐内典目録》。</small>

支僧敦　人物始義論　<small>《高僧傳》五。</small>

竺法汰　義疏本無義論　<small>《高僧傳》五。</small>

竺僧敷　神無形論　放光　道行等經義疏　<small>見《高僧傳》五。《大唐内</small>
<small>典目録》："《神無形論》一卷。"</small>

僧衞　十住經注解　<small>《高僧傳》五。</small>

釋曇徽　立本論九篇　六識旨歸十二首　<small>見《高僧傳》五,亦見《大唐内</small>
<small>典目録》。</small>

釋慧遠　法性論　<small>見《高僧傳》六。《隋衆經目録》作"一卷"。</small>大智論序
<small>見《高僧傳》六。《大唐内典目録》作《大智度論序》。</small>大智論要文二十卷　<small>見</small>
<small>《高僧傳》六。《大唐内典目録》作"《大智度論要畧鈔》二十卷",《隋衆經目録》作"《釋</small>
<small>論》二十卷"。</small>天竺佛影銘　<small>見《高僧傳》。《大唐内典目録》作"佛影贊"。</small>沙
門不敬王者論五篇　<small>《高僧傳》六。文載《宏明集》。《隋衆經目録》作"一</small>
<small>卷"。</small>問大乘中深義十八科三卷　釋三報論二卷　阿毗雲心
論序　妙法蓮華經序　<small>均見《大唐内典目録》。</small>修行方便禪經序一
卷　三法度論序明報應論一卷　辨心識論一卷　沙門祖服
論一卷　<small>均見《隋衆經目録》。</small>

釋道慈　筆受阿毗雲心論四卷　<small>見《大唐内典目録》。</small>

竺道生　維摩詰經注　<small>見《文選》注。</small>十四科元贊義記一卷　<small>《宋·</small>
<small>萟文志》。</small>

釋道流　道祖　諸經目　<small>《高僧傳》六云:"道流撰《諸經目》未就,道祖爲成之。"</small>

曇詵　維摩經　窮通論　<small>見《高僧傳》六。《法苑珠林·傳記篇》作"《維摩</small>
<small>經注》五卷,《窮通論》一卷"。</small>

釋道融　法華　大品　金光明　十地　維摩等義疏　<small>《高僧</small>
<small>傳》六。</small>

釋曇影　法華義疏四卷　中論注　<small>《高僧傳》六。</small>

釋僧叡　大智論　十二門論　中論　序大小品　法華　維摩

思益　自在王禪經序　見《高僧傳》六。① 《隋衆經目錄》有《大品經序》一卷，《小品經序》一卷，《法華經後序》一卷，《維摩詰經序》一卷，《思益經序》一卷，《自在王經序一卷》。道行經序一卷　關中出經序一卷　十部律序一卷　《隋衆經目錄》。大秦衆經目錄　《大唐内典目錄》。

釋道恒　釋駮論　百行箴　標作舍利弗毗曇序　見《高僧傳》六。② 又云："並《弔王喬文》，行於世。"《法苑珠林·傳記篇》："《釋駮論》一卷。"

釋僧肇　般若無知論　不真空論　物不遷論　涅槃無名論　見《高僧傳》六。③ 《大唐内典目錄》皆作"一卷"。《文選》注引《涅槃論》。丈六即真論一卷　見《隋衆經目錄》。寶藏論三卷　《宋志》、《通志略》並同。《宋志》又複出一卷。案《宋志》、《文獻通考》有《肇論》四卷，《通志略》有《肇論》二卷，云："唐僧瑶光注。"蓋統諸論而言。《閱藏知津》三十九有《肇論》三卷，《寶藏論》一卷。維摩經注解五卷　長阿含經序一卷　見《隋衆經目錄》。《高僧傳》云："並注《維摩》及製諸經論序。"《宋志》作"《譯維摩經》十卷"。

竺佛調譯　法鏡經　十慧等經　《高僧傳》十。

竺法護譯　菩薩十住行道品經　七紙欠。漸備一切智德經五卷　等目菩薩所問三昧經三卷　佛説如來興顯經四卷　度世品經六卷　《閱藏知津》一。密迹金剛力士會第三七卷　淨居天子會第四二卷　《閱藏知津》二。寶髻菩薩會第四十七二卷　佛説普門品經一卷　佛説胞胎經一卷　文殊師利佛土嚴淨經二卷　郁迦羅越問菩薩行經一卷　幻士仁賢經一卷　佛説須摩提經　佛説阿闍世王女阿述達菩薩經一卷　佛説離垢施女經一卷　同上，三。佛説如幻三昧經三卷　太子刷護經慧

上菩薩問大善權經二卷　彌勒菩薩所問本願經 《閱藏知津》三。
大哀經八卷　寶女所問經四卷　無言童子經二卷 《閱藏知津》
四。阿差末菩薩經七卷　賢劫經十卷　佛說八陽神呪經 二
紙半。佛說滅十方冥經 六紙。佛說寶網經三卷　佛說觀彌勒
菩薩下生經 六紙半。大方等頂王經一卷　諸佛要集經二卷
　持心梵天所問經四卷　普超三昧經四卷　三昧宏通廣顯
定意經四卷　佛說海龍王經四卷　佛說無垢賢女經 三紙欠。
持人菩薩所問經四卷　佛說文殊師利現寶藏經二卷　順權
方便經二卷　佛說大淨法門品經一卷　梵女首意經 四紙餘。
佛說無極寶三昧經二卷　佛說魔逆經一卷　須真天子經二
卷　普曜經八卷　佛說太子沐魄經 二紙半。佛說鹿母經 二
紙。過去佛分衛經 一紙餘。佛說賴吒和羅所問德光太子經一
卷　如來獨證自誓三昧經 六紙餘。佛說見忉利天爲母說法
經三卷　佛說孟蘭盆經 一紙半。佛說月光童子經 七紙半。
佛說心明經 二紙半。佛說龍施菩薩本起經 三紙半。佛說乳
光佛經 五紙半。佛說菩薩行五十緣身經 四紙半。佛說決定
總持經 七紙半。佛說無所希望經一卷　佛說四輩經 二紙半。
佛說四不可得經 四紙餘。光讚般若波羅密經十卷　正法華
經十卷　阿惟越致遮經四卷　佛說方等般泥洹經二卷　等
集眾德三昧經三卷　佛說央崛魔經 五紙。佛說央崛髻經
五紙。佛說力士移山經 四紙半。佛說四未曾有法經 一紙餘。
佛說離睡經 二紙餘。佛說受歲經 三紙餘。佛說樂想經 一紙
欠。佛說尊上經 三紙欠。佛說應法經 三紙餘。佛說聖法印經
一紙餘。佛說當來變經 二紙。佛說槃後灌臘經 一紙餘。佛
說生經五卷　五百弟子自說本起經一卷　舍頭諫經一卷
佛說大迦葉本經 四紙餘。琉璃王經 六紙。佛說所欲致患經
四紙半。佛說四自侵經 四紙欠。佛說身觀經 二紙欠。分別

經　四紙餘。**佛說文殊師利淨律經一卷**　**佛說文殊悔過一卷**
修行道地經八卷　**法觀經**　四紙半。以上均見《閱藏知津》。**衆經**
目一卷　《法苑珠林》。

聶道真譯　**諸菩薩求佛本業經**　九紙半。《閱藏知津》一。**無垢施菩**
薩應辯會第三十三一卷　《閱藏知津》三。**文殊師利般涅槃經**
四紙欠。《閱藏知津》五。**异出菩薩本起經**　十一紙。《閱藏知津》二十九。
三曼陀颰陀羅菩薩經　六紙。**菩薩受戒經**　二紙餘。見《閱藏知
津》。案《高僧傳》一，道真，承遠子。

前涼優婆塞支施崙譯　**佛說須賴經一卷**　《閱藏知津》三。

佛說決定毗尼經一卷　《閱藏知津》三。北云"東晉録"，失譯人名。南云"燉煌
三藏譯"。

太子和休經　《閱藏知津》三："西晉録，失譯人名。"

佛說摩訶衍寶嚴經一卷　《閱藏知津》三云："晋代，失譯師名。"

佛說大方廣十輪經八卷　《閱藏知津》四云："北涼録，失譯人名。"

北涼沙門釋法盛　**菩薩投身飼餓虎起塔因緣經**　《閱藏知津》六云：
"十紙餘。"

佛說放鉢經一卷　《閱藏知津》八云："西晉録，失譯人名。"

釋祇多密譯　**佛說菩薩十住經**　十紙欠。①**寶如來三昧經二卷**
《閱藏知津》一。②

度諸佛境界智光嚴經一卷　《閱藏知津》一云："附三秦録。"

佛說方等泥洹經二卷　《閱藏知津》二十九云："附東晉録。"

佛說彌勒來時經　《閱藏知津》五云："二紙餘，附東晋，第四譯。"

別譯雜阿含經二十卷　《閱藏知津》二十九云："今作十六卷，附秦録。"

佛說師子月佛本生經　《閱藏知津》五云："六紙半，新附三秦録。"

---

　　①　"十紙欠"，《續修四庫全書》影印康熙三年夏之鼎刻四十八年朱岸登補修本《閱
藏知津》作"四紙欠"。

　　②　"一"，據《續修四庫全書》影印康熙三年夏之鼎刻四十八年朱岸登補修本《閱藏
知津》，當作"八"。

佛説滿願子經　《閲藏知津》二十九云："二紙欠，附東晉録。"

大方廣如來祕藏經二卷　《閲藏知津》八云："北作一卷，三秦録。"

佛説金剛三昧本性清淨不壞不滅經　《閲藏知津》八云："七紙欠，新附三秦録。"

佛滅度後棺斂葬送經　《閲藏知津》二十九云："二紙半，附西晉録。"

大乘大悲芬陀利經八卷　《閲藏知津》九云："附三秦録。"

菩薩本行經三卷　《閲藏知津》九云："附東晉録。"

乞伏秦釋聖堅譯　佛説羅摩伽經四卷　《閲藏知津》一。太子須大拏經一卷　佛説睒子經　五紙。佛説賢首經　二紙欠。演道俗業經　九紙。佛説灌洗佛經　一紙半。《閲藏知津》九。佛説無崖際總持法門經一卷　《閲藏知津》十。阿難分別經　四紙半。佛説婦人遇辜經　一紙餘。除恐災患經一卷　均見《閲藏知津》。

菩薩睒子經　《閲藏知津》九云："六紙欠，附西晉録。"

佛説長壽王經　《閲藏知津》九云："四紙餘。附西晉録，第二出。"

安息沙門安法領譯　道神足無極變化經四卷　《閲藏知津》九。阿育王傳五卷　《閲藏知津》。

佛説報恩奉盆經　《閲藏知津》九云："一紙欠。附東晉録。"

西域沙門竺曇無蘭譯①　採華違王上佛授決經　《閲藏知津》九云："二紙欠。"佛説陀鄰尼鉢經　二紙。《閲藏知津》十二。幻師颰陀神呪經　一紙餘。佛説摩尼羅亶經　二紙半。佛説檀持羅麻油述經　一紙餘。《閲藏知津》十四。佛説呪時氣病經　半紙。佛説呪齒經　七行。佛説呪目經　四行。佛説呪小兒經　五行。佛説四泥犁經　一紙半。玉耶經　四紙欠。佛説國王不黎先尼十夢經　四紙欠。佛説鐵城泥犁經　四紙餘。佛説阿耨颰經　五紙。佛説梵志頞波羅延問種尊經　六紙。佛説泥犁經　十一紙欠。佛説寂

_____

① "譯"字原脱，據《閲藏知津》及本書体例補。

志梁經一卷　**佛說水沫所漂經** 二紙欠。**佛說戒德香經** 一紙餘。**佛說阿鵰阿那含經** 一紙半。**佛說自愛經** 四紙欠。**佛說大魚事經** 一紙欠。**佛說中心經** 四紙餘。**佛說新歲經** 四紙。**佛說比丘聽施經** 二紙餘。**佛說見正經** 五紙半。**佛說阿難七夢經** 一紙欠。**佛說五苦章句經** 十二紙欠。**伽葉赴佛般涅槃經** 二紙欠。均見《閱藏知津》。

釋法炬譯　**佛說優填王經** 四紙餘。《閱藏知津》三。**佛說前世三轉經** 六紙。**佛說阿闍世王受決經** 三紙半欠。**佛說灌佛經** 一紙半。《閱藏知津》九。**佛說波斯匿王太后崩塵土坌身經** 二紙半。**頻婆娑羅王詣佛供養經** 四紙半。**佛說恒水經** 三紙欠。**佛說頂生王故事經** 五紙欠。**佛說求欲經** 九紙餘。**佛說苦陰因事經** 四紙半。**佛說瞻婆比丘經** 二紙半餘。**佛說伏婬經** 二紙餘。**佛說數經** 四紙餘。**佛說樓炭經六卷** 共法立譯。**難提釋經** 三紙半。**佛說相應相可經** 一紙欠。**慯法經** 一紙。**佛說羅云忍辱經** 二紙半。**阿闍世王問五逆經** 四紙餘。**佛說法海經** 二紙半。**佛說沙曷比丘功德經** 二紙。**比丘避女惡名欲自殺經** 一紙欠。**佛說犁牛譬經** 一紙餘。**佛爲年少比丘說正事經** 一紙半。**諸德福田經** 五紙餘。與法立同譯。**法句譬喻經四卷** 共法立譯。均見《閱藏知津》。案《高僧傳》一作"法巨",與法立同附《維祇難傳》,云:"法立別出小經近百許首,值永嘉末亂,多不復存。"蓋即指與法炬所譯諸經也。

西域沙門迦留譯[①]　**十二遊經** 《閱藏知津》四十一云:"四紙半。"

苻秦沙門鳩摩羅佛提譯　**四阿含暮抄解二卷** 《閱藏知津》四十。

佛說梵志計水淨經 《閱藏知津》二十八云:"一紙半。失譯人名,附東晋録。"

佛說古來世時經 《閱藏知津》二十八云:"四紙餘。失譯人名,附東晋録。"

佛本緣本致經 《閱藏知津》二十八云:"一紙餘。失譯人名,附東晋録。"**佛說**

① "譯"字原脱,據《閱藏知津》及本書体例補。

鹹水喻經　《閱藏知津》二十八云："一紙半。失譯人名,附西晋録。"

支法度譯　佛説逝童子經　《閱藏知津》九云："二紙半。"**佛説善生子經**

《閱藏知津》二十八云："六紙半。"

佛説稻稈經　《閱藏知津》九云："六紙欠。附東晋録。"

佛説造立形像福報經　《閱藏知津》九云："三紙餘。附東晋録。"

佛説法常住經　《閱藏知津》十五云："一紙餘。附西晋録。"

北涼沙門釋法衆　大方等陀羅尼經四卷　《閱藏知津》十二。

師子奮迅菩薩所問經　《閱藏知津》十三云："二紙。附東晋録。"

佛説華聚陀羅尼呪經　《閱藏知津》十三云："二紙餘。附東晋録。"

善法方便陀羅尼經　《閱藏知津》十三云："五紙餘。附東晋録。"

金剛秘密善門陀羅經　《閱藏知津》十三云："四紙半。附東晋録。"

六字呪王經　《閱藏知津》十三云："四紙餘。附東晋録。"

竺難提譯　請觀世音菩薩消伏毒害陀羅尼經一卷　《閱藏知津》

十四。

佛説箭喻經　《閱藏知津》二十八云："三紙餘。附東晋録,失譯人名。"

佛説辟除賊害呪經　《閱藏知津》十四云："半紙餘。附東晋録。"

無羅叉譯　放光般若波羅密多經三十卷　《閱藏知津》二十三云："共竺

叔蘭譯。"案此即《高僧傳・朱士行傳》所言。

苻秦沙門曇摩蜱譯　摩訶般若波羅密鈔經五卷　《閱藏知津》二十三

云："共竺法念譯。"

三歸五戒慈心厭離功德經　《閱藏知津》二十八云："一紙欠。附東晋録。"

佛説兜調經　《閱藏知津》二十八云："三紙餘。失譯人名,附西晋録。"

舍衛國王夢見十事經　《閱藏知津》云："三紙半。失譯人名,附西晋録。"

玉耶女經　《閱藏知津》二十六云："三紙欠。西晋録,失譯人名。"

食施獲五福報經　《閱藏知津》二十六云："一紙餘。東晋録。"

薩曇芬陀利經半卷　《閱藏知津》二十四云："附西晋録。"

金剛三昧經二卷　《閱藏知津》二十四云："出北涼録。"

北涼沙門釋道泰譯　入大乘論二卷　大丈夫論二卷　《閱藏知津》
三十八。

沙門若羅嚴譯　佛說時非時經　《閱藏知津》二十一云："二紙。"

姚秦沙門竺法念譯　十住斷結經十四卷　《閱藏知津》七云："十四卷，
今作十二卷。"**菩薩瓔珞經二十卷**　《閱藏知津》云："十三卷，今作二十卷。"

**菩薩處胎經五卷　中陰經二卷　菩薩瓔珞本業經二卷　戒
因緣經十卷　出曜經二十卷**　均見《閱藏知津》。案《高僧傳》一作"竺佛
念"，云："自出《菩薩瓔珞》、《十住》、《斷結》及《出曜》、《胎經》、《中陰經》等。"

摩鄧女解形中六事經　《閱藏知津》三十云："二紙餘。附東晋錄。"

餓鬼報應經　《閱藏知津》三十云："六紙欠。失譯人名，附東晋錄。"

佛說出家功德經　《閱藏知津》三十云："四紙餘。失譯人名，附三秦錄。"

佛說梵摩難國王經　《閱藏知津》三十云："一紙餘。失譯人名，附西晋錄。"

佛說普達王經　《閱藏知津》三十云："三紙欠。失譯人名，附西晋錄。"

佛說五王經　《閱藏知津》三十云："四紙餘。失譯人名，附東晋錄。"

佛說無上處經　《閱藏知津》三十一云："半紙餘。失譯人名，附東晋錄。"

盧至長者因緣經一卷　《閱藏知津》三十一云："失譯人名，附東晋錄。"

佛說鬼母子經　《閱藏知津》三十一云："三紙欠。失譯人名，附西晋錄。"

佛說得道梯隥錫杖經　《閱藏知津》三十一云："五紙欠。失譯人名，附東
晋錄。"

佛說頞多和多耆經　《閱藏知津》三十一云："一紙餘。失譯人名，附西晋錄。"

佛說佛治身經　《閱藏知津》三十一云："一紙欠。失譯人名，今附西晋錄。"

佛說治意經　《閱藏知津》三十一云："一紙欠。失譯人名，今附西晋錄。"

佛說木槵經　《閱藏知津》三十一云："一紙餘。失譯人名，附東晋錄。"

佛說護淨經　《閱藏知津》三十一云："二紙。失譯人名，附東晋錄。"

佛說因緣僧護經一卷　《閱藏知津》三十一云："失譯人名，附東晋錄。"

薩婆多毗尼毗婆沙八卷　續一卷　《閱藏知津》三十三云："附三秦錄。"

毗尼母經八卷　《閱藏知津》三十三云："附秦錄。"

舍利弗問經　《閱藏知津》三十三云:"十三紙半。東晉録,失譯人名。"

沙彌十戒法并威儀一卷　《閱藏知津》三十三云:"附東晉録。"

佛説大愛道比丘尼經二卷　《閱藏知津》三十三云:"北涼録,失譯人名。"

佛説目連問戒律中五百輕重事經一卷　《閱藏知津》三十三云:"西晉録,失譯人名。"

三彌底部論三卷　《閱藏知津》四十云:"失譯人名,今附三秦録。"

辟支佛因緣論一卷　《閱藏知津》四十云:"失譯人名,今附秦録。"

三慧經　《閱藏知津》四十一云:"十一紙。北涼録,失譯人名。"

佛使比丘迦旃延説法没盡偈　《閱藏知津》四十一云:"五紙餘。西晉録,失譯人名。"

撰集三藏及雜藏傳　《閱藏知津》四十一云:"七紙餘。失譯人名,附東晉録。"

那先比丘經三卷　《閱藏知津》四十一云:"失譯人名,附東晉録。"

阿育王譬喻經　《閱藏知津》四十一云:"五紙餘。失譯人名,附東晉録。"

無明羅刹經一卷　《閱藏知津》四十一云:"失譯人名,今附秦録。"

右釋家類,一百四十一家。　失姓名七十一家。

滕輔　慎子注十卷　見兩《唐志》。

劉黄老　慎子注　本書《劉波傳》。

黄命　蔡司徒難論五卷　《隋志》:"晉三公令史。梁有,亡。"

氾毓　肉刑論　本傳。

右法家類,四家。

涼劉昞　注人物志三卷　見兩《唐志》,惟"昞"作"炳",今從《隋志》史部改正。

張湛　文子注　見《文選》注。

右名家類,二家。

魯勝　注墨辨　本傳。

右墨家類,一家。

皇甫謐　鬼谷子注三卷　見《隋志》。

右縱横家類,一家。

司馬彪　獨斷注　《文選》注引。

傅玄　傅子一百二十卷　見《隋》、《唐志》。《崇文總目》止五卷，《宋志》、《通志畧》並同，入儒術。本傳云：“《傅子》內、外、中篇，一百四十首。”

張顯　析言論二十卷　古今訓十一卷　《隋志》：“晉議郎。”

楊偉　時務論十二卷　桑丘先生書二卷　見《隋志》，晉征南軍師。案《晉書》無偉傳，《律曆志》載其所造《景初曆》，稱魏尚書郎楊偉。《魏志·曹爽傳》有偉語，裴注引《魏晉世語》云：“偉字世英，馮翊人。”蓋偉本魏臣，稱征南軍師者，入晉以後官也。

孔衍　說林二卷　見《隋志》。兩《唐志》並五卷。《通志畧》入小說類。《通典》引衍《乖離傳論》。

葛洪　抱朴子外篇五十一卷　《隋志》三十卷，注云：“梁有五十一卷，亡。”《舊唐志》及《書錄解題》引《館閣書目》作“五十卷”，與葛氏《自序》同。《唐志》作“二十卷”，《通志畧》依《隋志》作“三十卷”，《郡齋讀書志》、《通考》作“十卷”。**方技雜事三百十卷**　本傳。

崔豹　古今注三卷　《隋》、《唐志》並同。《唐志》重見儀注類，一卷。《舊唐志》五卷。《北堂書鈔》引作“古今雜記”。

鄧粲　元明記十篇　本傳。

殷仲堪　論集九十六卷　《隋志》八十六卷，注云：“梁九十六卷，亡。”

謝萬　八賢論　見本傳。《世說》注亦引之。

張華　博物志十卷　兩《唐志》入小說類，今從《隋志》。本傳作“十篇”。**張公雜記五卷**　《隋志》一卷，注云：“梁有五卷，與《博物志》小小不同。”**雜記十一卷**　見《隋志》。**異物評二卷**　見《宋志》。

庾法暢　人物論　《世說》注。

孟儀　子林二十卷　見《隋》、《唐志》。

戴逵　纂要一卷　《隋志》：“戴安道撰，亦云顏延之撰。”

徐廣　雜記　戴凱之《竹譜》引。

李軌　異同志　《玉燭寶典》引。

陸機　要覽三卷　兩《唐志》並同。《玉海》載機《自序》：“上曰《連璧》，中曰《述閒》，下曰《析名》，皆篇目也。"又宋李淑《邯鄲書目》亦引《要覽》，則此書至宋時猶存。《宋志》作"《會要》一卷"。《太平御覽》時序部引陸機《纂要》。

郭義恭　廣志二卷　見《隋志》。

王延秀　感應傳八卷　《隋志》："晋尚書郎。"《唐志》入小説類。

孫盛　雜記　《三國志》注。

薛瑩　新議八篇　《吳志》。

李嵩　行事記　《通典》禮類。

何攀　時務論五篇　《華陽國志》攀傳。

陸喜　訪論西州清論審機　本傳。

右雜家類，二十四家。

郭澄之　郭子三卷　《隋志》："東晋中郎郭澄之撰。"《唐志》云："賈泉注。"

裴啟　語林十卷　《隋志》："啟，東晋處士。梁有十卷，亡。"《世説・文學篇》注引《裴氏家傳》云："裴榮字榮期，河東人，少有風姿才氣，好論古今人物，撰《語林》數卷，號曰《裴子》，檀道鸞謂裴松之以爲啟作《語林》。榮儻別名啟乎？"又《輕詆篇》注引《續晋陽秋》曰："晋隆和中，河東裴啟撰漢、魏以來迄於今時應對之可稱者，謂之《語林》。"是作《語林》者爲裴啟，非裴榮矣。又晋人范啟字榮期，見《世説》。古人名字每多相應，則裴啟之字榮期與范正同，是又一證。

郭頒　羣英論一卷　見《隋志》。

劉徽　魯史欹器圖注一卷　見《隋志》。兩《唐志》入儒家。

孔氏志怪　見《唐志》。《世説・方正篇》注引之，當是晋人所作。

張華　師曠禽經注一卷　《書録解題》、《宋志》。

魯褒　錢神論一卷　見《崇文總目》。《通志畧》、本傳亦載此論。

成公綏　錢神論　《太平御覽》。

陸氏異林　《魏志・鍾繇傳》注引此書，有"叔父清河大守"語，裴氏謂清河陸雲也。

右小説類，九家。　失名二家。

司馬彪　兵記八卷　見《隋志》，云："一本二十卷。"兩《唐志》並作"十二卷"。戰畧　見《三國志》注。《太平御覽》引作"戰經"。

孔衍　兵林六卷　見《隋》、《唐志》。

葛洪　兵法孤虛月時祕要法一卷　見《唐志》。

陶侃　六軍鑑要一卷　見《宋志》。

馬隆　署序風后握機一卷　見《宋志》。高似孫《子署》作"握奇經述讚"。

庾袞　保聚圖一卷　《郡齋讀書志》。

慕容氏　兵法一卷　《隋志》云："梁有，亡。"案慕容氏當是十六國時人。

右兵家類，七家。　失名一家。

虞聳　穹天論　《晉書》、《隋書·天文志》、《太平御覽》皆載之。《吳志·虞翻傳》注引《會稽典錄》："聳字世龍，翻第六子，入晉除河間相。"《太平御覽》引作"虞昺"，蓋誤。

虞喜　安天論六卷　《隋志》云："梁有，亡。"兩《唐志》作"一卷"。

陳卓　石氏星經記七卷　天文集占十卷　天文星占十卷　四方宿占十卷　五星占一卷　見《隋志》。《天文集占》，兩《唐志》作"七卷"。《四方宿占》，《隋志》云："梁四卷。"《唐志》作"星占"，與《隋志》卷同。卓，晉太史令。

星圖定紀　本書《天文志》。

韓楊　天文要集四十卷　《隋志》："楊，晉太史令。"

張華　乾象錄一卷　小象賦一卷　三家星歌一卷　玉函寶鑑星辰圖一卷　渾天列宿應見經十二卷　衆星配位天隔圖一卷　並《宋志》。小象千字詩一卷　《通志署》。

郭璞　星經一卷　《通志署》。

郭琦　天文志　本傳。

魯勝　正天論　本傳。

劉智　天論　《開元占經》。

右天文類，九家。

楊偉　魏景初曆三卷　見《隋志》。《舊唐志》"偉"誤"禕"。《唐志》作"二卷"。景初曆術二卷　景初曆法三卷　又一本五卷，均見《隋志》。漏刻經一卷　《隋志》云："梁有，霍融、何承天、楊偉等撰，三卷。"蓋各一卷也。

劉智　正曆四卷　《隋志》："智，晉太常。"《唐志》注云："薛夏訓。"　又

太始術　《律曆志》。

皇甫謐　朔氣長曆二卷　見《隋志》。

王朔之　永和通曆　《律曆志》。

李修　卜顯　乾度曆　《律曆志》引《春秋長曆》説。《長曆》“卜顯”作“夏顯”。《續漢志》注亦引作“夏顯”。

陸喜　古今曆　本傳。

姜岌　三紀甲子元曆　見本書《律曆志》。《隋志》有《姜氏三紀曆》一卷，當即是書。曆序一卷　《隋志》云：“姜氏撰。”即在《三紀曆》之次，當爲岌撰。《唐志》有《姜氏曆術》三卷。京氏要集曆術四卷　《隋志》云：“梁有，亡。”渾天論　《律曆志》。

徐廣　既往七曜曆　見《宋書·曆志》。《世説》注引作“廣律紀”。

劉徽　九章算術十卷　九章重差圖一卷　海島算經一卷　謹按《四庫書目》據徽《九章算術·自序》有“輒造《重差》，並爲注解，綴於句股之下”數語，謂《隋志》《九章算術》十卷，蓋以《九章》九卷，合《重差圖》而十。海島之名，古無所見，後人因卷首以海島之表設問而改斯名，是《重差》乃十卷之一，而《海島算經》又爲《重差圖》之改題。《隋志》無《海島算經》，而《重差圖》已别見於算術之外，可知唐初尚未改爲海島。今仍依《唐志》分别爲三，以《海島算經》其書猶在，不能不存其名也。

涼趙㢸　河西甲寅元曆一卷　甲寅元曆序一卷　見《隋志》。兩《唐志》又有《河西壬辰元曆》一卷。案北涼建國始於丁酉，終於己卯，無壬辰年，蓋“甲寅”之誤文　。陰陽曆術一卷　七曜曆數算經一卷　見《隋志》。㢸，涼太史。《隋志》復有趙㢸《算經》一卷。乾度曆　《金樓子·自序篇》云：“涼國太史令趙㢸造《乾度曆》。二十年，以心疾卒。”

張亢　述曆贊一篇　《張載傳》：“弟亢領佐著作。”《述曆贊》一篇見《律曆志》，今志無之。

楊沖景　初壬辰元曆一卷　見《隋志》。

右曆數類，十二家。

郭公青囊中經九卷　見郭璞本傳。

郭璞　易洞林三卷　見《隋志》。兩《唐志》作“周易洞林解”。《宋志》、《崇文總目》皆一卷。**周易新林四卷** 見《隋志》。本傳作“十篇”。**周易新林九卷** 見《隋志》。與上四卷本分著。**周易林五卷** 《隋志》云：“梁有，亡。”**易立成林二卷** 《隋志》題郭氏，蓋亦璞書。**易腦一卷** 見兩《唐志》，題“郭氏撰”，蓋亦璞所作。《隋志》有《易腦經》一卷，誤作鄭氏。**卜韻一篇** 見本傳。《神仙傳》引作“卜繇”。**周易玄義經一卷** 《宋志》。**易斗圖一卷 易八卦命錄斗内圖一卷** 並見《隋志》。**三命通照神白經三卷 葬書一卷** 並《宋志》。**易通統卦驗元圖一卷 易新圖序一卷 撥沙成明經一卷 錦囊經一卷 元堂品決三卷 周易穿地林一卷 地理碎金式一卷 八仙山水經一卷 周易竅書三卷** 並《通志畧》。**周易括地林一卷** 《通志畧》、《崇文總目》。**青囊補注三卷** 《通考》、《郡齋讀書志》。

徐苗 周易筮占二十四卷 見《隋》、《唐志》。

葛洪 周易雜占十卷 《隋志》云：“梁有，亡。”**三元遯甲圖三卷** 見《隋》、《唐志》。《隋志》不著撰人。**遯甲肘後立成囊中秘一卷 遯甲反覆圖一卷 遯甲要用四卷 遯甲祕要一卷 遯甲要一卷 龜訣一卷** 均見《隋志》。**五岳真形圖文一卷 五經龍虎歌一卷** 見《崇文總目》。

張華 三鑑靈書三卷 見《宋志》。

苗鋭 廣聖曆一卷 《通志畧》。

索靖 五行三統正驗論 本傳。

郭琦 五行傳注 本傳。

晉災異簿二卷 見《隋志》。

晉玄石圖一卷 見《隋志》。

晉德易天圖二卷 見《隋志》。

史道規 周穆王八駿圖一卷 《通志畧》。

右五行類，十二家。 失姓名四家。

范汪等 圍棊九品序錄五卷 見《隋志》。兩《唐志》作“棊品注”。**又**

棊九品序録一卷　　見《隋志》。兩《唐志》作"圍棊後九品序録",不著撰人,當即是書。

陸雲　棊品序一卷　　見《隋志》。

馬朗等　圍棊勢二十九卷　　《隋志》:"朗,晉趙王倫舍人。"

徐廣　彈棋譜一卷　　見《隋志》。

虞潭　大小博法十卷　投壺經四卷　投壺變一卷　　《隋志》云:"梁有,亡。"兩《唐志》作"郝沖、虞譚法《投壺經》一卷",蓋合兩人書爲一。《崇文總目》謂"法"字衍。

右雜藝術類,五家。

皇甫謐　黃帝三部鍼經十三卷　　見兩《唐志》。即《隋志》之《黃帝甲乙經》十卷,又《音》一卷。梁有十二卷,合之《音》一卷,爲十三卷。兩《唐志》蓋仍《七録》之舊。　論寒食散方二卷　　《隋志》:"梁有皇甫謐、曹歙《論寒食散方》六卷,亡。"

依諸方撰一卷　　見《隋志》。

王叔和　脈經十卷　　見《隋志》。《郡齋讀書志》引唐甘石宗《名醫傳》云:"叔和,西晉高平人,其書凡九十七篇。"論病六卷　　《隋志》云:"梁有,亡。"　張仲景藥方十五卷　　見兩《唐志》。傷寒卒病論十卷　　見《唐志》。《通考》作"張仲景《傷寒論》十卷,王叔和撰次"。集金匱要畧方三卷　　見《直齋書録解題》,云:"本名《金匱玉函要畧》。"《宋志》於此書外又列《金匱玉函經》八卷,誤也。

新書病總要畧一卷　　見《崇文總目》。《通志》、《宋志》並作"新集病總畧"。

脈訣機要三卷　　見《書録解題》。《郡齋讀書志》、《文獻通考》祇一卷。《宋志》無"機要"二字。

范汪　范東陽方一百七十六卷　録一卷　　《隋志》一百五卷,注云:"梁一百七十六卷。"《唐志》作"尹穆纂范汪《范東陽雜藥方》一百七十六卷"。《隋志》又云:"梁有《范氏解散方》七卷,《范氏療婦人方》十一卷,《范氏療小兒藥方》一卷。"不題名字,疑即《范東陽方》内之子目。

羊欣　羊中散藥方三十卷　羊中散雜湯丸散酒方一卷　　《隋志》並云:"梁有,亡。"

葛洪　肘後方六卷　　見《隋志》,云:"梁二卷。"《唐志》亦六卷。《舊唐志》作"《肘後救卒方》四卷"，本傳作"《肘後要急方》四卷"，《宋志》作"《肘後備急百一方》三卷"，《道藏目録》作"《肘後備急方》八卷"。**金匱藥方一百卷** 見本傳。**玉函煎方五卷** 見《隋志》。**狐剛子萬金訣二卷** 《舊唐志》作"《狐子方金訣》二卷"，《唐志》作"葛仙公録《狐子方金訣》三卷"，"方"乃"萬"字之訛，今從《隋志》。**神仙服食藥方十卷** 見《隋志》。沙門法琳《辨正論》引《服食方》四卷。**序房内祕術一卷** 《舊唐志》作"玉房祕術"。《唐志》作"葛氏房中祕術"，今從《隋志》。《通志畧》入道家。**墨髮酒方一卷** 見《崇文總目》。《通志畧》入道家。**葛仙公煎杏仁方一卷** 見《宋志》。《崇文總目》作"仙翁"。**抱朴子太清神仙服食經五卷** 見《唐志》。

孫盛 **醫卜** 本傳。

殷仲堪 **殷荆州要方一卷** 見《隋志》。

張湛 **養生要集十卷** 見《隋志》。

于法開 **議論備豫方一卷** 見《隋志》。法開，見《世説·術解篇》注。

支法存 **申蘇方五卷** 《隋志》云："梁有，亡。"

魏夫人 **青精健飯方** 《太平廣記》引《南嶽魏夫人傳》。

右醫方類，十一家。

補晉書經籍志卷四

錢塘吳士鑑纂

丁部集録,其類三。一曰楚辭,二曰別集,三曰總集。

郭璞　楚辭注三卷　　見《隋志》。兩《唐志》並十卷。

徐邈　楚辭音一卷　　見《隋》、《唐志》。

右楚辭類,二家。

宣帝集五卷　録一卷　　《隋志》、《唐志》並同。《舊唐志》十卷。

文帝集三卷　　見《隋志》。《舊唐志》作"二卷"。

明帝集五卷　録一卷　　見《隋》、《唐志》。

簡文帝集五卷　録一卷　　見《隋》、《唐志》。

孝武帝集二卷　録一卷　　《隋志》云:"梁有,亡。"

齊王攸集三卷　　《隋志》二卷,注云"梁三卷"。兩《唐志》並二卷。

會稽王道子集九卷　　《隋志》八卷,注云:"梁九卷。"兩《唐志》並八卷。

彭城王紘集二卷　　《隋志》:"梁有二卷,亡。"兩《唐志》作"八卷"。

譙烈王集九卷　録一卷　　《隋志》云:"梁有,亡。"兩《唐志》作"三卷"。

王沈集五卷　　見《隋》、《唐志》。

鄭袤集二卷　　見《隋》、《唐志》。《隋志》"袤"誤"衮"。

阮籍集十三卷　録一卷　　《隋志》作"十卷",注云:"梁十三卷,《録》一卷。"兩
　　《唐志》並五卷。案阮籍、嵇康,《隋志》均列魏人,惟本書皆有列傳,故仍著于篇。

嵇康集十五卷　録一卷　　《隋志》十三卷,"梁有十五卷,亡"。兩《唐志》仍十
　　五卷。

散騎常侍應貞集五卷　　"梁有,亡"。《隋志》一卷,兩《唐志》仍五卷。

文立　章奏詩賦數十篇　　本傳。

宗正嵇喜集二卷　　録一卷　　"梁有,亡"。《隋志》一卷,殘缺。兩《唐志》仍二卷。

司隸校尉傅玄集五十卷　　録一卷　　"梁有,亡"。《隋志》十五卷。本傳云:"著文集百餘卷。"兩《唐志》仍五十卷,《宋志》祇存一卷。

著作郎成公綏集十卷　　"梁有,亡"。《隋志》九卷,殘缺。本傳云:"公綏詩文雜筆十餘卷。"兩《唐志》仍十卷。

裴秀集三卷　　録一卷　　見《隋》、《唐志》。

金紫光禄大夫何禎集五卷　　"梁有,亡"。《隋志》一卷,兩《唐志》仍五卷。

袁準集二卷　　録一卷　　見《隋》、《唐志》。

少傅山濤集五卷　　録一卷　　"梁有,亡。"《隋志》九卷,云:"一本十卷,齊奉朝請裴津注。"兩《唐志》仍五卷。

向秀集二卷　　録一卷　　見《隋》、《唐志》。

平原太守阮种集二卷　　録一卷　　兩《唐志》"种"誤"沖"。《通志署》作"三卷",今從《隋志》。

阮侃集五卷　　録一卷　　見《隋》、《唐志》。

太傅羊祜集二卷　　録一卷　　"梁有,亡"。《隋志》一卷,殘缺。兩《唐志》仍二卷。

蔡玄通集五卷　　《隋志》云:"梁有,亡。"

太宰賈充集五卷　　録一卷　　《隋志》云:"梁有,亡。"兩《唐志》作"二卷"。

荀勗集三卷　　録一卷　　《隋志》云:"梁有,亡。"兩《唐志》作"二十卷"。

征南將軍杜預集十八卷　　見《隋志》。兩《唐志》作"二十卷"。

輔國將軍王濬集二卷　　録一卷　　"梁有,亡"。《隋志》一卷,殘缺。《唐志》亦著録。

徵士皇甫謐集二卷　　録一卷　　見《隋》、《唐志》。

侍中程咸集三卷　　見《隋志》。兩《唐志》作"二卷"。

光禄大夫劉毅集二卷　　録一卷　　見《隋》、《唐志》。

侍中庾峻集二卷　　録一卷　　《隋志》云:"梁有,亡。"兩《唐志》作"三卷"。

巴西太守郤正集一卷　　見《隋》、《唐志》。

散騎常侍薛瑩集三卷　《隋志》云："梁有，亡。"兩《唐志》作"二卷"。

處士楊泉集二卷　錄一卷　見《隋》、《志》。

散騎常侍陶濬集二卷　錄一卷　《隋志》云："梁有，亡。"《唐志》亦作"二卷"，《舊唐志》作"三卷"。

宣舒集五卷　《隋志》云："梁有，亡。"兩《唐志》有《宣聘集》三卷，其次亦在曹志、鄒湛之前，蓋"宣聘"即"宣舒"之誤。易類《釋文·序錄》作"舒"。《唐志》作"聘"者同。

散騎常侍曹志集二卷　錄一卷　見《隋》、《唐志》。

鄒湛集三卷　錄一卷　《隋志》云："梁有，亡。"兩《唐志》作"四卷"。

汝南太守孫毓集六卷　見《隋志》。《舊唐志》作"二卷"，《唐志》作"五卷"。

司徒王渾集五卷　見《隋》、《唐志》。

冀州刺史王琛集五卷　《隋志》云："梁有，亡。"兩《唐志》作"四卷"，"琛"作"深"。

通事郎江偉集六卷　見《隋志》。兩《唐志》作"五卷"。

徵士閔鴻集三卷　見《隋志》。兩《唐志》作"二卷"。案閔鴻與薛兼、紀瞻、顧榮、賀循號爲"五雋"，見兼本傳。惟《藝文類聚》載鴻《羽扇賦》題"吳人"。

光禄大夫裴楷集二卷　錄一卷　見《隋》、《唐志》。

太宰何邵集二卷　錄一卷　見《隋》、《唐志》。

光禄大夫劉頌集三卷　錄一卷　見《隋》、《唐志》。

劉寔集二卷　錄一卷　見《隋》、《唐志》。

尚書僕射裴頠集九卷　見《隋志》。兩《唐志》作"十卷"。

太子中庶子許孟集三卷　錄一卷　《隋志》云："梁有，亡。"兩《唐志》作"二卷"。

散騎常侍王佑集三卷　錄一卷　見《隋志》。《唐志》作"王祐"。《舊唐志》作"《王祐集》二卷"。

驃騎將軍王濟集二卷　見《隋》、《唐志》。

華嶠集八卷　見《隋志》，注云："梁二卷。"《舊唐志》存一卷，《唐志》仍二卷。

尚書庾儵集二卷　錄一卷　《隋志》云："梁有，亡。"兩《唐志》作"三卷"。

國子祭酒謝衡集二卷　見《隋》、《唐志》。

司隸校尉傅咸集三十卷　　録一卷　　《隋志》十七卷，注云：“梁有三十卷，亡。”兩《唐志》仍三十卷。

太子中庶子棗據集二卷　　録一卷　　見《隋》、《唐志》。

劉寶集三卷　　見《隋》、《唐志》。

馮翊太守孫楚集十二卷　　録一卷　　《隋志》六卷，注云：“梁十二卷，《録》一卷。”兩《唐志》作“十卷”。

散騎常侍王讚集五卷　　見《隋志》。《舊唐志》三卷，《唐志》二卷。

散騎常侍夏侯湛集十卷　　録一卷　　見《隋》、《唐志》。

弋陽太守夏侯淳集二卷　　《隋志》云：“梁有，亡。”兩《唐志》作“十卷”。

尚書郎張敏集五卷　　《隋志》二卷，注云：“梁五卷。”兩《唐志》並二卷。

黃門郎伏偉集一卷　　見《隋志》。

宗正劉許集二卷　　録一卷　　見《隋》、《唐志》。《舊唐志》作“訐”。

散騎常侍李重集二卷　　《隋志》云：“梁有，亡。”《唐志》“重”誤作“黃”。

光禄大夫樂廣集二卷　　録一卷　　見《隋》、《唐志》。

盧欽　小道　　本傳云：“所著詩賦論難數十篇，名曰《小道》。”

阮渾集三卷　　録一卷　　《隋志》云：“梁有，亡。”兩《唐志》作“二卷”。

左長史楊乂集三卷　　録一卷　　見《隋》、《唐志》。

司空張華集十卷　　録一卷　　見《隋志》。兩《唐志》並十卷。《郡齋讀書志》祇三卷。《宋志》存《集》二卷，《詩》一卷。

漢中太守李虔集二卷　　録一卷　　《隋志》一卷，注云：“梁二卷，《録》一卷。”兩《唐志》作“十卷”。本書《李密傳》：“一名虔。”

衛尉卿石崇集六卷　　録一卷　　見《隋志》。兩《唐志》作“五卷”。

黃門郎潘岳集十卷　　《隋》、《唐志》並同。《宋志》祇七卷。

太常卿潘尼集十卷　　見《隋》、《唐志》。

頓丘太守歐陽建集二卷　　見《隋》、《唐志》。

侍中嵇紹集二卷　　録一卷　　見《隋》、《唐志》。

錢塘令楊建集九卷　　見《隋志》。

長沙相盛彥集五卷　　見《隋志》。

光禄大夫衞展集十五卷　　《隋志》十二卷,注云:"梁十五卷。"《唐志》作"十四卷"。《舊唐志》又誤作"四十"。

尚書盧播集二卷　錄一卷　　《隋志》一卷,注云:"梁二卷。"兩《唐志》均二卷。

樂肇集五卷　錄一卷　　《隋志》云:"梁有,亡。"《唐志》同。《舊唐志》作"二卷"。

南中郎長史應亨集二卷　　見《隋》、《唐志》。

祕書丞司馬彪集四卷　　見《隋志》,注云:"梁三卷,《錄》一卷。"兩《唐志》仍三卷。

國子祭酒杜育集二卷　　見《隋》、《唐志》。

太常卿摯虞集十卷　錄一卷　　《隋志》九卷,注云:"梁十卷。"《唐志》仍十卷。《舊唐志》作"二卷"。

祕書監繆徵集二卷　錄一卷　　見《隋》、《唐志》。

齊王府記室左思集五卷　錄一卷　　《隋志》二卷,注云:"梁五卷。"兩《唐志》仍五卷。

豫章太守夏靖集二卷　錄一卷　　見《隋》、《唐志》。兩《唐志》作"夏侯靖","侯"字誤衍。

吳王文學鄭豐集一卷　錄一卷　　《隋志》云:"梁有,亡。"兩《唐志》作"二卷"。

清河王文學陳罟集二卷　錄一卷　　見《隋》、《唐志》。

大司馬東曹掾張翰集二卷　錄一卷　　見《隋》、《唐志》。

平原内史陸機集四十七卷　錄一卷　　《隋志》十四卷,注云:"梁四十七卷。"兩《唐志》並十五卷,《宋志》祇十卷。《郡齋讀書志》、《書錄解題》與《宋志》同。

清河太守陸雲集十卷　錄一卷　　《隋志》十二卷,注云:"梁十卷。"兩《唐志》亦作"十卷"。

揚州從事陸沖集二卷　錄一卷　　見《隋》、《唐志》。

少府丞孫極集二卷　錄一卷　　見《隋》、《唐志》。"極"應作"拯"。

中書郎張載集七卷　錄一卷　　見《隋志》,注云:"梁一本二卷。"《唐志》亦作"二卷",《舊唐志》作"三卷"。

黃門郎張協集四卷　錄一卷　　《隋志》三卷,注云:"梁四卷。"兩《唐志》作"二卷"。

著作郎束皙集五卷　録一卷　《隋志》七卷，注云：“梁五卷。”兩《唐志》亦作“五卷”，《宋志》衹一卷。

華譚集二卷　見《隋》、《唐志》。

征南司馬曹攄集三卷　録一卷　《隋志》云：“梁有，亡。”兩《唐志》作“二卷”。

王接　雜論議詩賦碑頌駁難　本傳。

散騎常侍江統集十卷　録一卷　見《隋》、《唐志》。《宋志》衹一卷。

著作郎胡濟集五卷　録一卷　見《隋》、《唐志》。

中書令卞粹集五卷　《隋志》一卷，注云：“梁有，亡。”兩《唐志》二卷。

光禄勳閭邱沖集二卷　録一卷　見《隋》、《唐志》。

太傅從事中郎庾敳集五卷　録一卷　《隋志》一卷，注云：“梁有，亡。”兩《唐志》作“二卷”。

太子中舍人阮瞻集二卷　録一卷　見《隋》、《唐志》。

太子洗馬阮修集二卷　録一卷　見《隋》、《唐志》。《舊唐志》作“阮循”，誤。

廣威將軍裴邈集二卷　録一卷　見《隋》、《唐志》。

太傅主簿郭象集五卷　録一卷　《隋志》二卷，注云：“梁有，亡。”兩《唐志》仍五卷。《隋志》無“主簿”二字。袁廷檮曰：“‘太傅’下當有‘主簿’二字。”今據以補正。

廣州刺史嵇含集十卷　録一卷　見《隋》、《唐志》。

安豐太守孫惠集十一卷　録一卷　“梁有，亡”。《隋志》作“八卷”，兩《唐志》作“十卷”。

松滋令蔡洪集二卷　録一卷　《隋志》云：“梁有，亡。”《唐志》同。《舊唐志》作“三卷”。

平北將軍牽秀集三卷　録一卷　《隋志》四卷，注云：“梁三卷。”兩《唐志》作“五卷”。

車騎從事中郎蔡克集二卷　録一卷　見《隋》、《唐志》。

游擊將軍索靖集三卷　《隋志》云：“梁有，亡。”兩《唐志》作“二卷”，《宋志》作“一卷”。

隴西太守閻纂集二卷　録一卷　見《隋》、《唐志》。

秦州刺史張輔集二卷　　録一卷　　見《隋》、《唐志》。

交趾太守殷巨集二卷　　録一卷　　見《隋》、《唐志》。

太子洗馬陶佐集五卷　　録一卷　　見《隋》、《唐志》。

仲長敖集二卷　　見《隋》、《唐志》。

鄱陽太守虞溥集二卷　　録一卷　　《隋》、《唐志》並同。《通志畧》作“三卷”。《唐志》作“浦”，誤。

益陽令吳商集五卷　　見《隋》、《唐志》。《隋志》禮類有《益壽令吳商禮難》十二卷。案衡陽郡有益陽縣，作“益壽”者蓋誤。

吳興太守沈充集二卷　　《隋志》云：“梁有，亡。”《通志畧》作“三卷”。

太常卿劉弘集三卷　　録一卷　　見《隋》、《唐志》。

征西主簿邱道護集五卷　　録一卷　　《隋志》云：“梁有，亡。”

開府山簡集二卷　　録一卷　　見《隋》、《唐志》。

兗州刺史宗岱集二卷　　《隋志》云：“梁有，亡。”兩《唐志》作“三卷”。《羅尚傳》有荊州刺史宗岱，《惠帝紀》及《李特載記》並作“宋岱”。

濟陽內史王曠集五卷　　録一卷　　見《隋》、《唐志》。

侍中王峻集二卷　　録一卷　　見《隋》、《唐志》。

木華集　　《文選·海賦》注引華集曰：“爲楊駿府主簿。”

馮文熊集　　《文選》注引。

襄陽太守棗腆集二卷　　録一卷　　見《隋》、《唐志》。

散騎常侍棗嵩集二卷　　録一卷　　《隋志》一卷，注云：“梁二卷。”兩《唐志》同。

太尉劉琨集十卷　　《隋志》九卷，注云：“梁十卷。”兩《唐志》仍十卷。

劉琨別集十二卷　　見《隋志》。

司空從事中郎盧諶集十卷　　録一卷　　見《隋》、《唐志》。

祕書丞傅暢集五卷　　録一卷　　見《隋》、《唐志》。

驃騎將軍顧榮集五卷　　録一卷　　《隋志》、《唐志》並同。《舊唐志》作“二卷”。

鎮東從事中郎傅毅集五卷　　見《隋》、《唐志》。

太尉荀組集二卷　録一卷　《隋志》云："梁有，亡。"《舊唐志》作"二卷"，《唐志》作"一卷"。

關内侯傅眠集一卷　《隋志》云："梁有，亡。"

光禄大夫周顗集二卷　録一卷　見《隋》、《唐志》。

張駿集八卷　《隋志》云："殘缺。"

大鴻臚周嵩集三卷　録一卷　見《隋》、《唐志》。

丞相王導集十卷　録一卷　《隋志》十一卷，注云："梁十卷。"兩《唐志》仍十卷。

金紫光禄大夫荀邃集二卷　録一卷　見《隋》、《唐志》。《舊唐志》作"遂"，誤。

大將軍王敦集十卷　見《隋志》。兩《唐志》作"五卷"。

太常謝鯤集二卷　《隋志》六卷，注云："梁二卷。"《唐志》"鯤"誤"琨"。

祕書郎張委集五卷　《隋志》九卷，注云："梁五卷。"

散騎常侍張抗集二卷　録一卷　《隋志》云："梁有，亡。"《舊唐志》同。《唐志》作"三卷"。

車騎長史賈彬集三卷　録一卷　見《隋志》。兩《唐志》作"賈霖"。

湘州秀才谷儉集一卷　《隋志》云："梁有，亡。"

鎮北將軍劉隗集二卷　《隋志》云："梁有，亡。"兩《唐志》作"三卷"。

光禄勳鍾雅集一卷　《隋志》云："梁有，亡。"

鎮南大將軍應詹集五卷　《隋志》云："梁有，亡。"《唐志》同。《舊唐志》作"三卷"。"詹"，《隋志》誤作"瞻"。

大司馬陶侃集二卷　録一卷　見《隋》、《唐志》。

中書令王洽集五卷　録一卷　見《隋志》。兩《唐志》作"三卷"。

金紫光禄大夫張闓集二卷　録一卷　《隋志》云："梁有，亡。"兩《唐志》作"三卷"。

驃騎將軍卞壺集二卷　録一卷　見《隋》、《唐志》。

衛尉卿劉超集二卷　見《隋》、《唐志》。

高涼太守楊方集二卷　《隋志》云："梁有，亡。"兩《唐志》仍二卷。

散騎常侍傅純集一卷　録一卷　　見《隋》、《唐志》。

紀瞻　詩賦牋表數十篇　　本傳。

太尉郗鑒集十卷　録一卷　　見《隋》、《唐志》。

大將軍温嶠集十卷　録一卷　　見《隋》、《唐志》。

侍中孔坦集五卷　録一卷　　《隋志》十七卷，注云："梁五卷。"兩《唐志》同。

臧沖集五卷　　《隋志》云："梁有，亡。"

著作佐郎王濤集五卷　　見《隋》、《唐志》。

散騎常侍王覽集五卷　　《隋志》九卷，注云："梁五卷。"兩《唐志》作"《王鑒集》五

卷"，乃"王覽"之誤。

郡主簿王箋集五卷　　見《隋》、《唐志》。

征西諮議甄述集十二卷　　《隋志》云："梁有，亡。"兩《唐志》作"五卷"。

武昌太守徐彦則集十卷　　《隋志》云："梁有，亡。"

太僕卿王嶠集八卷　　見《隋志》。《唐志》作"二卷"。

衞尉荀闓集一卷　　《隋志》云："梁有，亡。"

衞將軍戴邈集五卷　録一卷　　見《隋》、《唐志》。

光禄大夫荀崧集一卷　　《隋志》云："梁有，亡。"

司空賀循集二十卷　録一卷　　《隋志》十八卷，注云："梁二十卷。"兩《唐志》

仍作"二十卷"。

宗正卿張悛集二卷　録一卷　　見《隋志》。《舊唐志》作"俊"，《唐志》作"峻"，

均誤。

汝南太守應碩集二卷　　見《隋》、《唐志》。

揚州從事陸沈集二卷　録一卷　　見《隋》、《唐志》。

衡陽内史曾瓛集四卷　録一卷　　《隋志》三卷，注云："梁四卷。"兩《唐志》作

"五卷"。

御史中丞熊遠集五卷　録一卷　　《隋志》十二卷，注云："梁五卷。"兩《唐志》

仍五卷。

宏農太守郭璞集十卷　録一卷　　《隋志》十七卷，注云："梁十卷。"兩《唐志》

仍十卷，《宋志》衹六卷。

太尉庾亮集二十卷　　録一卷　　《隋志》二十一卷，注云：“梁二十卷。”兩《唐志》亦二十卷。

虞預集十卷　　録一卷　　見《隋》、《唐志》。

尚書令顧和集五卷　　録一卷　　見《隋》、《唐志》。

徵士范宣集十卷　　録一卷　　《隋志》云：“梁有，亡。”兩《唐志》《范宣集》重見，一作“十卷”，一作“五卷”。

衛尉張虞集十卷　　《隋志》云：“梁有，亡。”兩《唐志》作“五卷”。

司空庾冰集二十卷　　録一卷　　《隋志》七卷，注云：“梁二十卷。”兩《唐志》仍二十卷。

車騎將軍庾翼集二十卷　　録一卷　　《隋志》二十二卷，注云：“梁二十卷。”兩《唐志》同。

劉惔集十六卷　　《隋志》云：“梁有，亡。”

司空何充集五卷　　《隋志》四卷，注云：“梁五卷。”兩《唐志》同。

光禄大夫諸葛恢集五卷　　録一卷　　見《隋》、《唐志》。

光禄大夫祖台之集二十卷　　《隋志》十六卷，注云：“梁二十卷。”兩《唐志》作“十五卷”。

李充集十五卷　　録一卷　　《隋志》二十二卷，注云：“梁十五卷。”兩《唐志》作“十四卷”。

司徒蔡謨集四十三卷　　《隋志》十七卷，注云：“梁四十三卷。”兩《唐志》作“十卷”。

范汪集十卷　　《隋志》一卷，注云：“梁十卷。”兩《唐志》作“八卷”。

餘杭令范弘之集六卷　　《隋志》云：“梁有，亡。”

豫章太守范甯集十六卷　　見《隋志》。兩《唐志》作“十五卷”。

廷尉卿阮放集十卷　　録一卷　　《隋志》云：“梁有，亡。”兩《唐志》作“五卷”。

驃騎將軍王廙集三十四卷　　録一卷　　《隋志》十卷，注云：“梁三十四卷。”兩《唐志》亦十卷。

光禄王彪之集二十卷　　録一卷　　見《隋志》，云：“梁有，《録》一卷。”兩《唐志》亦二十卷。

太傅謝安集十卷　　見《隋志》。兩《唐志》作“五卷”。

散騎常侍謝萬集十卷 《隋志》十六卷，注云：“梁十卷。”兩《唐志》仍十卷，作
“謝方”，“方”乃“万”之訛。

金紫光禄大夫王羲之集十卷 録一卷 《隋志》九卷，注云：“梁十卷。”兩
《唐志》作“五卷”。

散騎常侍干寶集五卷 《隋志》四卷，注云：“梁五卷。”兩《唐志》均四卷。

太常卿殷融集十卷 見《隋》、《唐志》。

尚書僕射劉遐集五卷 見《隋》、《唐志》。

揚州刺史殷浩集五卷 録一卷 《隋志》四卷，注云：“梁五卷。”兩《唐志》仍
五卷。

司徒左長史王濛集五卷 見《隋》、《唐志》。

衛將軍謝尚集十卷 録一卷 《隋志》云：“梁有，亡。”兩《唐志》作“五卷”。

司徒長史張憑集五卷 録一卷 見《隋》、《唐志》。

征西將軍張望集十二卷 録一卷 《隋志》十卷，注云：“梁十二卷。”兩《唐
志》作“三卷”。

黄門郎范啓集四卷 《隋志》云：“梁有，亡。”兩《唐志》五卷，“啓”誤“起”。

太常卿韓康伯集十六卷 見《隋志》。兩《唐志》作“五卷”。

西中郎將王胡之集五卷 録一卷 《隋志》十卷，注云：“梁五卷。”兩《唐
志》均五卷。

護軍將軍江彪集五卷 録一卷 《隋志》作“彬”，兩《唐志》作“霖”，今從
本傳。

范堅文筆 本傳。

處士江惇集三卷 録一卷 《隋志》云：“梁有，亡。”兩《唐志》作“五卷”，《通志
畧》作“二卷”。

尚書僕射王述集八卷 見《隋志》。兩《唐志》作“五卷”。

魏興太守荀述集一卷 《隋志》云：“梁有，亡。”

平越司馬黄整集十卷 録一卷 見《隋》、《唐志》。

護軍長史庾堅集十卷 録一卷 《隋志》十三卷，注云：“梁十卷。”

青州刺史王浹集二卷 見《隋》、《唐志》。浹，見本書《穆帝紀》。兩《唐志》正

同。《隋志》誤作"俠"。

平南將軍賀翹集五卷　《隋志》云:"梁有,亡。"

王度集五卷　**録一卷**　見《隋》、《唐志》。

李軌集八卷　《隋志》云:"梁有,亡。"

宣城內史劉系之集五卷　**録一卷**　見《隋》、《唐志》。

尋陽太守庾純集八卷　見《隋志》。

丹陽尹劉恢集二卷　**録一卷**　《隋志》云:"梁有,亡。"兩《唐志》作"五卷"。《隋》、《唐志》均誤作"恢",今據本傳作"恢"。

宜陽令范保集七卷　《隋志》云:"梁有,亡。"

豫章太守王恪集十卷　《隋志》云:"梁有,亡。"

吳興太守殷康集五卷　**録一卷**　見《隋》、《唐志》。

零陵太守陶混集七卷　《隋志》云:"梁有,亡。"

中軍參軍孫嗣集三卷　**録一卷**　見《隋》、《唐志》。

海鹽令祖撫集三卷　《隋志》云:"梁有,亡。"

尚書僕射王坦之集五卷　**録一卷**　《隋志》七卷,注云:"梁五卷,《録》一卷。"兩《唐志》仍五卷。

司徒左長史劉袞集三卷　《隋志》云:"梁有,亡。"

大司馬桓溫集四十三卷　《隋志》十一卷,注云:"梁四十三卷。"兩《唐志》作"二十卷"。**又　桓溫要集二十卷**　**録一卷**　見《隋志》。《太平御覽》作"桓溫集暑"。

中書郎郗超集十卷　《隋志》九卷,注云:"梁十卷。"兩《唐志》作"十五卷"。

車騎長史謝朗集六卷　**録一卷**　《隋志》云:"梁有,亡。"兩《唐志》作"五卷"。

車騎將軍謝頎集十卷　**録一卷**　《隋志》云:"梁有,亡。"

謝玄集十卷　見兩《唐志》。

御史中丞孔欣時集七卷　《隋志》八卷,注云:"梁七卷。"

司徒王珣集十卷　**録一卷**　《隋志》十一卷,并《目録》,注云:"梁十卷,《録》一卷。"則卷數仍合。兩《唐志》十卷。

吳郡功曹陸法之集十九卷　《隋志》云："梁有,亡。"

徵士許詢集八卷　錄一卷　《隋志》三卷,注云："梁八卷。"兩《唐志》亦三卷。

太常卿王珉集十卷　錄一卷　見《隋志》。誤作"岷",本傳作"珉"。

餘姚令孫統集九卷　錄一卷　《隋志》二卷,注云："梁九卷。"兩《唐志》作"五卷"。

晉陵令戴元集三卷　錄一卷　《隋志》云："梁有,亡。"

衛尉卿孫綽集二十五卷　《隋志》十五卷,注云："梁二十五卷。"《唐志》誤作"孫紳"。

吳興太守孔嚴集十一卷　錄一卷　《隋志》云："梁有,亡。"兩《唐志》作"五卷"。

太常江逌集九卷　見《隋志》。兩《唐志》作"五卷"。

豫章太守車灌集五卷　錄一卷　見《隋》、《唐志》。

建安太守丁纂集四卷　錄一卷　《隋志》云："梁有,亡。"兩《唐志》作"二卷"。

光祿勳曹毗集十五卷　錄一卷　《隋志》十卷,注云："梁十五卷。"兩《唐志》同。《隋志》又有《曹毗集》四卷,複出。

撫軍長史蔡系集二卷　見《隋》、《唐志》。

李顒集十卷　錄一卷　見《隋》、《唐志》。

撫軍掾劉暢集一卷　《隋志》云："梁有,亡。"

顧夷集五卷　見《隋》、《唐志》。

散騎常侍鄭襲集四卷　《隋志》云："梁有,亡。"

益州刺史袁喬集七卷　《隋志》云："梁有,亡。"兩《唐志》作"五卷"。

謝沈集十卷　《隋志》云："梁有,亡。"兩《唐志》作"五卷"。

給事中庾闡集十卷　錄一卷　《隋志》九卷,注云："梁十卷。"兩《唐志》仍十卷。

著作郎王隱集二十卷　錄一卷　《隋志》十卷,注云："梁二十卷。"兩《唐志》亦十卷。

太常殷允集十卷　《隋志》云："梁有,亡。"兩《唐志》亦十卷。

太子前率徐邈集二十卷　錄一卷　《隋志》九卷,並《目錄》。注云:“梁二十卷,《錄》一卷。”兩《唐志》作“八卷”。

荆州刺史殷仲堪集十卷　錄一卷　《隋志》十二卷,並《目錄》。注云:“梁十卷,《錄》一卷。”兩《唐志》均十卷。

聘士殷叔獻集三卷　錄一卷　《隋志》四卷,並《目錄》。注云:“梁三卷,《錄》一卷。”兩《唐志》仍三卷。

伏滔集五卷　錄一卷　《隋志》十一卷,並《目錄》。注云:“梁五卷,《錄》一卷。”兩《唐志》仍五卷。

南中郎桓嗣集五卷　見《隋》、《唐志》。

滎陽太守習鑿齒集五卷　見《隋》、《唐志》。

吳興孝廉鈕滔集五卷　錄一卷　見《隋》、《唐志》。

平固令邵毅集五卷　錄一卷　見《隋》、《唐志》。

祕書監孫盛集十卷　錄一卷　《隋志》五卷,殘缺。注云:“梁十卷。”兩《唐志》仍十卷。

瑯邪内史袁質集二卷　錄一卷　見《隋》、《唐志》。

東陽太守袁宏集二十卷　錄一卷　《隋志》十五卷,注云:“梁二十卷。”兩《唐志》仍二十卷。

太宰從事中郎袁邵集二十卷　錄一卷　《隋志》云:“梁有,亡。”兩《唐志》作“三卷”。

黃門郎顧淳集一卷　《隋志》云:“梁有,亡。”

中散大夫羅含集三卷　見《隋》、《唐志》。

尋陽太守熊鳴鵠集十卷　《隋志》云:“梁有,亡。”

國子博士孫放集十卷　《隋志》一卷,殘缺。注云:“梁十卷。”兩《唐志》作“十五卷”。

車騎司馬謝韶集三卷　《隋志》云:“梁有,亡。”

金紫光禄大夫王獻之集十卷　錄一卷　《隋志》云:“梁有,亡。”

庾統集二卷　見兩《唐志》。

驍騎將軍弘戎集十六卷　《隋志》云:“梁有,亡。”

御史中丞魏叔齊集十五卷　《隋志》云："梁有,亡。"

新安太守郄愔集五卷　《隋志》四卷,殘缺。注云："梁五卷。"兩《唐志》作"郭
愔"。

太學博士滕輔集五卷　錄一卷　見《隋》、《唐志》。

中領軍庾龢集二卷　錄一卷　見《隋》、《唐志》。

將作大匠喻希集一卷　見《隋志》。

司徒右長史庾凱集二卷　見《隋》、《唐志》。《唐志》誤作"軌"。

太宰長史庾倩集二卷　見《隋》、《唐志》。作"蒨",誤,本書《庾冰傳》作"倩"。

大司馬參軍庾攸之集三卷　《隋志》云："梁有,亡。"誤作"悠"。本書《庾冰傳》
作"攸"。

湘東太守庾蕭之集十卷　錄一卷　見《隋》、《唐志》。

袁山松集十卷　《隋志》云："梁有,亡。"

驃騎司馬王修集二卷　錄一卷　見《隋》、《唐志》。

黃門郎魏遏之集五卷　《隋志》云："梁有,亡。"

徵士戴逵集十卷　錄一卷　《隋志》九卷,殘缺。注云："梁十卷。"兩《唐志》仍
十卷。

金紫光祿大夫褚爽集十六卷　錄一卷　《隋志》云："梁有,亡。"

桓玄集二十卷　見《隋》、《唐志》。

殿中將軍傅綽集十五卷　《隋志》云："梁有,亡。"

東陽太守殷仲文集五卷　《隋志》七卷,注云："梁五卷。"兩《唐志》亦七卷。

司徒右長史劉寧之集五卷　《隋志》云："梁有,亡。"

驃騎參軍卞湛集五卷　見《隋》、《唐志》。

北中郎參軍蘇彥集十卷　見《隋》、《唐志》。

太子左率王肅之集三卷　錄一卷　《隋志》云："梁有,亡。"

丹陽太守袁豹集十卷　錄一卷　《隋志》八卷,注云："梁十卷。"兩《唐志》仍
十卷。

黃門郎王徽之集八卷　《隋志》云："梁有,亡。"

司徒王謐集十卷　錄一卷　見《隋》、《唐志》。

徵士謝敷集五卷　　錄一卷　　《隋志》云："梁有，亡。"

國子博士周祇集二十卷　　錄一卷　　《隋志》十一卷，注云："梁二十卷。"兩

《唐志》作"十卷"。

太常卿孔汪集十卷　　《隋志》云："梁有，亡。"

光禄大夫梅陶集二十卷　　錄一卷　　《隋志》九卷，注云："梁二十卷。"兩《唐

志》作"十卷"。

陳統集七卷　　《隋志》云："梁有，亡。"

衞軍諮議湛方生集十卷　　錄一卷　　見《隋》、《唐志》。

太常王愷集十五卷　　《隋志》云："梁有，亡。"

太常劉瑾集五卷　　《隋志》九卷，注云："梁五卷。"兩《唐志》作"八卷"。

右將軍王忱集五卷　　錄一卷　　《隋志》云："梁有，亡。"

西中郎將長史羊徽集十卷　　錄一卷　　《隋志》九卷，注云："梁十卷。"兩《唐

志》作"一卷"。

光禄大夫孫廞集十卷　　《隋志》云："梁有，亡。"

始安太守卞裕集十五卷　　《隋志》十三卷，注云："梁十五卷。"兩《唐志》作"十

四卷"。

給事中徐乾集二十卷　　錄一卷　　《隋志》二十一卷，并《目錄》。注云："梁二

十卷，《錄》一卷。"則卷數仍合。

散騎常侍王愆期集十卷　　錄一卷　　《隋志》七卷，注云："梁十卷。"兩《唐

志》仍十卷。

孫恩集五卷　　見《隋志》。

右軍參軍孔璠集二卷　　見《隋志》。兩《唐志》作"孔璠之"。

延陵令唐邁之集十一卷　　錄一卷　　《隋志》云："梁有，亡。"

王茂䢷集四卷　　見《隋》、《唐志》。

薄邕集七卷　　《隋志》云："梁有，亡。"

處士薄肅之集七卷　　《隋志》九卷，注云："梁十卷。"兩《唐志》仍十卷。

安北參軍薄要集九卷　　見《隋志》。

祕書監滕演集十卷　　錄一卷　　見《隋志》。兩《唐志》作"一卷"。

陶潛集五卷　録一卷　《隋志》九卷，注云：“梁五卷。”《舊唐志》亦作“五卷”。《唐志》作“二十卷”。《宋志》、《崇文總目》、《郡齋讀書志》並作“十卷”。《通志畧》仍《唐志》，亦二十卷。

臨海太守辛德遠集四卷　《隋志》五卷，注云：“梁四卷。”兩《唐志》作“《辛昺集》四卷”。本書《孫恩傳》：“臨海太守辛景。”唐人避嫌名，故改作景。昺，德遠名也。

車騎參軍何瑾之集十一卷　《隋志》云：“梁有，亡。”

尚書左丞徐禪集六卷　《隋志》云：“梁有，亡。”

太保王恭集五卷　録一卷　《隋志》云：“梁有，亡。”

冠軍將軍張元之集五卷　録一卷　《隋志》云：“梁有，亡。”

殷覬集十卷　録一卷　《隋志》云：“梁有，亡。”

員外常侍荀世之集八卷　《隋志》云：“梁有，亡。”

驃騎長史謝景重集一卷　見《隋志》。

丹陽令卞範之集五卷　録一卷　《隋志》云：“梁有，亡。”

光禄勳卞承之集十卷　録一卷　《隋志》云：“梁有，亡。”

光禄大夫伏系之集十卷　録一卷　《隋志》云：“梁有，亡。”

通直常侍顧愷之集二十卷　《隋志》七卷，注云：“梁二十卷。”《通志畧》作“十三卷”。

左僕射謝混集五卷　《隋志》三卷，注云：“梁五卷。”

司徒長史王誕集二卷　見《隋志》。

太尉諮議劉簡之集十卷　《隋志》云：“梁有，亡。”

廬江太守殷遵集五卷　録一卷　《隋志》云：“梁有，亡。”

興平令荀軌集五卷　《隋志》云：“梁有，亡。”

相國主簿殷闡集十卷　録一卷　《隋志》云：“梁有，亡。”

太常傅迪集十卷　《隋志》云：“梁有，亡。”

韋公藝集六卷　《隋志》云：“梁有，亡。”

毛伯成集一卷　見《隋志》。《世説·言語篇》注引《征西寮屬官名》：“毛玄，字伯成。”

宗欽集二卷　見《隋志》。

中軍功曹殷曠之集五卷　　《隋志》云："梁有,亡。"

太學博士魏説集十三卷　　《隋志》云："梁有,亡。"

柴桑令劉遺民集五卷　　錄一卷　　《隋志》云："梁有,亡。"

郭澄之集十卷　　《隋志》云："梁有,亡。"

處士周桓之集一卷　　《隋志》云："梁有,亡。"

孔瞻集九卷　　《隋志》云："梁有,亡。"

徐廣集十五卷　　錄一卷　　見《隋》、《唐志》。雖題宋人而本書有傳。

阮咸集一卷　　見《宋志》。

張重華酒泉太守謝艾集八卷　　《隋志》七卷,注云："梁八卷。"兩《唐志》亦八卷。《舊唐志》誤作"文"。

劉聰　　述懷詩百餘篇　　賦頌五十餘首　　本書載記。

苻堅丞相王猛集九卷　　錄一卷　　見《隋志》。

慕容儁　　著述四十餘篇　　本書載記。

封孚　　文筆　　本書載記。

江州刺史王凝之妻謝道藴集二卷　　見《隋志》。

松陽令鈕滔母孫瓊集二卷　　《隋志》："梁有,亡。"又有《吳興孝廉鈕滔集》,當即一人。

司徒王渾妻鍾夫人集二卷　　見《隋志》。兩《唐志》作"二卷"。

晉武帝左九嬪集四卷　　見《隋志》。兩《唐志》作"一卷"。

太宰賈充妻李扶集一卷　　見《隋志》。《婦人集》："李氏名婉。"詳儒家類。

武平都尉陶融妻陳窈集一卷　　《隋志》云："梁有,亡。"

都水使者妻陳玢集五卷　　《隋志》云："梁有,亡。"兩《唐志》有《劉臻妻陳氏集》五卷,當即是書。

海西令劉驕妻陳珍集七卷　　《隋志》云："梁有,亡。"

劉柔妻王邵之集十卷　　《隋志》云："梁有,亡。"

散騎常侍傅伉妻辛蕭集一卷　　《隋志》云："梁有,亡。"《藝文類聚》載晉傅統妻《芍藥花頌》、《菊花頌》,疑"伉"即"統"之訛。

成公道賢妻龐馥集一卷　　《隋志》云："梁有,亡。"

宣城太守何殷妻徐氏集一卷　《隋志》云：“梁有，亡。”

沙門支遁集十三卷　《隋志》八卷，注云：“梁十三卷。”兩《唐志》作“十卷”。《通志畧》：“一云十二卷。”《高僧傳》四：“遁有《文翰集》十卷。”蓋爲《唐志》之所本。

沙門支曇諦集六卷　見《隋》、《唐志》。

沙門釋惠遠集十二卷　見《隋志》。兩《唐志》作“十五卷”。《通志畧》有惠遠《廬山集》十卷。《高僧傳》六云：“所著論序銘贊詩書，集爲十卷，五十餘篇。”

姚萇沙門釋僧肇集一卷　見《隋志》。

右別集類，三百九十家。

摯虞　文章流別集六十卷　志二卷　論二卷　《隋志》：“《流別集》四十一卷，《流別志》、《論》二卷。”注云：“梁六十卷，《志》二卷，《論》二卷。”兩《唐志》作“三十卷”。

杜預　善文五十卷　見《隋志》。兩《唐志》作“四十九卷”。**集林鈔一卷**　《通志畧》。

謝沈　名文集四十卷　見兩《唐志》。**文章志録雜文八卷**　《隋志》云：“梁有，亡。”

謝混　集苑六十卷　兩《唐志》並同。《隋志》四十五卷，並云：“梁六十卷。”不著撰人，當即是書。**文章流別本十二卷**　見《隋志》。

孔寧　續文章流別三卷　見《隋志》。

傅祇　文章駁論　本傳。

郭象　碑論十二篇　本傳。

二晉雜詩二十卷　《隋志》云：“梁有，亡。”

王履　書集八十卷　《隋志》八十八卷，注云：“梁八十卷。”履，晉散騎常侍。

陳勰　碑文十五卷　雜碑二十二卷　《隋志》云：“梁有，亡。”

車灌　碑文十卷　《隋志》云：“梁有，亡。”

葛洪　碑誄詩賦百卷　移檄章表三十卷　本傳。**抱朴君書一卷**　《隋志》云：“梁有，亡。”

干寶　百志詩集五卷　《隋志》九卷，注云：“梁五卷。”“集”字據兩《唐志》增。

伏滔等　元正宴會詩集四卷　《唐志》：“伏滔、袁豹、謝靈運集。”《舊唐志》作

"元氏宴會游集"。

李充　翰林論三卷　《舊唐志》二卷，今從《唐志》。

李軌　二京賦二卷　《隋志》云："《二京賦》二卷，李軌、綦母邃撰。"蓋因邃有《三都賦注》誤爲"三京"，因又誤爲與李軌同撰《二京》也。或李軌撰《二京賦》，綦母邃注之，《隋志》必有敓誤。**二都賦音一卷**　見《隋志》。

左思　齊都賦一卷　見兩《唐志》。《隋志》云："梁有《齊都賦》二卷，并《音》，左思撰。"是誤以《音》亦屬之左思矣。《隋志》又有《五都賦》六卷，並《錄》，張衡及左思撰。蓋即《齊都賦》也。

綦母邃　三都賦注三卷　《隋志》云："梁有，亡。"兩《唐志》作《三京賦音》一卷"，蓋因李軌《二京賦》，因誤以此三都爲三京。**誡林三卷**　見《隋志》。《唐志》入儒家。

曹毗　魏都賦注　《文選》注引。

皇甫謐　南都賦注　《文選》注引。

司馬彪　上林子虛賦注　《文選》注、《一切經音義》引。

晉灼　子虛甘泉賦注　《文選》注引。

郭璞　子虛上林賦注一卷　《隋志》云："梁有，亡。"

庾闡　揚都賦注　見《吳志·吳主傳》注。《水經·濡水》注引庾杲之《注揚都賦》。按闡字仲初，不字杲之，酈氏蓋誤。惟此注下文又云"仲初言在南，非也"，則又不誤，殆誤以杲之爲闡歟？

張載　劉逵　衛瓘注　左思三都賦三卷　《隋志》。

傅玄等撰　相風賦七卷　《隋志》云："梁有，亡。"

右軍行參軍虞千紀　迦維國賦二卷　《隋志》云："梁有，亡。"

蕭廣濟　木玄虛海賦注一卷　《隋志》云："梁有，亡。"

陸機　連珠一卷　《隋志》云："梁有《連珠》一卷，陸機撰，何承天注。亡。"

李曓靖　恭堂頌一卷　見《隋》、《唐志》。**木連理頌二卷**　《隋志》云："晉太元十九年羣臣上。"凡兩見。

張湛　古今箴銘集十四卷　錄一卷　見《隋志》。《唐志》作"十三卷"。

殷仲堪　雜論九十五卷　見兩《唐志》。**雜集一卷　策集一卷**　見《隋志》。

宗岱　明真論一卷　見《隋志》。

應貞注　古遊仙詩一卷　《隋志》云：“梁有，亡。”

李彪　百一詩二卷　《隋志》：“晋蜀郡太守。”

荀綽　古今五言詩美文五卷　《隋志》云：“梁有，亡。”

山濤　山公啓事三卷　見《隋志》。兩《唐志》作“十卷”。《文選》注引賈弼之
《山公表注》，或即此書。

王誕　四帝誡三卷　《隋志》云：“梁有，亡。”

范甯　啓事十卷　《隋志》三卷，注云：“梁十卷。”兩《唐志》仍十卷。

晋諸公奏十一卷　《隋志》云：“梁有，亡。”

陳壽　漢名臣奏三十卷　魏名臣奏三十卷　《隋志》均作“陳長壽撰”，
“長”字蓋誤衍。案《隋志》刑法類有陳壽《魏名臣奏事》四十卷，又《漢名臣奏事》三十
卷，不著撰人。《唐志》亦作“陳壽”，疑即此二書，今仍《隋志》兩列之。諸葛亮故
事二十四篇　《蜀志》云：“陳壽定。”本書壽傳言“撰蜀相《諸葛亮集》奏之”，即
指此書。

傅咸　集奏　《太平御覽》。

孫楚　集奏　《太平御覽》。

劉宏　教　《太平御覽》。

杜預　奏事　《太平御覽》。

孔羣　奏二十二卷　《隋志》云：“梁有，亡。”

金紫光禄大夫周閔　奏事四卷　《隋志》云：“梁有，亡。”

中丞虞谷　奏事六卷　《隋志》云：“梁有，亡。”

中丞劉邵　奏事六卷　《隋志》云：“梁有，亡。”

中丞高崧　奏事五卷　《隋志》云：“梁有，亡。”

中丞司馬無忌　奏事十三卷　《隋志》云：“梁有，亡。”

劉隗　奏五卷　《隋志》云：“梁有，亡。”

索靖　晋詩二十卷　本傳。

荀勖　讌樂歌辭十卷　《隋志》云：“梁有，亡。”太樂歌辭二卷　太樂

雜歌辭三卷　見《唐志》樂類。今從《舊唐志》入總集。

王鎮惡　與劉丹陽書一卷　《隋志》云:"梁有,亡。"

羊祜　墮淚碑一卷　《隋志》云:"梁有,亡。"

桓宣武　碑十卷　《隋志》云:"梁有,亡。"

設論集三卷　《隋志》云:"東晉人撰。"

杜嵩　任子春秋一卷　見《隋志》。《惠帝紀》亦作"嵩",《杜夷傳》作"崧"。

蔡謨　蔡司徒書三卷　《隋志》云:"梁有,亡。"

毛伯成　詩一卷　見《隋志》。又別集有《毛伯成集》一卷,疑即一書,今仍《隋志》兩列之。

晋歌章十卷　《隋志》云:"八卷,梁十卷。"下又有《晋歌章》十卷,云:"梁有,亡。"

晋歌詩十八卷　《隋志》云:"梁有,亡。"

索綏　六夷頌　《前涼錄》。

夏侯湛　周詩　本傳。

傅咸　七經詩　《藝文類聚》、《初學記》。

苻堅秦州刺史竇氏妻蘇氏　迴文詩八卷　織錦迴文詩一卷　《隋志》云:"梁有,亡。"

右總集類,六十八家。　失姓名七家。

二十五史藝文經籍志考補萃編總目